Zagrożenia dla Polski i polskości

Jerzy Robert Nowak

Zagrożenia dla Polski i polskości

Drogim Państwu Marlenie
i Marianowi
Hadasiom
polecając tę książkę pisaną
w obronie godności Polski
i Polaków
serdecznie
J. Robert Nowak
21 V 1998

Inicjatywa Wydawnicza «ad astra»
Warszawa 1998

Redakcja merytoryczna
Artur Zawisza

Łamanie, opracowanie graficzne i indeks
Tomasz Roguski – Wydawnictwo IKAR

Zdjęcie autora
Eva Jäger

Drukarnia „Efekt"
pp. Tadeusza Markiewicza i Jana Piotrowskiego

ISBN 83-87538-87-6

Errata znajduje się w tomie pierwszym.

Cena detaliczna t. I/II – 54 zł

**W marcu 1998 roku minęła, niestety, bez echa
60. rocznica Kongresu Związku Polaków w Niemczech, z tych powodów
na okładce tomu II przypominamy wypracowane na nim Prawdy Polaków.**

Autor i wydawnictwo chętnie przyjmą uwagi dotyczące książki.
Istnieje możliwość zorganizowania środowiskowego spotkania z autorem.

**Inicjatywa Wydawnicza «ad astra»
00-963 Warszawa 81, skr. poczt. 86
tel./fax (0-22) 625-10-28**

Prowadzimy sprzedaż wysyłkową naszych książek.
Informacje o wydawnictwie na końcu tomu II.

Jacek Krzystek, dyrektor

Z radością przyjąłem fakt przygotowania do druku nowej książki prof. Jerzego Roberta Nowaka „Zagrożenia dla Polski i polskości". Wypełnia ona bowiem ogromną lukę w kręgu polskich publikacji, przynosząc po raz pierwszy tak syntetyczny i wielostronnie udokumentowany obraz zagrożeń dla narodu polskiego w dzisiejszej dobie. Wielką zaletą książki jest to, że Autor nie ogranicza się do przedstawienia jakże dramatycznych aktualnych zagrożeń dla polskości, lecz na każdym kroku pokazuje, jak należy przeciwdziałać skrajnym schorzeniom różnych sfer polskiego życia. Czyni to z książki prof. Jerzego Roberta Nowaka tym potrzebniejszą lekturę dla wszystkich, którzy myślą i czują po polsku. Dla wszystkich, którzy chcą walczyć o to, aby Ojczyzna w pełni odpowiadała marzeniom naszych przodków o prawdziwej i suwerennej Polsce. Aby w pełni wyrażała całą istotę chrześcijańskich wartości, które przepajały Polskę od tysiąclecia i które tak mocno oddziałały na całą naszą historię i kulturę, stając się trzonem polskości. Wartości, które przez stulecia umacniały tak szczególną rolę patriotyzmu dla Polski i Polaków. To, o czym mówił wielki Papież-Polak Jan Paweł II w czerwcu 1979 roku: „Słowo «Ojczyzna» posiada dla nas takie znaczenie pojęciowe i uczuciowe zarazem, którego zdaje się nie znają inne narody Europy i świata".

ks. biskup Edward Frankowski

Tom I

Zagrożenia dla patriotyzmu

Spis treści

Wstęp

Jakże aktualne wydaje się dziś ostrzeżenie autorstwa głośnej publicystki polskiej Izy Moszczeńskiej w 1908 roku: *Kto kark do ziemi zgina, nie ma prawa dziwić się, że po nim depczą*. Głównym celem mojej książki jest właśnie przeciwdziałanie biernemu godzeniu się na „zginanie karku", na tolerowanie coraz bardziej otwartego poniewierania polskości, patriotyzmu i tradycji narodowych. Od lat obserwujemy przybierającą wciąż na sile falę antypolonizmu, podważania i załafszowywania najcenniejszych tradycji narodowych, rozwijania ataków na polskość i patriotyzm, urabiania „czarnej legendy" Polski i Polaków. Prawdziwie szokujący pod tym względem jest bilans roku, jaki upłynął w czasie przygotowywania do publikacji tej książki. By przypomnieć choćby takie sprawy jak telewizyjny paszkwil Izabelli Cywińskiej na Wileńszczyznę *Boża podszewka*, filmowy paszkwil Janusza Zaorskiego na amerykańską Polonię *Szczęśliwego Nowego Jorku*, karykaturalne zdeformowanie *Nocy listopadowej* Wyspiańskiego w przedstawieniu Jerzego Grzegorzewskiego w Teatrze Narodowym, chorobliwe zniekształcenie przedstawienia *Strasznego dworu* w reżyserii Andrzeja Żuławskiego. I wreszcie, niedawne tak, skrajne zafałszowanie obrazu wydarzeń marcowych 1968 roku w duchu uogólnień na temat polskiego „narodowego antysemityzmu", przepraszanie za kampanię pomarcową w imieniu całego narodu zamiast za przywódców partii komunistycznej, odznaczenie Orderem Orła Białego Karola Modzelewskiego i niszczyciela polskiego harcerstwa Jacka Kuronia. Doszło do tego wyraźne nasilenie ataków na wartości chrześcijańskie: usunięcie krzyży z Brzezinki, otwarte działania na rzecz usunięcia krzyża papieskiego z Oświęcimia, ataki na Ojca Świętego w SdRP-owskiej „Trybunie" i urbanowym „Nie", czarna seria podpaleń kościołów oraz dewastacji grobów i krzyży na cmentarzach.

Wszystko to jest dowodem, jak bardzo drogo płacimy za długotrwałą bierność wobec ataków na tradycyjne wartości, jak bardzo rozzuchwala tego typu „tolerancja" i jak bardzo niebezpieczne mogą się okazać jej przyszłe skutki dla Polski. Aby przeciwdziałać tym zagrożeniom, potrzebne są dokładne, wręcz szczegółowe diagnozy schorzeń. I to właśnie jest głównym tematem tej książki. W dotychczasowych publikacjach zbyt często skupiano się tylko na pokazywaniu poszczególnych aspektów zagrożeń dla polskiego patriotyzmu, deformowania i zniekształcania polskości. Celem mojej książki jest próba przedstawienia szerszego obrazu wielostronnych zagrożeń dla polskości i polskich interesów narodowych, pokazania ogromnej różnorodności płaszczyzn, na których od lat prowadzona jest systematyczna „wojna z Narodem". Wojna zmierzająca do całkowitego zniszczenia tradycyjnych wartości i polskiej tożsamości narodowej.

Byłem i jestem rzecznikiem narodowego samorozrachunku, jakże potrzebnego dla przezwyciężania narodowych wad i słabości. Dawałem temu wyraz w licznych publikacjach, między innymi w moim wyborze myśli Cypriana Kamila Norwida *Gorzki to chleb jest polskość* (1985), czy w wydanej dwukrotnie (1993 i 1994) książce *Myśli o Polsce i Polakach*. Uważałem jednak zawsze, że narodowy samorozrachunek powinien być kontynuacją „gryzących sercem" tekstów Mickiewicza, Słowackiego, Norwida, Prusa, Żeromskiego czy Wyspiańskiego. Tyle, że z takim dialogiem, pełnym miłości i zatroskania, nie mają nic wspólnego teksty dziś tak wpływowych krajowych rzeczników antypolonizmu. Ludzi, których teksty zamiast „gryźć sercem" kąsają z fanatyczną nienawiścią do polskości i patriotyzmu, zgodnie z tradycjami antynarodowej indoktrynacji komunistycznej.

Pragnę, aby ta książka, pokazując rozmiary dzisiejszego antypolonizmu, tym mocniej prowokowała zapytania o to, „gdzie nasza godność starej daty"? Aby zachęcała do stanowczej i konsekwentnej walki przeciw zniesławianiu Polski i Polaków. Aby jak najmocniej pomagała w zbliżeniu i współdziałaniu wszystkich kochających Polskę, w tworzeniu prawdziwie silnej, polskiej solidarności narodowej wobec aktualnych zagrożeń.

Jerzy Robert Nowak

Warszawa, 20 marca 1998

Rozdział I

Polskość a antypolonizm

W ciągu całego naszego życia widziałem w naszym kraju
tylko dwie partie. Partię polską i antypolską,
ludzi godnych i ludzi bez sumienia,
tych, którzy pragnęli ojczyzny wolnej i niepodległej, i tych,
którzy woleli upadlające obce panowanie

książę Adam Czartoryski

Wizje polskości

Nieraz pytamy, czym jest polskość? Dla mnie najpiękniejszą wypowiedzią na ten temat pozostaną na zawsze słowa Ignacego Paderewskiego wypowiedziane w 1910 roku, z okazji stulecia urodzin Chopina: *W Chopinie tkwi wszystko, czego nam wzbraniano: barwne kontusze, pasy złotem lite, posępne czamarki, krakowskie rogatywki i szlachecki brzęk szabli naszych, kos chłopskich połyski, jęk piersi zranionej, bunt spętanego ducha, krzyże cmentarne, przydrożne wiejskie kościółki, modlitwy serc stęsknionych, niewoli ból, wolności żal, tyranów przekleństwo i zwycięstwa radosna pieśń.*

Jakie wizje polskości są jednak dziś mi najbliższe jako dla Polaka żyjącego w czasie, gdy polskość i patriotyzm znowu znajdują się w sytuacji krańcowego zagrożenia, gdy ludzie kierujący najbardziej wpływowymi mediami chcieliby je za wszelką cenę wrzucić do lamusa i zakryć wielkim kamieniem grobowym?

Gdy myślę o polskości, to widzę ją od początku, od zarania dziejów jako trwałą niezgodę na ukłon, na serwilizm wobec obcych potęg, w odróżnieniu od czeskich Przemyślidów, którzy od razu pośpieszyli się ze składaniem hołdu cesarzom. Myślę o naszym pierwszym wielkim królu, który wybrał wchodzenie do Europy jako równy z równymi (sławny Rok Tysiączny) i zbrojnie odrzucił imperialne zapędy „europejczyków" Henryka II, srodze poturbowawszy ich hufce. Myślę o polskości Chrzanowskiej broniącej Trembowli, Jasińskiego i Korsaka na szańcach Pragi, generała Sowińskiego broniącego się w kościele na Woli. O polskości opartej na szczególnej roli powstań narodowych, nazywanych „sumień kołatką, co nie dała do reszty zgnuśnieć nam w niewoli". O pokoleniach idących na szańce kolejnych „Termopil polskich" w myśl słów: „O ojców grób bagnetów poostrz stal". O Traugucie, dyktującym ostatnie rozkazy Rządu Podziemnego. O polskości jako symbolu oporu Polski, buntującej się na przekór imperium carów i na przekór imperium pierwszych sekretarzy, i na przekór obojętnej Europie. O polskości westerplatczyków, Szarych Szeregów i Powstańców Warszawskich. Polskości leśnych oddziałów AK i WIN-u, powstańców Poznania 1956, robotników Wybrzeża 1970 i 1980 roku.

Myślę o polskości jako wspaniałym symbolu tolerancji i otwartości na inne narody, otwartości niebywałej w całej ówczesnej Europie (wręcz „nieeuropejskiej", na tle fanatycznych narodowych i religijnych rzezi, które powtarzały się przez stulecia w reszcie Europy). Myślę o pierwszej w historii Europy dobrowolnej federacji narodów, opartej na wzajemnym porozumieniu i zbrataniu. To, co pisał Joseph Conrad w 1916 roku o unii Polski z Litwą jako „jedynej w swoim rodzaju w historii świata, spontanicznej i całkowitej unii suwerennych państw, świadomie wybierających drogę pokoju" w czasie, gdy inne narody Europy znały ciągle drogę jednoczenia tylko „ogniem i mieczem", tak jak „łączyła się" Anglia ze Szkocją czy Irlandią. O Polsce, którą słynny amerykański historyk Robert Howard Lord nazwał *najswobodniejszym państwem w Europie w szesnastym i siedemnastym wieku, państwem, w którym przeważała wolność konstytucyjna, obywatelska i umysłowa.*

Myśląc o polskości, przywołuję pamięć szczególnego związku Kościoła katolickiego z Narodem. Myślę o jakże licznym zastępie duchownych przepojonych nieugiętym polskim patriotyzmem. O postaciach typu arcybiskupa Jakuba Świnki, płomiennego kaznodziei Piotra Skargi, pioniera obrony polskiego interesu narodowego pijara Stanisława Konarskiego, ostatniego partyzanta Powstania Styczniowego księdza Stanisława Brzóski, o harcie ducha podlaskich unitów broniących równocześnie wiary i polskości. O księdzu Ignacym Skorupce, zagrzewającym do walki z bolszewicką nawałą, o największym po drugiej wojnie światowej obrońcy patriotyzmu wobec komunistycznego totalitaryzmu Prymasie Tysiąclecia kardynale Stefanie Wyszyńskim i wielkim Papieżu–Polaku Janie Pawle II.

Myślę o polskości wielkiej literatury romantycznej, wciąż wysławiającej uparty, niezłomny pęd Polaków ku wolności, z taką nostalgią opisany w słowach Mickiewicza:

A gdy w nocy trąbka dzwoni
tak mi serce mocno skacze
Myślę, że trąbią do koni,
A potem aż do dnia płaczę.

Oczy zamknę, to się marzy
Nasze konie, chorągiewki,
Ognie nocne, krzyki straży
I wiarusów naszych śpiewki.

To właśnie ta wielka literatura romantyczna zrobiła z nazwy Polski, tak jak chciał Słowacki: *Pacierz, co płacze, i piorun, co błyska.* A piórem Krasińskiego wyrażała niezłomną wiarę w to, że Polska nigdy nie zginie, wbrew obojętnej *Europie bez czucia – bez dumy*.

Myślę również o polskości wyrażanej przez późniejszych wielkich naszej literatury, identyfikujących się bez reszty, tak jak Norwid, z krajem, *gdzie ostatnia świeci szubienica*, wbrew wschodniej *karności harapu* i zachodniemu kłamstwu i *pysze pych*. O polskości wyrażanej w Sienkiewiczowskich dziełach *dla pokrzepienia serc*, tak opiewanej przez Żeromskiego *bywającej tylko w Polsce* i *nie znanej nigdzie na świecie zamurowanej dozgonnej wierności dla przegranej sprawy* czy Wyspiańskiego, marzącego w *długie narodowe noce* o wielkości polskiego zrywu.

Myślę wreszcie o polskości otwartej na całą prawdę o swoim Narodzie, wolnej od zadufania, widzącej narodowe wady: słomiane ognie i straszliwe zaniechania, przegrywanie zwycięstw i kunktatorstwo elit, bezinteresowną zawiść i łatwość przebaczania zdrajcom. Polskości stanowczo rozliczającej się z nimi, w imię prawdziwego ukochania tego narodu, w tekstach „gryzących sercem", tak jak to robił Norwid, Żeromski czy Wyspiański, a nie w imię narodowego masochizmu czy nihilizmu.

Tej, tak wielobarwnej, wspaniałej polskości chcieliby nas pozbawić dzisiejsi kosmopolityczni pseudoeuropejczycy, gotowi do odrzucenia całego jej bogactwa, uznania go za nienormalne, godne podeptania. Czy wolno nam zrezygnować z całego dorobku polskości, o który nasi przodkowie walczyli w dużo cięższych niż my warunkach?

Istota antypolonizmu

Zbyt mało pamiętamy, że polskość właściwie od zarania naszych dziejów musiała zderzać się z wrogością i nienawistnymi oszczerstwami. Nasze położenie geopolityczne sprawiało, że mieliśmy aż nazbyt wielu wrogów, którym przeszkadzała Polska i przeszkadzali Polacy, tym, że w ogóle żyją i chcą zachować swą własną tożsamość. I, na dodatek, nie chcą się poddać żadnemu najeźdźcy czy pójść na jakąkolwiek formę usłużnego przystosowania i kolaboracji. Złość na tak nieugięty naród musiała potęgować skłonności do jego zohydzania. A wystąpiły one bardzo wcześnie, bo już w początkach państwowości polskiej – w niemieckiej kronice bpa Merseburga Thietmara (975–1018). Jak nie bez racji stwierdził profesor Piotr Jaroszyński podczas dyskusji Ruchu Naprawy i Rozwoju o antypolonizmie, zorganizowanej w październiku 1996 roku: *Antypolonizm istnieje, odkąd istnieje Polska.*

W dzisiejszych czasach, gdy tak mocno zderzamy się z ofensywą antypolonizmu przeciw Polsce i polskości, tym mocniej warto zastanowić się nad istotą samego pojęcia antypolonizmu, tak często przemilczanego i nawet negowanego. Sądząc po wypowiedziach naszych krajowych kosmopolitów z „elitki", w ogóle nie ma czegoś takiego jak antypolonizm. Jest antyrosyjskość, antyniemieckość, antyczeskość, antylitewskość, antyukraińskość, a nade wszystko antysemityzm. Nie ma tylko antypolonizmu. Już nieodżałowany Kisiel zauważył kiedyś, że Adam Michnik jest pobłażliwy dla każdego nacjonalizmu – poza polskim. Stąd podnosi się ogromne larum wokół maleńkich grupek nacjonalistycznych w Polsce, choć nie zdobyły żadnego mandatu w kolejnych wyborach od 1989 roku. A jednocześnie bardzo pobłażliwie traktuje się autentyczne wybuchy szowinizmu w Niemczech, gdzie w latach dziewięćdziesiątych spowodowały one śmierć kilkudziesięciu osób, głównie cudzoziemców.. Najbardziej wpływowe polskie media, skłonne do tropienia na każdym kroku domniemanego polskiego „nacjonalizmu" czy antysemityzmu, równocześnie wręcz wyspecjalizowały się w przemilczaniu wyskoków antypolonizmu w różnych krajach, lub też w ich starannym pomniejszaniu. Co gorsza, w większości bibliotek polskich nawet w katalogach nie znajdzie się hasła „antypolonizm", choć te same katalogi na przykład pod hasłem „antysemityzm" zamieszczają setki pozycji. Pojęcie antypolonizmu długo było pomijane również w encyklopediach. O ile wiem, po raz pierwszy hasło to znalazło się dopiero w wydanym w 1997 roku pierwszym tomie suplementu do reprintu encyklopedii Gutenberga, wydanego pod redakcją byłego rektora KUL, księdza profesora Mieczysława Krąpca (por. J.R. Nowak: *Antypolonizm*, w: *Wielka ilustrowana encyklopedia powszechna*, Warszawa 1997, t. XXIII (I), s. 269–271).

Jak zdefiniować, czym jest antypolonizm? Spośród różnych definicji najbardziej odpowiada mi określenie sformułowane przez znanego niepodległościowego publicystę Adama Chajewskiego w jego trzyodcinkowym cyklu na temat wschodniego antypolonizmu, opublikowane w tygodniku „Nasza Polska". Według Chajewskiego: *antypolonizm jest to manifestowana publicznie postawa uprzedzeń, nienawiści i wrogości do Polski i Polaków oraz nazwa poglądów na tę postawę uzasadnianych przesłankami etnicznymi, historycznymi, religijnymi przy posługiwaniu się kłamstwem, insynuacją, manipulacją* (por. A. Chajewski: *Antypolonizm wschodni* (cz. I), „Nasza Polska", 24–31 grudnia 1997). Dodałbym do tego jednak, że antypolonizm częstokroć szedł w parze z działaniami mającymi na celu zniszczenie polskiego państwa, a nawet narodu. Wyrażało się to już w X, XI i XII wieku w działaniach niektórych cesarzy i feudałów niemieckich dążących do rozbicia Polski Piastów oraz w zaborczych zakusach Krzyżaków. Dążąc do zohydzenia Polaków na zachodzie ówczesnej Europy propaganda krzyżacka podawała w wątpliwość prawdziwość nawrócenia Polaków na chrześcijaństwo. W 1392 roku cesarz Zygmunt Luksemburski wysunął pierwszy w historii projekt rozbioru Polski, według którego całość ziem ówczesnego Królestwa Polskiego miała być podzielona miedzy zakon krzyżacki, Węgry, Wacława IV Czeskiego, margrabiego brandenburskiego Josta i Jana Zgorzelskiego z Nowej Marchii. Pierwszy traktat przewidujący rozbiór Rzeczypospolitej Obojga Narodów między Szwecję, Brandenburgię, Siedmiogród oraz Bogusława Radziwiłła zawarto 6 grudnia 1656 roku w Radnót (Siedmiogród), jednak upadek koalicji uniemożliwił wprowadzenie tej umowy w życie. Za jednego z czołowych przedstawicieli antypolonizmu w XVII wieku uważany jest czeski pedagog J.A. Komensky (1592–1670), który popierał najazd szwedzki na Polskę, mimo że uzyskał w niej długoletnie schronienie (z przerwami przebywał w Lesznie w latach 1628–1655).

Antypolonizm zaborców

Początki antypolonizmu zorganizowanego na szeroką skalę i będącego wyrazem państwowej polityki wiążą się z rządami króla Prus Fryderyka II i carycy Rosji Katarzyny II. Swoje dążenia do rozbioru Polski starali się oni uzasadnić poprzez upowszechnianie „czarnej legendy" o Polsce jako kraju wyjątkowej jakoby anarchii i fanatyzmu religijnego, Polski – „chorego człowieka Europy". W liście do pruskiego rezydenta w Warszawie Gedeona Benoit, w 1775 roku Fryderyk II tak wyraził konsekwentne cele pruskiej polityki wobec Polski: *Im bardziej będzie Polska skłócona, im więcej w niej będzie rozbratu i zamętu (...) tym to dla mnie lepiej, tym korzystniej dla mych interesów* (cyt. za W. Konopczyński: *Fryderyk Wielki a Polska*, Poznań 1981, s. 172). Jeszcze dosadniej wypowiedziała się caryca Katarzyna II, głosząc: *Z Prusakiem należy się imać wszelkich sposobów, lecz z Polakami nie ma w ogóle nic zabawniejszego, jak ich bić* (cyt. za A. Gella: *Naród w defensywie*, Londyn 1987, s. 19).

Antypolska polityka Katarzyny II i Fryderyka II znalazła w XIX wieku licznych kontynuatorów we wszystkich trzech mocarstwach zaborczych, które dokonały rozbioru Polski. Swego rodzaju ton nadał tu car Mikołaj I, który „wsławił się" określeniem: *Znam tylko dwa gatunki Polaków, tych których nienawidzę i tych, którymi gardzę*. Prawdziwie przerażający był fakt, że przeważająca część rosyjskich środowisk intelektualnych uległa w XIX stuleciu fanatycznemu wręcz szowinizmowi antypolskiemu (poza nielicznymi chlubnymi wyjątkami typu Aleksandra Hercena czy Lwa Tołstoja). Listę arcyszowinistów otwierał, niestety, największy poeta rosyjski Aleksander Sergiejewicz Puszkin, wierszami *Oszczercom Rosji* i *W rocznicę Borodina* oraz prawie nie znaną w Polsce, skrajnie szowinistyczną korespondencją z lat 1830–1831. Można tam znaleźć zwroty sugerujące, iż wojna z Polską powinna być wojną na wyniszczenie (list do Jelizawiety M. Chitrovo z 9 grudnia 1830). Inny rzekomy „przyjaciel Moskal" – poeta rosyjski, były dekabrysta Aleksander A. Bestużew, opiewany w głośnym wierszu Mickiewicza *Do przyjaciół*

Moskali w 1831 piętnował „zdradę warszawską” (tj. Powstanie Listopadowe) i wyrażał błogą nadzieję, że *krew zaleje na zawsze polskich panów*. Do największej eksplozji antypolskiego szowinizmu w Rosji doszło po wybuchu Powstania Styczniowego. Czołowy ówczesny polakożerca, publicysta Michaił N. Katkow, „wsławił się” dość szczególnym postulatem: *dogłupit Polszu do urownia Rossiji* [ogłupić Polskę do poziomu Rosji] (cyt. za W. Sobieski: *Dzieje Polski*, Warszawa 1925, t. III: *Dzieje ostatnich dwu pokoleń*, s. 29). W ślad za Katkowem szła długa lista rosyjskich pisarzy, poetów i publicystów, „wsławionych” wychwalaniem Murawiewa–Wieszatiela, czy z upojeniem opiewających rzeź Pragi w 1794 roku jako szczególnie „udany wzorzec” postępowania z Polakami. Słynny liryk rosyjski Fiodor Tiutczew nazwał Polskę „Judaszem Słowiańszczyzny”, by uzasadnić tym gorsze wobec niej postępowanie.

Antypolonizm państw zaborczych znajdował wyraz w próbach odpowiedniego kształtowania świadomości Polaków w poszczególnych zaborach, w fałszowaniu polskiej historii i tradycji. Swoisty typ antypolonizmu uzasadnianego racjami postępu zaprezentował F. Engels w liście do K. Marksa z 1851 roku: *im więcej rozmyślam nad historią, tym jaśniej widzę, że Polacy są narodem skazanym na zagładę, którym można tylko posługiwać się jako narzędziem, dopóki sama Rosja nie zostanie wciągnięta w wir rewolucji agrarnej. Od tej chwili Polska nie będzie miała żadnej racji bytu (...) Wniosek: odebrać na zachodzie Polakom wszystko co się da, obsadzić ich miasta – zwłaszcza Poznań – Niemcami pod pozorem ochrony, pozwolić im gospodarować, posyłać ich w ogień, ograbiać do cna z żywności ich kraj, a gdyby udało się wprawić w ruch Rosjan – sprzymierzyć się z nimi i zmusić Polaków do ustępstw* (por. K. Marks, F. Engels: *Dzieła*, t. 27, Warszawa 1968, s. 311). Niemieckim polakożercą numer jeden był oczywiście „żelazny kanclerz” Otto von Bismarck, „wsławiony” wypowiedziami w stylu: *Bijcie Polaków, ażeby aż o życiu zwątpili.*

„Komercyjny antypolonizm” części intelektualistów Zachodu

Przez ponad sto lat propaganda trzech mocarstw zaborczych, które rozebrały Polskę, robiła co mogła, aby usprawiedliwić zbrodnię rozbiorów i skompromitować w świecie „anarchiczną” Polskę. Antypolonizmowi zaborców wtórował antypolonizm niektórych twórców zachodnich, wyrażany najczęściej w zamian za sowite wynagrodzenie od rozbiorców Polski. Bardzo typowa pod tym względem była postawa XVIII-wiecznego oświeceniowego intelektualisty Woltera, nieraz szumnie nazywanego „ojcem tolerancji". W rzeczywistości Wolter był skrajnym nienawistnikiem, nie znoszącym ludzi o innych poglądach. „Wyróżnił się" między innymi fanatyczną nienawiścią do Kościoła katolickiego i... do Żydów. (Nie mogąc przeboleć faktu, że został wyprowadzony w pole przy jakimś nieczystym interesie przez sprytniejszego odeń żydowskiego wspólnika, Wolter tym chętniej uogólniał swe antyżydowskie fobie. Nazywał Żydów *najbardziej wstrętnym narodem pełnym ignorancji i barbarzyństwa* i *przesądów zasługujących na pogardę*, choć „tolerancyjnie" dodawał osławione zalecenie: *Nie należy ich jednak palić!*) W zamian za hojne prezenty od Katarzyny II (futra sobolowe i szkatuły z kości słoniowej i złota) i za porcelanę od Fryderyka II stał się skrajnym chwalcą rozbioru Polski, pisząc do Fryderyka II (18 listopada 1772), że to był „pomysł geniusza" (wg *Publikationen aus den K. Preussischen Staatsarchiven*, Leibnitz 1911, t. 86, s. 247). W jednym z listów do Katarzyny II Wolter sławił ją za to, iż wysławszy wojska do Polski obroniła ją przed wojną domową i zapewniła jej pokój. Co więcej – według Woltera – armia rosyjska – *miast pustoszyć wzbogacała Polskę* (cyt. za S. Kot: *Rzeczpospolita Polska w literaturze politycznej Zachodu*, Kraków 1919, s. 205). Gdy ktoś dobrze znający Rosję próbował kiedyś odradzić Wolterowi pisanie zbyt pochlebnie o państwie carów i o Katarzynie II, Wolter odpowiedział bez żenady: *Ależ drogi Panie, przysłali mi przecież dobre futra, a ja jestem wielki zmarzluch.*

Wolter stał się prawdziwym prekursorem „komercyjnego antypolonizmu" części twórców Zachodu, gotowych – najczęściej za sowitą zapłatą – nadużywać swego autorytetu dla afirmowania najhaniebniejszych nawet działań zaborców Polski. Typowa pod tym względem była postawa słynnego pisarza francuskiego Honorè de Balzaca. Stopniowo wykazując coraz więcej poparcia dla polityki cara Mikołaja I wobec Polski, nazwał on Polaków „podpalaczami Europy". Takie podejście Balzaca miało bardzo prozaiczny powód. Wiecznie tonący w długach Balzac chciał jak najszybciej ożenić się z posażną panią Hańską, a to było uzależnione od zgody cara na małżeństwo pani Hańskiej z cudzoziemcem.

W XX wieku było szczególnie wiele przypadków, gdy różne wybitne postaci życia intelektualnego Zachodu w imię swych egoistycznych interesów i interesików stawały po stronie wrogów Polski (między innymi Herbert George Wells i George Bernard Shaw – por. szerzej J.R. Nowak: *Myśli o Polsce i Polakach*, wyd. II, Katowice 1994, s. 228–229 i 250–251).

Trzeba tu jednak dodać również, że kampania antypolonizmu prowadzona przez zaborców napotykała nierzadko już w XIX wieku silne i skuteczne przeciwdziałania ze strony polskich środowisk na Zachodzie (od wykładów i publicystyki Adama Mickiewicza poprzez wielostronną działalność dyplomatyczno-polityczną Hotelu Lambert pod kierownictwem księcia Adama Czartoryskiego po publicystykę Juliana Klaczki). Stanowczy głos w obronie praw Polski zabierali liczni wybitni twórcy i uczeni (m.in. Pierre Béranger, George Byron, Wiktor Hugo, Jules Michelet). Bronili Polskę też niektórzy intelektualiści w państwach zaborczych, choć należeli tam do wyraźnej mniejszości (m.in. Aleksander Odojewski, Aleksander Hercen, Lew Tołstoj, Richard Wagner, Fryderyk W. Nietzsche). W XX wieku w obronie spotwarzanych Polaków wypowiadała się cała plejada wybitnych intelektualistów Zachodu, od Gilberta Keitha Chestertona po George'a Orwella.

Początki antypolonizmu w środowiskach żydowskich

Rozwijana przez carat polityka „dziel i rządź" na terenie zaboru rosyjskiego w Polsce doprowadziła w końcowych dziesięcioleciach do rozbicia wielkiej części efektów integracji między Polakami a Żydami, szczególnie silnej w ostatnich kilku latach przed Powstaniem Styczniowym. Władze carskie naciskami i jawnym terrorem doprowadziły do osiedlenia się na ziemiach polskich kilkuset tysięcy Żydów z głębi Rosji (tzw. litwaków). Stanowili oni element obcy kulturze polskiej i najczęściej zapominając o dawnych prześladowaniach ze strony caratu stali się narzędziem rusyfikacji w Polsce. Fakt ten szczególnie ostro piętnowali wybitni patrioci polscy żydowskiego pochodzenia (tzw. asymilatorzy) jak historyk Wilhelm Feldman. Spośród litwaków wywodzili się najwięksi przeciwnicy niepodległości Polski oraz polskości w ruchu robotniczym, zwłaszcza w SDKPiL, a później w KPP. Jeden z najwybitniejszych polskich patriotów żydowskiego pochodzenia Julian Unszlicht, później ksiądz katolicki (brat osławionego bolszewika, członka samozwańczego „rządu" bolszewickiego w Białymstoku w 1920 roku – Józefa

Unszlichta), wydał w latach 1911–1912 dwie obszerne książki demaskujące antypolonizm „litwackiej Targowicy". W książce *Socjallitwactwo w Polsce* (Kraków 1911, s. 84), Unszlicht pisał wprost o działaniach Żydów–litwaków, skupionych wokół Róży Luksemburg: *Utrwalić najazd moskiewski – co prawda „zdemokratyzowany" w Polsce – oto obiektywny cel nacjonalizmu żydowskiego u nas. Przykryć to wszystko frazesem „socjalistyczny" – oto sposób otumanienia umysłów robotników polskich, aby przy ich pomocy dobić „trupa" znienawidzonej Polski i na nim organizację żydowską „narodową" wybudować.*

Antypolonizm dużej części środowisk żydowskich (zwłaszcza Żydów niemieckich i amerykańskich) wyraził się w pierwszej wielkiej XX-wiecznej kampanii antypolonizmu – w czasie pierwszej wojny światowej. Rozpowszechnianie oszczerczych twierdzeń o rzekomych polskich okrucieństwach i pogromach dokonywanych na Żydach miało służyć zniweczeniu polskich planów odzyskania niepodległości (strach przed polskim państwem, zdominowanym przez wyznawców katolicyzmu). Żydowscy inspiratorzy kampanii antypolonizmu dążyli do utworzenia rodzaju państwa buforowego Judeo-Polonii. Miałoby ono, w myśl koncepcji tzw. Deutschen Komittee zur Befreiung der russischen Juden (Niemieckiego Komitetu Wyzwolenia Żydów Rosyjskich) przedstawionych władzom niemieckim, na trwałe rozczłonkować ludność polską i zapobiec realizacji polskich aspiracji niepodległościowych. Nowe państwo buforowe byłoby, według tych koncepcji, zdominowane przez sześć milionów Żydów z Polski i z Rosji (por. J.R. Nowak: *Haniebna karta*, cykl „Przemilczane świadectwa" (21), „Słowo – Dziennik Katolicki", 24 marca 1995). Ten tak niebezpieczny dla Polaków, ale na szczęście nie zrealizowany przez Niemców pomysł, został bardzo ostro potępiony jeszcze w 1919 roku na zjeździe Polaków wyznania mojżeszowego. Już w czasie wojny kilku polskich patriotycznych publicystów pochodzenia żydowskiego (Bernard Lauer, Herman Feldstein, Emil Deiches) wystąpiło w odrębnych publikacjach książkowych wydanych na Zachodzie przeciw antypolskim oszczerstwom żydowskich szowinistów (por. szerzej J.R. Nowak: *Fałsze o pogromach*, w cyklu: *Przemilczane świadectwa* (22), „Słowo – Dziennik Katolicki", 31 marca 1995, tenże: *W obronie prawdy*, w cyklu: *Przemilczane świadectwa* (23), „Słowo – Dziennik Katolicki", 7 kwietnia 1995). Dodajmy, że uprawiana przez część środowisk syjonistycznych nagonka antypolska, pełna fałszerstw i oszczerstw, spotkała się z bardzo ostrym potępieniem ze strony popularnego w owym czasie żydowskiego pisarza z Niemiec, Benjamina Segela, w jego obszernej, opublikowanej w dwóch wydaniach, a dziś świadomie całkowicie przemilczanej książce *Die polnische Judenfrage* (Berlin 1916).

Antypolonizm Rosji sowieckiej, Niemiec weimarskich i hitlerowskich

Powstanie Polski Niepodległej w 1918 roku i zakończenie kształtowania jej granic po zwycięskiej wojnie z Rosją sowiecką w 1920 roku na parę dziesięcioleci zadecydowało o charakterze antypolonizmu. Był on odtąd bardzo silnie związany z rewizjonistycznymi antypolskimi dążeniami dwóch wielkich państw sąsiadujących z Polską i marzących o ostatecznym odwecie. Z jednej strony Rosji sowieckiej, wciąż dążącej do zrealizowania apelu generała z wojny 1920 roku (późniejszego marszałka ZSRR), Michaiła N. Tuchaczewskiego: *Po trupie Polski do rewolucji ogólnoświatowej.* I wiernie trzymającej się założeń Lenina: *Polska niepodległa jest bardzo niebezpieczna dla Rosji sowieckiej; stanowi zło, które jednakże w obecnych czasach ma również swoje dobre strony, ponieważ dopóki istnieje, możemy spokojnie liczyć na Niemcy, gdyż Niemcy nienawidzą Polski i w każdej chwili będą z nami współpracować, by ją zdławić* (cyt. za J. Karski: *Wielkie mocarstwa a Polska (od Wersalu do Września),* t. I, wyd. podziemne KOS, Warszawa 1987, s. 59). Z drugiej strony, były Niemcy weimarskie, konsekwentnie dążące do likwidacji Polski jako głównego celu polityki niemieckiej wytyczonego już w 1922 roku przez kanclerza Rzeszy Józefa Wirtha i szefa sztabu Reichswehry Hansa von Seeckta. W publicystyce niemieckiej tego okresu Polskę przedstawiano powszechnie jako państwo sezonowe (Saisonstaat). Dążenie do likwidacji Polski miało w Niemczech bardzo szerokie poparcie społeczne. Poważny organ demokratyczny „Frankfurter Zeitung" z 14 czerwca 1925 roku pisał: *Tak czy inaczej Polska musi wyjść z wojny celnej śmiertelnie ranna. Z jej krwią odpłyną jej siły, a wreszcie i jej niepodległość. A wtedy, za lat kilka, w porozumieniu z Rosją, dobijemy umierającą.* Dojście Hitlera do władzy w Niemczech przyśpieszyło przygotowania do krwawej rozprawy z Polską. Aż we wrześniu 1939 roku Polska padła pod uderzeniami Niemiec hitlerowskich i Rosji sowieckiej i znalazła się pod jarzmem dwóch okrutnych okupantów. Fakty na ten temat są powszechnie znane.

Wraz ze zbliżaniem się końca wojny Polska i Polacy stawali się celem nowej, szczególnie wyrafinowanej kampanii antypolonizmu, rozwijanej w świecie przez systematyczne działania sowieckich agentów i propagandystów. Szczególnym impulsem dla tej kampanii stało się wykrycie zbrodnii katyńskiej. Aby odwrócić uwagę Zachodu od swych zbrodni i ciemnych zamysłów wobec krajów Europy Środkowowschodniej, Sowieci do perfekcji rozwinęli metodę zohydzania krajów, które miały paść ich ofiarą, a szczególnie Polski. Ulubioną bronią Kremla na całe dziesięciolecia stało się oskarżanie Polaków o „faszyzm, reakcyjność, antysemityzm i nacjonalizm". Chodziło przede wszystkim o pokazanie Zachodowi, że taki „faszystowski i antysemicki" naród jak Polacy musi być dopiero uczony demokracji „twardą ręką". Nauczycielami karcącymi „niegrzecznych polskim nacjonałów" miały być, oczywiście, władze sowieckie i ich polskie marionetki komunistyczne. W swej kampanii antypolonizmu Związek Sowiecki zręcznie wykorzystywał fakt, że przywódcy mocarstw zachodnich, którzy poświęciwszy kraje Europy Środkowej w Jałcie mieli nieczyste sumienia, byli szczególnie poirytowani na Polaków, wciąż przypominających o ich zdradzie. Jak wspominał po latach były ambasador amerykański w Moskwie George Kennan zachodni alianci nie lubili Polaków dlatego, że *Polacy tak bardzo chcieli bronić swojej niepodległości, co było dla Aliantów kłopotliwe. Chcieli oni, żeby Polacy stawiali opór Niemcom, ale poddali się Rosjanom. Czesi, którzy poddali się Rosjanom od razu – którzy pozwolili zrobić, co chcieli z Czechosłowacją – byli bardziej popularni na Zachodzie* (por. szerzej J.R. Nowak: *Myśli o Polsce i Polakach...*, s. 256).

Buntowniczość Polaków, po wojnie stwarzających wciąż najwięcej problemów sowieckiemu imperium, sprawiała, że propaganda sowiecka przez cały czas powojenny dalej inspirowała rozwój kampanii antypolonizmu. Zarówno na Zachodzie, jak i w krajach tzw. obozu socjalistycznego, począwszy od 1956 roku władze sowieckie inicjowały kolejne fale potępień „polskiej zarazy" przez naszych sąsiadów ze wschodu, zachodu i południa. Przez całe dziesięciolecia z inicjatywy władz sowieckich trwała akcja przerabiania podręczników, książek historycznych i publicystycznych we wszystkich krajach „obozu" w duchu odpowiedniego zohydzenia tradycji „Polski panów", polskiej „anarchii" i „nacjonalizmu". Kampania ta przybrała szczególnie na sile po polskim Sierpniu 1980 roku.

Nowa fala antypolonizmu w środowiskach żydowskich

W akcji szkalowania Polaków sowieccy propagandyści i agenci bardzo chętnie odwoływali się do pomocy niektórych lewicowych środowisk żydowskich, korzystając z ich znajomości języka i polskich realiów, co tym bardziej ułatwiało ich propagandową deformację. Nieprzypadkowo jednym z najniebezpieczniejszych oszczerców Polski już od końca wojny stał się bardzo wpływowy w prasie zachodniej „sowietolog" Izaak Deutscher. „Dzielnie" sekundowali mu w urabianiu „czarnej legendy" Polaków różni sowieccy agenci, systematycznie infiltrujący polskie środowiska na Zachodzie. Typu Stefana Litauera, w latach 1936–1941 korespondenta Polskiej Agencji Telegraficznej w Londynie, przewodniczącego Foreign Press Association. Właśnie Litauer z polecenia Moskwy już w początkach sierpnia 1944 nadał ton kolejnej kampanii oszczerstw antypolskich, pierwszy atakując Powstanie Warszawskie w prasie angielskiej jako „faszystowską ruchawkę".

Stopniowo, zwłaszcza od wejścia w życie w 1953 roku porozumienia RFN–Izrael o odszkodowaniach dla Żydów, coraz częściej z inspiracji różnych wpływowych kół niemieckich podejmowano działania mające na celu „przyczernienie" obrazu Polaków (w stosunku do Żydów) w czasie II wojny światowej i równoczesne wybielenie Niemców. W latach osiemdziesiątych i dziewięćdziesiątych znalazło to wyraz w najbardziej oszczerczym kłamstwie o „polskich obozach koncentracyjnych", w których zginęły miliony Żydów, przy coraz wyraźniejszym przemilczaniu roli prawdziwych zbrodniarzy niemieckich (por. szerzej J.R. Nowak: *Przyczernianie Polski dla wybielenia Niemiec*, cykl „Przemilczane świadectwa" (4), „Słowo – Dziennik Katolicki", 25 listopada 1994). Innym źródłem kampanii antypolskich były próby ustawienia Polski w roli kozła ofiarnego, na którego można było zrzucić odpowiedzialność za własne karygodne zaniedbania. Fakt, że Polska z woli Niemiec stała się cmentarzyskiem kilku milionów Żydów, miał ułatwić zrzucanie na nią współodpowiedzialności za zagładę Żydów. Wszystko zaś w celu zatuszowania niebywałej bezczynności i bierności Żydów amerykańskich w czasie wojny. Spośród nich rekrutuje się dziś największa liczba fanatycznych antypolskich oszczerców (por. szerzej J.R. Nowak: *Zagłuszanie wyrzutów sumienia*, w cyklu: *Przemilczane świadectwa* (5), „Słowo – Dziennik Katolicki", 2 grudnia 1994). I wreszcie akcja szkalowania Polski miała odwrócić uwagę od sprawy najhaniebniejszej. Chodziło o współpracę z Niemcami przeważającej części Judenratów i tysięcy członków policji żydowskiej przy deportowaniu setek tysięcy Żydów do obozów zagłady. Współpracę, którą tak dramatycznie napiętnowała najsłynniejsza myślicielka żydowska XX wieku Hannah Arendt w świadomie przemilczanym u nas przez wiele lat dziele *Eichmann w Jerozolimie* (por. szerzej: J.R. Nowak: *Żydowscy kolaboranci*, „Przemilczane świadectwa" (7), „Słowo – Dziennik Katolicki", 16 grudnia 1994).

Było jeszcze jedno – szczególnie ohydne źródło antypolonizmu w części środowisk żydowskich na Zachodzie. Była nim wcale niemała rzesza byłych ubeków, sędziów i prokuratorów żydowskiego pochodzenia zamieszanych w katowanie Polaków w dobie stalinizmu. Część z nich nader aktywnie włączyła się do polakożerczych kampanii na Zachodzie, widząc w tym dogodną okazję do odwrócenia uwagi od swojej złowieszczej przeszłości. Kto bowiem będzie się przejmować losem odpowiednio zniesławionych polskich „faszystów" i „antysemitów". O tej grupie oszczerców nader wymownie pisał Leopold Tyrmand w swej wydanej na emigracji demaskatorskiej *Cywilizacji komunizmu*. Warto przypomnieć tu również ocenę byłego ministra kancelarii prezydenta RP, a dziś posła na Sejm Andrzeja Zakrzewskiego, w swoim czasie aktywnie zaangażowanego w działającej przy prezydencie Wałęsie Radzie ds. Stosunków Polsko-Żydowskich. Zakrzewski, mówiąc o źródłach upowszechniania postaw antypolskich wspomniał, iż: *istnieje grupa ludzi, na którą zwrócili mi uwagę przyjaciele w Izraelu. Nazwali ich „poszukiwaczami antysemityzmu". Ci łapacze rekrutują się z dawnego aparatu partyjnego, bezpieki, którym tu było dobrze – dywany, telefony, sekretarka. Wyjechali – i okazało się, że są bez zawodu. Tu rządzili, a tam? Ta zadra ich uwiera* (cyt. za *Chamy i Żydy – rok 1995*. Rozmowa R. Walenciaka z prof. A. Zakrzewskim, „Przegląd Tygodniowy", 2 sierpnia 1995).

Od Żyrynowskiego do rabina Weissa

Smętnym faktem ostatniego dziesięciolecia jest ciągłe, wyraźne przybieranie fali antypolonizmu w skali światowej. Polacy jako znaczący liczebnie naród, w przeważającej części katolicki, mają aż nazbyt wielu wrogów, zainteresowanych ich osłabieniem. Począwszy od niemałej części środowisk w kraju naszego byłego imperialnego „zwierzchnika" – Rosji. W tym kontekście Adam Chajewski jakże słusznie pisał o swego rodzaju antypolonizmie kompensacyjnym, czy inaczej antypolonizmie nieczystego sumienia, stwierdzając, że wynika on ze spychanego w podświadomość poczucia ogromu krzywd nam wyrządzonych, *w związku z czym w reakcji obronnej istnieje zapotrzebowanie na kontroskarżenia Polski i Polaków* (por. A. Chajewski: *op. cit.*). Nawet typowa pod tym względem jest skrajnie awanturnicza antypolska działalność Władymira Wolfowicza Żyrynowskiego. Agentury rosyjskie na Zachodzie są niewątpliwie zainteresowane dalszym podtrzymywaniem godzących w Polskę i Polaków oszczerczych mitów, inspirowanych w swoim czasie przez sowiecki wywiad i propagandę, zwłaszcza fałszów o *wyjątkowym polskim antysemityzmie*. Jak pisał profesor nauk humanistycznych w Elisabethtown w Pensylwanii, Paul Gottfried, w znakomitym szkicu *Polonofobia*, opublikowanym w czasopiśmie „Chronicles" w styczniu 1997: *Większość agresywnych antypolskich wystąpień (...) nosi na sobie pietno imperium sowieckiego. To rozpadające się mocarstwo pozostawiło po sobie propagandowe mity, które ciągle jeszcze ciążą na narodzie polskim i gmatwają dyskusje nad jego przeszłością. I tak zajęcie Polski przez Stalina widziane jest jako nader szczęśliwe wydarzenie, które powstrzymało antyżydowskie pogromy i zneutralizowało katolicki charakter Polaków. Natomiast Sowieci nigdy nie są odpowiedzialni za wzniecony przez siebie antysemityzm. Oni wkroczyli do Polski właśnie po to, by zlikwidować polskich nazistów* (cyt. za P. Gottfried: *Polonofobia*, „Rzeczpospolita", 1–2 lutego 1997). Gottfried zwrócił uwagę na to szczególnie powiązanie antypolonizmu niektórych środowisk żydowskich w Stanach Zjednoczonych z nienawiścią do katolicyzmu. Opisał, jak antypolscy żydowscy aktywiści, Avi Weiss i Alan Dershovits (adwokat rabina Weissa – J.R.N.), zorganizowali demonstrację przeciwko prymasowi Polski kardynałowi Józefowi Glempowi w czasie jego wizyty w Nowym Jorku w 1991 roku. Zebrany przez nich tłum obrzucał prymasa Polski wyzwiskami, między innymi *you Nazi bastard Catholic* („ty nazistowski katolicki bękarcie") (wg P. Gottfried: *op. cit.*). Zdaniem Gottfrieda tego typu akcje wymierzone w Polaków – katolików cieszą się wyraźnym poparciem znacznej części anglosaskiej elity protestanckiej.

Krajowy antypolonizm

Po 1989 roku wykorzystując osłabienie patriotyzmu i polskiej świadomości narodowej po dziesięcioleciach rządów komunistycznych targowiczan coraz śmielej wychodzi na powierzchnię krajowy antypolonizm, z jego najbardziej odrażającą brukową odmianą w „Nie" Urbana i bardziej wyrafinowanymi formami kłamstw, oszczerstw i pomówień w stylu licznych tekstów „Gazety Wyborczej", „Wprost", „Polityki" czy „Wiadomości Kulturalnych". Typowym przykładem tego krajowego antypolonizmu był osławiony paszkwil Michała Cichego (kierownika działu kulturalnego w „Gazecie Wyborczej") na Powstanie Warszawskie jako czasie rzekomego mordowania Żydów przez Polaków. Ogromna część wystąpień różnych anty-Polaków wywodzi się ze środowisk „czerwonych" i „różowych", przez dziesięciolecia zaprawionych w służbie sowieckiemu komunizmowi i indoktrynowanych w pogardzie dla polskiego patriotyzmu i tradycji narodowych. Dzisiejsi propagatorzy potrzeby „wchodzenia Polski do Europy" (jakbyśmy nie byli w Europie od zarania swej państwowości), w czasach PRL-u należeli najczęściej do najgorliwszych rzeczników prowadzania nas do Azji (tj. podporządkowania sowieckiemu totalitaryzmowi, mającemu tak wiele cech azjatyckiego despotyzmu i przeciwstawienia europejskim tradycjom wolności jednostki i praw narodu).

Warto tu przypomnieć świetną analizę kosmopolitycznych pseudoeuropejczyków, przedstawioną przez najwybitniejszego dziś polskiego pisarza żyjącego na emigracji w Europie Zachodniej – Włodzimierza Odojewskiego. W rozmowie z Lidią Wójcik (w latach 1995–1997 redaktor naczelną „Nowych Książek") Odojewski skomentował wystąpienia tych, którzy głoszą, że patriotyzm jest jakoby niemodny: *Podejrzewam, że niemodność wiąże się z ponad czterdziestoletnią tresurą społeczeństwa czasów komunizmu. Modny był patriotyzm tylko „internacjonalny", przekształcony w jakimś tam okresie w patriotyzm radziecki; inny był jako nacjonalizm tępiony. Ten patriotyzm internacjonalny nieśli jeszcze na bagnetach do Polski w końcu wojny i po wojnie komuniści przedwojenni (...) Wcale niemała część dzisiejszej inteligencji polskiej (jej poprzedniczka, inteligencja przedwojenna została wycięta przez obu okupantów, eksterminowana w obozach, w łagrach) to dzieci i wnuki tamtych komunistów, i ich satelitów, z racji pozycji swych rodziców najczęściej świetnie wykształceni, także na zagranicznych uniwersytetach (kiedy to jednocześnie dzieci z klas „byłych" często do wykształcenia odciętą miały drogę). A więc ta część inteligencji dzisiejszej, z komunistycznym drzewem genealogicznym, nie tylko zwykle blokuje wszelkie działania mające na celu pozbycie się z szafy lewicy polskiej trzymanego tam wciąż trupa własnej prze-*

szłości, który psuje się coraz bardziej i wydziela trujące zapachy (...), ale tamtą modę, a raczej ideał wyniesiony z domu ojców, owego „internacjonalizmu" zastępuje specyficznie pojętą „europejskością". Patriotyzm związany z własnym krajem, z jego historią, kulturą, literaturą bywa pomawiany o nacjonalizm. Propaguje się unifikację, zlanie się z Europą, w imię jakiejś zmistyfikowanej, „multinacjonalnej", wymieszanej Europy, która jest takąż samą utopią jak tamta marksistowska. Ci polscy „europejczycy" maszerują do Wspólnoty, głosząc hasła upodobnienia, wyrwania historycznych korzeni, krzycząc: precz z martyrologią narodową i specyficznie polskim losem (...) Niestety, jak widać, każda epoka rodzi ideologów, chcących koniecznie uszczęśliwić swymi pomysłami innych, a jeżeli im się inni nie poddają, ostemplowują ich jakimś obelżywym epitetem. Szowinizm, rasizm (...) naród, który wyrzeka się przeszłości (...) przestaje istnieć (por. *Europa jest mozaiką ojczyzn.* Z W. Odojewskim rozmawia L. Wójcik, „Nowe Książki", 1995, nr 5, s. 13–14).

Nawiązując do wymowy ostatnich słów z wypowiedzi Odojewskiego, musimy wyciągnąć właściwy wniosek z dzisiejszych zagrożeń dla Polski. Jeśli nie chcemy przestać istnieć jako naród, musimy konsekwentnie i zdecydowanie walczyć przeciw wszelkim przejawom antypolonizmu, niszczenia i pomniejszania polskiej przeszłości i tożsamości narodowej.

Rozdział II

Gdy niszczono polską godność
Walka z tradycjami i patriotyzmem
1944–1988

Za dywizję wołyńską, nie kwiaty i wianki
Szubienicy w Lublinie. Ojczyste Majdanki. (...)
Za bój o naszą Rossę, Ostrą Bramę, Wilno –
Sucha gałąź lub zsyłka na rozpacz bezsilną. (...)
Za Warszawę, Warszawę, powstańcze zachcianki
Specjalny oddział śledczy: „Przyłożyć do ścianki".

Kazimierz Wierzyński:
Na rozwiązanie Armii Krajowej

Niewiele osób śpiewających słowa pieśni Jana Pietrzaka *Żeby Polska była Polską* w pełnych nadziei latach 1980–1981 mogło przypuszczać, że rozwój ich wymarzonej wolnej Polski będzie przebiegał tak, jak to nastąpiło po czerwcu 1989 roku. Zamiast ujrzeć triumf nowoczesnego patriotyzmu i obronę prawdziwych interesów narodowych stali się świadkami bezustannego zohydzenia patriotyzmu i narodu. Jak skonstatowała Aleksandra Jakubowska na łamach postkomunistycznego „Wprost" 3 maja 1992: *Zużyte, wyświechtane, skompromitowane słowa „patriotyzm", „polskość", „Ojczyzna" nie odrodziły się w III Rzeczypospolitej.* Dziennikarka, dla której słowa polskość i ojczyzna są tylko słowami „wyświechtanymi i skompromitowanymi", miała później awansować do roli rzecznika rządu Rzeczypospolitej Polskiej. (!) I ten kuriozalny awans najlepiej wyraża klimat panujący w dzisiejszej Polsce, w której na każdym kroku zaznacza się lekceważenie narodowej tradycji i historii, chroniczny brak liczenia się z elementarnymi interesami narodowymi. W której urzędujący premier Jan Krzysztof Bielecki pozwolił sobie na publiczne promowanie zagranicznego produktu, ubrany na boisku w koszulkę futbolową z napisem „Müller Milch". Gdyby jakikolwiek zachodni polityk pozwolił sobie na coś takiego jak Bielecki, następnego dnia przestałby być premierem i byłby raz na zawsze skończony jako polityk.

Żyjemy w kraju, w którym obecnie rządzący postkomunistyczny prezydent Aleksander Kwaśniewski i postkomunistyczny premier Włodzimierz Cimoszewicz „zabłysnęli" swoistymi „donosami na Polskę i Polaków", publicznie występując z jednostronnymi, skrajnie krzywdzącymi dla Polaków ocenami stosunków polsko-żydowskich, zamiast pokuszenia się o ich uczciwy bilans. W kraju, w którym bezkarnie wypowiada się publicznie niemal bez przerwy, w najbardziej wpływowych mass mediach oszczerstwa na temat Polski i Polaków, starannie dążąc do zohydzenia polskości i patriotyzmu. W kraju, w którym były naczelny szef telewizji Janusz Zaorski zasłynął za swego urzędowania filmem skrajnie zohydzającym tradycje patriotyczne. W którym redaktor najbardziej wpływowego dziennika, „Gazety Wyborczej" – Adam Michnik niejednokrotnie atakował patriotyzm i promował oszczerczy tekst zniesławiający Powstanie Warszawskie. W którym na łamach wydawanego w ponad 500 tysiącach egzemplarzy urbanowego brukowca „Nie" można bezkarnie wyszydzać polskie godło narodowe i używać lżących zwrotów w stylu „pieprzona Polska". W kraju, w którym redaktor naczelny elitarnego miesięcznika „Res Publica" Marcin Król popisuje się tekstami o „niezgułowatej Polsce" i posuwa się do stwierdzenia, że *Polska nigdy w swojej najnowszej historii liczącej dwieście lat krajem normalnym nie była, a więc po to, żeby stać się krajem normalnym – Polska musi zapomnieć samą siebie*. (Nienormalny jest raczej fakt, że polskie Ministerstwo Kultury i Sztuki dotuje miesięcznik wydawany przez osobę wyrażającą tak skrajny nihilizm narodowy.)

Żyjemy w kraju, w którym odznacza się jednym z najwyższych polskich odznaczeń jednego z najgorszych anty-Polaków, Zygmunta Kałużyńskiego. Publicystę zaprawionego przez całe dziesięciolecia w wypisywaniu najgorszych polakożerczych brecht, atakami na „ślepo-głupi patriotyzm" w Polsce. Cóż dziwnego, że w warunkach całkowitej bezkarności działań zohydzających polskość i patriotyzm, przeważająca część tak „edukowanej" młodzieży deklaruje gotowość wyjazdu na stałe z Polski!

Jak doszło do takiej sytuacji? Jak doszło do takiego spiętrzenia zagrożeń dla Polski, że już 2 listopada 1990 roku w „Tygodniku Solidarność" alarmowano, że obecne zagrożenia *wydają się niebezpieczniejsze dla tożsamości narodowej niż ponad stuletnia działalność rusyfikacyjna i germanizacyjna zaborców?* Co spowodowało zniweczenie nadziei na prawdziwe odrodzenie polskiego patriotyzmu po 1989 roku? Dlaczego rozpętana na przełomie lat osiemdziesiątych i dziewięćdziesiątych ofensywa przeciw wartościom narodowym okazała się tak niebezpiecznie skuteczna, można powiedzieć nawet, że znacznie skuteczniejsza niż wszystkie antynarodowe kampanie minionych dziesięcioleci? Dlaczego Polacy do tego stopnia tolerują najdrastyczniejsze nawet wybryki przeciw godności swego Narodu, dlaczego tak łatwo godzą się z poniewieraniem patriotyzmu i tradycji narodowej, ciągłym urąganiem polskości, deptaniem podstawowych polskich interesów narodowych?

Koszty antynarodowych działań w PRL-u

Szukając odpowiedzi na powyższe, jakże gorzkie pytania, trzeba koniecznie sięgnąć do historii kolejnych kampanii antypolskich w tzw. Polsce Ludowej i skutków podejmowanych wówczas działań. Do dziejów toczonej wówczas komunistycznej „brudnej wojny" z Narodem i polskością, prowadzonej przez całe dziesięciolecia. Konsekwentnego osłabiania polskiego patriotyzmu i tradycji narodowych, świadomego upowszechniania narodowego masochizmu i nihilizmu. Ciągle brak, niestety, tak potrzebnej szerszej historii komunistycznego antypolonizmu w całym okresie powojennym aż do 1989 roku. Zmusza to do poświęcenia tego wstępnego rozdziału na choć skrótowe pokazanie historii walki z patriotyzmem w latach 1944–1988, gdy różnymi metodami, ale konsekwentnie i z premedytacją wciąż niszczono polską godność. Z odpowiednimi skutkami, które obserwujemy teraz na co dzień, ubolewając, że niemal połowa narodu nie ma większej wiedzy o jego historii, że aż 40 proc. Polaków nie ma pojęcia, co kryje się za datą 11 listopada (dane z początków listopada 1997).

Czas komunistycznych Quislingów*

Sowietyzowana tzw. Polska Ludowa od początku powstawała jako satelicki protektorat, mający siłą dusić wszystko, co pachniało autentycznym pol-

* Quislingami nazywa się zdrajców ojczyzny, różnego rodzaju kolaborantów. Pojęcie to pochodzi od nazwiska polityka norweskiego Vidkuna Quislinga, który w czasie drugiej wojny światowej kolaborował z hitlerowskimi najeźdźcami na jego własny kraj.

skim patriotyzmem i przywiązaniem do Narodu. Czym była komunistyczna Polska w intencjach sowieckich, wymownie wyraził jeden z jej czołowych przywódców Władysław Gomułka. W spóźnionym wyznaniu na łamach swych *Pamiętników* przyznawał on ni mniej ni więcej po latach, że *Komunizm w Polsce (...) został zaszczepiony przemocą i na przemocy opiera się po dzień dzisiejszy* (W. Gomułka: *Pamiętniki*, Warszawa 1994, red. A. Werblan, t. I, s. 370). Już w 1943 roku sowiecka agentura zapełniła kadry kierownicze formacji nazwanej z niebywałym poczuciem humoru Związkiem Patriotów Polskich. Na czele z takimi „patriotami" jak Berman, Borejsza, Wasilewska, Brystygierowa, Minc, Fejgin, Grosz, Lampe czy Zambrowski. Stalin i Beria na Kremlu musieli długo śmiać się do rozpuku na myśl o takim Związku Patriotów Polskich. Szczególnie ponurą groteską było wyznaczenie na rządcę satelickiej Polski dość niskiego szczebla agenta sowieckiej NKWD Bolesława Bieruta. Ten już szybko pokazał, że nie zna żadnych granic narodowego zaprzaństwa. By przytoczyć choćby opisaną przez Churchilla rozmowę z przedstawicielami PKWN z 13 października 1944, gdy Bierut z werwą akcentował: *Przybyliśmy tu, by żądać w imieniu Polski, żeby Lwów należał do Rosji. Taka jest wola narodu polskiego.*

Bierut i inni towarzysze–Quislingowie dobrze wiedzieli, co robią. Wszak Stalin w tymże październiku 1944 ostrzegł w Moskwie szefów delegacji marionetkowego PKWN, że bez „protekcji" sowieckiej *zaraz was odsuną i wystrzelają jak kuropatwy*. Mówił do nich także: *gdyby nie było Armii Czerwonej, to nie byłoby was po tygodniu*. Dobrze wiedzieli też, kogo faktycznie reprezentują. Osławiony Hilary Minc, późniejszy dyktator PRL-owskiej gospodarki, w 1944 roku wyznawał o PKWN, iż jest to *chuderlawa szkapa, którą trzeba ciągnąć za ogon*, wśród swoich nazywał go *rządem idiotów*. Inny komunistyczny targowiczanin, późniejszy premier PRL-u – Piotr Jaroszewicz, już we wrześniu 1939 „wsławił się" ostentacyjnym niszczeniem polskich flag i wołaniem: *Wasza przeklęta Polska przepadła na zawsze! Przyszli nasi, nasi!* (cyt. za M.B. Nowiński: *Bez biografii*, „Tygodnik Solidarność", 24 września 1993).

Pisarka Maria Dąbrowska zanotowała w swym dzienniku już w początkach rządów „czerwonej Targowicy" 27 lutego 1945: *To, co teraz zrobiono z Polską, przechodzi wszystko, co znane jest w dziejach jako cynizm i narzucenie narodowi obcej woli przemocą. I pomyśleć, że ten nieszczęsny naród po pięciu latach tak straszliwych ofiar, takiej niezłomnej walki i pracy podziemnej przeciw Niem-*

com nie ma nawet tej satysfakcji, żeby historię tej cudownej walki, pracy, ofiar ujawnić i laurem uwiecznić. Bo tę naszą krew i walkę opluto, zbeszczeszczono, przekreślono (...). Jak śmiano, jak poważono się tak śmiertelną obrazę rzucić w twarz narodowi, aby chwałę tej walki zdeptać, aby cierpienia nasze straszne za nic mieć (...). O groby miliona bohaterów, którzy zginęli, groby nie uczczone, sponiewierane (por. M. Dąbrowska: *Dzienniki powojenne 1945–1965, t. I 1945–1949*, wybór T. Drewnowski, Warszawa 1966, s. 44.).

Zapiski Marii Dąbrowskiej powstały w kilka miesięcy po rozpoczęciu rozlepiania na rozkaz nowych komunistycznych władz osławionych plakatów „AK – zapluty karzeł reakcji". W ślad za tym poszły kolejne nikczemne pomysły bierutowsko-bermanowskiej propagandy. W tym najhaniebniejszy pomysł rozwieszania tuż obok siebie w kwietniu 1945 dwóch plakatów: „Chwała bohaterskim obrońcom getta!" i „Hańba faszystowskim pachołkom AK!" W 1946 roku pozbawiono polskiego obywatelstwa kilkudziesięciu największych polskich żołnierzy drugiej wojny światowej z generałem Stanisławem Maczkiem na czele. Arcyprymitywny komunista, ambasador Polski Ludowej w Budapeszcie Alfred Fiderkiewicz zapewniał zaś z całą butą: *O andersowcach mogę tylko tyle powiedzieć, że spokojnie możemy już odmówić nad nimi mszę za umarłych* (cyt. za „Magyar-Lengyel Kurir" 1947, nr 8–10). A potem z roku na rok mnożyły się coraz bardziej monstrualne przejawy prosowieckiego służalstwa. Doszło nawet do tego, że sam Stalin musiał przyhamować jako zbyt pośpieszny zamysł PRL-owskich nadgorliwców, aby natychmiast zmienić polski hymn narodowy jako nie dość „postępowy".

Katowanie najlepszych Polaków

Prowadzonej przez komunistycznych Quislingów polityce sowietyzacji Polski towarzyszyło brutalne wyniszczanie tysięcy najlepszych patriotów. Zdziesiątkowane przez terror hitlerowskiego okupanta środowiska niepodległościowe, zostały poddane kolejnym etapom stalinowskich akcji wyłapywania i fizycznej likwidacji ludzi najbardziej oddanych Narodowi. Dość przypomnieć tragedie wileńskiego i lwowskiego AK, wywózkę na Sybir dziesiątków tysięcy żołnierzy Polskiego Państwa Podziemnego, tysiące wyroków sądowych na więźniów politycznych i rozliczne skrytobójcze mordy na „wrogach ludu" z Polskiego Stronnictwa Ludowego, etc. Już w 1946 roku liczba więźniów politycznych w Polsce sięgała 110 tysięcy osób. Ciągle zbyt mało znane są pełne rozmiary zbrodni stalinizmu w Polsce, kulisy tak wielu mordów sądowych, od sprawy rotmistrza Witolda Pileckiego po sprawę generała „Nila" (Emila Fieldorfa).

W czasie, gdy coraz bezczelniej próbuje się zrehabilitować zbrodniczy system PRL-u w programach telewizyjnych typu *Rzeczpospolita Dwa i pół*, ciągle pozostają szerzej nie znane opinii publicznej fakty najbardziej wyraziście obnażające antypolonizm PRL-owskich ekip władzy. To, że nie miały one nawet krzty wstydu, dosłownie żadnych hamulców moralnych, posyłając na śmierć z rąk „polskich" plutonów egzekucyjnych najlepszych polskich patriotów, poczynając od bohaterów walk polskiej wojny obronnej 1939 roku. Jakże niewiele ciągle mówi się i pisze o ich gehennie. O zamordowanych na mocy sfabrykowanych stalinowskich oskarżeń bohaterach walk w obronie Helu: komandorach Zbigniewie Przybyszewskim i Stanisławie Mieszkowskim. O zamordowanym w czasie śledztwa w więzieniu westerplatczyku majorze Mieczysławie Słabym. O podstępnie zamordowanym przez ubeckich oprawców w więzieniu byłym szefie propagandy Dowództwa Obrony Warszawy w 1939 roku – pułkowniku Wacławie Lipińskim. O straconym w styczniu 1953 roku na mocy sfingowanych oskarżeń bohaterskim wiceprezydencie Warszawy, zastępcy Stefana Starzyńskiego – Bronisławie Chajęckim. Fakt, że rzekomo polskie władze bez wahania decydowały o katowaniu i śmierci tych i tysięcy innych najlepszych polskich patriotów najlepiej świadczy, do jakiego stopnia były one tylko zbrodniczymi wykonawcami poleceń sowieckich okupantów i niczym więcej.

Likwidując tysiące polskich patriotów, chciano na trwałe zabić niezależnego ducha narodowego, utrwalając zniewolenie Polski. I komunistyczni kaci dobrze zdawali sobie sprawę z takiej właśnie istoty swoich działań. Pułkownik Józef Dusza z Departamentu Śledczego Ministerstwa Bezpieczeństwa Publicznego mówił katowanym więźniom politycznym: *Dzisiaj my piszemy historię międzywojenną, okupacyjną i początków Polski Ludowej na waszych skórach i kościach, a dzisiejsze i jutrzejsze podręczniki szkolne są i będą pisane, tak jak my chcemy* (cyt. za A. Steinsbergowa: *Widziane z ławy obrończej*, Paryż 1977, s. 57). Trzeba przyznać, że ówczesne podręczniki rzeczywiście odpowiadały mentalności płk Duszy i podobnych mu oprawców. Słynny polski historyk prof. Tadeusz Manteuffel napisał kiedyś, że wszystkie powstałe u nas w latach stalinowskich zarysy dziejów Polski czynią wrażenie, jak gdyby były pisane w stolicach nieprzyjaznych nam państw zaborczych (wg J. Tazbir: *Jak patrzeć na historię. Bez ocen?* „Życie Warszawy", 9 grudnia 1988).

Rozprawa z AK, eksterminacja, więzienie i zsyłki dziesiątków tysięcy najlepszych Polaków spełniły zamierzony cel. Całe pokolenia Polaków zostały stłamszone przez reżim. Rodzice bardzo często bali się nawet wychowywać swoje dzieci w tradycjach prawdziwego patriotyzmu, przekazywać im autentyczną niezakłamaną prawdę o najnowszej historii z obawy, aby nie wygadały się w szkole, prowokując zabójcze donosy. Za wierność polskości w najtrudniejszych czasach płacono wciąż wysoką, dla wielu trudną do zniesienia cenę. Ci, którzy przeżyli okupację walcząc o Polskę w najniebezpieczniejszych warunkach na posterunkach Państwa Podziemnego, teraz spotykali się ze skrajną dyskryminacją przy szukaniu pracy. Ich dzieci, dzieci najlepszych i najbardziej zasłużonych Polaków były konsekwentnie blokowane przy przyjmowaniu na studia. Nagle okazywało się, że z punktu widzenia startu życiowego po wojnie najlepiej było dekować się w czasie okupacji, produkować bimber czy spekulować. Wszystko to było czymś dużo lepszym w oczach nowej komunistycznej władzy niż służenie Polsce w czasie wojny w kilkusettysięcznych formacjach „wrogiej" Armii Krajowej. U części osób stopniowo coraz silniej rodziło się poczucie, że w ogóle nie warto być patriotą. Do tego dochodziły całe lata zakłamań narodowej historii, wszechobecne kłamstwa w mediach, szkołach, na każdym kroku życia publicznego, oszczercze kampanie przeciw Powstaniu Warszawskiemu, dorobkowi Drugiej Rzeczypospolitej i faktycznie przeciw przeważającej części tradycji dawnej Polski.

„Inżynierowie dusz"

W miejsce elit wyniszczonych przez nazizm i komunizm wchodziły nowe pseudoelity. Zamęczone autorytety zastępowały nowe lansowane przez władze pseudoautorytety, gotowe do maksymalnego służalstwa wobec Rosji i sowietyzmu kosztem Polski. Pierwsze zalążki tej strasznej „czerwonej Targowicy" w kulturze pojawiły się zresztą już znacznie wcześniej, tj. w latach 1939–1941 na zagarniętych przez Sowiety wschodnich kresach Drugiej Rzeczypospolitej. Tam powstały haniebne antypolskie utwory Leca, Ważyka, Putramenta, Bujnickiego i innych. W pierwszym dziesięcioleciu powojennym poszła za nimi cała plejada pisarzy i poetów, nierzadko nawet znaczących, od Juliana Tuwima i Mieczysława Jastruna po Artura Międzyrzeckiego, wypisując najskrajniejsze nieraz bzdury zgodnie ze stalinowskimi prawidłami w ówczesnej kulturze. Jakże liczni ówcześni pisarze, od Jerzego Andrzejewskiego po Kazimierza Brandysa, z werwą włączali się do chórku oklaskującego pastwienie się nad ofiarami komunizmu i w myśl słów francuskiego przysłowia „wyli razem z wilkami".

Dla wielu „internacjonałów" dyrygujących walką z polskim patriotyzmem i tradycjami głównym uzasadnieniem tej walki, bezlitosnej i bezwzględnej, depczącej polską godność narodową, było powoływanie się na konieczność ostatecznego przezwyciężenia polskiego „nacjonalizmu" i „antysemityzmu". Sam główny nadzorca kultury w Biurze Politycznym KC PZPR Jakub Berman głosił, że *wszelki flirt z uczuciami narodowymi doprowadzi do wypuszczenia złych duchów Polski, z antysemityzmem włącznie* (wg A. Walickiego: *Zniewolony umysł po latach*, Warszawa 1993, s. 329). Nienawiść do polskiego patriotyzmu i polskości skłaniała tych „internacjonałów" do maksymalnego postawienia na odpowiednie „przekształcenie" Polaków jako narodu dzięki wzięciu ich „za twarz" z pomocą brutalnej sowieckiej siły. Filozof-„internacjonał" Tadeusz Kroński pisał wręcz: *Z bagnetami rosyjskimi zmienimy tę Polskę* (cyt. za wypowiedzią Miłosza w czasie jego spotkania w „Rzeczypospolitej" – por. *Poszerzenie kredowego koła*, „Rzeczpospolita", 25 maja 1996). Miłosz wspominał, że Kroński, pełen wrogości do polskiego romantyczno-narodowo-katolickiego sposobu myślenia, uważał, że ten rodzaj myślenia *powinien być z całą siłą wytrzebiony* (por. tamże). I trzebiono rzeczywiście z całą siłą i bezwzględnością – by przypomnieć choćby rozwinięty już jesienią 1945 roku przez zajadłego stalinowskiego „inżyniera dusz" Jana Kotta gwałtowny atak na wzorce honoru i wierności, którym hołdowało tysiące polskich patriotów. Pogarda dla „niepotrzebnych, anachronicznych" idei heroizmu i honoru szła w parze u marksizujących „internacjonałów" z całkowitą obojętnością na cierpienia polskich ofiar komunistycznego internacjonalizmu. Jan Kott, dzisiaj tak bezkrytycznie fetowany w „Gazecie Wyborczej", nader chętnie sięgał do idei zmitologizowanego postępu, by usprawiedliwiać wszelkie stalinowskie zbrodnie. Gustaw Herling-Grudziński opisał swą jakże wymowną rozmowę z Kottem: *Zgadało się o Katyniu, nie obrał oficjalnej linii postępowania. Wydął tylko wargi i syknął z uśmiechem: „Cóż znaczy kilka tysięcy oficerów wobec Historii w marszu"* (G. Herling-Grudziński: *Dziennik pisany nocą*, Warszawa 1990, s. 140–141).

Walka z narodową kulturą

Jednym z najważniejszych celów stalinizmu w Polsce była przez cały czas walka z narodową polską kulturą. Nieprzypadkowo też „pieczę" nad kulturą, równocześnie do nadzoru nad bezpieką, objął w Biurze Politycznym partii komunistycznej sam Jakub Berman, szara eminencja reżimu. Paradoksalny fakt, że ta sama osoba odpowiadała w najwyższych władzach partyjnych równocześnie za bezpieczeństwo i kulturę, stał się okazją do powstania złośliwego powiedzenia, że odtąd w malarstwie dopuszczone będą wyłącznie trzy kierunki: „fornalizm, ubizm i represjonizm". Berman konsekwentnie robił, co mógł, dla gruntownego oczyszczania kultury polskiej z tego, co było w niej patriotyczne i narodowe.

Najboleśniej chyba odczuła skutki takiej „polityki kulturalnej" wielka narodowa klasyka teatralna. Ofiarą kolejnych zakazów rządców kultury padli Krasiński, Słowacki, Mickiewicz, Norwid i Wyspiański, nie mówiąc o dziesiątkach pomniejszych twórców. *Dziady* Mickiewicza, oskarżane o antyrosyjskość, musiały czekać na wystawienie aż do 1956 roku. Całkowicie zablokowano możliwość wystawienia wielkich dzieł dramatycznych Stanisława Wyspiańskiego, łącznie z *Weselem* i *Wyzwoleniem*. W oficjalnym podręczniku szkolnym Jana Zygmunta Jakubowskiego z 1951 roku piętnowano je jako utwory wyrażające „tendencje burżuazyjnego nacjonalizmu". Dopiero w lipcu 1955 doszło po siedmioletniej przerwie do pierwszej premiery *Wesela*, a w styczniu 1956 roku do pierwszej po wojnie premiery *Nocy listopadowej*. Po atakach marksistowskiej „Kuźnicy" na sztuki Słowackiego, jako mające „ujemny aspekt polityczny", w październiku 1947 zakazano wystawiania *Kordiana* w krakowskim Teatrze im. Słowackiego. Szczególnie długo i konsekwentnie walczono z twórczością Zygmunta Krasińskiego, piętnując go jako reakcjonistę. Jeszcze w 1957 roku, a więc w roku dziś wspominanym jako czas stosunkowo dużego „liberalizmu" Gomułki, zakazano wystawienia *Nie-Boskiej komedii* w Teatrze Polskim. Dopiero w listopadzie 1958 doszło w ogóle do pierwszego po wojnie wystawienia utworu dramatycznego Krasińskiego – była to premiera *Irydiona*, uznanego za najmniej niebezpieczny ze względu na swą treść antyczną. Równie nienawistnym dla antypolskich ideologów był Cyprian Norwid, tak mocno wyrażający myślenie o polskości w całej swej twórczości. Jeden z czołowych realizatorów ówczesnej polityki kulturalnej Adam Ważyk, piętnując rzekomą „ograniczoność" treści wyrażanych przez Norwida, stwierdził wręcz, że *bliższe obcowanie z Norwidem działa uwsteczniająco na wyobraźnię* (A. Ważyk: *W stronę humanizmu*, Warszawa 1949, s. 23–24).

Trzeba przyznać, że z równą werwą jak polską klasykę narodową tropiono i wielkich twórców zagranicznych. Na przykład Moliera „zdemaskowano" za rzekome religianctwo w *Don Juanie*. Po wezwaniu w czerwcu 1950 roku reżysera przedstawienia Moliera – Bohdana Korzeniewskiego, na rozmowę do Jakuba Bermana, *Don Juana* zdjęto z afisza po zaledwie 20 przedstawieniach, a dekoracje – dowód „przestępstwa", zniszczono. Na miejsce zakazanych dzieł narodowej klasyki, odrzuconych do lamusa dramatów Słowackiego, Mickiewicza, Krasińskiego, Norwida i Wyspiańskiego, otwarto pole dla zalewu grafomańskich „dzieł" teatralnych ze Związku Sowieckiego i różnych demoludów. Na przykład Kazimierz Dejmek rozpoczął swą karierę reżyserską od wystawienia żałosnego czeskiego produkcyjniaka *Brygada szlifierza Karhana*, napisanego przez ślusarza Vaska Kanię. Sztukę powszechnie uznawano za triumf najbardziej grafomańskiego socrealizmu. Na reklamujących ją afiszach ciągle ktoś uparcie nalepiał ulotki pt. „Precz ze sługusami Stalina". Nie martwiło to jednak Dejmka, którego zespół otrzymał order Sztandaru Pracy w nagrodę za wystawienie „gniota", a grano go aż 153 razy. Aż dziw, że Dejmek całkowicie przemilczał to „dzieło", które stało się początkiem jego teatralnych sukcesów, w swym życiorysie w *Kto jest kim w Polsce* z 1993 roku. Tak to przy udziale Dejmka i jego równie „ambitnych" kolegów coraz mocniej „wyzwalano" polskich widzów od polskiej narodowej klasyki, zalewając bolszewicką grafomanią z importu.

W 1952 roku ostatecznie zlikwidowano Polską Akademię Umiejętności (PAU). Jej miejsce miała zająć, od początku tworzona w skrajnie zbiurokratyzowany sposób, dyrygowana przez ludzi władzy Polska Akademia Nauk. Po kolei likwidowano ostatnie reduty bardziej niezależnej myśli w historii. W maju 1949 roku zawieszono wydawanie znakomicie redagowanego pod redakcją słynnego historyka prof. Władysława Konopczyńskiego *Polskiego słownika biograficznego* (PSB). Wydawanie PSB wznowiono dopiero w 1957 roku. Zlikwidowano jako „niepotrzebny" Polakom Instytut Pamięci Narodowej i jego organ naukowy „Dzieje Najnowsze". Rozwijano skrajną nagonkę na krnąbrnych historyków, szczególnie gwałtownie piętnując Władysława Konopczyńskiego i Henryka Wereszyckiego. Stalinowska historyczka Celina Bobińska w paszkwilu o nauce historycznej z kwietnia 1950 napiętnowała Konopczyńskiego za „zaduch kruchty" i „obskurantyzm". W tym samym czasie inna stalinistka, Wanda Leopold, zaatakowała w „Nowej Kulturze" „upiory polonistyki", piętnując między innymi rozprawy Stanisława Pigonia i Wacława Borowego.

Już w 1947 roku rozpoczęto usuwanie z wyższych uczelni starych, doświadczonych profesorów pod hasłem wyparcia z uniwersytetów „kułaków nauki". Najostrzejsze czystki rozpoczęły się w 1949 roku. Z katedr uniwersyteckich usunięto między innymi tak słynnych uczonych jak profesorowie Władysław Tatarkiewicz, Kazimierz Ajdukiewicz, Konrad Górski, Stanisław Ossowski czy Adam Krzyżanowski. W miejsce usuwanych przez władze znakomitych uczonych błyskawicznie awansowano różnych młodych janczarów reżimu, gotowych na maksymalne szkalowanie polskości czy panegiryczne wysławianie Związku Sowieckiego i Stalina. Nader typowa pod tym względem była niezwykle przyśpieszona kariera Włodzimierza Brusa. Warto ją tu tym lepiej przypomnieć ze względu na dzisiejsze tuszowania ciemnych plam tej postaci w dobie stalinowskiej. Wszak jeszcze 25 marca 1996 Marek Beylin z ogromną hucpą zaatakował na łamach „Gazety Wyborczej" prezesa Sądu Najwyższego Adama Strzembosza za wymienienie (w „Rzeczpospolitej" z 18 marca 1996) Włodzimierza Brusa wśród najgorszych propagandystów PRL-u, którzy za swą rolę w totalitaryzacji kraju powinni być pozbawieni tytułów i stopni naukowych. Według Beylina Brus w latach pięćdziesiątych i sześćdziesiątych był jedną z czołowych postaci opozycyjnego wobec PRL środowiska rewizjonistów, a w 1968 roku „faktycznie został wygnany z kraju". Przypomnijmy więc choćby skrótowo przemilczane przez autora „Wyborczej" szczególne „zasługi" jego „bohatera" Brusa dla walki z polskością i propagowania stalinowskiej Rosji w latach czterdziestych i pięćdziesiątych.

Urodzony w 1921 roku, Włodzimierz Brus już w wieku dwudziestu paru lat został majorem WP, a mając 28 lat – po oddelegowaniu go na uczelnię, błyskawicznie w wieku zaledwie 28 lat (w 1949 roku) został profesorem Szkoły Głównej Planowania i Statystyki. Za jakież to zasługi zrobił tak olśniewającą karierę naukową?! Otóż nie miał w tym czasie na swym koncie żadnej liczącej się pracy ekonomicznej, lecz za to sporo broszur – niewybrednych paszkwili na Polskę Niepodległą 1918–1939. Już w 1945 roku wydał w „Bibliotece Żołnierza" (pod nr 27) w Wydawnictwie Oddziału Propagandy Głównego

Zarządu Polityczno-Wychowawczego Wojska Polskiego broszurę *Urojenia i rzeczywistość. Prawda o ZSRR*. Wychwalał w niej radziecką demokrację (!), radziecki rozkwit gospodarczy (!) i radziecką rewolucję kulturalną. Na stronie 24 tej broszury można było przeczytać, że *obywatel ZSRR posiada ogromne prawa polityczne*. Równocześnie Brus z wielką werwą szkalował historię Polski Niepodległej 1918–1939, pisząc o *straszliwej zgniliźnie ówczesnej Polski* (s. 59). Uzasadniał także sowieckie kłamstwa o Katyniu (s. 61). W 1945 roku Brus wydał również inną paszkwilancką broszurę *Polska 1918–1926*. Wśród morza fałszów w niej zawartych wciąż przewijało się twierdzenie o *bezwzględnej faszystowskiej dyktaturze sanacji*. W ślad za tym poszły kolejne potworki propagandowe Brusa: *ZSRR a wojna polsko-niemiecka 1939 r.* (Łódź 1946), a w 1949 roku książka o wrześniu 1939 roku. Za tego typu „odkrycia naukowe" nagrodzono Brusa tytułem profesora.

Dysponując takim „dorobkiem" Brus wystąpił jako główny „ustawiacz" nauk ekonomicznych na tzw. I Kongresie Nauki Polskiej w 1951 roku. Akcentując, że nauki ekonomiczne są *z istoty swej partyjne* z całej ekonomii burżuazyjnej, gotów był wykorzystać jedynie materiał faktyczny, który *może być wyzyskany dla zdemaskowania stosunków panujących w Polsce kapitalistyczno-obszarniczej*. Autorytetami nowej ekonomii byli według referenta Bierut i Minc (por. szerzej uwagi P. Hübnera: *Nauki społeczne i humanistyka – mechanizmy zniewolenia*, w książce: *Polacy wobec przemocy 1944–1956*, Warszawa 1996, s. 294).

Do innych podobnych do Brusa „autorytetów", skrajnie wybielanych w „Wyborczej" i tym podobnych mediach, należy socjolog Zygmunt Bauman, którego przedstawia się głównie jako ofiarę wydarzeń marcowych. Równocześnie zaś przemilcza się jego wcale niemały wkład w stalinizację polskiej nauki. Nie wspominając na przykład o napisanej wspólnie z początkującym wówczas Jerzym Wiatrem (w latach 1996–1997 SLD-owskim ministrem edukacji) publikacji pt. *Obiektywny charakter praw przyrody i społeczeństwa w świetle pracy J. W. Stalina. Ekonomiczne problemy socjalizmu w ZSRR* (Warszawa 1953). Obaj autorzy z ogromną werwą wychwalali już na pierwszej stronie tekstu *ostatnią pracę Towarzysza Józefa Stalina* jako *potężną dźwignię rozwoju wszystkich nauk, które z bezcennej skarbnicy stalinowskiej filozofii czerpią i czerpać będą*.

Usuwaniu najlepszych naukowców i błyskawicznym karierom różnych komunistycznych politruków w nauce towarzyszyło planowe niszczenie setek tysięcy polskich książek uznanych za niebezpieczne z powodu wyrażanego w nich patriotyzmu, nonkonformizmu czy po prostu „inności" w stosunku do panującej marksistowskiej ideologii. Ciągle zbyt mało Polaków zdaje sobie sprawę z tego, jak zbrodnicze rozmiary przybrało po 1945 roku niszczenie książek w kraju, w którym już wcześniej tak wiele publicznych i prywatnych księgozbiorów padło wskutek zniszczeń wojennych. Rękami „czerwonych targowiczan" przygotowywano kolejne wykazy Ministerstwa Kultury i Sztuki, zawierające spisy, a właściwie całe książki z listami utworów do usunięcia z bibliotek i jak najszybszego skierowania na przemiał. Jeden z takich wykazów (1951 roku) zawierał trzy zestawy numerowane książek do usunięcia z bibliotek. Pierwszy – z nazwiskami 1682 autorów, nierzadko z zaleceniem usunięcia wszystkich ich utworów, tak jak w przypadku Zofii Kossak-Szczuckiej, jako niewłaściwych politycznie, drugi – 239 autorów „książek dezaktualizowanych" i trzeci – ponad 550 książek dla dzieci. Znamienne były niektóre z tytułów książek skazanych na śmierć przez komunistycznych rządców wraz z numerami, jakimi je opatrzono w wykazie Ministerstwa Kultury. Obok tytułów książek podaję to, co uważam za przypuszczalne powody ich niszczenia: Wykaz I.

250. K. Paszkowski: *Warszawa bohaterska 1939/1945*. Antologia (po cóż przypominać o polskim heroizmie?).

621. A. Kamiński: *Wszystkie utwory* (bardzo groźne dla reżimu przypomnienie wzorców bohaterstwa i honoru, etosu Szarych Szeregów).

350. S. Fleszarowa: *Sen o morskiej potędze* (Poemat z czasów Władysława IV) (po co Polakom przypominanie jakichś sławnych chwil, nie mówiąc już o „snach o potędze"?).

1155. T. Parnicki: *Srebrne orły* (pewno zbyt wiele jak na gusty ówczesnych cenzorów było tam o wielkości polskiego króla Bolesława Chrobrego).

284. J. Dobrzycka: *Do you speak English?*

457. T. Grzeniewski: *Język angielski na co dzień* (po cóż jakiś „imperialistyczny" język angielski, gdy powinno się uczyć „jedynie słusznego" języka rosyjskiego?).

Przeglądając wykazy „mordowanych" książek wyraźnie widać, że ich szczególną cechą było kierowanie do niszczenia utworów szczególnie ważnych dla podtrzymania polskiego ducha w Narodzie, wszystkiego, co tknęło gorącą, niekłamaną polskością, obroną narodowej godności i patriotyzmu.

„Hańba domowa" w kinematografii

Sprawa serwilizmu jakże licznych polskich pisarzy i poetów wobec stalinizmu, ich roli w deptaniu patriotyzmu i polskości, została już szerzej opisana przez niektórych polskich autorów (między innymi Jacka Trznadla, Stanisława Murzańskiego, Bohdana Urbankowskiego, Wiesława Pawła Szymańskiego, Jana Prokopa). Dużo mniej znana jest natomiast postawa wielu przedstawicieli innych dziedzin polskiej kultury w owych „czasach pogardy", ich aż nadto „bogaty" wkład w stalinizację i niszczenie polskiego patriotyzmu. W swoistej „awangardzie" napaści na najnowszą historię Polski i tradycje patriotyczne znalazła się kinematografia i stało się tak nieprzypadkowo. Na czele kinematografii usadowiła się zwarta grupa prosowieckich agitatorów, ukształtowana jeszcze w latach 1943–1944 na terenie Związku Sowieckiego pod egidą osławionego Związku Patriotów Polskich. Przewodził im swego rodzaju dyktator w kinematografii Aleksander Ford, cieszący się nieograniczonym zaufaniem Bermana, od listopada 1945 dyrektor Przedsiębiorstwa Państwowego „Film Polski" w Łodzi. Ford znany był ze skrajnej wręcz niechęci do prawdziwie patriotycznych polskich twórców. To on osobiście odegrał wielką rolę w zaszczuciu jednego z największych talentów polskiego kina – reżysera Jerzego Gabrielskiego, byłego asystenta Jeana Renoira i René Claira, autora zrealizowanego w Paryżu filmu *Les Bottes* (Buty). Gabrielski nakręcał tuż po wojnie filmy o obronie Warszawy i Powstaniu Warszawskim. Został zadenuncjowany przez Forda władzom NKWD w 1946 roku i spędził 3 miesiące w więzieniu z etykietką „czarnego reakcjonisty" i „antysemity", był bity i maltretowany. Zniszczono świetnie zapowiadający się talent młodego reżysera.

Ford nadawał ton, dyrygując kinematografią polską w duchu jak najskrajniejszego podeptania narodowej tradycji. Przerażający jest jednak fakt, że znalazł tak wielu naśladowców inicjowanej przez siebie w kinematografii walki z polską historią i patriotyzmem. W dziedzinie ówczesnego filmu polskiego nie ma niemal żadnego wybitniejszego polskiego reżysera, który debiutując w owych stalinowskich czasach – nie umaczałby się maksymalnie w bagnie kłamstw, jakie współtworzył. Począwszy od Andrzeja Wajdy z jego filmem *Pokolenie*, nakręconym w 1955 roku na podstawie szkalującej AK-owców powieść Bohdana Czeszki. Nawet Adam Michnik, tak zaprzyjaźniony z Wajdą (przypomnijmy, że w 1990 roku Wajda należał do odłamu skrajnej lewicy postsolidarnościowej – ROAD), nie mógł ukryć prawdy o jakże potwornym zafałszowaniu historii Polski w *Pokoleniu* Wajdy (jego debiucie filmowym z 1955 roku). W bardzo entuzjastycznym skądinąd szkicu o twórczości Wajdy: *Popiół ułan polonez* („Magazyn Gazety Wyborczej" z 13 maja 1994) Michnik pisał o Wajdzie: *Zaczynał tyleż typowo, co paskudnie. „Pokolenie", film według powieści Bogdana Czeszki, nie różni się niczym od reszty produkcji artystycznej socrealizmu: historyczne kłamstwo i bolszewicki moralizm, sentymentalizm i artystyczna tandeta. Film przedstawia wyjątkowo wprost zakłamany obraz okupacji i antyhitlerowskiego ruchu oporu. Polak–fabrykant współpracuje z AK i kolaboruje na potęgę z Niemcami. Armia Krajowa to jakieś paskudne typy, które wzbudzają odrazę i powtarzają o staniu z bronią u nogi. Religia to opium dla mas, odwodzące od walki o wyzwolenie. Jedynymi sprawiedliwymi są naturalnie komuniści.*

I taki film nakręcił Andrzej Wajda, człowiek, który kiedyś składał przysięgę wierności w Armii Krajowej (!). Może zdumiewać, do jakiego stopnia młodzi, nawet bardzo utalentowani, reżyserowie filmowi godzili się oczerniać najnowszą historię swego narodu, zgodnie z reżimową polityką. Typowym przykładem pod tym względem był anty-AK-owski film *Cień*, nakręcony w 1956 roku przez 34-letniego wówczas Jerzego Kawalerowicza. Co mówił film Kawalerowicza? Oddajmy na ten temat głos redaktorowi „Gazety Wyborczej", a więc dziennika trudnego do posądzenia o nadmierną idealizację antykomunistycznego podziemia – Andrzejowi Osęce. Krytycznie oceniając wprowadzenie takiego właśnie filmu na ekran telewizji w początkach 1995 roku, Osęka tak pisał o jego wymowie: *Dowiadujemy się, że walczące z komunistami podziemie tworzyli w powojennej Polsce osobnicy diaboliczni, którzy w czasie niemieckiej okupacji jakimś cudem sprawiali, że patrioci strzelali do siebie nawzajem, którzy w dniach referendum obcinali ręce chłopom, głosującym „3 razy tak", zaś milicjantów polewali benzyną i podpalali, rozkoszując się widokiem ich agonii: którzy podkładali ogień w kopalniach, powodując rozpacz żon i dzieci ginących pod ziemią górników. Rozpacz górniczych żon i dzieci, bezwstydny rechot wroga Polski Ludowej na wspomnienie jej płonącego żywcem obrońcy, a także kikut uciętej ręki słusznie głosującego chłopa-biedniaka – wszystko to, nawiasem mówiąc, widać w filmie jak najwyraźniej (...) Walczący o ludową władzę partyzanci, jak i później utrwalający ją funkcjonariusze są tutaj po prostu nieskazitelni (...) Bandom pomagają kułacy. Wróg ujawnia się po tym, że opowiada antypaństwowe dowcipy (...)*

Dzieło nagrodzone przez krytyków filmowych Syrenką Warszawską (...) ukazuje prawdę o społeczeństwie polskim lat powojennych dokładnie taką, jaką zawarł był w swych przemówieniach generał Zarako-Zarakowski, oskarżyciel w procesach akowców i innych ludzi, skazywanych wtedy na śmierć. Identycznie to samo powtarza dziś pułkownik Humer, jak również jego koledzy (A. Osęka: *Zabawa z cieniem*, „Gazeta Wyborcza", 7 stycznia 1995).

Jak wytłumaczyć tak usłużną gotowość do fałszowania historii, wykazaną przez jednego z najbardziej utalentowanych polskich reżyserów Jerzego Kawalerowicza, który później w latach 1966–1978 pełnił nawet funkcję prezesa Stowarzyszenia Filmowców Polskich, a od 1978 roku jego honorowego prezesa? Jak ocenić tych polskich krytyków filmowych, którzy zadecydowali jeszcze w 1956 roku (!) o przyznaniu tak zakłamanemu filmowi Kawalerowicza Nagrody Krytyki Filmowej?

Dlaczego tak liczni utalentowani reżyserzy filmowi zdecydowali się pójść na skrajne wysługiwanie się komunistycznej władzy, godząc się na produkcję filmów skrajnie zakłamanych i wręcz antypolskich? Czy coś może wytłumaczyć ich postawę? Niektórzy ludzie filmu próbowali swoją rolę w „hańbie domowej" wyjaśniać w stylu Jerzego Stefana Stawińskiego, autora scenariuszy do licznych głośnych filmów polskich, na ogół „odbrązowiających" (czytaj: zakłamujących) nowszą historię Polski. Stawiński, były żołnierz AK, tak wyjaśniał początki swego zaangażowania w propagandową służbę reżimowi komunistycznemu – napisanie – jak sam przyznawał – „wyjątkowo prymitywnej" powieści *Herkulesy* o ZMP-owcach na uczelni: *Dlaczego pisałem takie głupstwa? To trudno dziś pojąć, ale w 1950 r. zdawało się nam, że stalinizm będzie trwał wiecznie. Żyło się wtedy pod strasznym ciśnieniem* (cyt. za J. Szczerba: *Jerzy Stefan Stawiński*, „Magazyn Gazety Wyborczej", 31 października 1996). Nawet gdyby przyjąć takie uzasadnienie, to zalatuje ono na odległość straszliwym koniunkturalizmem. Służyć totalitarnemu zbrodniczemu reżimowi ze względu na to, iż się myślało, że będzie on „trwał wiecznie" (!) Nawet to w pełni nie tłumaczy jednak, dlaczego liczni znani dziś reżyserzy wysługiwali się kłamstwu także wtedy, gdy stalinizm zaczął się „sypać" po śmierci Stalina. Wysługiwali się po antykomunistycznym powstaniu w NRD w czerwcu 1953, po zamieszkach w Pilznie w Czechosłowacji w 1953 roku, po „rewelacjach" Światły. Przecież tak kłamliwe dzieło jak *Pokolenie* Wajdy powstało w 1955 roku, a *Cień* Kawalerowicza jeszcze o rok później – w 1956 roku (!).

Rusyfikacja i sowietyzacja Polski

Świadome niszczenie bardzo znaczęcej części polskiej tradycji narodowej, skrajne fałszowanie i przyczernianie polskiej historii szły w parze z ogromną czołobitnością wobec wszystkiego, co sowieckie i rosyjskie. Symbolicznym wręcz przykładem postępów uzależniania Polski od ZSRR stało się oddelegowanie z Moskwy na stanowisko polskiego ministra obrony narodowej marszałka ZSRR Konstantego Rokossowskiego – „na prośbę rządu polskiego". W czasie uroczystości oficjalnych skandowano: „Cieszą się miasta, cieszą się wioski, że powróci Rokossowski". Przez reżimowe czasopisma przeleciała fala peanów na cześć „wielkiego Polaka", który powrócił do Ojczyzny. Wszystkich przebił ekstazą Józef Hen, wypisując w „Kuźnicy" dytyramb: *Wrócił orzeł. Orzeł, któremu skrzydła przypięła Rewolucja (...) Wrócił Konstanty Rokossowski. Nasz Rokossowski.* Konstanty Rokossowski, witany z takimi fanfarami jako Polak powracający po latach do Polski, faktycznie urodził się w Wielkołukach, a nie w Warszawie, jak głoszono później w odpowiednio zafałszowanym życiorysie. W złośliwym dowcipie z tego okresu zapytywano: „Dlaczego Rokossowski ma skośne oczy na portretach?" I odpowiadano: „Ze zdumienia, gdy dowiedział się, że jest Polakiem!" Szkoły i przedszkola obiegał popularny dwuwiersz:

Wieczór kasza, rano kluski
Naród polski, a rząd ruski.

Sam Mołotow tłumaczył decyzję wyznaczenia właśnie Rokossowskiego na ministra obrony w Polsce tym, że to „ciut-ciut Polak", i podkreślał, że wprawdzie Rokossowski nie chce jechać do polski, ale *dla nas ważne jest, aby się tam udał i zaprowadził porządek* (cyt. za W. Białkowski: *Rokossowski. Na ile Polak?*, Warszawa 1994 s. 171–172). „Ciut-ciut Polak" – Rokossowski szybko zadbał o maksymalne zwiększenie liczebne w wojsku polskim zastępu sowieckich oficerów, mających „pełnić obowiązki Polaków". Już w ciągu pierwszych kilkunastu miesięcy urzędowania nowego marszałka Polski do jego dyspozycji odkomenderowano z Moskwy ponad 20 sowieckich generałów) (wg W. Białkowski: *op. cit.*, s. 205).

Fałszując historię, wszystko, co było dobre w dziejach Polski, przypisywano Rosjanom. Nawet bitwa pod Grunwaldem miała być rozstrzygnięta tylko i wyłącznie dzięki niebywałemu męstwu trzech pułków smoleńskich, które uratowały sytuację po pierzchnięciu Litwinów. Liczni pisarze bili prawdziwe rekordy służalstwa wobec Rosji. Na przykład pisarka Helena Boguszewska, działająca w KRN, a później PKWN-ie, „wsławiła się" peanem na cześć Moskwy – książką *Nigdy nie zapomnę*. Można tam było znaleźć pełne serwilistycznych uczuć zdania typu *Zginęła Warszawa, ale... Jest Moskwa – Jesteśmy w Moskwie. Jesteśmy szczęśliwi*. Starannie wybielano lub wręcz przemilczano w szkolnych podręcznikach wszystko, co mówiło o okrucieństwach rosyjskich władz wobec Polaków, typu rzezi Pragi Suworowa czy terroru Murawiewa Wieszatiela na Litwie.

Chwalba wszystkiego, co sowieckie i rosyjskie, wywoływała całe fale złośliwych dowcipów politycznych, mimo grożących za nie kar więzienia czy obozów pracy. Szczególnie częstym tematem dowcipów była wciąż stosowana maniera przypisywania Rosjanom wszelkich możliwych odkryć w nauce i pionierstwa przeróżnych wynalazków. Rosjanie mieli wynaleźć pierwszy samolot, pierwsze radio (Popow), etc. Złośliwie powiadano więc, że radio wynalazł jednak Marconi, natomiast Popow rzeczywiście również coś wynalazł, ale było to zagłuszanie! Atmosferę tamtych czasów serwilizmu i terroru dobrze ilustrowała autentyczna historia z Gdyni początku lat pięćdziesiątych. Ludzi zgromadzili się w jakimś gdyńskim kinie, chcąc obejrzeć zapowiedzianą komedię. Czekali, czekali, a tu ciągle jeszcze zamiast oczekiwanej komedii mieli wstępny dodatek o Stalinie. Minęło 10 miut, 20 minut, półtorej godziny, a sala wciąż musiała oglądać wstępny wiernopoddańczy dodatek o życiu wielkiego Josifa Wissarionowicza Dżugaszwili. Wreszcie zniecierpliwieni ludzi zaczęli tupać z irytacji. Tym razem reakcja była błyskawiczna – natychmiast powiadomiony szef miejscowego UB kazał podjechać ciężarówką pod kino i aresztować wszystkie osoby znajdujące się w sali kina.

Nagminnie aktualizowano, politycznie odpowiednio fałszując, teksty historyczne i literackie, teksty piosenek. Na przykład fragment patriotycznej polskiej piosenki czasów wojny: „Nie było, nie było, Polsko, szczęścia Tobie!", „odpowiednio" zniekształcono w filmie *Zakazane piosenki*, nadając mu antypolską wymowę: „nie było, nie było, Polsko, dobra w Tobie!".

Wydane w 1996 roku *Dzienniki powojenne* Marii Dąbrowskiej, po raz pierwszy przynoszące zapiski blokowane niegdyś przez cenzurę, stanowią prawdziwe wstrząsające świadectwo na temat kierunków i rozmiarów walki z polskością w dobie bermanizmu i bierutyzmu. Oto niektóre, jakże wymowne zapiski

Dąbrowskiej z tamtych „czasów pogardy", począwszy od uwag o skrajnej rusyfikacji i sowietyzacji. Pod datą 6 listopada 1948 Dąbrowska zapisała: *Polska jest sowietyzowana, a nade wszystko – rusyfikowana w takim tempie, że nawet ja, co nie miałam złudzeń i wszystkiego tego się spodziewałam, jestem przerażona. Radio od rana do nocy zieje moskiewszczyzną (...) Polska znikła. Mówi się tylko o Rosji (...) coraz wyraźniej widać, że idzie o to, żeby splugawić Polakom wszystko, co polskie. Nawet Rejtan nie byłby dziś możliwy. Nie pozwolono by mu odjechać do domu po jego zrozpaczonym proteście – zrobiono by z nim proces pokazowy z przyznaniem się do szpiegostwa.*

Od Niemców groziła Polsce zagłada biologiczna, od Moskali – stokroć straszniejsza – duchowa i moralna. Jestem zrozpaczona, że tyle Polaków okazało się podatnymi do nikczemności (...) Dziś dopiero hoduje się w Polsce nienawiść do Rosji, tak straszliwą, jakiej nie zdołało wszczepić nawet 150 lat rządów carskich. Dziś prowokacyjnie i dla celów zaborczych hoduje się w Polsce warunki dla najstrszliwszej wojny domowej, bo urobionych fanatyków moskiewszczyzny są już jednak spore zastępy (M. Dąbrowska: *Dzienniki powojenne 1945–1965, t. I 1945–1949,* wybór T. Drewnowski, Warszawa 1996, s. 323–324).

Ponad rok później, 27 listopada 1949 Dąbrowska zapisała: *W nocy nie śpię do czwartej – histeryzuję na temat Polski. Niemcy walili obuchem w łeb, lecz o ile obuch nie trafił, człowiek żył, choć pod ziemią, wolny i piękny. Rosja działa jak żrący kwas przetrawiający duszę narodu i zmieniający jej organiczny skład w amalgamat nie do poznania i w dodatku cuchnący* (tamże, s. 496).

Dąbrowska pisała o jakże licznych osobach, które gotowe były usprawiedliwiać maksymalną podległość Polski wobec Rosji, usprawiedliwiać koszty zmian przeprowadzanych po 1944 roku pod egidą Kremla. Między innymi nie ukrywała oburzenia na Jerzego Andrzejewskiego, który w rozmowie z nią 27 października 1948 usprawiedliwiał straszną cenę zmian tym, że *w historii zawsze płaci się za wszystko tak wysoką cenę*. Dąbrowska komentowała: *Nie sprostowałam już, że idzie mi nie o wysoką, ale o za wysoką. Przez co miałam na myśli: utratę niepodległości, zatratę tych najlepszych cech człowieczeństwa, bez których życie staje się tylko dobrze zorganizowanym, cuchnącym moralnie chlewem. Zatratę godności, odwagi cywilnej, śmiałości i płodności duchowej, niezależności myśli etc.* (tamże, s. 304). Jakże przepastna jest różnica między tym demaskatorskim świadectwem Dąbrowskiej o epoce zniewolenia a różnymi wybielaczami historii tzw. Polski Ludowej, od zakłamanych historyków w stylu Krystyny Kerstenowej począwszy po Michnika i jego podwładnych z „Gazety Wyborczej" (*vide:* pro-PRL-owskie laurki Michała Cichego) i dobrane grono postkomunistycznej „Polityki". Nie mówiąc o prawdziwym skandalu wydawniczym w zakresie klajstrowania prawdy o PRL-u, książce Jacka Kuronia i Jacka Żakowskiego: *PRL dla początkujących* (Wrocław 1996).

Mała stabilizacja, wielka kapitulacja

Zmiany w październiku 1956 przyniosły zahamowanie akcji systematycznej sowietyzacji i rusyfikacji, skrajnego fałszowania i pomniejszania narodowej historii. Były jednak zbyt połowiczne, by umożliwić prawdziwie głęboką rehabilitację poniewieranych dotąd części tradycji narodowej. Decydujące znaczenie miał tu fakt, że na czołowych stanowiskach w partii komunistycznej i w administracji państwowej utrzymała się ogromna część dawnej stalinowskiej antynarodowej elity władzy. Wykorzystując straszak antysemityzmu umiejętnie zablokowała ona możliwość rozliczenia się z realizowaną w Polsce odmianą stalinizmu (por. szerzej W. Jedlicki: *Chamy i Żydy*, paryska „Kultura" 1962, nr 12).

Jakże często skrajnie fałszywie próbuje się u nas po dziś dzień akcentować wielkie jakoby rozmiary zmian w październiku 1956, dając do zrozumienia, że były one tak wyrazistym przełomem, po którym już niemal mieliśmy u władz rodzaj polskiego „socjalizmu z ludzką twarzą". Amatorzy tego typu idealizacji dziwnie milczą o tym, w jak silnym stopniu ówczesne rządy w Polsce były sprawowane przez dawnych skompromitowanych stalinowców, w większości jak najdalszych od jakiegokolwiek zrozumienia dla polskiego patriotyzmu i polskości. O tym, jak dalej forowano całą prosowiecką Targowicę, usuwając w cień ludzi prawdziwie patriotycznych, degradując ich i szykanując. Dziesiątki tysięcy ludzi z AK nadal nie mogło znaleźć pracy odpowiadającej ich zdolnościom, a wielu wcześniej represjonowanych ciągle szykanowano, utrudniając znalezienie im pracy w zawodzie. Jakże smutnie wymowny pod tym względem był na przykład los Elżbiety Zawackiej „Zo", zrzuconej w 1943 w Polsce jako jedynej kobiety „cichociemnej", dwukrotnie odznaczonej srebrnym krzyżem Virtuti Militari. Więziona w latach 1951–1955, po 1956 roku długo pozostawała bez środków do życia. W końcu po ogromnych zabiegach otrzymała pracę w toruńskim liceum korespondencyjnym. Nawet po zrobieniu doktoratu w 1965 (!) uniemożliwiono jej objęcie funkcji dyrektora liceum (por. *Z cichociemną inaczej*... Rozmowa G. Górskiego z doc. E. Zawacką „Zo", „cichociemną", „Ład", 3 lipca 1988).

W tym samym czasie władza okazywała się bardzo miłościwą wobec dawnych stalinowskich katów. Nawet najsroższym ubeckim mordercom typu Różańskiego czy Fejgina, więzionym skądinąd w wielce komfortowych warunkach, wydatnie skrócono wyroki, tak że mogli wyjść z więzień w początkach lat sześćdziesiątych. Równocześnie zaś były wcale nierzadkie przypadki, przez dziesięciolecia przemilczane w polskiej prasie, że skazani w czasach stalinowskich za swą wierność Polsce AK-owcy byli dalej przetrzymywani w więzieniach w latach sześćdziesiątych. Siedząc dłużej od najgorszych morderców z bezpieki. By przypomnieć choćby los kapitana z wileńskiego AK – Adama Boryczki „Tońki", kawalera orderu Virtuti Militari V klasy, więzionego aż do 29 listopada 1967 roku (!). Boryczka dwukrotnie protestował w więzieniu głodówką w 1966 roku (por. A. Wernic: *Kapitan Boryczka „Tońko"*, „Ład" 1989, nr 6). Jakże oskarżycielski jest wobec gomułkowskiej Polski fakt tak długiego więzienia najlepszych polskich patriotów, w zapomnieniu przed polską opinią publiczną, której wmówiono, że wszyscy więźniowie z AK zostali wypuszczeni już w 1956 roku.

Mordercza cenzura

Lata rządów Gomułki, to jednak również i kontynuacja, choć najczęściej znacznie subtelniejszymi i dlatego tym niebezpieczniejszymi środkami, walki z polskim patriotyzmem i tradycjami narodowymi. Ogromna część społeczeństwa polskiego do dziś nie zdaje sobie nawet sprawy z konsekwencji i rozmiarów tej ówczesnej walki. Choćby nawet stopnia, do jakiego rozszalała się gomułkowska cenzura, i to nawet w „najlepszym", najbardziej „liberalnym" okresie 1957–1958. Otóż tylko w tych dwóch latach wydawnictwa musiały zaniechać wydania lub doszło do wstrzymania przez cenzurę aż 48 książek autorów współczesnych, a 6 dalszych zatrzymano w korekcie lub w druku. Najczęściej ofiarami zablokowań padały książki o wymowie patriotycznej. Uzasadnienia cenzorskie przy większości wstrzymań zarzucały „apoteozę AK bądź zachodnich formacji", „obiektywnie antyradziecką wymowę", lub „jednostronne obrachunki ze stalinowską przeszłością". Wśród zablokowanych przez cenzurę książek znalazły się między innymi: wspomnienia generała F. Skibińskiego *Od Skawy do Renu*, W. Bartoszewskiego *63 dni walczącej stolicy*, tegoż *Antologia poetycka – wiersze i pieśni walczącej Warszawy 1939-1944* i *Kronika Powstania Warszawskiego*, Malinowskiego *Żołnierze łączności AK*, Fedorowskiego *Rozszumiały się wierzby*, Małuszczyka *Oddział bojowy 93* (wg *Partia i literaci. Dokumenty Biura Politycznego KC PZPR 1959*, wybór i wstęp T. Kisielewskiego, Łowicz 1996, s. 87–90). Jak można skomentować takie, wręcz przestępcze wobec Narodu działania cenzury, która nie dopuszczała do druku nawet tak cennych dla pamięci i wzruszeń ocalałych z pożogi warszawiaków wierszy i pieśni walczącej Warszawy 1939–1944! Co ci cenzorzy mieli wspólnego z polskością?

Dodajmy, że i sam Władysław Gomułka, skądinąd nie douczony samouk, potrafił brutalnie interweniować osobiście na rzecz zakazu publikacji lub ekranizacji poszczególnych dzieł, nawet z literackiej klasyki. Na przykład podczas spotkania z zespołami redakcyjnymi „Przeglądu Kulturalnego" i „Nowej Kultury" w dniu 5 czerwca 1963 Gomułka z prawdziwie szewską pasją zaatakował jako nieodpowiedzialny pomysł wydania wszystkich dzieł Stefana Żeromskiego, mówiąc: *teraz jest 100 rocznica Żeromskiego, proszę bardzo dawaj, wszystkie dzieła, łącznie ze wszystkimi wypadami antysowieckimi (...). Ja się kiedyś dowiedziałem, że chcą kręcić film „Wierna rzeka". Niepotrzebny nam taki film* (cyt. za A. Garlicki: *Z tajnych archiwów*, Warszawa 1993, s. 286–287). I tak to samozwańczy znawca literatury – Gomułka, decydował o odrzuceniu do lamusa dzieła ukazującego wstrząsający dramat Polaków w dobie Powstania Styczniowego!

Rozprawa z narodową historią

W czasie, gdy zabrakło należnego miejsca w życiu publicznym dla jakże wielu szykanowanych w dobie stalinizmu polskich patriotów, którzy mogliby powiedzieć prawdę o narodowej historii, nadal dominowali wszędzie starzy komunistyczni fałszerze. Antynarodowa PRL-owska elita władzy miała nadal do swej dyspozycji prawie zupełnie nie zmienione zastępy starych stalinowskich propagandystów, nawykłych do pomiatania narodowymi tradycjami i całą historią w imię tak zwanego internacjonalizmu. Zmieniło się tylko to, że po 1956 roku przyszedł czas na nowe, dużo bardziej wyrafinowane formy zwalczania polskiego patriotyzmu i polskości. Ich głównym celem stały się koncentryczne ataki na polskie powstania narodowe i „bezmyślne rzucania się" Polaków do nierównej walki, polską „bohaterszczyznę", etc. Kampaniom antypowstańczym sprzyjała przygnębiająca atmosfera po krwawym stłumieniu Powstania Węgierskiego 1956 roku. Zohydzanie patriotyzmu i tradycji narodowych jako niebezpiecznej „bohaterszczyzny" realizowało generalną linię rządzącej elity PRL-owskiej po 1956 roku, powtarzającej zalecenie Gomułki „Tylko spokój może nas uratować!" Poprzez ośmieszanie rzekomych powstańczych szaleństw dawnych Polaków chciano zniechęcić współczesnych młodych ludzi do pójścia kiedykolwiek ich śladem i buntowania się przeciw PRL-owi. Aby nie zrobili nowego Poznania czy Budapesztu. Tym donośniej próbowano więc ich zachęcić do potulnego ulegania wzorcom „naszej małej stabilizacji". Oparto je na zasadzie cynicznego pogodzenia się z sytuacją w myśl popularnego powiedzenia: „Czy w odwilży, czy w zamieci, ja nie mówię, bo mam dzieci". „Mała stabilizacja, wielka kapitulacja", pisał z oskarżycielską ironią przebywający na emigracji poeta Kazimierz Wierzyński.

Gromiciele polskiego patriotyzmu

Godząca w polskość i tradycję kampania potępień „bohaterszczyzny" nie miała faktycznie żadnego efektywnego przeciwdziałania w ówczesnej sytuacji. W warunkach po 1956 roku istniały bardzo niewielkie możliwości dostępu jakichkolwiek przedstawicieli środowisk patriotycznych do mediów, całkowicie zdominowanych przez „internacjonałów"–manipulatorów z grupy „puławian"*. Środowiska patriotyczne ciągle jeszcze nie zdołały się otrząsnąć po skutkach prawie 12 lat brutalnych represji (1944–1956). Tak jak w czasach stalinizmu, tak i wtedy w polskich mediach nadal dominowali

* Puławianie, jedna z dwóch frakcji partyjnych, walczących o władzę w kierownictwie PZPR od lata 1956 roku. Złożona w przeważającej mierze z działaczy skompromitowanych udziałem w stalinizacji Polski. W październiku 1956 z pomocą kontrolowanych przez nich mediów puławianie przedstawiali się jako rzekomi „liberałowie" partyjni, którzy chcą prawdziwej demokratyzacji w przeciwieństwie do rywalizującej z nimi frakcji tzw. natolińczyków. Zadecydowanie przeciwstawiali się odradzaniu patriotyzmu, popierając ataki na polskie tradycje, tzw. bohaterszczyznę, etc.

różni gromiciele polskiego patriotyzmu, od KTT (Krzysztofa Teodora Toeplitza) po Zygmunta Kałużyńskiego i Kazimierza Koźniewskiego, robiąc wszystko, co tylko było możliwe dla upokarzania narodowej godności.

Nawet dziś, po dziesięcioleciach teksty KTT czy Kałużyńskiego z lat 1959–1961 szokują występującym w nich stężeniem nienawiści, z jaką piętrzyli wyzwiska pod adresem „głupiego" narodu polskiego, Polaków–„półgłówków", „ślepo-głupiego patriotyzmu". Książka *Seans mitologiczny* Krzysztofa Teodora Toeplitza może być wręcz uznana za swoistą kwintesencję antypolonizmu. Komentując obraz Polaka, wyłaniający się z filmów rozprawiających się z polską historią, Toeplitz pisał z całą satysfakcją: *Polak został odbrązowiony. Na miejsce postaci patetycznej, zmagającej się ze złowrogim Losem w imię wyższych imperatywów, pojawiła się postać komiczna i godna szyderczej wzgardy – półgłówek, zamiłowany w patetycznych gestach, nie dorastający do wymogów historii, bezmyślny, czasem nawet nikczemny* (K.T. Toeplitz: *Seans mitologiczny*, Warszawa 1961, s. 132). Zapamiętały deheroizator i „odbrązowiacz" polskości – KTT tak tłumaczył istotę ataków na polską „bohaterszczyznę": *I wreszcie przychodzi propozycja trzecia – narodowi czyni się wyrzut: jesteście głupi, wasze poczynania są śmieszne, wasze bohaterstwo nikomu niepotrzebne, wasze fetysze, morały i świętości są grą operetkowych gestów i farsowych gagów. Śmiejcie się z tego, i to być może będzie antidotum na operetkowość waszej sytuacji* (tamże, s. 135).

„Dzielnie" wtórował KTT inny zagończyk antypolonizmu, Zygmunt Kałużyński. Miał za sobą wielką wprawę w łganiu w czasach stalinowskich, kiedy to wyróżniał się gorliwością w demaskowaniu najprzeróżniejszych „wrogów ludu" (np. oskarżając o faszyzm francuskich egzystencjalistów katolickich i piętnując złowieszczy „antyhumanizm" noweli Hemingwaya *Stary człowiek i morze*). Teraz z prawdziwą lubością skupił się na atakach na polską „bohaterszczyznę", już w 1959 roku wychwalając filmy tzw. szkoły polskiej za ich śmiałość w rozprawianiu się z „kultem ślepo-głupiego patriotyzmu" (Z. Kałużyński: *Czy koniec szkoły polskiej*, „Film" 1959, nr 48). Z równą werwą opiewał filmy polskiej szkoły za ich spychanie polskiego mitu narodowego „do rynsztoka" (por. tekst Z. Kałużyńskiego – *Antyheroizm w fazie kabaretowej*, „Nowa Kultura" 1960, nr 9). Już wtedy wyszydzał wieczny „absurd polskiej sytuacji" i przedstawiał głupawego Piszczyka z *Zezowatego szczęścia* jako rzekome ucieleśnienie „polskości" (tamże). Jakże cieszył się z wyszydzającej Polaków przeróbki *Ptaków* Arystofanesa, pisząc, że: *autoro-*

wie przeróbki skorzystali (...) z tekstu „Ptaków" Arystofanesa, by wykpić jeszcze raz polską ambicję heroicznego konstruowania „mocarstwa", czy nawet mniej, państwa z „zasadami", na tle warunków niezbyt do tego się nadających (tamże). I dodawał, że autorzy przeróbki *Ptaków* urobili arystofanesowski Chmurokukułczyn na obraz tego *podrzędnego państwa operetkowego gdzieś w centralnej Europie*, konkludując, że Chmurokukułczyn okazał się *jeszcze jedną wersją kretyńskiego państwa heroizującego* (tamże). Atakom na polskie „kretyńskie państwo heroizujące" towarzyszyło u Kałużyńskiego gwałtowne piętnowanie „fijoła" wierności narodowym tradycjom, i w ogóle zasadom i ideałom. Pisał wprost: *„Matka Joanna od Aniołów" wpisuje się jako dalszy filozoficzny ciąg „Kanału", „Popiołu i diamentu", „Eroiki", „Lotnej", „Zezowatego szczęścia" i innych filmów, atakujących pasożytnicze mitologie trawiące nasze społeczeństwo w ciągu ostatniego okresu historycznego. Jest to, w szerszym zakresie, polemika z każdym fijołem, sprzeciwiającym się w myśl wykombinowanych zasad, tradycji, służby itd. ludzkim uczuciom, naturalnym koniecznościom i podstawowej logice życia* (Z. Kałużyński: *Tragedia antydogmatyczna*, „Polityka" 1962).

Żarliwość, z jaką Kałużyński starał się już wówczas wyrzucić różne polskie narodowe tradycje do „rynsztoka", zapewniła mu już na początku lat sześćdziesiątych dość specyficzną renomę. Na przykład w wydanej w 1962 roku książce płk. Zbigniewa Załuskiego Kałużyński został uznany za jednego z najskrajniejszych „szyderców", atakujących wprost odrębność narodową w ogóle, polskość i Polskę „jako takie" (por. Z. Załuski: *Siedem polskich grzechów głównych*, Warszawa 1962).

W ślad za KTT i Kałużyńskim szli liczni gromiciele polskich tradycji narodowych, poniewierający polską przeszłość. Wielu z nich kontynuowało swą zohydzającą naród działalność przez całe dziesięciolecia. Tak jak robił to Wiesław Górnicki, później jako major Górnicki w czasie stanu wojennego, jeden z najbardziej skompromitowanych pretorianów gen. Jaruzelskiego. Po raz pierwszy „wsławił się" odpowiednio już w 1959 r. publikując na łamach tygodnika „Świat" haniebny tekst szkalujący pamięć o księciu Józefie Poniatowskim. Pisał tam o *niejakim Poniatowskim, bawidamku i oczajduszy, który prawdopodobnie po pijanemu utopił się w Elsterze, wydając przy tym kabotyńskie okrzyki* (W. Górnicki: *Czasy inżynierów*, „Świat" 1959, nr 14). Tak komentował Górnicki ostatnie słowa ks. Józefa: „Bóg mi powierzył honor Polaków!" Bezkarność oszczerców narodowej historii zachęcała do kolejnych antynarodowych wybryków i wyzwisk.

Zohydzający narodową historię wiedzieli, że dzięki temu zasłużą sobie na pochwałę partyjnych zwierzchników, zarobią u nich dodatkowe punkty jako autentyczni „internacjonaliści", ułatwią sobie przyszłą karierę. Warto o tym pamiętać i dziś, gdy kolejny raz obserwujemy podobną antynarodową patologię w najbardziej wpływowych mediach „czerwonych" i „różowych".

Polska szkoła filmowa w ataku na polską historię

W odbrązowianiu i wyszydzaniu Polaków jako narodu ogromną rolę odegrały liczne filmy tzw. szkoły polskiej, pokazujące w skrajnie krzywym zwierciadle polski wysiłek zbrojny i w ogóle całą historię. W ataku na polskie tradycje narodowe i tak zwaną „bohaterszczyznę" wyraźnie przodował Andrzej Wajda, który tej tematyce poświęcił gros swoich filmów z lat 1957–1970 (*Kanał*, *Popiół i diament*, *Lotną*, *Samsona*, *Popioły* i *Krajobraz po bitwie*). Do tego dochodziły deheroizujące filmy Andrzeja Munka (*Eroica* i *Zezowate szczęście*) oraz liczne filmy podrzędniejszych reżyserów, ślepo idących za modą na atakowanie narodowej historii. Wiedzieli, że hołdując tej modzie będą mogli zawsze liczyć na hojne dofinansowanie ze strony komunistycznych władz kinematografii i na wylewne pochwały ze strony „internacjonalistycznej" marksistowskiej krytyki filmowej (Z. Kałużyńskiego, KTT, J. Toeplitza, etc.). Taki cel uświęcał środki, prowadził do maksymalnie bezceremonialnego obchodzenia się z faktami. Andrzej Wajda, ośmieszając jako wyraz skrajnej głupoty polskiej w filmie *Lotna* szarżę polskich ułanów na czołgi, ani przez chwilę nie troszczył się o taki „drobiazg", iż nigdy w rzeczywistości nie doszło do takiej rzekomej polskiej szarży. Ani o to, że powielał w ten sposób tylko fałsze dawnej propagandy hitlerowskiej, próbującej banialukami o rzekomej szarży ośmieszyć polski opór na świecie. Nawet tak chłodno i sceptycznie patrzący na polską historię Stefan Kisielewski z oburzeniem zareagował na świadome deformowanie polskiej historii przez Wajdę w *Lotnej*. I zapisał w swoich *Dziennikach*: *w kinie widziałem po raz pierwszy „Lotną" Wajdy. To ostatnie oburzyło mnie okropnie, choćby jako żołnierza Kampanii Wrześniowej. Jak można było na tle narodowego dramatu wykoncypować tak niesmaczną bzdurę (...) to już tajemnica tego reżysera (Wajdy), który, nie wiedząc o tym, lubuje się w karykaturowaniu polskości* (S. Kisielewski: *Dzienniki*, Warszawa 1996, s. 311).

Tyle, że to „karykaturowanie polskości" przez Wajdę zupełnie nie przeszkadzało czołowym publicystycznym gromicielom polskiej „bohaterszczyzny". Przeciwnie, z tym większą satysfakcją wysławiali Wajdę za *Lotną*. K.T. Toeplitz wychwalał rolę filmu Wajdy w demaskowaniu narodowej rekwizytorni romantycznej, stwierdzając: *wśród groźnych wydarzeń wrześniowej klęski ułani Wajdy spierają się o konia, który przechodzi z rąk do rąk wówczas, gdy jego właściciel ginie na polu bitwy. Idiotyzm tej rywalizacji w obliczu krwawej klęski jest oczywisty. Rekwizytami Polski ułańskiej posługują się manekiny, wykonujące z pustką w sercu polityczne, wyświechtane gesty* (K.T. Toeplitz: *Seans...*, s. 129).

Jaka była faktyczna wymowa całej fali ówczesnych filmów szkoły polskiej, podejmujących wątki najnowszej historii Polski? Nader pouczające pod tym względem mogą być pochodzące z tamtego okresu oceny dwóch „internacjonalistycznych" apologetów rozprawiania się z polską historią i tradycjami narodowymi: Zygmunta Kałużyńskiego i KTT. Kałużyński z entuzjazmem perorował na łamach swojej wydanej w 1963 roku książki: *Film polski w ślad za literaturą, zabrał się do obdzierania ze skóry głównego mitu narodowego, o patriotycznym poświęceniu. Film nasz zachował się tutaj wyjątkowo bezkompromisowo, brutalnie i nawet nie bez masochistycznego nihilizmu. W „Kanale" wszyscy co do jednego ginęli głupio i bez potrzeby, w „Eroice" heroiczne ryzyko okazywało się żałosną blagą, w „Popiele i diamencie", „Pigułkach dla Aurelii", „Lotnej" film pastwił się nad tragicznym kontrastem między młodością, wdziękiem, malowniczością bohaterów, budzących sympatię i ich kretyńsko-absurdalną śmiercią* (Z. Kałużyński: *Bilet wstępu do nowego wieku*, Warszawa 1963).

Podobną wymowę miały zapiski Krzysztofa Teodora Toeplitza, który tak charakteryzował wymowę niektórych głośnych filmów „szkoły polskiej" na temat drugiej wojny światowej: *„Kanał" przedstawia losy ludzi, którzy z rozkazu dowództwa schodzą do podziemnych ścieków, by tam wyginąć co do nogi w imię sprawy, o której od początku wiadomo, że jest przegrana. „Pigułki dla Aurelii" opowiadają o grupie konspiratorów, przewożących broń wśród ciągłych walk z Niemcami, gdy zaś cała grupa zostaje zmasakrowana okazuje się, że wieziona przez nią broń była niepotrzebna. W „Zamachu" oddział straceńców dokonuje udanego wprawdzie napadu na hitlerowskiego dygnitarza, ale za to wszyscy zamachowcy giną w czasie tej akcji, stawiając pod znakiem zapytania opłacalność podobnego wyczynu (...) „Eroika", pokazu-*

jąc wprawdzie równie żałosne i absurdalne jatki, zachowuje jednak wobec nich cyniczno-sceptyczny dystans (K.T. Toeplitz *Seans...*, s. 122–123).

Przy tak karykaturalnym obrazie walk Polskiego Państwa Podziemnego ulegała całkowitej deformacji prawdziwa historia walk jego głównych formacji wojskowych na czele z Armią Krajową. Dzięki filmom „szkoły polskiej" utrwalała się teraz wizja AK-owców jako wprawdzie dzielnych, ale trochę głupich chłopców, reprezentujących anachroniczny model patriotyzmu, którego należałoby się jak ognia „wystrzegać" (por. uwagi W. Zwinogrodzkiej w jej znakomitym szkicu *Spopielony diament: nieprawy mit*, „Dialog" 1996, nr 5–6, s. 138–147). Jakże trafne wydają się w tym kontekście uwagi Wandy Zwinogrodzkiej o faktycznym jakże negatywnym, antywychowawczym oddziaływaniu filmów „szkoły polskiej", atakujących i ośmieszających heroiczne tradycje Polskiego Państwa Podziemnego czasów wojny. Jak pisała Zwinogrodzka: *Słowo „bohaterszczyzna" zrobiło błyskawiczną karierę i niebawem stało się etykietą szuflady, w której z hukiem zatrzaśnięto patriotyczną tradycję Drugiej Rzeczypospolitej i państwa podziemnego. Tak naprawdę teraz dopiero tradycja ta zaczęła ostatecznie obumierać! Przedtem – nękana i represjonowana – mimo wszystko żyła w oficjalnej propagandzie – jako symbol zła i wszetecznictwa, w nieoficjalnej legendzie – jako niezabliźniona rana. W drugiej połowie lat pięćdziesiątych, gdy akowcy powrócili z więzień i syberyjskich łagrów, ich krzywda przestała gnębić sumienia. Ich prawda natomiast między innymi za sprawą wysiłków „szkoły polskiej" – traktowana była z pobłażliwym dystansem. W konsekwencji w sposób nieunikniony wyradzała się w przygodowo-sentymentalne dykteryjki, snute przez podtatusiałych dżentelmenów na rodzinnych przyjęciach* (tamże, s. 139). I ta właśnie rola „szkoły polskiej" w doprowadzeniu do obumarcia najpiękniejszej tradycji nowszych dziejów Polski musi być oceniona szczególnie krytycznie. Jako jeden z najdotkliwszych ciosów dla polskiej świadomości patriotycznej w okresie powojennym!

Szkody wyrządzone narodowej samowiedzy Polaków przez głośne filmy polskiej szkoły filmowej były tym większe, iż częstokroć były to filmy wybitne artystycznie, urzekające malarskością, tak jak *Kanał* czy *Popiół i diament*. Ułatwiało to zauroczenie widzów i niespostrzeżone przejmowanie ich przesłania, częstokroć bardzo sprzecznego z prawdziwą pamięcią wydarzeń, jaką dotąd w sobie nosili i pielęgnowali. Jakże wiele osób przyciągnął pięknem swej wizji artystycznej i prawdziwym mistrzostwem niektórych obrazów Wajdowski *Popiół i diament*. Urzeczenie artystyczne na ogół powodowało jednak przymykanie oczu na kryjące się w tym filmie wyjątkowo wyrafinowane zafałszowanie obrazu antykomunistycznego podziemia (wraz z końcową sceną każącą umrzeć Maćkowi Chełmickiemu na śmietniku – los przeciwników tzw. władzy ludowej). Film szedł zresztą tu w ślad za swym jakże kłamliwym pierwowzorem – książką Jerzego Andrzejewskiego o tym samym tytule. Przypomnijmy, że Maria Dąbrowska już w lipcu 1948 roku pisała o *Popiele i diamencie*, iż jest to „paszkwil na młodzież polską", na Polskę w ogóle, nazywany powszechnie „Gówno i zamęt" (M. Dąbrowska: *Dzienniki powojenne 1945–1965, t. I 1945–1949*, wybór T. Drewnowski, Warszawa 1996, s. 260). Jeszcze w wiele lat później – w 1983 roku Sławomir Mrożek z prawdziwym oburzeniem przypominał rozmiary proreżimowego załgania w książce Andrzejewskiego, pisząc między innymi: *W tej książce Armia Czerwona przesuwa się przez ziemie polskie dyskretnie krokiem elfów, czyli leśnych duchów (...) Według tej książki Polska w 1945 składała się tylko z durniów, oszustów, morderców, błaznów, zdegenerowanych inteligentów (...) czyli przedstawicieli i obrońców Starego (...) oraz ze szlachetnych, mądrych komunistów, czyli przedstawicieli Nowego* (S. Mrożek: *Popiół i diament*, paryska „Kultura" 1983, nr 1–2, s. 38, 40–41).

Ekranizacja *Popiołu i diamentu* przez Wajdę jeszcze mocniej utrwaliła, i to w wyobraźni milionów widzów, tak szkodliwe proreżimowe kłamstwa Andrzejewskiego. Wielu z widzów tym łatwiej przełknęło zakłamane anty-AK-owskie tony, że znalazło w filmie Wajdy coś w rodzaju moralnego zadość uczynienia pamięci poległych AK-owców. Chodziło głównie o przejmującą scenę przy barze, gdy Maciek Chełmicki i Andrzej podpalili alkohol w kieliszkach uznanych za symboliczne nagrobki dla ich przyjaciół z AK. Ta scena prawdziwie chwytała za serce i stwarzała w powiązaniu z niektórymi innymi obrazami z filmu Wajdy poczucie, że jest on bez porównania uczciwszy od tego, co przedtem kręcono czy pisano na temat AK. Pełna, prawdziwa rola filmu Wajdy była, niestety, dużo gorsza. I nie przypadkowo z takim zadowoleniem odwoływał się do wymowy *Popiołu i diamentu* jeden z czołowych antynarodowych szyderców – Krzysztof Teodor Toeplitz,. W wydanym w 1961 roku *Seansie mitologicznym* (*op. cit.*, s. 128) Toeplitz pisał, że *Popiół i diament doprowadzający niedorzeczność „losu Polaka" do absurdu, nasycony jest rekwizytami takimi jak Chrystus ukrzyżowany, sztandar narodowy, okręcający się wokół głowy chorążego, biały koń, polonez Ogińskiego „Pożegnanie Ojczyzny". Wreszcie taniec chochołów, zapożyczony z „Wesela" i sta-*

nowiący finał tego znakomitego filmu. Podwójne działanie tych chwytów nie ulega wątpliwości. A więc z jednej strony budzą one ustalone odruchy emocjonalne, dobrze znane wzruszenia i sentymenty, równocześnie jednak wtopione w całość konstrukcji myślowej tego filmu, powracają jako zgrzyt, ironiczny grymas, podszyta smutną refleksją drwina z dawnych świętości.

Kręcić filmy tak, by komuniści się „nie czepiali"

Dlaczego cała plejada wybitnych polskich twórców filmowych zgodziła się kręcić filmy tak zafałszowujące polską historię, zgodnie z zamówieniem władzy? Odpowiedź na to wymaga znacznie szerszego komentarza. Na pewno swoją rolę odegrał fakt, że przeważająca część polskich reżyserów filmowych w dobie stalinizmu już wcześniej dała się maksymalnie umaczać w kłamstwach komunistycznej propagandy (*vide:* omawiane wcześniej filmy *Pokolenie* Wajdy czy *Cień* Kawalerowicza). Tym łatwiej więc i teraz na przełomie lat pięćdziesiątych i sześćdziesiątych poszli oni na skrajną łatwiznę, stając się wyjątkowo dogodnym narzędziem w rękach zręcznie manipulującego przeszłością obozu władzy. Faktem jest, że ówczesna polityka kulturalna i coraz bardziej szalejąca cenzura zostawiły bardzo niewielkie pole manewru dla ich poszukiwań twórczych. Wszędzie wyrastały tematy tabu, od bezwzględnie zakazanych rozliczeń z niedawną stalinowską przeszłością po blokowanie jakichkolwiek śmielszych tematów z teraźniejszości. Losy nielicznych filmów, próbujących wyjść poza cenzorskie bariery (od *Ósmego dnia tygodnia* po *Ręce do góry*), były dla twórców aż nadto wymownym ostrzeżeniem. Nie próbowali protestować przeciw cenzuralnym barierom, tak jak robiła znaczna część ich kolegów literatów z Antonim Słonimskim na czele, doprowadzając w końcu do kulminacji swego buntu w liście 34 intelektualistów. Polscy filmowcy woleli wejść na dużo wygodniejszą i bezpieczniejszą drogę dobrowolnego zamknięcia się w tematach dozwolonych przez władzę. Zaakceptowali zasadę – nie ruszać rzeczy zakazanych przez komunistów, bo można się „niepotrzebnie sparzyć", by za to tym mocniej dokopywać swą ironią polskim tradycjom narodowym, polskiej historii. Byle można było ostro poszydzić, stworzyć „mocny" kawałek filmu, obojętne, czy zgodny z prawdą historyczną, czy nie, byle ekscytował. I zyskał natychmiastowy poklask krytyki, jak wiadomo złożonej głównie z różnych partyjnych „internacjonalistów", od wielu lat zaprawiających się w tropieniu „polskiego nacjonalizmu".

Do jakiego stopnia prawdziwe są te uwagi o skrajnym oportunizmie i wygodnictwie polskich filmowców, sięgających głównie po takie tematy, którymi nie narażą się komunistycznej władzy, można przekonać się, czytając wynurzenia Jerzego Stefana Stawińskiego, autora scenariuszy do czołowych polskich filmów antyheroicznych: *Kanału, Eroiki, Zamachu* i *Zezowatego szczęścia*. Stawiński tak komentował postawę Andrzeja Munka, twórcy filmu *Zezowate szczęście*: *Munk zrobił ten film, żeby komuniści się nie czepiali. Groteskowo, żeby było śmiesznie. Kobiela udaje idiotę, chodzi na czworakach. Nawet Rosjanie to wyświetlali* (cyt. za J. Szczerba: *Jerzy Stefan Stawiński*, „Magazyn Gazety Wyborczej" 31 października 1996). A dlaczego właściwie Rosjanie nie mieliby wyświetlać takiego filmu? Oto znany polski reżyser daje sowieckim oficjelom do ręki film, który mogą maksymalnie wykorzystać do szydzenia ze znienawidzonych „Polaczysków", przedstawionych u Munka jako ciężkich idiotów. Niech się „ludzie radzieccy" nie oglądają więcej na jakieś tam polskie „inności", jakieś tam polskie „krnąbrności" po 1956 roku. To przecież chodzi o naród „półgłówkowatych" Piszczyków.

Wybrana przez polskich reżyserów filmowych tematyka rozliczania narodu z jego „irracjonalnej" przeszłości zamiast krytykowania za cokolwiek, w jakikolwiek sposób, komunistycznej władzy, czy przynajmniej jej błędów z przeszłości, była na pewno ogromnie na rękę ówczesnym rządcom kultury. Mogli oni tylko się cieszyć z „odwagi" reżyserów filmowych w atakowaniu narodowej przeszłości przy równoczesnym wycofywaniu się przez nich z tak „niebezpiecznej" dla władz tematyki współczesnej. Jakże odmiennie miała zachować się w tej sprawie wielka część węgierskich reżyserów filmowych, którzy stopniowo dzięki swemu uporowi wywalczyli sobie prawo do obalania różnych tabu z niedawnej stalinowskiej przeszłości i nawet do ukazywania niektórych plam teraźniejszości (filmy Kósy, Sáry, Kovácsa, etc.). W odróżnieniu od fetowanego w swoim czasie jako „najwybitniejszego węgierskiego reżysera" Miklósa Jancsó. Stał się on prawdziwym faworytem węgierskich „internacjonalistów", kierujących polityką kulturalną, i podobnych „internacjonalistów" od krytyki filmowej za to, że zgodnie z zamówieniami władzy skupił się w licznych swych filmach na deheroizacji i odbrązowianiu węgierskiej historii.

W wynurzeniach Jerzego Stefana Stawińskiego czytamy, że szyderstwa z polskiego heroizmu w filmach szkoły polskiej budziły od początku zastrzeżenia niektórych intelektualistów (bez większego, jak widać, wpływu na naszych reżyserów–deheroizatorów): *Intelektualiści powtarzali, że gdy rządzą komuniści, nie wypada się naśmiewać z pewnych rzeczy, bo akurat ten śmiech jest im na rękę. Nie wypada, tym bardziej że nie wolno się naśmiewać z samych komunistów (...). W PRL-u można było pisać o wszystkim, byle nie o sprawach aktualnych i bolesnych* (tamże). I tu mamy w istocie bardzo prosty klucz do ulubionej tematyki naszych filmowców–„odbrązowiaczy" narodowej historii. Nie wolno podejmować tematów aktualnych i bolesnych, nie wolno sięgać do rozliczeń ze stalinizmem, bo bardzo, ale to bardzo, nie spodoba się to komunistom. Takich filmów nie poprą, nie sypną na nie grosiwem. Robi się więc to, co się spodoba komunistom, kontynuuje atak na stare narodowe wartości, polskie wojsko, przed wojną i w 1939 roku, na etos Armii Krajowej (bo to reakcyjna siła obozu londyńskiego). I tak to wygodnie szło.

A na dodatek duża część lewicowej, zachodniej i wschodniej, krytyki filmowej też była zachwycona tak gwałtownym polskim filmowym rozliczeniem z „polskim nacjonalizmem". Co się im najwięcej podobało? Jakie wizje historii Polski upowszechniały czołowe dzieła naszej szkoły filmowej za granicą? Pozwolę to sobie pokazać na przykładzie recepcji niektórych głośnych dzieł filmowych Andrzeja Wajdy na Węgrzech, a więc w kraju tak bliskim nam tradycjami historycznymi, którym zajmuję się od kilkudziesięciu lat. Oto kilka bardzo charakterystycznych fragmentów z węgierskich recenzji na temat filmów Andrzeja Wajdy:

Z recenzji Istvána Csika z filmu A. Wajdy *Samson*:

Nowy film Andrzeja Wajdy „Samson". Młody, pełen zapału do działania Jakub wyrusza uczyć się na uniwersytecie i kończy dzień w więzieniu. Upokarzają go, łamią, doprowadzają poprzez nagonkę do zabójstwa tylko dlatego, że jest Żydem. W jego losie A. Wajda wyraził los milionów. Jakub jest tylko jednym spośród wielu. Jasno widzi, że antysemityzm nie jest wynalazkiem niemieckim, nie jest przywilejem Hitlera. Uważa za swój obowiązek powiedzenie, że ta nikczemna, podła teoria jest wrzodem całej ludzkości. Tragedia Jakuba zaczęła się od wybuchu wojny; jego los był już dawno przypieczętowany. Nacjonalistyczna, półfaszystowska Polska równie mocno groziła jego egzystencji jak Rzesza hitlerowska, tylko jej metody były bardziej początkujące. Urządzający nagonkę na Jakuba bezczelni lalusie z laskami, ci zaślepieni od nienawiści, podburzający do pogromów studencikowie jakże przypominają naszych „turulistów" (węgierskich faszystów – J.R.N.), a polscy sędziowie go ska-

zali. Niemcy tylko kontynuowali podstępnie nieludzkie dzieło swych polskich poprzedników, doprowadzili do urzeczywistnienia ich marzeń z otwartym okrucieństwem (w tygodniku „Film, Szinház, Muzsika”, z 2 listopada 1962).

Z recenzji Istvána Nemeskürtiego (od 1972 roku jednego z szefów węgierskiej kinematografii) na temat filmu *Lotna*:

Film ten, na przekór mylnym interpretacjom, nie jest niczym innym niż dowodem daremności i bezmyślności polskiej nacjonalistycznej pychy. Historia wypowiedziała swój wyrok nad tym nacjonalizmem. Jest tylko rzeczą tragiczną, że wykonanie wyroku powierzyła niemieckiej armii (por. I. Nemeskürty: *A Filmmüvészet nagykorúsága* [Dojrzałość sztuki filmowej], Budapeszt 1966, s. 526).

Z recenzji Istvána Nemeskürtiego z filmu Wajdy: *Popiół i diament*:

Tam krząta się, tam oddycha cała Polska, nie tylko ta rodząca się nowa i nie tylko dawna, podeptana przez niemieckie buty, ale również i elegancka, tańcząca mazurka, Polska w stylu Piłsudskiego, której zmarłych ponowne wskrzeszenie byłoby prawie tak samo niebezpieczne, jak zwycięstwo faszyzmu (tamże, s. 531–532).

Odosobnione protesty
przeciw masochizmowi narodowemu w filmie

Pomimo ogromnej dominacji nurtu atakującego polską historię i tradycje w mediach nieprawdziwe było twierdzenie Toeplitza, że „nikt nie protestował” przeciwko owym „bluźnierstwom”. Prawdą natomiast jest fakt, że ci protestujący byli zbyt nieliczni i zbyt odosobnieni na tle fali „antybohaterszczyzny”. Należał do nich przede wszystkim jeden z najwybitniejszych polskich krytyków literackich Andrzej Kijowski, znany z nonkonformizmu i w wiele lat później autor jednego z głównych referatów na Kongresie Kultury Polskiej w grudniu 1981 roku. Kijowski bardzo ostro zareagował na film Munka *Zezowate szczęście* pisząc artykuł pod wymownym tytułem *Polska szkoła masochizmu narodowego*. Kijowski napisał tam wprost, że film Munka jest wprawdzie doskonały, *tylko tyle, że obrzydliwy i głupi* (A. Kijowski: *Polska szkoła masochizmu*, „Przegląd Kulturalny” 1960, nr 17). Kijowski zarzucił Munkowi, że lekceważąc narodową historię, w postaci Piszczyka dał tylko „karykaturę zbiorowego cierpienia”, a jego filmowe szyderstwo z przeszłości stało się tańcem odtańczonym na własnej mogile (por. uwagi D. Palczewskiej: *Współczesna polska myśl filmowa*, Wrocław 1981, s. 177).

Jeszcze ostrzejsze było wystąpienie Kijowskiego z krytyką filmu *Samson* Wajdy. Kijowski oskarżył Wajdę o skrajne przejaskrawienie aktów ciemnoty, chciwości i zbrodni kosztem prawdy o heroicznych wysiłkach Polaków, niosących pomoc dla prześladowanej ludności żydowskiej. Najostrzej zabrzmiało zakończenie tekstu Kijowskiego zatytułowanego *Anty-Wajda*, skierowane pod adresem Wajdy i całej polskiej szkoły filmowej *Jeśli jest rzeczywiście mistrzem szkoły, niech piekło pochłonie tę szkołę* (A. Kijowski: *Anty-Wajda*, „Przegląd Kulturalny" 1961, nr 38). Stanowisko Kijowskiego zostało natychmiast ostro zaatakowane, ale krytyk wystąpił raz jeszcze w obronie narodowej historii przeciw zafałszowaniom w polskim filmie. Zdaniem Kijowskiego w polskiej szkole filmowej *skonstruowano na wpół żartem, na wpół serio legendę narodu nieznanego, z lekka obłąkanego (...), sprawiając, że (...) uszyto Polsce błazeński stroik, aby go wyeksportować* (A. Kijowski: *O co chodzi*, „Przegląd Kulturalny" 1961, nr 42).

Stanowisko Kijowskiego i podobnie myślących kilku innych autorów (głównie krytyków literackich) pozostało wyraźnie odosobnione w ówczesnej jakże jednostronnej dyskusji wokół problematyki narodowej. W oficjalnej prasie partyjnej, od „Trybuny Ludu" po „Politykę" dominował wyraźnie ton nihilizmu i masochizmu narodowego, który stwarzał maksymalne poparcie dla filmowych drwin z narodowej historii i zachęcał do dalszych. Filmowcy, kręcąc takie filmy, mogli być pewni, że zawsze znajdą pochwały możnych partyjnych protektorów i sute wsparcie finansowe. I konsekwentnie wybierali tworzenie filmów *ad usum Delphini* zgodnie z oczekiwaniami swych partyjnych „mecenasów" z frakcji Puławian.

Prymas Tysiąclecia w obronie zagrożonej polskości

Na tle ogromnej pasywności środowisk intelektualnych i służalczości wobec władzy ze strony wielkiej ich części, przy jakże nielicznych wówczas prasowych wystąpieniach w obronie poniewieranej polskiej historii i patriotyzmu, znowu Kościół pozostawał ostatnią warownią polskości. Ogromnym szczęściem Polski było to, że właśnie w tym „czasie kalekim" miała dla swej obrony postać tak wielkiego rzecznika polskości jak Prymas Tysiąclecia kardynał Stefan Wyszyński. Nie było niemal takiego jego kazania, w którym w ten czy inny sposób nie powracałyby apele o umacnianie tożsamości narodowej. Ksiądz Prymas stanowczo występował przeciwko pomniejszaniu dziejów narodowych, ostrzegał, że „naród, który odcina się od historii, który jej się wstydzi", to „naród renegatów". Bronił tradycji powstańczych, w tym Powstania Warszawskiego, przypominał znaczenie przemilczanych wówczas polskich walk na Zachodzie, począwszy od Bitwy pod Monte Cassino. Mało kto dziś wie, że już na całe dziesięciolecia przed piękną pieśnią Jana Pietrzaka *Żeby Polska była Polską!* w kazaniu Księdza Prymasa na Jasnej Górze 1 czerwca 1958 padły donośne słowa: *Na każdym kroku walczyć będziemy o to, aby Polska Polską była! Aby w Polsce – po polsku się myślało!* W kazaniu na Wielki Post w Warszawie w 1967 roku kardynał Stefan Wyszyński apelował i ostrzegał: *trzeba zerwać z manią „obrzydzania" naszych dziejów i dowcipkowania z tragicznych niekiedy przeżyć Narodu (...) Nie lękajmy się Najmilsi, że zejdziemy na manowce szowinizmu i błędnego nacjonalizmu. Nigdy nam to nie groziło. Zawsze wykazywaliśmy gotowość do poświęcania siebie za wolność ludów.* Były to w tym czasie najdonośniejsze odpowiedzi na tak długo odgórnie lansowane fale rozrachunków z polską „bohaterszczyzną" i „somosierszczyzną", na wciąż ponawiane próby niszczenia i ośmieszania najcenniejszych tradycji narodowych.

Gdy Stomma piętnował Powstanie Styczniowe

Niezwykle stanowcza postawa Prymasa Polski Stefana kardynała Wyszyńskiego w obronie tradycji powstań polskich miała tym większe znaczenie w sytuacji, gdy nawet w dużej części świeckich środowisk katolickich nierzadko powielano opinie atakujące tradycje powstańcze. Szczególnie drastycznym wybrykiem tego typu był publikowany w styczniu 1963 tekst Stanisława Stommy na łamach „Tygodnika Powszechnego". Publikowany w setną rocznicę Powstania Styczniowego, tekst Stommy był faktycznie skrajnym paszkwilem na to powstanie, przedstawione jako ruch anarchistyczny i pozbawiony jakiegokolwiek sensu. Szczególnie oburzające było uogólnienie Stommy, dowodzące, że u źródeł tego powstania, podobnie jak i u źródeł innych powstań narodowych tkwił kompleks antyrosyjski, który stał się przyczyną irracjonalnych szaleństw. Według Stommy: *W okresie zaborów hodo-*

waliśmy w sobie jeden kompleks. Kompleks ten prowadził od klęski do klęski i w płaszczyźnie logiki historycznej nie był uzasadniony, a jednak kompleks ten wciąż dominował. Był to kompleks antyrosyjski (S. Stomma: *Z kurzem krwi bratniej*, „Tygodnik Powszechny", 25 stycznia 1963).

Znakomity zagraniczny badacz dziejów Polski Peter Raina tak pisał w trzecim tomie swej wielkiej monografii kardynała Wyszyńskiego o rezonansie na artykuł Stommy o Powstaniu Styczniowym: *Gdyby argumenty tego typu pojawiły się w pismach partyjnych nikt nie zwróciłby na nie uwagi (nawet prasa rządowa obiektywnie oddała ducha wydarzeń stycznia 1863 roku). Ale odebrane zostało jako skandal, że redakcja „Tygodnika Powszechnego" opublikowała tak nieodpowiedzialny tekst, który na dodatek wychodził spod pióra osoby uważanej za czołową postać niezależnej inteligencji. Oburzenie powszechne było tym bardziej uzasadnione, że Stomma jako przewodniczący koła poselskiego „Znak" cieszył się zaufaniem społeczeństwa* (P. Raina: *Stefan kardynał Wyszyński Prymas Polski*, Londyn 1988, t. III, s. 157–158).

Kardynał Wyszyński
w obronie niepodległościowych „mrzonek"

W takiej atmosferze doszło do publicznej riposty Prymasa Polski na popełnione przez Stommę szokujące zniesławienie 100 rocznicy Powstania Styczniowego. W kazaniu wygłoszonym 27 stycznia 1963 w kościele Św. Krzyża, powszechnie uznawanym za jedno z najpiękniejszych kazań Prymasa Tysiąclecia, wystąpił on z wielką uargumentowaną obroną idei powstań narodowych i wyjaśnieniem ich prawdziwych przyczyn, z obroną Narodu, który musiał powiedzieć „Nie" carowi – żądającemu wyrzeczenia się „marzeń" o Niepodległej. Jak stwierdził kardynał Wyszyński: *Wyczytałem ostatnio przedziwne zdanie: ktoś zastanawiając się, dlaczego Powstanie wybuchło w Królestwie Kongresowym, a nie w Wielkopolsce czy też Małopolsce, odpowiada sobie, że byliśmy podobno owładnięci „kompleksem antyrosyjskim"?* Z tym też wiązało się całe jego dalsze rozumowanie.

Wydaje mi się, że nie ma nic bardziej nieprawdziwego, pomijając już, że historycznie nie jest to prawdą, jakoby Powstanie wybuchło tylko tutaj. Ono było właściwie wszędzie, ono było w duszy każdego Polaka, żyjącego w granicach trzech kordonów. A wynikało to nie z takiego, czy innego kompleksu, bo kompleks jest czymś chorobliwym, podczas gdy my mieliśmy zdrowe dążenie do wolności, pogwałconej i odebranej nam. I mniejsza o to, kto je nam odebrał i jakim językiem mówił, ważne jest, że gwałcił prawo Narodu do wolności. (...) Młodzież poszła w lasy, bo ją chciano wcielić do obcych armii. Nic dziwnego! My na to nieraz patrzyliśmy, nie potępiając młodzieży, która za czasów okupacji hitlerowskiej też poszła w lasy, chociaż do beznadziejnej walki. Nie potępiamy młodzieży, która na ulicach Stolicy, z butelkami benzyny rzuciła się na tanki hitlerowskie. A Wy chcielibyście potępiać tych, co przed stu laty walczyli, jak umieli i czym mogli?! Jestem przekonany, że oni nie widzieli przed sobą wroga, nie widzieli Moskala, Niemca czy Austriaka, oni widzieli WOLNOŚĆ i pragnęli wolności. Nie kierowali się nienawiścią, lecz raczej miłością wielkiej upragnionej Sprawy – Wolności. Ta była ich prawem i obowiązkiem. Musieli o nią walczyć (cyt. za P. Raina: *op. cit.*, t. III, s. 164–165, 167).

Spór wokół książki płk. Załuskiego

W 1962 roku doszło do próby zmiany klimatu dotychczasowych dyskusji o historii i patriotyzmie, odrzucenia jednostronnych ataków na bezsens polskich „rzucań się" i „bohaterszczyzny". Książka pułkownika Zbigniewa Załuskiego *Siedem polskich grzechów głównych* występowała przeciwko różnym fałszom gromicieli polskich tradycji, udowadniała na konkretnych przykładach historycznych sensowność różnych polskich czynów zbrojnych od Somosierry i walki księcia Józefa Poniatowskiego pod Lipskiem począwszy. Autor pokazywał ogrom ignorancji faktograficznej różnych antypatriotycznych szyderców i wzywał ich do docenienia prawdziwej roli polskich czynów zbrojnych. I był to znaczący plus wystąpienia płk. Załuskiego, które przerwało dotychczasowy jednostronny atak do jednej (patriotycznej) bramki. Rozpoczęły się długotrwałe zacięte polemiki, w których racje Załuskiego znalazły wsparcie znacznej części publicystów. Była jednak, niestety i wielka porcja dziegciu w beczce miodu przygotowanej przez pułkownika Załuskiego. Występując bardzo stanowczo w obronie polskich tradycji narodowych, w tym sensu i bohaterstwa tradycji polskiej wojny obronnej 1939 roku płk. Załuski przemilczał fakt, że sam w czasach stalinowskich, będąc oficerem pol-wychu, niegodnie atakował te same tradycje. Pisał w wydanej wówczas broszurze: *Wojsko polskie, Ojczyzna wierna straż*, że nie mogło dobrze bronić polskiej Ojczyzny sanacyjne wojsko, skompromitowane strzelaniem do robotników w czasie zajść krakowskich 1923 roku. Rozpisywał się tam również o rzekomym spisku generała Tatara, Kirchmayera, etc.

Co najgorsze, nawet w swej głównej książce *Siedem polskich grzechów głównych* płk. Załuski dalej nie w pełni wyzwolił się z nawyków wojskowego politruka. I nawet pisząc o rzeczach słusznych i broniąc dobrych spraw, w fatalny sposób mieszał je z pochwalnymi banialukami na temat Gwardii Ludowej i Armii Ludowej oraz atakami na AK i „bankrutów z emigracji”, „reakcyjnych przywódców”, etc. (por. Z. Załuski: *Siedem polskich grzechów głównych. Nieśmieszne igraszki*, Warszawa 1973, s. 175, 192, 380). Zniechęciło to do płk. Załuskiego wiele osób skorych do obrony polskich tradycji narodowych, ale nie mogących się pogodzić z podtrzymywaniem PRL-owskich stereotypów. Dodatkowo zrażali niektórzy protektorzy płk. Załuskiego, wyraźnie rekrutujący się z kręgu moczarowskich „partyzantów”*. Od połowy lat sześćdziesiątych zaznaczało się coraz wyraźniejsze dodatkowe zamieszanie w dyskusjach o tradycjach narodowych i patriotyzmie, na skutek coraz bardziej przybierającej na sile walce frakcji politycznych w PZPR-ze, która tak żałośnie miała eksplodować w toku wydarzeń marcowych 1968 roku.

Mit „polskiego zaścianka”

Marta Miklaszewska pisała w „Tygodniku Solidarność” z 23 kwietnia 1993 o długim, niechlubnym żywocie mitu „polskiego zaścianka” importowanego w latach czterdziestych ze Związku Sowieckiego. Zgodnie z tym mitem *lampę oświaty nieśli w „klerykalny, reakcyjny polski zaścianek” komuniści. Tylko oni mieli monopol na nowoczesność myślenia i działania. W początkach lat sześćdziesiątych intelektualista Zygmunt Hertz, który wyemigrował z Polski przed wojną i nie znał jej współczesnych realiów, w jednym z listów*

* Partyzanci, frakcja partyjna, walcząca o władzę w PZPR w latach sześćdziesiątych, złożona głównie z byłych GL-owców i AL-owców. Partyzanci skupiali się wokół generała Mieczysława Moczara, który jako minister spraw wewnętrznych od 1964 roku kontrolował aparat bezpieczeństwa. Dążyli do zyskania szerszego poparcia społecznego za pomocą haseł narodowych, między innymi poprzez zapewnienie większego udziału w ZBOWiD-zie i w życiu publicznym dla dyskryminowanych dotąd ludzi z AK. Rzecznicy twardego kursu w polityce wewnętrznej i inicjatorzy „kampanii antysyjonistycznej” w marcu 1968 roku.

do Czesława Miłosza nazwał polskie społeczeństwo „zacofanym, ciemnym i endeckim". On sobie tego nie wymyślił. Zapewne przynieśli mu ten wizerunek w prezencie odwiedzający często Paryż intelektualiści z kraju: literaci, historycy, dziennikarze. Ci sami, którzy pod opiekuńczymi skrzydłami PZPR żyli co najmniej dostatnio, a niektórzy luksusowo. Oczywiście warunkiem było popieranie systemu lub cicha zgoda na status ślepca i głuchoniemego.

Nie zrobili uczciwego samorozrachunku jakże liczni stalinowscy „inżynierowie dusz", którzy przez lata szkalowali polską historię i patriotyzm, deptali narodową godność. Nie zrobili samorozrachunku, za to tym chętniej nadal po mentorsku wyrokowali, odsądzając od czci i wiary całe zastępy Polaków, którzy potrafili dużo lepiej od nich zdać egzamin w najtrudniejszych godzinach próby. Nader wymownym przykładem takiego wyrokowania o innych, bez wskazania na rozmiary własnych win była postać pisarza Kazimierza Brandysa. W swoim czasie był on jednym z autorów najbardziej zaangażowanych w „hańbie domowej" polskiego stalinizmu. By przypomnieć choćby jego powieść *Obywatele*, przynoszącą między innymi otwartą pochwałę komunistycznego donosicielstwa, czy inną powieść – *Człowiek nie umiera* – ze skrajnie nikczemnym atakiem na AK, Powstanie Warszawskie, gen. Bora-Komorowskiego (por. S. Murzański: *PRL. Zbrodnia doskonała*, Warszawa 1996, s. 214, i tenże: *Między kompromisem a zdradą*, Warszawa 1993, s. 66). Po wielu latach, już na emigracji w Paryżu, dawny komunista, a teraz liberał, Kazimierz Brandys, wyrokował kolejny raz z rzędu, tyle, że teraz już nie o AK, a o przedwojennej endecji, pisząc: *Być endekiem i nie być endekiem to oznaczało przynależność do pewnej ludzkiej jakości (...) W niektórych środowiskach lub domach pytano o kogoś nowo poznanego: endek czy nieendek, co w gruncie rzeczy znaczyło: głupiec czy niegłupiec, rozmawiać z nim warto czy nie warto. U Zenowiczów o endekach mówiło się „wieprzki". Kołtun, kołtuneria – określenia tej ludzkiej jakości, nie mającej odpowiedników gdzie indziej, tylko w Polsce. Termin na umysłowość dziedzicznie obsesyjną i sfetyszyzowaną, zarazem nietolerancyjną i zależną, a przy tym agresywnie żywotną (do dzisiaj), wkorzenioną w tradycję* (K. Brandys: *Miesiące*, 1978–1979, II, Paryż, s. 217).

Wojciech Turek, nie ukrywając, że osobiście był zwolennikiem innych nurtów politycznych w przeszłości niż endecja, z oburzeniem odniósł się do niesprawiedliwości antyendeckich uogólnień Brandysa. Jak pisał z gorzką ironią: *O prawdziwości powyższych słów* (tj. cytowanego przeze mnie powyżej fragmentu *Miesięców* Brandysa – J.R.N.) *zaświadczyły późniejsze wydarzenia, zwłaszcza pierwsze lata powojenne, kiedy to większość endeckich „wieprzków, kołtunów, dziedzicznie obsesyjnych, sfetyszyzowanych" i tak dalej zdecydowanie sprzeciwiła się systemowi komunistycznemu, masowo ginąc w oddziałach partyzanckich i stalinowskich więzieniach, podczas gdy postępowa i oświecona część inteligencji polskiej ochoczo włączyła się w budowę i pochwałę nowego socjalistycznego ładu, pisząc wiersze pochwalne ku czci towarzysza Stalina (...) Ostatni endecy zakończyli swój żywot (w sensie fizycznym, politycznym czy formacyjnym) w więzieniach stalinowskich* (W. Turek: *Na tropach endeka*, „Młoda Polska", 4 sierpnia 1990).

Podałem tu tylko jeden przykład, ale takich „sprawiedliwych", wyrokujących bezwzględnie o innych, bez ustosunkowania się do własnych o wiele cięższych win był legion. Prawdziwe watahy dawnych stalinowskich „inżynierów dusz" nagle niespodziewanie dla innych cudownie przemieniały się w opozycjonistów i rzeczników demokracji. Równocześnie jednak starannie zachowując dawne stalinowskie przyzwyczajenia do równania z ziemią wszystkich inaczej myślących.

Przemilczane świadectwo Andrzeja Walickiego

Dla obrazu polskich dyskusji o patriotyzmie w latach sześćdziesiątych szczególnie cenne może być przypomnienie opinii wybitnego historyka idei, profesora Uniwersytetu Notre Dâme w USA – Andrzeja Walickiego. Jest ono tym istotniejsze, że Walickiego nikt nie może oskarżać o polski „nacjonalizm", że jest on bardzo mocno związany z różnymi środowiskami tzw. Europejczyków. Cytowane niżej sądy Walickiego zostały wyrażone w jego książkach poświęconych szczególnie bliskim związkom z Miłoszem (*Spotkania z Miłoszem* i *Zniewolony umysł po latach*).

W *Spotkaniach z Miłoszem* Walicki pisał o zaszokowaniu, jakie wywołały u niego różne wersje lewicowej alergii na wszelki „nacjonalizm", podejrzliwość, a nawet nieukrywana wrogość wobec wszelkich uczuć narodowych (A. Walicki: *Spotkania z Miłoszem*, Londyn 1985, s. 130). I dodawał: *Po zwycięstwie „odwilży" oczekiwałem powszechnego zwrotu ku wartościom narodowym, ale doznałem zawodu: zamiast odrodzenia i wzniesienia na wyższy poziom narodowej samowiedzy nastąpił wybuch „prozachodniego snobizmu", gardzącego „rodzimym partykularyzmem", mimo oficjalnego kursu na „narodową drogę do socjalizmu" środowisko marksistów-rewizjonistów nie próbowało popychać partii w kierunku „unarodowienia", przeciwnie, trwało na pozycjach „antynacjonalistycznej alergii". Stanowisko „szyderców" (z pewnymi wyjątkami) uważałem za głupie i szkodliwe, izolujące inteligencję od ogromnej większości społeczeństwa, które oczekiwało z utęsknieniem na rehabilitację wartości narodowych. (...) Dyskusja, którą rozpętała książka Zbigniewa Załuskiego „7 polskich grzechów głównych", przeraziła mnie – nie ze względu na stanowisko autora, który upominał się, moim zdaniem, o sprawy oczywiste i miał przeważnie rację, ale ze względu na popłoch wywołany przez niego w najbardziej wówczas wpływowych kołach inteligencji. Przeraziła mnie również głęboka i nieukrywana niechęć, z jaką „liberalne" skrzydło partii (łącznie z „rewizjonistami") oraz związane z nim grupy inteligencji ustosunkowały się do podjętej przez Moczara rehabilitacji byłych żołnierzy września i członków AK. Wiedziałem, jak bardzo społeczeństwo polskie spragnione było takiej akcji, jak długo na nią czekało; wiedziałem przecież, że jest to akcja bezpośrednio dotycząca większości polskich rodzin, bo przecież w każdej niemal rodzinie był ktoś, kto walczył o Polskę i zamiast należnego za to szacunku traktowany był jako obywatel drugiej kategorii. W takiej sytuacji akcja podjęta przez ZBOWiD powinna była, moim zdaniem, spotkać się z głośnym aplauzem partyjnych „liberałów" – jeśli nie szczerym, to przynajmniej taktycznym, tylko w ten sposób bowiem mogli oni rozszerzyć swą bazę społeczną. Powinni oni wręcz przelicytować „moczarowców" w obronie wartości narodowych przez obóz im wrogi. W szczególności, jeśli byli z pochodzenia Żydami. Sprawa „pochodzenia" wypływała zaś coraz częściej, między innymi dlatego, że walczące ze sobą frakcje w partii nazywane były – w ślad za Witoldem Jedlickim – frakcją „chamów" i frakcją „Żydów". (...)*

I oto następują „wydarzenia marcowe". W moich notatkach z tego okresu dałem ich ocenę jako kolejnego poniżenia inteligencji, zwycięstwa „ciemniaków" nad „jaśnie oświeconymi" (...) Dodawałem jednak:

Ale inteligencja też nie jest bez winy. Piszę o tym z czystym sumieniem, bo zawsze tak myślałem i dawno już formułowałem te myśli w swych zapiskach (...) Historia wytworzyła w Polsce podział między cienką warstwą intelektualistów-europejczyków i resztą narodu. W tych warunkach intelektualiści nie mieli prawa pozwolić sobie na zachodnioeuropejskie snobizmy, a tym bardziej na tak zwany „nihilizm narodowy" (dziś użyłbym słów: „antynacjonali-

styczna alergia" – A.W. 1985), który sam w sobie jest rzeczą złą, a który, niestety, naprawdę u nas istniał. Uczucia narodowe powinny były stanowić pomost między intelektualistami a resztą narodu (łącznie z większością aktywistów partyjnych – tymczasem stało się tak, że uczucia narodowe mogą być wykorzystywane przeciwko inteligencji. W dyskusji o „bohaterszczyźnie" inteligencja partyjna zajęła stanowisko krótkowzroczne i w rezultacie oczekiwana przez naród rehabilitacja polskiej tradycji historycznej, polskiego wojska itp. Zdyskontowana została przez siły antyinteligenckie (...) Nieco dalej, pod tą samą datą, poruszałem problem „antynacjonalistycznej alergii" u osób pochodzenia żydowskiego:

Rozumowali oni tak jak Schaff, który powiedział w Oksfordzie, że tylko komunizm chroni Polaków przed faszyzmem, lub tak jak Kroński, który mówił wręcz, że demokracja otwiera drogę antysemickiemu motłochowi i że właśnie dlatego należy opowiadać się za heglowskim ideałem państwa biurokratyczno-policyjnego (wydawało mu się, że do tego modelu przybliża się państwo „dyktatury proletariatu) (...) była to tragiczna w skutkach pomyłka (...) postawa tych ludzi utrudniała inteligencji znalezienie wspólnego języka z masami i obróciła się przeciwko nim samym. Inteligencki „rewizjonizm" partyjny powinien był toczyć walkę o rehabilitację wartości nie tylko uniwersalnych (takich jak np. demokracja, wolność jednostki, itp.), lecz również narodowych (tak jak miało to miejsca w czasie „praskiej wiosny") (A. Walicki: *op. cit.*, s. 130).

Polityczne koszty postaw „nihilizmu narodowego" w latach sześćdziesiątych

Cytowałem tak szeroko uwagi Andrzeja Walickiego ze względu na ich ogromne znaczenie intelektualne dla zrozumienia podstawowych przyczyn porażki inteligencji w marcu 1968 roku, i to przyczyn, które wyraźnie pomijają w swych wypowiedziach na temat tamtych wydarzeń główni przedstawiciele studenckiego ruchu marcowego w Warszawie, z Adamem Michnikiem na czele. Pomijają, musieliby wówczas zrobić bardzo głęboki rachunek sumienia z powodu fatalnych błędów, które popełnili w kwestii narodowej, dostarczając w ten sposób atutów dla swych przeciwników spod znaku Moczara. Michnik przyznał wprawdzie mimochodem, że do marca 1968 był „nihilistą narodowym" (por. A. Michnik, J. Tischner, J. Żakowski: *Między*

Panem a Plebanem, Kraków 1995, s. 91). Nie umiał jednak zdobyć się na przyznanie, jak bardzo kosztowny był ten nihilizm narodowy jego i jego środowiska dla sprawy demokracji w Polsce, jak bardzo przyczynił się do izolacji i porażki ruchu inteligenckiego w marcu 1968 roku. Michnika i jego środowiska nadal nie stać na prawdziwe rozliczenie się ze swymi skrajnymi błędami w odniesieniu do wartości narodowej, tym bardziej że od 1989 roku nadal coraz wyraźniej powielają stare błędy „alergii antynacjonalistycznej", z katastrofalnymi skutkami dla sprawy dzisiejszej polskiej demokracji. Znamienne, że refleksje Walickiego, tak prawdziwie odtwarzające katastrofalne błędy tzw. pokolenia marcowego w kwestii narodowej, zostały całkowicie pominięte w głównym, panegirycznie zafałszowanym obrazie historii marca 1968 – książce Jerzego Eislera.

Dodajmy, że cytowane tu tak krytyczne oceny Andrzeja Walickiego zyskały potwierdzenie nawet w tekście jednego z czołowych dziś gromicieli polskich tradycji narodowych Marcina Króla – naczelnego redaktora miesięcznika „Res Publica Nova". W toku publikowanej w 1987 roku rozmowy na łamach „Res Publiki" przyznał on, że: *Intelektualiści w powojennym czterdziestoleciu zrobili naprawdę sporo, aby społeczeństwo obrazić. Nie warto się rozwodzić nad – dość oczywistym przecież – zanegowaniem przez intelektualistów uczuć narodowych w okresie stalinizmu. Były wyjątki, ale tylko wyjątki. Ciekawsze jest owo sceptyczno-krytyczne nastawienie popaździernikowe. W latach 1956–1968 w dalszym ciągu, mimo zmienionej postawy, polskie cierpienia, wojnę, AK, Powstanie Warszawskie uważano za przedmiot krytyczno-sceptycznej refleksji. I nie byłoby w tym nic złego, gdyby równocześnie powstawały dzieła solidnie opisujące te wszystkie zdarzenia, oddające sprawiedliwość cierpieniu. Tak jednak nie było, zarówno z przyczyny ograniczeń zewnętrznych, jak z winy samych twórców. Nic więc dziwnego, że w 1968 roku instrumentalne posłużenie się sentymentami narodowymi spotkało się ze społecznym oddźwiękiem, co intelektualistów tak zdumiewało, a czasem nawet oburzyło. Ludzie jednak, którym tyle już namieszano w głowach, najzwyczajniej w świecie wzruszali się słysząc publicznie „Dziś do Ciebie przyjść nie mogę", nawet jeśli wiedzieli, że słyszą to w rezultacie frakcyjnych rozgrywek w aparacie władz*" (cyt. za *Powrót nacjonalizmu.* Z rozmowy redakcyjnej (fragmenty), „Res Publica", 1987, lipiec–sierpień, nr 2, s. 6).

Opisane przez Walickiego i Króla błędy środowisk inteligenckich w sferze problematyki narodowej po 1956 roku miały wielorakie skutki negatywne.

Przede wszystkim doprowadziły one do zaprzepaszczenia szans na powiązanie spraw obrony demokracji i wolności z afirmacją patriotyzmu w programie inteligenckiej opozycji do rządów Gomułki, kształtującej się przed wydarzeniami marcowymi 1968 roku. Znacząco ułatwiło to skupionej wokół Mieczysława Moczara tzw. partyzanckiej frakcji w PZPR obłudne manipulowanie frazeologią narodową na użytek swych dążeń do władzy. Stawało się to bardzo poważnym orężem w propagandowej akcji politycznej. Można tu się zgodzić nawet z opinią Jana Józefa Lipskiego, tak sceptycznego wobec polskiej tradycji narodowej, wypowiedzianą na zorganizowanej w 1981 roku sesji UW o wydarzeniach marcowych 1968 roku, iż frazeologia patriotyczna *miała wielkie szanse dobrego odbioru z bardzo prostego powodu: w tym kraju przez dziesiątki lat obrażano godność narodową Polaków przez fałszowanie historii, przez usiłowanie zhańbienia spraw, które dla wszystkich były bardzo drogie*, co *dawało poważne szanse każdemu (...), że to, co głosi zostanie bezkrytycznie uchwycone wraz z tym, co do tego uda się dorobić zręcznym propagandystom* (cyt. za: M. Fik: *Marcowa kultura*, Warszawa 1995, s. 223). W walce z partyjną frakcją tzw. puławian moczarowcy rozpoczęli w marcu 1968 roku trwającą kilka miesięcy tzw. kampanię antysyjonistyczną, prowadzoną przy użyciu skrajnie brutalnych metod.

„Gigantyczna prowokacja" w marcu 1968 roku

Moczarowska „kampania antysyjonistyczna" przyniosła Polsce bardzo duże szkody, zarówno w kraju, jak i na forum międzynarodowym. Zagraniczni przeciwnicy Polski wykorzystali tę zaciętą wewnątrz-PZPR-owską walkę o władzę do ataków zrzucających na cały naród polski odium „narodu antysemitów". Dla niektórych środowisk niemieckich przyczernianie Polaków stało się dogodnym narzędziem dla wybielania Niemców i pomniejszania ich odpowiedzialności za wymordowanie Żydów. Dla sowieckich służb specjalnych inspirowanie oskarżeń przeciw „antysemickim" Polakom stawało się dogodną okazją dla izolowania „niepewnej" Polski na forum międzynarodowym, by maksymalnie utrudnić jej wszelkie przyszłe próby bardziej samodzielnego działania. O roli sowieckich służb specjalnych w inicjowaniu przeciw Polsce kampanii oskarżeń o antyżydowskość, począwszy od 1968 roku, niezwykle ciekawie wypowiadał się przed kilku laty profesor Mieczysław Manelli, sam pomarcowy emigrant z Polski (na emigracji w Stanach Zjednoczonych jako profesor nauk politycznych Queens College City University of New York Manelli był przewodniczącym Rady do Studiów Polityki i Moralności tej uczelni, a zarazem pełnił funkcję rektora American Humanist Association). W opublikowanym w 1993 roku wywiadzie prof. Manelli stwierdził między innymi: *W marcu 1968 r. Polska padła ofiarą gigantycznej prowokacji, w której skumulowały się różne interesy wewnętrzne i zewnętrzne (...) Polska w roku 1968, mimo wewnętrznych zawirowań, jawi się w państwach zachodnich jako kraj najbardziej liberalny w bloku sowieckim. Niemcy pozostają pod wrażeniem listu biskupów, polska kultura spotyka się z życzliwym zainteresowaniem państw Zachodu. „Wyrastanie" Polski widzą także Rosjanie i to ich niepokoi. Zaczyna dojrzewać koncepcja „ugotowania" Polski.* Prowadzący rozmowę z Manellim, Waldemar Piasecki zapytał wówczas rozmówcę: *Sugeruje Pan, że wydarzeniami marcowymi i hecą antysemicką zainteresowani byli Niemcy i Rosjanie?* Odpowiedź Manellego: *Generalnie – tak. Moskwie chodziło o pokazanie Polakom, gdzie ich miejsce, i wyperswadowanie im mrzonek o flircie z Zachodem. Z kolei Niemcom było na rękę wszczęcie w Polsce kampanii antyżydowskiej 23 lata po wojnie, bo sami byli unurzani w zbrodnie wojenne, a to skutecznie odwracałoby od nich uwagę.* I kolejna porcja pytań i odpowiedzi. Piasecki: *Co osiągnęła Moskwa w wyniku wydarzeń marcowych?* Manelli: *Polska stanęła pod pręgierzem międzynarodowym, a to z kolei pchnęło ją w objęcia sowieckie. Stała się ona ponownie stuprocentowym wasalem!* Piasecki: *A Niemcy?* Manelli: *Same korzyści. NRD powróciła na pozycję najwierniejszego sojusznika sowieckiego, natomiast Niemcy zachodni chcieli zbić kapitał polityczny, pomagając emigrującym Żydom, krzywdzonym przez nacjonalistyczną Polskę* (wszystkie cytaty z rozmowy W.Piaseckiego z prof. M. Manellim pt. *Sukces Marca*, „Wprost", 28 marca 1993).

Warto przypomnieć w tym kontekście jakże trzeźwe ostrzeżenia Pawła Jasienicy, wygłoszone podczas dramatycznego nadzwyczajnego zebrania oddziału warszawskiego ZLP 29 lutego 1968 roku: *dzisiaj jakikolwiek akcent antysemicki (...) jest wiązaniem sobie kamienia młyńskiego na szyi, niczym więcej. Bo wystarczy się rozejrzeć po świecie, żeby się zorientować, że odbywa się wielki proces zdejmowania odpowiedzialności za zbrodnie z Niemiec hitlerowskich i przerzucania na nas. O tym pisze prasa na świecie, co do nas nie dochodzi. Te rzeczy temu procesowi tylko pomagają, dostarczają argumentów (...) Przypominają mi się pisma Woltera (...) On na całą Europę wy-*

ciągał zupełne drobiazgi świadczące o polskim braku tolerancji. Trzeba sobie zdać sprawę, że taką opinię mamy, i robić co jest możliwe, żeby tej opinii zapobiec (cyt. za: M. Fik: *op. cit.*, s. 137).

Skrajnie pogarszający się obraz Polski za granicą mało obchodził komunistyczne „rządy ciemniaków" (jak je nazwał Stefan Kisielewski). Przez całe dziesięciolecia od 1968 do 1989 roku praktycznie niemal nic nie zrobiono dla przeciwdziałania wciąż nasilającej się kampanii antypolonizmu, a nawet coraz częstszego przedstawiania Polaków jako rzekomych wspólników Hitlera w mordowaniu Żydów. Brak wychodzących z polskiej strony mądrych i skutecznych polemik z fałszerstwami stawał się tym większą zachętą dla oszczerców. I stopniowo niemieckie hitlerowskie obozy zagłady w Polsce zaczęto coraz częściej przedstawiać jako rzekome „polskie obozy koncentracyjne". Coraz częstsze stawały się „uogólnienia" w stylu twierdzeń Moshe Shoenfelda z 1979 roku o tym, że *jeśli Polak przeszedł obok Żyda w czasie wojny, i go nie zabił, to tylko przez lenistwo.* Czy barwne komiksy w stylu *Maus* Spiegelmana, w którym Żydzi są przedstawieni jako myszy, Niemcy jako koty, a Polacy jako świnie.

Od gierkowskiego „pragmatyzmu" do narodowego „przebudzenia" lat 1980–1981

Wraz z przejęciem władzy w Polsce przez ekipę Gierka rozpoczęła się dziesięcioletnia faza panowania prymitywnego pragmatyzmu i zmaterializowania. Towarzyszył jej kolejne kampanie na rzecz odrzucania tradycyjnych wartości patriotycznych jako „anachronicznych", rzekomo kolidujących z prawdziwym postępem i nowoczesnością. Dość typowy wyraz takiego „pragmatyzmu" znajdujemy u Witolda Nawrockiego, naówczas jednego z czołowych śląskich działaczy PZPR-owskiego „frontu ideologicznego" (po 1981 roku Nawrocki awansował do roli jednego z głównych janczarów jaruzelszczyzny i był nawet kierownikiem Wydziału Ideologicznego KC PZPR w latach 1983–1986). 1 grudnia 1971 Nawrocki wystąpił na łamach „Trybuny Ludu" z programowym tekstem głoszącym, że: *tradycyjne wzory patriotyczne okazały się niewystarczające w epoce, w której liczy się przede wszystkim skuteczna i celowa praca, wysiłek cywilizacyjny i organizacyjny. Skutkiem tej niezgodności jest swoisty bunt antysentymentalny, który wyraża mło-*

de pokolenie Polaków, i właśnie jemu należy się wsparcie w poszukiwaniu sposobu zakorzenienia w tradycji cywilizacyjnej.

Rzekomy pragmatyzm doby Gierka szybko przekształcił się w swoisty typ „socjalizmu aferowego". Rządzący „pragmatycy" z roku na rok piętrzyli zadłużenie Polski na Zachodzie, płacąc ogromne sumy za technologie, przekazywane potem bezpłatnie Wielkiemu Bratu ze Wschodu. Kontrolowanemu otwarciu na Zachód, pod sowiecką batutą, towarzyszył skrajny serwilizm w realizowaniu narzucanych przez ZSRR pomysłów poronionych inwestycji (*vide:* Huta Katowice) czy akceptacja oszukańczych rozliczeń w rublach transferowych. Nieliczni oponenci tych tak niszczących polski handel zagraniczny rozwiązań (*vide:* tak niesłusznie zapomniana dziś sprawa płk. Rajskiego) zostali szybko uciszeni represjami. Zamiast modernizacji polska gospodarka od połowy lat siedemdziesiątych zaczęła się coraz bardziej pogrążać w stagnacji, prowadząc do społecznych wybuchów w Ursusie i Radomiu. Atmosfera w kraju zaczęła coraz mocniej przypominać słowa popularnej piosenki STS-u z początku lat sześćdziesiątych *Ja już widziałem takie dno, przy którym wszystkie gwiazdy bledną*. Na tle pogłębiającego się marazmu czasów późnego Gierka doszło do powstania pierwszych zalążków silniejszej zorganizowanej opozycji, najpierw KOR-u, a potem także i ROPCiO.

Końcowe lata rządów Gierka to również czas skrajnego serwilizmu wobec sowieckiego dyktatu w sferze ideologii i kultury, począwszy od 1976 roku, gdy w preambule do konstytucji zadekretowano „przyjaźń z ZSRR" i wprowadzono zapis o przewodniej sile partii. Ówcześni luminarze partyjni z niezwykłą usłużnością reagowali na coraz częstsze nachalne interwencje ambasady sowieckiej przeciwko oskarżanym o domniemaną antyrosyjskość publikacjom na temat przeszłości. Doprowadzono do wycofania z obiegu licznych książek, między innymi obszernej publikacji Leszka Moczulskiego o wojnie 1939 roku. Niewiele bezpieczniejsza okazywała się czasem i tematyka dawniejszej historii Polski, jeśli tylko zaczepiała o jakieś drażliwsze fragmenty stosunków polsko-rosyjskich. Dowodziły tego liczne przykłady cenzuralnej blokady, między innymi wobec książek Pawła Jasienicy czy sztuki Jerzego Mikke *Niebezpiecznie, panie Mochnacki*, oskarżanych o rzekomą antyrosyjskość.

Przygotowany przez Jerzego Łojka i Jerzego Mikke tekst przedstawienia telewizyjnego *Konstytucja 3 Maja* uległ tak dużym przeróbkom, fałszującym jego wymowę na polecenie decydentów z telewizji, że obaj autorzy zdjęli swoje nazwiska z plansz na znak protestu. Blokowano nawet wznowienie poważnych naukowych dzieł historycznych, jeśli dotykały tak „niewygodnych" spraw jak powstania narodowe (*vide:* przeszkody we wznowieniu potężnej monografii Powstania Styczniowego, napisanej przez prof. Stefana Kieniewicza). Obraz historii Polski w takich warunkach ulegał coraz większemu zafałszowaniu. Profesor Tadeusz Bielicki wspominał w 1983 roku szok, jaki przeżył, przeglądając wydany w 1977 roku w masowym nakładzie tani ścienny kalendarz historyczny. Próżno szukał tam pod datą 3 maja jakiejkolwiek informacji o sławnej polskiej konstytucji. Wszystko, co na dzień 3 maja znalazło się w tym szczególnym kalendarzu, to było, iż 3 maja urodził się Jan Hempel, wybitny działacz ruchu robotniczego (por. T. Bielicki: *Dwie przeszkody*, „Polityka", 15 stycznia 1983).

Trudno przecenić rozmiary szkód wyrządzonych przez PRL-owską szkołę obrazowi narodowej historii i samopoznaniu Polaków. Obok antynarodowych kampanii mass mediów szkoła była głównym instrumentem upowszechniania narodowego masochizmu. Można tu w pełni zgodzić się z uwagami znanego krakowskiego publicysty Andrzeja Waśko zamieszczonym na łamach „Nowego Państwa": *Zarówno w PRL, jak i w PRL-bis olbrzymi wpływ na pogarszanie się samopoczucia Polaków wywierają szkoła, literatura i film. Program szkolnego nauczania historii był, o czym się nie dość pamięta, „narodowy w formie – socjalistyczny w treści". Niepodległość Polski stanowiła tam niby najwyższą wartość, ale jednocześnie bieg naszych dziejów podręczniki ukazywały w taki sposób, by wasalski stosunek Polski do ZSRR wydawał się uczniom logicznym wypełnieniem historycznej konieczności. Bez rewolucji październikowej i opieki Wielkiego Brata bylibyśmy bowiem wydani na pastwę, przyrodzonego nam rzekomo, warcholstwa, prywaty i liberum veto. Podobnie historię literatury polskiej – od „Satyry na leniwych chłopów" po Kruczkowskiego i Mrożka – omawiało się w szkole pod stałym hasłem „krytyki wad narodowych". Narodowość polska okazywała się w tym ujęciu po prostu sumą najrozmaitszych „przywar" (...) Notabene nie zdziwiłbym się, gdyby gdzieś w moskiewskich archiwach znaleziono szczegółowe instrukcje, jak w kraju Priwislanskim trzeba wpajać młodzieży przekonanie, że należy ona do narodu wiecznych nieudaczników, którzy przez samą historię przeznaczeni zostali do niewolnictwa* (A. Waśko: *Co jest dobrego w kulturze polskiej?*, „Nowe Państwo", luty 1994).

Słabość patriotyzmu w kręgach tzw. elit

Dlaczego tak jaskrawe przekłamania i przemilczenia, blokady cenzury wobec publikacji najbardziej znaczących nawet dla kultury historycznej społeczeństwa nie wywoływały większego protestu ze strony ogromnej części polskich elit? Pamiętajmy, że o ich charakterze w głównej mierze zadecydował okres ich kształtowania. Były to wszak elity wykreowane w dobie PRL-u na miejsce dawnych elit, wymordowanych przez kolejnych okupantów: niemieckiego i sowieckiego. Odpowiednio indoktrynowane nowe elity „inżynierów dusz" przez całe dziesięciolecia rozwijały się w daleko posuniętej symbiozie z komunistyczną władzą, zyskując za to odpowiednie apanaże i nagrody. Z jakąż goryczą wielokrotnie mówił o tych elitach, tak sprzeniewierzających się własnemu narodowi, Prymas Tysiąclecia, kardynał Stefan Wyszyński. Jakże piętnował ich za to, że zamiast być solą tej ziemi, są jakże często tylko solą zwietrzałą. I krytykował pseudoautorytety „nie dostrzegające głębszego sensu świata". Największe, ale jakże uzasadnione, oburzenie Prymasa Polski wywoływała coraz liczniejsza prorządowa „elita żłobowa", co to „dla kęsa chleba odstępuje prawdę" (por. S.Wyszyński: *Idzie nowych ludzi plemię*, Poznań 1973, s. 93). Dla tej właśnie „elity żłobowej" prawdziwą „normalką" stało się akceptowanie na co dzień dominującej roli Związku Sowieckiego w Polsce, a nawet zabieganie o protekcję u jego polskich dyplomatów i agentów.

Z kolei rewizjonistyczni dysydenci ciągle odrzucali jako skrajnie nierealną, jakoby wręcz szaleńczą wszelką myśl o polskim „wybiciu się na niepodległość" i uważali za niezbędną rezygnację ze „snów" o możliwości odzyskania kiedykolwiek przez Polskę suwerenności. Adam Michnik przyznawał: *Natomiast faktem była nieobecność tematu sowieckiej dominacji w refleksji rewizjonistów. Ta nieobecność – powodowana ograniczeniami cenzuralnymi i samoograniczeniem dobrowolnym – prowadziła do konfuzji (...) Licytacji w nacjonalistycznych sloganach rewizjoniści podjąć nie mogli i nie chcieli. Przed jasnym nazwaniem sowieckiej dominacji odczuwali lęk – czuli, że to igranie z ogniem. Wszelako nie odczuwali tego lęku, podejmując rozrachunek z polską tradycją.*

To rodziło inną konfuzję: ostry rozrachunek z polską tradycją przy równoczesnym milczeniu na temat tradycji sowieckiej musiał prowokować podejrzenia o brudną grę. Zwykły czytelnik gazet nie umiał zrozumieć, dlaczego książ-

żę Józef Poniatowski był bardziej wdzięcznym obiektem krytyk od Nikity Chruszczowa (A. Michnik: *Wściekłość i wstyd*, „Gazeta Wyborcza", 3–4 grudnia 1994).

Różnice w stosunku do głównych problemów narodu, niestawianie przez „internacjonalistycznych" dysydentów z kręgów byłych środowisk rewizjonistycznych niepodległości jako koniecznego, dalekosiężnego celu rzutowały wciąż na ich stosunek do niepodległościowego nurtu opozycji. Było w tym stosunku z jednej strony lekceważenie wobec ludzi urzeczonych przez jakieś niedościgłe mrzonki niepodległościowe, z drugiej jakże często strach przed polskim „nacjonalizmem" i „antysemityzmem", przenoszenie pomarcowych urazów z 1968 roku na całe polskie społeczeństwo. Te urazy i strach przed polskimi wartościami narodowymi eksplodowały w 1981 roku w skrajnej niechęci do patriotycznego nurtu w „Solidarności", przez „internacjonałów" z opozycji złośliwie określanego jako nurtu „prawdziwych Polaków".

Narodowe przebudzenie

Na tle przygnębiającego marazmu czasów późnego Gierka tym większe znaczenie miał wybór Papieża–Polaka – wydarzenie o wręcz niewyobrażalnej roli dla morale tak sfrustrowanego wówczas narodu. Wybór ten stał się wielkim, wciąż dziś jeszcze niedostatecznie docenianym impulsem dla odrodzenia patriotyzmu, tak długo spychanego na margines. Już pierwsza wizyta Jana Pawła II w Polsce w 1979 roku była nie tylko wielkim przeżyciem religijnym dla milionów Polaków, ale również czasem ich narodowego przebudzenia. Czasem, kiedy mogli znowu usłyszeć tak donośnie słowa pełne miłości do narodu i ojczyzny, pamięci o narodowej historii. Wszystko to owocowało później w Sierpniu 1980 roku. Wielkim wspomnieniem tych czasów pozostały rozmodlone twarze stoczniowców i las flag biało-czerwonych, symbolizujące prawdziwe odradzanie się wartości chrześcijańskich i patriotyzmu. Dziś, gdy mamy świeżo w pamięci jakże wielkie rozczarowania, przeżyte po czerwcu 1989 z winy niechętnej patriotyzmowi części elit solidarnościowych, dość powszechnie zapomina się, jak inaczej wszystko wyglądało w 1980 i 1981 roku. Jak bardzo ówczesna „Solidarność" była przepojona prawdziwym patriotyzmem! Jak stanowczo akcentował czołowy wówczas ekspert „Solidarności" prof. Stefan Kurowski: *Społeczny protest strajkowy z lata ubiegłego roku, który znajduje się u źródeł naszego Związku, był skierowany również przeciw systematycznemu wypieraniu ze społecznej świadomości naszych wartości narodowych. Ten aspekt protestu znalazł wyraz w masowym i spontanicznym użyciu w czasie strajków symboli narodowych, opasek i chorągwi biało-czerwonych, godła i hymnu narodowego. W tych aktach symboliki narodowej wyraził się instynkt polskiego święta pracy, kiedy zwrócił się do tych wartości, jakie mogły odbudować jego tożsamość narodową (...). Nasz Związek będzie kontynuował ten kierunek inspiracji ideowej. Uznajemy wartości narodowe za cenną i żywotną część naszej zbiorowej świadomości, której na imię Polska i uważamy, że patriotyzm Polaków, patriotyzm milionów członków naszego Związku jest niezastąpioną płaszczyzną integracji i społecznej ofiarności na rzecz Ojczyzny. Uważamy, że wartości narodowe stanowią podstawową rację odrębności naszego społeczeństwa we współczesnym świecie i w tej części Europy oraz ostateczne uzasadnienie naszej niepodległości i suwerenności państwowej. Wartości narodowe stanowią główną treść naszej historii i główną inspirację naszej kultury* (por. S. Kurowski: *Wartości ideowe. W sprawie tez programowych „Solidarności”*, „Tygodnik Solidarność”, 1 maja 1981).

W najważniejszym dokumencie „Solidarności” – jej programie uchwalonym na I Zjeździe Krajowym Delegatów (7 października 1981) jednoznacznie akcentowano: *„Solidarność”, określając swoje dążenia, czerpie z wartości etyki chrześcijańskiej, z naszej tradycji narodowej. Droga jest nam idea wolności i nie okrojonej niepodległości. Popierać będziemy wszystko, co umacnia suwerenność narodową i państwową.*

Z miesiąca na miesiąc wyraźnie wzrastała presja nurtu prawdziwie patriotycznego w „Solidarności”. Jej widomym symbolem była też spektakularna porażka Bronisława Geremka w wyborach do władz krajowych „S” na jej pierwszym zjeździe w październiku 1981 roku – Geremek nie dostał się do 100-osobowego składu Komisji Krajowej. Był to również czas skrajnej marginalizacji pozycji Adama Michnika. Po latach uskarżał się, że nigdy nie został nawet dopuszczony w 1981 roku do druku na łamach „Tygodnika Solidarność” (redagowanego wówczas przez Tadeusza Mazowieckiego). Niektórzy „internacjonałowie” typu Bogdana Borusewicza odsuwali się na bok, rozjuszeni rosnącą siłą nurtu patriotycznego w „Solidarności”.

Nowa kampania antynarodowa po grudniu 1981

Krótkotrwałe odrodzenie patriotyzmu i narodowej godności w latach 1980–1981 nagle przerwał szok stanu wojennego, który doprowadził do katastrofalnych wręcz skutków dla polskości. Skutków, z których dotąd nie potrafiła się otrząsnąć. Władzom aż nazbyt łatwo udało się rozbić opór 10-milionowego związku zawodowego, cieszącego się poparciem przeważającej części narodu. Straszny szok bezsilności tamtych smutnych grudniowych dni odcisnął fatalne piętno na psychice ówczesnych pokoleń, złamał narodowego ducha. Kolejnymi działaniami władz udało się podzielić i zatomizować społeczeństwo, skutecznie je zdesolidaryzować. I przeprowadzić kolejną, najskuteczniejszą z kampanii niszczenia tradycji narodowych, przez zmasowany atak na nie w radiu, telewizji i prasie, dziesiątkach tygodników i dzienników.

W walce o ponowne ubezwłasnowolnienie narodu gen. Jaruzelski wykorzystał z poręki Mieczysława F. Rakowskiego wypróbowane grono ludzi pomiatających polskością i nią gardzących. Nieprzypadkowo rzecznikiem jego rządu był najcyniczniejszy przeciwnik polskiego patriotyzmu i Kościoła, osławiony Jerzy Urban. I nieprzypadkowo wśród najbliższych, szczególnie aktywnych pomocników–pretorianów generała znalazł się major Wiesław Górnicki, znany z nikczemnego stosunku do polskich tradycji narodowych. Wtórowało im całe grono pomniejszych „urbanowców" od KTT po Kałużyńskiego, Sadkowskiego, Koźniewskiego czy Grońskiego.

Szukając usilnie jakichś sojuszników w walce przeciwko polskiej narodowej solidarności, tym chętniej sięgnięto po fanatycznych tropicieli polskiego „nacjonalizmu" i „antysemityzmu" w stylu wspomnianego już KTT, Kałużyńskiego czy Artura Sandauera. Nagle w latach osiemdziesiątych jednym z tematów najchętniej eksponowanych przez władze stały się ataki na rzekomy polski i chrześcijański „antysemityzm". (Urban w niezwykle chamski sposób zaatakował w tym kontekście pamięć ojca Maksymiliana Kolbego. Gwałtowne protesty, jakie wywołał swoją napaścią, będąc rzecznikiem rządu, zmusiły go do późniejszego podpisywania felietonów pseudonimem Jan Rem). Wszystkich przebijał w gorliwości rozliczania polskich „nacjonałów", odpowiednio za to nagradzany i fetowany przez władze Artur Sandauer, siostrzeniec osławionej dręczycielki AK-owców, dyrektor departamentu w Ministerstwie Bezpieczeństwa Publicznego – Luny Brystygierowej. W 1982 roku opublikował on książkę *O sytuacji pisarza polskiego pochodzenia żydowskiego w XX wieku*, wielki zbiór donosów na mniemanych polskich „antysemitów", i został za to odznaczony jednym z najwyższych odznaczeń przez władze stanu wojennego.

Z wiedeńskiej emigracji szybko pośpieszył w sukurs generałowi Jaruzelskiemu inny doświadczony demaskator „polskiego nacjonalizmu i antysemityzmu", dawny stalinowski prześladowca–filozof profesor Adam Schaff. Pod koniec 1982 wystąpił on o przyznanie generałowi Pokojowej Nagrody Nobla (za „stabilizujący sytuację w Polsce" stan wojenny!). Schaff nie omieszkał przy okazji zaatakować „głupiego", „niedojrzałego" polskiego społeczeństwa, które miało w ręku złoty róg i po „chamsku" zgubiło go przez nieodpowiedzialne sprzeciwianie się komunistycznej władzy.

Gdy wychwalano targowiczan

Aby uzasadnić wojnę Jaruzelskiego z Narodem, co niektórzy publicyści tym chętniej sięgali do „odpowiednich" przykładów z historii, powołując się na wypróbowane wzorce polityków, którzy w przeszłości gotowi byli pójść z Rosją za wszelką cenę, nawet przeciw swemu narodowi. Od króla–targowiczanina Stanisława Augusta po Aleksandra Wielopolskiego. Nastąpił wtedy prawdziwy renesans kultu wszystkich dawnych prorosyjskich polityków, idący w parze z ciągłym piętnowaniem ich patriotycznych przeciwników. Wysławiano ponad wszystko stary, pochodzący jeszcze z pierwszych lat powojennych, paszkwil Aleksandra Bocheńskiego *Dzieje głupoty w Polsce*, nie zważając na jego rozliczne błędy merytoryczne. Znamienne, jak bezkrytycznie, wręcz panegirycznie, wysławiano koniunkturalnie w „Polityce" tę tak skrajnie służalczo prorosyjską książkę Bocheńskiego. Jak klaskał i mlaskał na jej temat redaktor „Polityki" Andrzej Mozołowski, wołając: *Chwała „Czytelnikowi" za odwagę wydania książki Bocheńskiego*. I odnosił się ze zrozumieniem nawet do głoszonej przez Bocheńskiego chwalby targowiczan, pisząc: *Autor nie waha się podnieść pióra na stronnictwo patriotów z okresu Sejmu Czteroletniego i Konstytucji 3 maja – za fatalną politykę zagraniczną, w przeciwieństwie do targowiczan, którzy pod tym względem byli znacznie lepsi, a szukając oparcia w Rosji, nie w Prusach, lepiej się ojczyźnie przysłużyli* (A. Mozołowski: *Dzieje głupoty nieśmiertelnej*, „Polityka", 3 listopada 1984).

Autor „Polityki" w 1984 roku z całą swadą reklamował brechty Bocheńskiego, wybielające najhaniebniejszych zdrajców Polski – targowiczan, jako tych, którzy się „lepiej przysłużyli ojczyźnie". Poprzez ściągnięcie wojsk rosyjskich na własną ojczyznę i przyśpieszenie drugiego rozbioru (!).

Pochwale targowiczan wtórowały różne temu podobne wyczyny na temat późniejszych polskich dziejów. Znalazł się nawet i taki autor (Krystian Neliński), który bezwstyd w kłamaniu o narodowej historii posunął aż do rehabilitacji znienawidzonego carskiego satrapy – wielkiego księcia Konstantego. Neliński przedstawił Konstantego jako rzekomo niesprawiedliwie oczernionego w Polsce wielkiego przyjaciela Polaków, który – według Nelińskiego – *był człowiekiem subtelnym, dobrym, szlachetnym, wrażliwym i łatwowiernym (...) nie wierzył kłamstwom i z pogardą odrzucał wszelkie oszczerstwa jako człowiek wielkiej kultury, mądrości i kryształowej szlachetności, którego nie mogła zwieść żadna podłość i żaden podstęp* (por. „Przegląd Tygodniowy" z sierpnia 1982). Neliński przedstawiał również, jak w. książę Konstanty nie mogąc znieść „tak niezasłużonej" niewdzięczności swych polskich poddanych, co chwila *prosił do siebie małego Frycka Chopina, aby grał mu polskie melodie, które koiły jego roztrzęsione intrygą nerwy, przywracając im równowagę* (tamże).

Antypolskie uogólnienia „urbanowców"

Reżimowi historycy i publicyści z zapałem upowszechniali wizję Polaków jako narodu o tradycyjnie ugruntowanych ogromnych wprost przywarach, narodu wiecznie anarchicznego i kłótliwego, którego ma już dość cała miłująca pokój i odprężenie Europa. Atakom na narodową historię, zwłaszcza na powstania XVIII i XIX wieku, towarzyszyły skrajnie negatywne uogólnienia o współczesnych Polakach, przypisując całą odpowiedzialność za fatalny stan gospodarki Polski rzekomej anarchii polskiego społeczeństwa i jego chorobliwemu „nieróbstwu", nieumiejętności podporządkowania się chcącej wreszcie naprawić taki „zły" naród komunistycznej władzy. Był to ulubiony leitmotiv różnych janczarów ówczesnej publicystyki od Krzysztofa Teodora Toeplitza i Kazimierza Koźniewskiego po Janusza Roszkę czy Aleksandra Bocheńskiego. Roszko posunął się nawet do dość szczególnych rasistowsko-antypolskich refleksji: *Czy bakcyl anarchii nie został nam przekazany w genach przez stulecia?!* (J. Roszko: *Historia Polski à la propaganda sukcesu*,

„Zdanie", 1982, nr 1, s. 62). Z kolei Aleksander Bocheński, kolejny raz (w *Rozmyślaniach o polityce polskiej*) piętnując ryczałtem wszystkie polskie walki niepodległościowe i „romantyczną paranoję", tym mocniej wysławiał „wyczyn" gen. Jaruzelskiego z 13 grudnia 1981, stwierdzając, że: *W skali całej historii polskiej było to jedno z nielicznych wyraźnych zwycięstw dyscypliny nad anarchią i rozumu nad uczuciem i naiwną bezmyślnością* (A. Bocheński: *Rozmyślania o polityce polskiej*, Warszawa 1987, s. 190).

Na łamach paryskiej „Kultury", skądinąd często niechętnej tradycyjnym wzorom polskości, wyraziście pokazano metody upokarzania i zniesławiania Polaków, stosowane przez czołowych propagandzistów z ekipy gen. Jaruzelskiego: *Oto – wmawiają nam od lat „urbanowcy" – Polacy pozbawieni są „instynktu państwowego", kultury politycznej i etosu pracy, obciążeni swą niesławną przeszłością, kiedy to przez anarchię i warcholstwo zgubili sami siebie. Polacy są narodem, który nie rozumie własnej racji stanu. W gruncie rzeczy zatem swą obecną sytuację, ów rzeczywiście tragiczny kryzys, naród polski zawdzięcza sam sobie. Jest to teza chętnie przyjmowana również na Zachodzie. Podobnie jak przekonanie o niezdolności Polaków do rzetelnej pracy: niezdolność ta spowodowała przecież kryzys gospodarczy* (K. Kruk: *Karli realizm*, paryska „Kultura", sierpień 1985). Warto pamiętać o tych tezach propagandy „urbanowców", aby zobaczyć, jak mocno te same tezy były powielane w czasopismach postkomunistycznych po 1989 roku. W końcu robili je ci sami „urbanowcy" lub ich uczniowie.

Trudno dziś w pełni ocenić rozmiary szkód dla świadomości historycznej różnych pokoleń Polaków, raczonych przez całe lata kolejnymi falami fałszów o narodowej historii, skrajnymi uogólnieniami mającymi na celu przygnębić naród jako „niemądry" i „bezsilny" od wieków, i tym łatwiej zmusić do posłuszeństwa. Była to ciągła „propaganda klęski". Począwszy od uogólnień Kałużyńskiego o Polakach: *Przegrywali wszystkie bitwy* (na łamach „Polityki" z 1982 roku) po skrajnie negatywne oceny „anarchicznego narodu polskiego", wypisywane jeszcze w grudniu 1988 na łamach tejże „Polityki" przez Krzysztofa Teodora Toeplitza. Zapewniał on tam z całą butą domorosłego znawcy dziejów, iż: *Rządzenie Polakami jest – jak możemy to sobie powiedzieć przy końcu roku, w chwili szczerości – rzeczą straszną* (por. „Polityka", 1988, nr 53). Na dowód KTT przytoczył, jak to Henryk Walezy, wybrany na króla polskiego, uciekł z Polski przy pierwszej sposobności. KTT zapomniał tylko dodać, że biedny Walezy uciekł z Polski na swoje nieszczęście, bo we Francji go później zamordowano po strasznych mękach rządzenia w czasie długotrwałej wojny domowej. A „straszni" do rządzenia Polacy królobójcami jakoś jednak nie bywali.

Sączenie poczucia beznadziejności polskich dziejów

W czasie, gdy społeczeństwo polskie wciąż karmiono papką z najbardziej absurdalnych kłamstw „urbanowców", zniechęcających do narodowych dziejów, cenzura troskliwie zabiegała o to, by skutecznie blokować lub kaleczyć różne publikacje, prostujące kark narodowi, głoszące prawdę o tak zniesławionych powstaniach, etc. Jakże znamienny był fakt, że akurat w tym samym grudniu 1988, gdy w „Polityce" drukowano antynarodowe uogólnienia Toeplitza, cenzura zadbała o odpowiednie okaleczenie tekstu Josepha Conrada z 1919 roku *Zbrodnia zaborów*, drukowanego na łamach „Przeglądu Katolickiego". Tekstu występującego z jednoznaczną pochwałą cech i zachowań narodu polskiego. Przykładów tego typu ingerencji cenzury w teksty historyczne było aż nadto wiele – sam znam różne przykłady z autopsji. W 1982 roku musiałem na przykład przerwać druk przygotowanego dla tygodnika „Radar" wyboru ciekawych tekstów z polskiej myśli politycznej XIX wieku. Już bowiem na samym początku cyklu cenzorzy spowodowali usunięcie dwóch kolejnych tekstów wyszłych spod pióra czołowego polskiego pozytywisty Aleksandra Świętochowskiego: *Po siedemdziesięciu pięciu latach* i *Nie bójcie się!*

Cenzorom najwyraźniej nie podobało się, że Świętochowski (w 1905 roku) z wyraźnym zrozumieniem odniósł się do powstań narodowych, nawet pomimo tego, że nie widział szans ich sukcesu. Ale – jak pisał Świętochowski – i to zdaje się najbardziej zdenerwowało polskich cenzorów AD 1982: *Być może, iż bez rewolucji w roku 30 i 63 naród nasz doskonale by się utuczył i ważyłby dużo, ale prawdopodobnie byłby dziś tylko spasionym wieprzem (...) Po rozbiorach Polacy mieli do wyboru dwie drogi: albo wynaturzyć się, znikczemnieć, posłużyć za karm dla swych zaborców, albo nie bacząc na wszystkie straty, porażki, ruiny, ratować swoje życie ciągłym buntem przeciw gwałtom.*

Nie było rzeczywistego klimatu do poznawania prawdy nawet o odleglejszej narodowej przeszłości, w sytuacji gdy cenzura blokowała pokazywanie spraw, które godziły w różnych kapitulanckich „realistów" i targowiczan. Uporczywie lansowany oficjalnie narodowy masochizm i pesymizm historyczny przez całe lata pozostawały bez należytego przeciwstawienia w popularnych mass mediach. I tak coraz silniej urabiano – kolejny raz z rzędu w PRL-owskiej historii – poczucie całkowitej beznadziejności polskich działań w dziejach. Skutki tego typu edukacji, sączonej konsekwentnie w mediach i szkole, odczuwamy po dziś dzień w słabościach i przekłamaniach świadomości historycznej wielkiej części Polaków. Na próżno już w 1983 historyk profesor Zbigniew Wójcik wystąpił z ostrzeżeniem przed fatalnymi konsekwencjami ciągłego upowszechniania pesymistycznych wizji narodowej historii. Odmawiając przyjęcia nagrody ministra kultury i sztuki za książkę *Jan III Sobieski*, prof. Wójcik pisał w liście otwartym do ministra Kazimierza Żygulskiego: *Mówiąc krótko, mam poważne wątpliwości, czy historykowi wolno siać pesymizm – polskiemu historykowi. To nie znaczy bynajmniej, że wolno bezkrytycznie i nieodpowiedzialnie patrzyć na własną przeszłość. Co innego jednak wyciąganie właściwych wniosków z tragicznych lekcji historii, co innego sączenie beznadziejności. To ostatnie uważałbym za pewnego rodzaju przestępstwo wobec własnego narodu.*

Urabiając z całą konsekwencją poczucie beznadziejności wszystkich polskich powstań narodowych, władze PRL-u starały się w ten sposób zniszczyć zachętę do przyszłych zrywów „buntowniczego" narodu, zniechęcić go do prób kolejnego Sierpnia. Już wtedy coraz wyraźniejsze było dążenie komunistycznych władz, aby doprowadzić do odwrócenia narodu od tak niebezpiecznej dla nich historii, powodować powolne zanikanie narodowej pamięci. I właśnie przeciw tym intencjom władz tak silnie oddziaływały „msze za Ojczyznę". I nieprzypadkowo tak silnie akcentował ksiądz Jerzy Popiełuszko w swej homilii z 30 stycznia 1983: *Nie jesteśmy Narodem tylko na dziś. Jesteśmy Narodem, który ma przekazać w daleką przyszłość moce nagromadzone przez całe tysiąclecia* (cyt. za: Ksiądz Jerzy Popiełuszko: *Ku wolności wyswobodził nas Chrystus*, Warszawa, KOS 1984, s. 52.)

Komunistów denerwowało zaś właśnie to ciągłe szukanie narodowych „mocy" z przeszłości. Oni chcieli mieć pod swoją batutą naród myślący tylko o „dziś". I stąd wywodziło się ciągle lansowane w telewizji i innych oficjalnych mass mediach utyskiwanie na niesfornych Polaków, którzy ciągle żyją historią, podczas gdy inne narody teraźniejszością. Jeszcze 9 sierpnia 1988 całą jeremiadę na ten temat wygłosił w drugim programie telewizji kierownik działu kulturalnego „Polityki" Zdzisław Pietrasik. Szczególnie zaś uskarżał się na „to całe theatrum", jakie widział na Powązkach 1 sierpnia. Chodziło mu o ludzi, którzy z uniesionymi w górę rękami (palce w kształcie litery V) śpiewali *Boże coś Polskę* (por. polemiczny komentarz J. Rumana do wystąpienia Z. Pietrasika na łamach „Ładu" z 21 sierpnia 1988). Rzecz znamienna, do jakiegoś stopnia ta komunistyczna niechęć do historii i pamięci, tak wyraźna w dobie Jaruzelskiego, ma znów dziś swoją kontynuację w postawie czołowych postkomunistów (por. uwagi na str. 107, 110–111 tej książki).

Komunistyczne władze szczególnie irytowała rola licznych duchownych w powstrzymywaniu patriotyzmu i polskości, ich zaangażowanie w poparcie dla antyreżimowej opozycji. Nękano więc tych kapłanów różnymi „sposobami" od najbrutalniejszych (*vide:* zabójstwo księdza Jerzego i tajemnicze zgony kilku innych duchownych) po rozliczne szykany i złośliwości na co dzień. Do rutynowych praktyk komunistycznej bezpieki należało na przykład wysyłanie jej pracowników na częstochowskie pielgrzymki z odpowiednimi „zadaniami", by kradli pątnikom buty, podrzucali pisma pornograficzne, zatruwali studnie gospodarcze (wg J.O.: *IV Departament MSW. Wkrótce finał śledztwa*, „Rzeczpospolita", 23 grudnia 1996).

Negatywne ewolucje w „Solidarności"

Równolegle do systematycznie prowadzonych w oficjalnych „przekaziorach" zmasowanych kampanii zniesławiania polskiego patriotyzmu i dużej części tradycji narodowych zaznaczały się, niestety, i coraz bardziej negatywne ewolucje w nastrojach ubezwłasnowolnionego społeczeństwa. Represje władzy, poczucie klęski, systematyczna propaganda antypatriotyczna zrobiły swoje. Jakże wielu nie wytrzymało gwałtownego zniweczenia ich nadziei przez szok 13 grudnia, całkowicie załamało się lub odwróciło od jakiegokolwiek działania. Wielka część młodych Polaków, widząc jak kosztowna może być polityka i zaangażowanie w prawdziwe ideały, tym mocniej zwróciła się w stronę całkowitej apolityczności i dorabiania za wszelką cenę. Tak jak tego chciały komunistyczne władze, marzące o całkowitym odideologizowaniu i depatriotyzacji społeczeństwa. Największą stratą dla narodu okazała się jednak emigracja blisko miliona Polaków, głównie młodych ludzi i członków „Solidarności", częstokroć tych najbardziej zdecydowanych i bezkompromisowych (np. byłego szefa regionu śląskiego „Solidarności" Andrzeja Rozpłochowskiego). Ta emigracja setek tysięcy młodych Polaków, nie chcących iść na żaden ukłon wobec reżimu, fatalnie zaciążyła na późniejszym kształcie „Solidarności". Myślę, że można całkowicie podpisać się pod opinią księdza biskupa Edwarda Frankowskiego, oceniającego, iż: *Gdy po stanie wojennym część najwartościowszych synów Polski musiała wyemigrować z kraju, gdy ich zabrakło, wtedy ekspartyjni, rzekomo „nawróceni", przyszli z pomocą byłej „komunie". Nazwali się liberałami, Europejczykami, ekspertami od przekształceń ustrojowych. Jako tacy wcisnęli się na czoło rzekomej prawicy* (Bp. E. Frankowski: *Rekolekcje dla ludzi pracy*, Toruń 1997, s. 67).

Emigracja setek tysięcy młodych ludzi, szczególnie mocno prześladowanych przez władze za swe nieprzejednanie, ułatwiła stopniowe wzmacnianie wpływów w podziemnej „Solidarności" przez osoby wywodzące się z kręgów tzw. opozycji laickiej, przeważnie byłych komunistów (środowiska Geremka, Kuronia, Michnika, dawnego „czerwonego harcerstwa", „internacjonałów" z „pokolenia 68", etc.). W walce o wpływy w podziemiu znaleźli się oni teraz w dużo korzystniejszej sytuacji niż w otwartej rywalizacji na publicznych zebraniach i na zjeździe „Solidarności" w 1981 roku. Teraz nie liczyły się tak mocno argumenty trafiające do serc słuchaczy, lecz nieformalne układy i powiązania, w których od dawna wyspecjalizowali się michnikowcy i ich zwolennicy z „warszawki" i „krakówka". Na dodatek oni mieli najlepsze, wyrobione od dawna, kontakty na Zachodzie i dużo lepszy dostęp do wszelkiej pomocy finansowej z zewnątrz. Ułatwiło to zdobycie przez nich dominującej pozycji w podziemnych wydawnictwach książkowych i prasowych ze wszystkimi tego konsekwencjami. Wpływy „internacjonałów" z „pokolenia 68" i środowisk post-KOR-owskich w nielegalnej „Solidarności" jeszcze bardziej umocniły się dzięki niedemokratycznemu i nieformalnemu odtwarzaniu nowych władz „Solidarności" w latach 1987–1988 i maksymalnemu zbliżeniu w owym czasie między Wałęsą a Geremkiem i Michnikiem. Stopniowo dawni KOR-owcy zyskali nigdy przedtem nie posiadane na taką skalę wpływy na różne decyzje nieformalnych władz „Solidarności".

Jak zwalczano patriotyczny nurt w podziemnej „Solidarności"

Propaganda ludzi z Unii Demokratycznej, a później Unii Wolności obciążyła tzw. „wojnę na górze" winą za wszystkie niemal niepowodzenia i rozbicie obozu solidarnościowego. Równocześnie zaś ciągle aż nazbyt niewiele wspomina się o dużo wcześniejszej, cichej, ale bardzo konsekwentnie prowadzonej wewnętrznej wojnie wewnątrz solidarnościowego podziemia na długo przed 1989 rokiem. „Wojnie" wyraźnie zainicjowanej przez prekursorów późniejszej UD. Prowadzili ją różni „internacjonałowie" z „pokolenia 68" przeciw ludziom nurtu patriotycznego w „Solidarności". Większość osób z tego nurtu nawet nie zdawała sobie sprawy z rozmiarów podskórnej niechęci, jaką żywili do nich konkurujący o „rząd dusz" w solidarnościowym podziemiu „internacjonałowie" z kręgu Kuronia i Michnika. Nie wiedzieli, jak bardzo byli oni uczuleni na wszelką terminologię narodową, jakimi fobiami reagowali na wszelkie przejawy narodowej argumentacji. Akcentowane przez Michnika tylekroć po 1989 roku absurdalne tezy o „nacjonalizmie" jako rzekomo głównym zagrożeniu dla Polski były już dużo wcześniej zakorzenione w umysłach licznych „komandosów" marca 1968 oraz późniejszych KOR-owców.

Tezy te wyrażano już w początkach działania KOR-u w drugiej połowie lat siedemdziesiątych. By przypomnieć choćby jakże wymowną pod tym względem ocenę Jacka Kuronia, wyrażoną na łamach pierwszego numeru KOR-owskiej „Krytyki": *Jestem przekonany, że ideologia narodowo-totalitarna odrodzi się w naszym kraju tak w opozycji, jak w aparacie władzy. Komunizm jako ideologia w Polsce nie istnieje. Za głównego przeciwnika ideowego opozycji demokratycznej uważam więc totalitaryzm narodowców.*

Trzeba przyznać, że „internacjonałowie" w opozycji byli aż nadto konsekwentni w akcentowaniu swych fobii i strachów przed „totalitaryzmem" i „szowinizmem" polskich antykomunistycznych narodowców. Wciąż pisali, jak Adam Michnik na łamach paryskiej „Kultury" w maju 1986: *Obawiam się eksplozji szowinizmu.* Te strachy i sugestie, że przyszły „totalitaryzm narodowców" może się okazać dużo groźniejszy od ideologii komunizmu przez cały czas wyraźnie determinowały postawy Kuronia, Michnika i ich współpracowników. I miały później ogromny wpływ na tak szokujące zachowanie Michnika po 1989, kiedy uznał zbliżenie z komunistami za najlepszy sposób zapobieżenia wzrostowi wpływu narodowego nurtu byłej opozycji, który szybko zaczął określać mianem „zoologicznego antykomunizmu".

Wrogość do patriotycznego nurtu w solidarnościowym podziemiu, określanego z przekąsem mianem „prawdziwych Polaków", wyrażała się w konkretnych działaniach. Można powiedzieć wręcz o systematycznej i konsekwentnej walce wydanej ludziom z tego nurtu przez „internacjonałów". Przeciwników z nurtu patriotycznego zwalczano wszelkimi metodami, *per fas et nefas*, częstokroć także na drodze najobrzydliwszych pomówień, łącznie z fałszywymi oskarżeniami o współpracę z bezpieką. U różnych autorów można znaleźć świadectwa o tego typu ohydnych działaniach. Marta Miklaszewska pisała w „Tygodniku Solidarność" (1993, nr 43), iż: *Aby do końca zohydzić pojęcie „prawdziwego Polaka", w początku lat osiemdziesiątych puszczano tzw. pocztą pantoflową dodatkową informację, że jest on współpracownikiem SB. Robili to ci sami ludzie, którzy dziś twierdzą, że lustracja to łamanie praw człowieka*". Z kolei Marek Garztecki, który w latach osiemdziesiątych kierował londyńskim Biurem Informacyjnym NSZZ „Solidarność", a następnie był sekretarzem międzynarodowego PPS, wspominał z oburzeniem o różnych metodach „marginalizacji" osób, które nie chciały się w swej działalności podziemnej podporządkować nieformalnemu dyktatowi jednej grupy: *Mechanizm owego unicestwienia wypracowano jeszcze w czasach korowskich. Typowe było tu pomówienie wewnątrzopozycyjnych konkurentów o komunistyczną agenturalność. Tam, gdzie zarzut ów nie mógł być wykorzystany (bo jego ofiara siedziała akurat w komunistycznym więzieniu), stosowano oskarżenie o antysemityzm* (M. Garztecki: *Sami jesteśmy sobie winni*, „Rzeczpospolita", 26–27 lutego 1994).

Metody podobnych pomówień przetrwały i po 1989 roku. Wiosną 1992 roku w czasie wywiadu gen. Jaruzelskiego z Michnikiem, ten ostatni powiedział do szefa WRON-u: *nasadzaliście agentami struktury. Ja w „Mazowszu" to widziałem – w pewnym momencie oni mieli prawie większość. Proszę zapytać Zbyszka Bujaka. Mało co go te „prawdziwki"* (tj. prawdziwi Polacy – JRN) *nie wywróciły. A skąd wiem, że to agenci? Wprowadziliście stan wojenny, oni „ruki po szwam" i już później o nich nie usłyszysz* (cyt. za „Gazeta Wyborcza", 25–26 kwietnia 1992).

Niczym nie udokumentowane obrzydliwe pomówienie ze strony Michnika pod adresem „prawdziwych Polaków" wywołało otwarty protest profesora Tomasza Strzembosza. Napisał 11 maja 1992 w „Nowym Świecie": *Domagam się publicznie, by Adam Michnik przedstawił dowody, że w tej właśnie grupie (tzn. Regionu Mazowsze w 1980–1981) działaczy „Solidarności" (a nie w innych), którą określa jako „prawdziwki"* (we wspomnianej rozmowie z gen. Jaruzelskim – JRN) *byli agenci Służby Bezpieczeństwa i by stwierdzenie to poparł konkretnymi nazwiskami; jeśli tego nie uczyni, by publicznie *przeprosił tych wszystkich, których mogło skrzywdzić to pomówienie.* Po tak ostrym *démarche* profesora Tomasza Strzembosza Michnik był zmuszony do umieszczenia przeprosin na łamach „Gazety Wyborczej, przyznając: *Dowodów nie mam. Tomasz Strzembosz ma rację. Swoje przypuszczenia – w ferworze polemiki z gen. Jaruzelskim – przedstawiłem jako pewnik, czego nie wolno robić i czego żałuję. Bardzo przepraszam wszystkich, których mogło skrzywdzić to pomówienie* (por. *Adam Michnik przeprasza*, „Gazeta Wyborcza", 13 maja 1992).

Jaruzelskiego i Rakowskiego „donosy na Polskę"

Komunistycznym władzom wyraźnie nie wystarczyło ciągłe przyczernianie obrazu polskiego narodu w propagandzie na użytek krajowych odbiorców. Czołowi PRL-owscy przywódcy osobiście uczestniczyli w umacnianiu „czarnej legendy" Polaków za granicą, wydatnie umacniając ją swymi „donosami na Polskę". Chodziło o pokazanie zagranicznym audytorium, z jak niedobrym, „trudnym do rządzenia narodem" muszą obcować na co dzień. Typowe pod tym względem było zachowanie gen. Wojciecha Jaruzelskiego, który nie liczył się z żadnymi względami na interesy Polski, byle tylko wszelkimi środkami polepszyć *image* swego reżimu. Zabiegając o poparcie za granicą Jaruzelski wybrał dość szczególną taktykę starań o zdobycie uznania różnych wpływowych lobby żydowskich, prezentując się jako wielki przyjaciel Żydów i pogromca polskiego „nacjonalizmu i antysemityzmu". Generał Jaruzelski, premier polskiego rządu posunął się za granicą do otwartego oskarżenia „Solidarności" o rzekomy antysemityzm. Wysunął je podczas spotkania z przywódcami amerykańskich Żydów jesienią 1985 roku (informację na ten temat odnotował Aleksander Smolar w podziemnym „Aneksie" (1986, nr 41/42, s. 123).

Warto przy okazji przypomnieć, że gen. Jaruzelski, kreujący się po 1981 roku na tropiciela polskiego i „solidarnościowego" „nacjonalizmu" i „antysemityzmu", był w 1968 roku jednym z tych, którzy najmocniej skorzystali na tzw. pomarcowej kampanii antysyjonistycznej – 12 kwietnia 1968 roku objął stanowisko ministra obrony narodowej na miejsce Mariana Spychalskiego. Uznany był za jedną z głównych sił napędowych ówczesnych czystek w armii. Protegował głównych architektów tych czystek, generałów Urbanowicza i Kufla, kierowników politycznego i milicyjnego resortu w wojsku.

Jak wspominał generał Tadeusz Pióro (*Armia ze skazą*, Warszawa 1994, s. 388): *Bezsporna jest natomiast jego aprobata dla dokonywanych czystek, bezpośrednie, aktywne w nich uczestniczenie (...) Okazując chłodną obojętność wobec bliskich mu nawet ludzi. Jaruzelski niewątpliwie orientował się, że ma do czynienia z kłamstwem i bezprawiem – słuchał jednak bardziej Kufla niż swojego sumienia.* Dążąc do umocnienia się za wszelką cenę w drapieżnym środowisku władzy, Jaruzelski w tym czasie bardzo skwapliwie zabiegał o jak najbliższe kontakty z tak wpływowym wówczas Mieczysławem Moczarem.

Z „donosami na Polskę" za granicą chętnie występowali również ludzie z najbliższego otoczenia gen. Jaruzelskiego, a już najgorliwiej Mieczysław F. Rakowski. Ten ostatni znany był z wręcz maniakalnego uprzedzenia do Polaków jako narodu, który traktował jako niebezpiecznie „zaściankowy". Już w 1978 roku Rakowski pisał do reporterki: *Jesteśmy kompletnie irracjonalnym skupiskiem Lechitów, jesteśmy skazani na socjalizm siermiężny* (wg J. Diatłowickiego w telewizyjnym programie „Rzeczypospolita Dwa i pół", z 27 marca 1997). Rakowski publicznie występował za granicą z artykułami i wywiadami, stanowiącymi wyraźne „donosy na Polskę i Polaków" nawet wówczas, gdy był premierem PRL-u. W różnych zagranicznych mass mediach od Węgier po Stany Zjednoczone i RFN Rakowski upowszechniał opinie o rzekomej skrajnej anarchiczności Polaków, którymi tak trudno jest rządzić biednym władzom skazanym na tak trudny naród. Na przykład w wywiadzie dla zachodnioniemieckiego „Die Zeit" w grudniu 1988 r. Premier M.F. Rakowski powiedział: *Do tradycji już należało, że Polacy źle się rządzili.* Co ciekawsze, właśnie redaktor niemieckiego „Die Zeit" bronił obrazu Polaków przed polskim premierem (!), twierdząc, że pokojowość wydarzeń w Polsce w latach 1956 i 1980 jest dowodem osiągnięcia przez naród pewnego stopnia dojrzałości. Rakowski starał się w szczególności wykorzystać swe liczne kontakty we wpływowych niemieckich środowiskach politycznych, aby przedstawić polskie środowisko niepodległościowe jako wyraźnie wprowadzające zamęt i destabilizację w Europie. I psujące niemieckim socjaldemokratom ich subtelną grę w dialogu z Moskwą... Bywało, że teksty wywiadów lub artykułów Rakowskiego na użytek Niemców lub innych odbiorców zagranicznych miały takie skrajnie negatywny wydźwięk uogólniający na temat Polaków, że nie dopuszczano do ich przedruku w Polsce. Byłyby bowiem wręcz kompromitujące dla aktualnego premiera, wypowiadającego tak pogardliwe i kłamliwe sądy o swoich rodakach do zagranicznych rozmówców.

Jaruzelskiemu, Rakowskiemu i licznym innym komunistycznym autorom „donosów na Polskę" wyraźnie zależało na maksymalnym urabianiu za granicą „czarnego" obrazu swoich przeciwników z polskiej opozycji, najlepiej poprzez przedstawienie ich jako skrajnych nacjonałów i ciemnych kleryka-łów. Zgodnie ze starą zasadą polskich satelickich władz komunistycznych, od 1944 roku polegającą na wmawianiu Zachodowi, że biedni komuniści muszą wciąż zmagać się w Polsce z wręcz zoologicznym antysemityzmem i nacjonalizmem. I dlatego muszą wciąż stosować politykę „twardej ręki", aby raz wreszcie skutecznie nauczyć Polaków tolerancji i demokracji.

Gdy płk Górnicki usprawiedliwiał zbrodnię w Katyniu

Jednym z najgorszych zniesławiaczy Polski, Polaków i narodowej historii stał się Wiesław Górnicki, już w 1959 roku „wsławiony" arcychamskim atakiem na pamięć księcia Józefa Poniatowskiego. Po grudniu 1981 roku Górnicki, najpierw major, a później pułkownik, stał się jednym z głównych pretorian–propagandystów gen. Jaruzelskiego. Z ogromną butą rozstawiał po kątach zakneblowaną opozycję na oficjalnych konferencjach prasowych i mnożył kolejne kłamstwa na temat narodu polskiego, tak trudnego do rządzenia i tak „męczącego dla sąsiadów" (jak określił w wypowiedzi na jednej z konferencji). Szczytem antynarodowych dywagacji Górnickiego stał się jego list do redakcji miesięcznika „Konfrontacje" z maja 1988 roku. Zaatakował w nim „Konfrontacje" za to, że ośmieliły się przypomnieć o Katyniu, umieszczając w kwietniu, w Miesiącu Pamięci Narodowej, na okładce miesięcznika zdjęcia pomnika katyńskiego na Powązkach. Dość pechowo dla siebie, bo na parę miesięcy przed oficjalnym przyznaniem się Moskwy do zbrodni katyńskiej, płk. Górnicki sprzeciwił się podejmowaniu sprawy katyńskiej na łamach prasy, głosząc, że należy dalej „poczekać, aż sprawa zostanie w końcu wyjaśniona przez historyków. I użył wręcz niewiarygodnych słów w kontekście ofiar Katynia: *nie jest prawdą, że każdego z nich uważam za niewinnego* (W. Górnicki: *Wyjaśnienie*, „Konfrontacje", 1988, nr 5).

I tak oto pułkownik wojska polskiego (!) stwarzał już z góry częściowe usprawiedliwienie dla kaźni polskich oficerów w Katyniu. Bo jeśli nie wszyscy z nich byli niewinni... W sytuacji, gdy karą dla mordowanych bez sądu „winnych" Polaków był strzał z sowieckiego nagana w tył głowy! Czyż można było niżej upaść w usprawiedliwianiu stalinowskich zbrodni na Polakach? Tekst płk. Górnickiego wywołał powszechne oburzenie i dziesiątki pełnych oburzenia listów od czytelników „Konfrontacji". Płk Górnicki więc ponownie wyjaśnił, iż pisząc o tym, że „nie wszyscy byli niewinni", nie miał na myśli starostów, sędziów, „ani nawet policjantów", choć stanowili oni część aparatu klasowego państwa. Chodziło mu zaś o takich ludzi jak płk Kostek Biernacki, twórca Berezy Kartuskiej, gdzie więziono opozycję (por. płk W. Górnicki: *Wyjaśnienie do „wyjaśnienia"*, „Konfrontacje 1988, nr 9, s. 17). Wyjaśnijmy tu przy okazji, że generał Kostek Biernacki nie został zamordowany w Katyniu, lecz zmarł w wiele lat później po wojnie.

Rozdział III

„Lewą marsz” przeciw patriotyzmowi od 1989 roku

Naród, który odcina się od historii,
który się jej wstydzi, który wychowuje młode pokolenia
bez powiązań historycznych to naród renegatów!
Taki naród skazuje się dobrowolnie na śmierć,
podcina korzenie własnego istnienia

kardynał Stefan Wyszyński

Połączył ich wspólny strach

Zdobywający coraz większe wpływy w „Solidarności” ludzie z „internacjonalistycznych” środowisk post-KOR-owskich w 1988 roku uzyskali dodatkowe punkty w walce o wpływy w zdelegalizowanym związku. Wraz z pierwszymi przymiarkami do „okrągłego stołu” zaczęli coraz silniej wykorzystywać swój, jak się okazało, najmocniejszy atut. Były nim zadawnione, bardzo szerokie kontakty z komunistycznymi „internacjonałami” z otoczenia Jaruzelskiego i Rakowskiego. Będąc pierwszymi osobami z opozycji dogadującymi się z władzami „internacjonałowie” ze środowisk post-KOR-owskich postarali się o maksymalne zmonopolizowanie dla siebie reprezentacji opozycji w czasie rozmów „okrągłostołowych”. W odróżnieniu od Węgier, gdzie dialog między władzą a opozycją toczył się przy pełnej reprezentacji różnych nurtów opozycyjnych, w Polsce zatroszczono się zawczasu o skrajne zmarginalizowanie przy „okrągłym stole” środowisk patriotycznych i chrześcijańskich. Znamiennym wyrazem tej marginalizacji była całkowita izolacja Władysława Siła-Nowickiego ze strony lewicowych „stołowników” z opozycji.

„Różowych" i „czerwonych" partnerów rozmów „okrągłego stołu" wyraźnie jednoczył wspólny strach przed polskim „nacjonalizmem, klerykalizmem i antysemityzmem", nadmiernym głosem „niedojrzałych" mas narodu, które mogłyby się wyrwać spod kontroli „oświeconych" elit i „poszaleć nacjonalistycznie". W atmosferze tego strachu rozpoczynało się gorączkowe odnawianie dawnych przyjaźni, zdawałoby się niegdyś bezzwrotnie zerwanych, typu starej drużby Urbana i Michnika, o której wspominał Jacek Kuroń w książce *Wiara i wina*. Ponowna magdalenkowa fraternizacja Michnika i Urbana stała się okazją do ich potajemnych rozmów prowadzonych w dniach „okrągłego stołu" w gabinetach Urzędu Rady Ministrów. Jan Skórzyński w książce *Ugoda i rewolucja* (Warszawa 1995, s. 227–228) pisał, że „poufny i owocny dialog" Urbana z Michnikiem był wyraźnie uzgadniany przez Urbana z gen. Jaruzelskim. Szeroki ogół Polaków oczywiście nic nie wiedział o tego typu dogadywaniach i „torowaniach drogi".

Jan Olszewski, który brał udział w obradach „okrągłego stołu", choć w skromnej roli eksperta jednego z podstolików, był wprost zaszokowany rozmiarami ówczesnego bratania się „czerwonych" z „różowymi". Po kilku latach tak opisywał swe ówczesne wrażenia w przemówieniu wygłoszonym na konferencji RdR w dniu 24 stycznia 1993 roku: *wiedziałem, że uczestniczę w spotkaniu rodziny poważnionej od wielu lat, ale przecież schodzącej się i godzącej rodziny i tylko jedna była niejasność – po której stronie siedzą dobrotliwi, wyrozumiali ojcowie, a po której powracający synowie marnotrawni* (J. Olszewski: *Mamy plan kształtowania Polski XXI wieku*, „Ruch dla Rzeczypospolitej". Informator, 8 lutego 1993).

Skrajne uprzedzenia do patriotyzmu, cechujące politycznych dysydentów z kręgów tzw. „lewicy laickiej" były w pełni podzielane przez ogromną część ludzi z warszawskiego „salonu", osób typu Szczypiorskiego, Konwickiego czy Małachowskiego. Nader trafne pod tym względem były obserwacje pisarza Jerzego Narbutta z lutego 1989 roku, ostrzegające już wtedy, że: *Pewni intelektualiści krajowi przestawiają od lat znaki drogowe narodu, dzięki którym naród, choć nieraz połykany, nigdy nie dawał się strawić przez rozmaitych Molochów. (...) Zdrada naszych krajowych klerków, to zjawisko szczególne i szczególnie obrzydliwe, jako że tzw. inżynierowie dusz – najpierw pracujący na żołdzie socrealizmu, a potem na fali egzystencjalistycznego nihilizmu – robili wszystko, co mogli, by ten naród, dostatecznie już udręczony i pozbawiony swych praw przyrodzonych, pozbawić tożsamości i wiary w siebie przez wykpiwanie wszystkiego, co kochał i co uznawał za cenne* (por. „Ład", nr 7, 1989). Jerzy Narbutt miał, niestety, aż nazbyt wiele uzasadnienia do swej smętnej diagnozy. Było w tym czasie już dostatecznie wiele symptomów pokazujących przerażające rozmiary wyobcowania bardzo znaczącej części elit z patriotyzmu i polskości. Nie brakowało też na ten temat różnych świadectw w słowie pisanym. Choćby tak wymownego pod tym względem numeru „Znaku" z listopada–grudnia 1987 roku, zawierającego kilkadziesiąt wypowiedzi w ankiecie „Czym jest polskość?" Co najsmutniejsze, większość tekstów miała akcenty podważające polskość i wyrażające różne formy narodowego masochizmu. Ton nadawały oceny w stylu słów Donalda Tuska: *Co pozostanie z polskości, gdy odejmiemy od niej cały ten wzniosło-ponuro-śmieszny teatr niespełnionych marzeń i nieuzasadnionych rojeń? Polskość – to nienormalność – takie skojarzenie narzuca mi się z bolesną uporczywością, kiedy tylko dotykam tego niechcianego tematu* (D. Tusk: *Polak rozłamany*, „Znak", 1987, nr 390–391, s. 190–191).

„Zmęczona polskość"

Dziesięciolecia zabijania patriotyzmu i polskości, przemilczania prawdy o wielkich chwilach w dziejach narodu i ośmieszania jego najpiękniejszych tradycji w końcu zrobiły swoje. Nader wymowny pod tym względem był wynik sondażu Ośrodka Badań Prasoznawczych, opublikowanego zaledwie na parę miesięcy przed „przełomowymi" wyborami z czerwca 1989 roku. Okazało się, że tylko co trzecia osoba pytana w sondażu zadeklarowała, że jest dumna z tego, że jest Polakiem lub Polką. Dla porównania – na pytanie: czy jesteś dumny z tego, że jesteś Niemcem? zadawane przez Instytut Demoskopii w Allensbachu kilka lat wcześniej, było ponad dwukrotnie więcej, bo aż 71% twierdzących odpowiedzi ze strony obywateli RFN (por. W. Pisarek: *Faworyci naszej wyobraźni*, „Polityka" 7 kwietnia 1990). Szczególnie wielkie rozmiary przybrało osłabienie patriotyzmu wśród młodszych pokoleń. Bardzo wymownym świadectwem pod tym względem był wydany w lipcu 1989 roku przez krakowski „Znak" wybór tekstów: *Senatorowie i posłowie o Polsce i Polakach*. Parlamentarzyści OKP wypowiadali się pod wpływem wrażeń z kampanii tak zwycięskiej dla „Solidarności", toteż na ogół ich teksty pełne były optymizmu i satysfakcji. A jednak także w części z nich przewijał się jeden stały motyw zaniepokojenia, nie ukrywanych obaw. Było tak, gdy mówili o patriotyzmie i świadomości młodych Polaków. Poseł Zbigniew Bobak z województwa jeleniogórskiego pisał na przykład, że *na przedwyborczych spotkaniach i wiecach, młodzieży, zwłaszcza na wsi, było przeraźliwie mało. Bez zaangażowania się Kościoła, zwłaszcza na wsi – zwycięstwa by moim zdaniem nie osiągnięto. Przedbieg spotkań dowodzi w mojej ocenie zaniku uczuć patriotycznych społeczeństwa, szczególnie u ludzi młodych* („Znak", nr 410, lipiec 1989, s. 5–6). Poseł Stanisław Cieśla z województwa sieradzkiego pisał o *osłabieniu uczuć patriotyzmu, szczególnie wśród młodego pokolenia* (tamże, s. 11). Poseł Czesław Sobierajski z województwa katowickiego przeciwstawiał ogromnie pochwalne oceny postaw starszych pokoleń, dawania przez nich młodym przykładu prawdziwego patriotyzmu, postawie młodego pokolenia, stwierdzając: *Bierność, apatia, niewiara są u większości młodych cechami, które nabyli w ostatnich latach. Jest to przeciwieństwo lat 80–81, kiedy to właśnie młodzi brali los w swoje ręce* (tamże, s. 61).

Patrząc na te i inne przejawy tak znaczącego osłabienia patriotyzmu po dziesięcioleciach PRL-u trudno raczej podważać słuszność nader dramatycznej diagnozy stanu polskiego narodu, przedstawionej już w styczniu 1990 roku na łamach katolickiej „Więzi". Jej autor Kazimierz Wóycicki, przez parę lat redaktor naczelny „Życia Warszawy", napisał bez ogródek: *Polskość jest zmęczona. W samoobronie ostatnich czterdziestu lat wyczerpaliśmy niemal wszystkie jej żywotne siły* (K. Wóycicki: *Polskość jest zmęczona*, „Więź", 1990, nr 1).

Polska jest dla nich tylko „dużą myszą"

Stosunkowo znana jest dziś rola postkomunistycznych mediów typu „Nie", „Wprost" czy „Polityki" w osłabieniu i niszczeniu tradycji narodowych i patriotyzmu. Ciągle za mało wie się natomiast o działaniach i wypowiedziach polityków SdRP-owskich czy SLD-owskich, podważających patriotyzm i polską tożsamość narodową. Generał Wojciech Jaruzelski i Mieczysław F. Rakowski, którzy tak wiele zrobili dla rozbicia narodowego przebudzenia początków lat osiemdziesiątych, doczekali się w SdRP i SLD „godnych" następców w walce z tradycyjnym patriotyzmem. Ludzie typu Kwaśniewskiego, Millera, Cimoszewicza, Iwińskiego czy Siwca wydają się być doskonale impregnowani na takie sprawy jak tradycje patriotyczne czy duma narodowa. Wychowani w szkołach „pragmatycznych" aparatczyków doby Gierka, bądź Jaruzelskiego, jak ognia unikają używania słów „patriotyzm" czy „Ojczyzna" w pozytywnym kontekście, tym chętniej za to piorunując na „hurrapatriotyzm", polski „nacjonalizm" czy „antysemityzm".

Czym była dla komunistów Polska, jak raziło ich akcentowanie znaczenia Polski w przemianach 1989 roku, wymownie świadczyła tak niesłusznie dziś zapomniana wypowiedź Leszka Millera, obecnie jednego z „mózgów" SdRP i SLD. W 1989 roku, będąc jeszcze podopiecznym M.F. Rakowskiego, jako sekretarz KC PZPR, popisał się on dość szczególnym porównaniem na temat Polski w wywiadzie dla lewicowego francuskiego „La Liberation". Odpowiadając na pytanie, jaki wpływ może mieć polskie doświadczenie na blok socjalistyczny, L. Miller odpowiedział: *Niejednokrotnie uważamy się tutaj za Mesjaszy, tak jakby wszystko kręciło się wokół nas. W rzeczywistości nie jesteśmy nawet małym słoniem, jesteśmy raczej dużą myszą...* (cyt. za „Forum", 17 września 1989).

Trzeba przyznać, że Leszek Miller jest dość konsekwentny w negatywnym wypowiadaniu się o Polsce i Polakach w czasie swych wystąpień za granicą. Świadczy o tym choćby opublikowany 18 września 1996 w „Gazecie Wyborczej" tekst zaledwie o dzień wcześniejszego wystąpienia Leszka Millera na spotkaniu w Tel-Awiwie z grupą Żydów łódzkich. W wystąpieniu Miller pozwolił sobie na swoisty „donos na Polskę", twierdząc, że w społeczeństwie polskim rzekomo nacjonalistyczna prawica wsącza jad rasizmu i szowinizmu. Piętnując występujący w Polsce jakoby „antysemityzm bez Żydów", Miller między innymi niedwuznacznie, choć bez wymieniania nazwiska, zaatakował ks. prałata H. Jankowskiego oraz nie wymienionych też z nazwiska autorów, piszących według niego kłamstwa o pogromie kieleckim. W grudniu 1996 Antoni Macierewicz napiętnował Millera za wystąpienie z kolejnym „donosem" na własny naród, tym razem podczas konferencji w Wielkiej Brytanii. Według Macierewicza Miller wystąpił tam z *brutalnym oskarżeniem Polski i Polaków o nacjonalizm* i przestrzegł, że w Polsce są siły, które ze względu na odżywający nacjonalizm, będą przeciwdziałać integracji z Europą (por. A. Macierewicz: *Donos Millera*, „Głos", 9 grudnia 1996).

Kwaśniewski jako „Michael Jackson polskiej polityki"

Wyraźne uprzedzenie do patriotyzmu przebija również z różnych wywiadów i artykułów postkomunistycznego prezydenta RP Aleksandra Kwaśniewskiego. Cóż, czym skorupka za młodu nasiąknie... Wiadomo, że Kwaśniewski od wczesnych lat szkolnych z werwą zaprawiał się w internacjonalizmie i peanach na cześć Związku Sowieckiego jako wielkiego wzoru dla Polski. W kronice jego szkoły odnotowano w 1970 roku, jak to uczeń Kwaśniewski wysławiał wydarzenia „chwalebnych dni Wielkiego Października" na uroczystości ku czci jego 54. rocznicy i to, że *zwrócił jednocześnie uwagę na zasługi ZSRR w rozwoju socjalizmu polskiego* (cyt. za „Gazetą Wyborczą" z 23 listopada 1995 Cóż więc dziwnego, że „internacjonalistycznie" edukowany na wychwalaniu sowieckiego „Wielkiego Brata" obecny prezydent RP jakoś nie umie i nie lubi powoływać się na jakże odmienne wzorce: patriotyzm, naród, ojczyznę. Za to tym chętniej używa słowa patriotyzm w różnych kontekstach negatywnych. Na przykład Ruchowi dla Rzeczypospolitej zarzucił głoszenie *hurrapatriotyzmu, który wydaje nam się bardzo podejrzany* (A. Kwaśniewski w wywiadzie dla „Przeglądu Tygodniowego", 28 marca 1993). W artykule w „Gazecie Wyborczej" (1 lipca 1993) z tym większą werwą rzucił się do potępienia *pozostałości narodowego egocentryzmu, zaściankowości, ksenofobii i poczucia dziejowej misji, haseł polonocentrycznych i hurrapatriotycznych emocji*. Poddenerwowany w czasie wiecu w Jastrzębiu – jeszcze jako kandydat na prezydenta – w dniu 27 czerwca 1995 określił członków „Solidarności" jako faszystów i antysemitów, wołając: *Tak wygląda dziś Solidarność – faszyzm i antysemityzm* (cyt. za „Życiem Warszawy", 13–14 stycznia).

Piotr Bratkowski z „Gazety Wyborczej" nazwał kiedyś Aleksandra Kwaśniewskiego „Michaelem Jacksonem polskiej polityki". Porównanie uzasadnił wyjątkową zdolnością Kwaśniewskiego do metamorfozy, tym, że jest on „człowiekiem wielu twarzy". Co więcej, jego zdolność do metamorfozy sprawia, że *żadne oblicze nie jest tym jedynym, prawdziwym. Każdego można się wyprzeć* (por. P. Bratkowski: *Rewolucja w Twin Peaks*, „Gazeta Wyborcza", 6 listopada 1996). Parokrotnie już łapany na kłamstwach, Aleksander Kwaśniewski publicznie wystąpił z usprawiedliwianiem kłamstwa w polityce, głosząc w wywiadzie dla „Rzeczpospolitej" z 23–24 listopada 1996: *Myślę, że różnica między światem polityki a, na przykład, światem nauki polega na tym, że w świecie polityki granica między prawdą i 100-procentową pewnością a wątpliwościami jest dużo bardziej zamazana. To naprawdę nie jest matematyka.*

Kwaśniewski: I po co nam Historia?

Z takim podejściem do polityki ściśle wiążą się u Kwaśniewskiego próby relatywizacji historii i rozmywania jej jednoznaczności. Czasami idzie to w parze z publicznym wypowiadaniem przez Kwaśniewskiego jako prezydenta RP najskrajniejszych nawet nieprawd w imię wybielania komunistycznej przeszłości. Tak jak to zrobił 11 listopada 1996 roku z okazji obchodów Święta Niepodległości, mówiąc: *Ale pamiętajmy także o przedstawicielach władzy, ludziach lewicy, którzy w różnych okresach starali się Polsce zapewnić jak najwięcej suwerenności w warunkach pojałtańskich* (cyt. za „Expressem Wieczornym", 12 listopada 1996). Szkoda, że Kwaśniewski nie pokazał bardziej konkretnie, na przykład, na czym polegało to poszerzanie suwerenności Polski przez ludzi lewicy u władzy. Począwszy od podrzędnego agenta NKWD Bieruta po generała Jaruzelskiego, który z serwilizmu wobec Kremla poprowadził wojsko przeciw własnemu narodowi.

Chęć zamazania prawdy o przeszłości wiąże się u Kwaśniewskiego z wyraźną, wręcz skrajną, nie tajoną niechęcią do historii. W wywiadzie dla „Rzeczpospolitej" Kwaśniewski powiedział wręcz: *Politycy nie powinni zajmować się historią, bo niczego dobrego z tego nie zrobią. Więcej, dziennikarze i intelektualiści też są bezradni wobec historii* (*Politycy nie powinni zajmować się historią*, rozmowa H. Bińczak, P. Aleksandrowicza i K. Gottesmana z A. Kwaśniewskim, „Rzeczpospolita", 23–24 listopada 1996).

Kwaśniewski chce zrobić z Polaków naród bezhistoryczny – skomentował powyższą wypowiedź obecnego prezydenta RP Gustaw Herling-Grudziński (w programie I TVP, 2 kwietnia 1997). Zgodnie ze swymi wypowiedziami Kwaśniewski od czasu objęcia prezydentury dał aż nadto wiele dowodów „olewania" narodowej historii. Jako prezydent RP nie znalazł na przykład czasu na uroczysty udział w uroczystościach obchodów Powstania Warszawskiego w dniu 1 sierpnia 1996, czy 1 sierpnia 1997, Bitwy o Warszawę 15 sierpnia 1996. Wielce zajęty prezydent Kwaśniewski znalazł za to aż nadto czasu dla spotkań z takimi „osobistościami" jak Michael Jackson czy Sting. Nie mówiąc już o udziale w takich imprezach jak otwarcie fabryki lodówek spółki Holding Amica S.A. we Wronkach 22 maja 1996 czy w spotkaniu z okazji 20-lecia ZSMP w kwietniu 1996 (por. K. Groblewski: *Co świętuje, a czego nie świętuje prezydent*, „Rzeczpospolita", 6 września 1996). W 1995 roku Kwaśniewski należał do pierwszych polskich polityków, którzy wystąpili z publicznym potępieniem paru zdań księdza prałata Henryka Jankowskiego, wyrwanych z kontekstu, i jak dziś wiemy, spreparowanych przez „Gazetę Wyborczą". Równocześnie zaś nie zareagował ani słowem na prowokacyjne antypolskie wystąpienia laureata nagrody Nobla, żydowskiego pisarza Elie Wiesela, wygłoszone 7 lipca 1996 podczas oficjalnych uroczystości w Kielcach, w tym jego skrajne uogólnienia o „polskiej nienawiści" (a skrytykował je na przykład Szymon Wiesenthal oraz przewodniczący Forum Żydowskiego Stanisław Krajewski). Trzeba dodać, że jako prezydent RP Aleksander Kwaśniewski nigdy nie zdobył się na zdecydowane wystąpienie przeciwko jakże licznym i drastycznym przejawom antypolskiej nagonki w świecie. Jego absolutna „inercja" w bronieniu polskich racji i narodowych interesów spowodowała wystosowanie w maju 1996 ostrego listu otwartego prezesa Kongresu Polonii Amerykańskiej Edwarda Moskala do prezydenta RP.

Niezbyt skory do publicznych wystąpień w obronie dobrego imienia Polski, Kwaśniewski tym chętniej za to „żartuje" z takich „drobiazgów" jak dobro Polski czy jej suwerenność. Do rangi swoistego symbolu urósł pewien dialog z Kwaśniewskim w listopadzie 1994 roku. Odpowiadając na pytanie, kto będzie nowym szefem MON, Kwaśniewski stwierdził: *Ja nie wiem. To wszystko potrwa jeszcze ze trzy miesiące. – A dobro Polski?* – zapytali dziennikarze. – *Jaki Dobropolski? Nie znam takiego kandydata* – odpowiedział szczerze zdziwiony Kwaśniewski (wg „Gazety Wyborczej", 27 listopada 1994).

W czerwcu 1997 Kwaśniewski popisał się skrajnym bagatelizowaniem suwerenności Polski, i to w wystąpieniu na forum międzynarodowym. Oto jakże wymowny fragment z jego oświadczenia na konferencji prasowej podczas spotkania prezydentów Europy Środkowej w Słowenii: *Ja wczoraj powiedziałem trochę żartem; ale tym chcę zakończyć odpowiedź na Pani pytanie, bo często jest właśnie taka wątpliwość ze strony ludzi przyjeżdżających z Zachodu: to wy walczyliście o swoją suwerenność, a teraz chcecie oddawać część tej suwerenności biurokratom z Brukseli? Ja na to odpowiadam, że w tych krajach, w których przez blisko 50 lat byliśmy niesuwerenni, i to nie z własnej woli, i musieliśmy słuchać decyzji, które płynęły z Moskwy czy gdzieś tam z okolic, rezygnacja z części suwerenności na rzecz Brukseli nie jest wydarzeniem bardzo dramatycznym. To się da wytrzymać w naszym przekonaniu* (cyt. za „Życie Warszawy", 10 czerwca 1997). Cytowany fragment wypowiedzi Kwaśniewskiego spotkał się z ostrą krytyką na łamach „Życia" pod redakcją Tomasza Wołka. Piotr Skwieciński pisał: *Prezydent dał wyraz mentalności satelickiej, będącej immanentną cechą formacji PZPR-owskiej.* (P. Skwieciński: *Ciągnie wilka do lasu*, „Życie", 9 czerwca 1997). I wtedy rzecznik prezydenta Kwaśniewskiego Antoni Styrczula pospieszył z obroną krytykowanej wypowiedzi, głosząc, że to był tylko „żart", a *redaktor Wołek albo się nie zna na żartach, albo chce zbić kapitał polityczny* (por. „Życie", 10 czerwca 1997).

„Żartowniś" Kwaśniewski słynie skądinąd z dość specyficznego poziomu swoich dowcipów. W grudniu 1994 na wieść o kandydaturze b. Prezydenta RP na wygnaniu Ryszarda Kaczorowskiego na kierowanie resortem obrony, Kwaśniewski pozwolił sobie na „żart": *to on jeszcze żyje?* (por. *Nie do śmiechu*, komentarz „Życia Warszawy", 3 grudnia 1994). Znamienne, że u ludzi ze środowisk lewicy postkomunistycznej dość powszechnie zauważa się lekceważąco-szyderczy stosunek do tradycji narodowych, brak choćby odrobiny taktu w sprawach zasługujących na zadumę czy wzruszenie. Dość typowe pod tym względem było zachowanie żony postkomunistycznego prezydenta RP – Jolanty Kwaśniewskiej. Występując 19 stycznia 1997 roku w programie rozrywkowym Polsatu pt. *Egzamin dojrzałości* Kwaśniewska sparodiowała smutną, refleksyjną piosenkę partyzancką *Dziś do ciebie przyjść nie mogę*, śpiewając tę piosenkę z niemal bezustannym śmiechem i drwiną. Wiceprezes SZŻAK Halina Kępińska-Zazylewicz protestując w imieniu grupy żołnierzy Armii Krajowej Okrąg Piotrków Trybunalski pisała na łamach „Gazety Polskiej" z 13 lutego 1997: *„Dziś do ciebie przyjść nie mogę", jest dla nas żołnierzy Armii Krajowej, bardzo bliska, wiążą się z nią nasze wspomnienia z ciężkich lat walki z okupantem niemieckim. Śpiewaliśmy ją w lesie o głodzie i chłodzie. Robienie z niej żarcików w bardzo złym guście zadziwia (...) protestujemy przeciw takim programom „rozrywkowym".*

Patriotyzm jako „balast" i „śmieciowisko"

Do jakiego stopnia politykom z SLD obce jest docenienie narodowej historii i patriotyzmu można było przekonać się studiując oryginalną wypowiedź Marka Siwca w „Gazecie Wyborczej" z listopada 1996. Siwiec, były redaktor naczelny „Trybuny", potem rzecznik prasowy SLD, następnie sekretarz stanu w Kancelarii postkomunistycznego prezydenta RP Aleksandra Kwaśniewskiego, a obecnie szef Biura Bezpieczeństwa Narodowego, z całkowitą dezynwolturą odsyłał historię narodową do lamusa, stwierdzając: *Czas upływa, a dla wielu Polaków historia wciąż nie przestaje być brzemieniem. Jednak na niewiele się zda szukanie analogii i próby tłumaczenia dzisiejszej rzeczywistości wydarzeniami sprzed kilkuset czy kilkudziesięciu lat. Do tej argumentacji sięgają najczęściej ludzie bezradni wobec teraźniejszości (...) Opisywanie dnia dzisiejszego językiem historii stało się zabiegiem najprostszym, popularnym, dającym alibi miernotom i frustratom (...) Czas szybko biegnie naprzód. Ludzi osaczonych przez historię i stereotypy nikt nie będzie zwalczał. Pozostaną w oddali coraz mniejsi i mniejsi.* (M. Siwiec: *Inna Polska w innej Europie*, „Gazeta Wyborcza", 18 listopada 1996). W tekście Siwca zabrzmiało również jednoznaczne odcięcie się od jakichś tam patriotycznych „wzruszeń". Perorował, że oto: *Wchodzi w życie dorosłe pokolenie, dalekie od wiary w jakąkolwiek utopię (...) Niech nikt nie uczy ich patriotyzmu. Dobrze wiedzą, że przetrwanie polskiej kultury to bardziej kwestia pieniędzy niż wzruszeń (...) W Polsce AD 1996 liczy się coraz bardziej taka postawa* (tamże).

Ciekawe, że tekst Siwca, tak obnażający SLD-owską niechęć do narodowej historii i patriotyzmu, zaszokował nawet niektórych „Europejczyków" z „Gazety Wyborczej". Tym razem uznano za konieczne nawet skontrowanie pewnych tez Siwca piórem Marka Beylina, skądinąd znanego z wybielania przeszłości niektórych postaci mocno skompromitowanych w dobie stalinizmu (typu Włodzimierza Brusa). W interesie „Gazety Wyborczej" leżało jednak zaznaczenie tym razem jej rzekomego centryzmu, tego, że przeciwstawiając się polskim „nacjonalizmom" jest jakoby również przeciwna skrajnemu nihilizmowi narodowemu w wykonaniu Siwca. I stąd tak niespodziewane dla znających prawdziwą twarz „Gazety Wyborczej" polemiczne wywody Beylina: *Siwiec wyklucza ze swej wizji kulturę i pamięć narodową. Eliminuje więc to, co stanowi o społecznych i narodowych tożsamościach Polaków (...) Tekst Siwca mieści się bez reszty w ideologii niepamięci. Pamięć, historia, kultura jako domena wzruszeń stanowią dlań anachronizm nie przystający do nowoczesności, bo skoro prawdziwa historia rodzi się dopiero teraz, pamięć i tradycja prowadzą na manowce. Zgodnie z tą logiką nie potrzebujemy przeszłości i nauk o jej dylematach, bo mamy przyszłość. (...) To myślenie prowadzi autora do szczególnych stwierdzeń. Pisze on o młodych ludziach: „Niech nikt nie uczy ich patriotyzmu. Dobrze wiedzą, że przetrwanie polskiej kultury to bardziej kwestia pieniędzy niż wzruszeń. W Polsce AD 1996 liczy się tylko coraz bardziej taka postawa". W tym krótkim fragmencie Siwiec dokumentnie pomylił uczenie z pouczaniem, patriotyzm z ekonomicznym pragmatyzmem, i kulturę, jako sferę wartości, z kulturą pojętą jako przedmiot gry rynkowej. Też nie lubię pouczania innych w kwestii patriotyzmu, sądzę bowiem, że istnieje w Polsce wiele różnych patriotyzmów. Są one bardziej lub mniej nowoczesne lub anachroniczne, wspierają polskie reformy bądź je hamują (...) Ale Siwiec rozumuje inaczej: w ogóle przeciwstawia patriotyzm nowoczesności. W tej wersji sfera tradycji stanie się jedynie śmieciowiskiem, na którym gromadzą się ludzie pokonani przez nowoczesność. Siwiec odrzuca pamięć i tradycję jako niepotrzebny balast, więc kulturę traktuje jako towar. W tym myśleniu jedyne spoiwo przyszłego społeczeństwa stanowią mechanizmy gospodarki rynkowej. W tak zbudowanym świecie wygrani zgarniają wszystko, o przegranych się zapomina* (cyt. za M. Beylin: *Polska dla zwycięzców*, „Gazeta Wyborcza", 19 listopada 1996).

Jakże trafna w odniesieniu do postaw Kwaśniewskiego czy Siwca wydaje się napisana ponad sto lat temu refleksja Cypriana Norwida w *Garści piachu*: *Wiedz, że to przez tradycję wyróżniony jest majestat człowieka od zwierząt polnych, a ten, co od sumienia historii się oderwał, dziczeje na wyspie oddalonej i powoli w zwierzę zmienia się.*

Postkomuna przeciw polskości

Szokują wprost rozmiary i impet niechęci wyrażanej w środowiskach związanych z SLD i SdRP wobec wzorców tradycji narodowych, patriotyzmu i interesów narodowych. Pod tym względem istnieje prawdziwe wręcz podobieństwo postaw różnych kręgów postkomunistycznej lewicy, od „Nie" i „Trybuny" po „Politykę", „Dziś", „Wiadomości Kulturalne" i środowiska naukowców powiązanych z SdRP. Od Urbana poprzez Siwca i Jakubowską do profesora Ryszki. Tyle tylko, że jedni swym niechęciom do polskiego patriotyzmu nadają ostrożniejszy, zawoalowany kształt, a inni idą dosłownie „na całość" w deptaniu polskich ideałów i tradycji. Tak jak to robi programowo Jerzy Urban, który na łamach „Nie" z 1997 roku nakreślił tak upragnioną przez niego wizję systematycznego wypierania polskości: *Należy też powiedzieć jasno, że Polska zachodnia będzie trochę niemiecka, a wschodnia z czasem białorusko-ukraińsko-rosyjska. Zaś centralna – mocno amerykańska (...).*

Mówimy więc otwarcie, na różnych płaszczyznach, iż tradycjonalna polskość przegra, suwerenność będzie się umniejszać, ale Polacy na tym wygrają.

Potępianie „zaściankowych" interesów narodowych

Posłowie z SLD dalej żyją wpojonymi im przez komunistyczne wychowanie najgorszymi stereotypami o „krnąbrnych Polakach buntowszczikach". Tak jak były pracownik Instytutu Nauk Społecznych przy KC PZPR poseł SLD Tadeusz Iwiński, który w programie telewizyjnym z 30 marca 1992 powoływał się na wypowiedź Aleksandra Wielopolskiego: *Dla Polaków można coś zrobić, z Polakami nigdy*. I komentował, że Polacy są dobrzy tylko do powstań, burzenia, nie tworzenia. Takie pisma jak SdRP-owska „Trybuna" wyspecjalizowały się wręcz w atakach na postawy patriotyczne i ciągłym tropieniu domniemanego polskiego „antysemityzmu" i „nacjonalizmu" (*vide:* np. publikacje starego stalinowca Kazimierza Koźniewskiego). Trudno było za to szukać w „Trybunie" obrony tak zagrożonych polskich interesów narodowych w gospodarce czy polityce zagranicznej. Trudno byłoby to sobie nawet wyobrazić! Wszak dla Dariusza Szymczychy, redaktora naczelnego „Trybuny" do lata 1997 roku, powoływanie się na interes narodowy w obronie polskiego przemysłu, to przynoszenie *zapachu zaścianka, smrodku za mocno narodowego, wyobrażeń zbyt mrocznych jak na koniec XX wieku* (D. Szymczycha: *Znowu spisek*, „Trybuna", 1995, nr 54).

Niech znikają narody

W środowiskach postkomunistycznych ze szczególnym upodobaniem przeciwstawia się patriotyzmowi wartości ogólnoludzkie, wyraźnie na zasadzie, co jest lepsze: „myć ręce, czy myć nogi". Typowe pod tym względem było wystąpienie znanego wybielacza PRL-u, historyka prof. Franciszka Ryszki, na zorganizowanym w marcu 1997 przez SdRP seminarium pt. „Czym jest patriotyzm i do kogo należy". Ryszka stwierdził tam między innymi: *Narody znikają, nie ma tu nic niebezpiecznego ani złego (!) Zasadą lewicy jest „sprawiedliwość i miłosierdzie", można być nawet lepszym patriotą, walcząc o te wartości niekoniecznie dla ludzi naszego języka (...) Jestem najpierw człowie-*

kiem, potem patriotą (cyt. za „Gazetą Wyborczą" z 24 marca 1997). Najbardziej groteskowe było uznanie przez Ryszkę sprawiedliwości i miłosierdzia za zasadę lewicy. Zwłaszcza w zestawieniu ze znanym przez dziesięciolecia modelem „sprawiedliwości sowieckiej", od Czeka i GPU po NKWD, i takim eksponentem „miłosierdzia" lewicy jak Josif Wissarionowicz Stalin, największy morderca wszech czasów, z minimum czterdziestoma milionami osób zgładzonych dzięki jego działalności. Nie mówiąc o milionach ofiar lewicowej komunistycznej sprawiedliwości chińskiej pod rządami Mao czy lewicowego „miłosierdzia" à la Pol Pot w Kambodży. Wręcz ponure jest uznawanie przez prof. Ryszkę, że „nie ma nic niebezpiecznego ani złego" w znikaniu narodów. I mówił to profesor w Polsce, którą tylekroć próbowano zniszczyć w ostatnich stuleciach. Uzupełnieniem do tych wywodów prof. Ryszki były jego stwierdzenia w „Polityce" z 17 maja 1997, iż: *Lewica jako orientacja myślowa to (...) uznanie, iż ważniejsza jest przyszłość niż tradycja, ta ostatnia zaś ma tylko wtedy walor, gdy służy przyszłości i dobru, samo zaś długie trwanie – nawet niech coś trwa tysiąc lat i dłużej – nie ma większego znaczenia niż ciekawostka historyczna.* I oto mamy całą kwintesencję dzisiejszego myślenia postkomunistów, „wybierzmy przyszłość" i nie zajmujmy się dłużej takimi „drobiazgami, takimi ciekawostkami historycznymi" jak tradycja ponad tysiąca lat dziejów Polski!

Przypomnijmy, że „sprawiedliwy lewicowiec" historyk prof. Ryszka „wyróżnił się" już w 1966 roku niezwykle kłamliwą książką *Sprawa Polska i sprawy Polaków. Szkice z lat 1944–1946*. W książce tej ze szczególną werwą szkalował Armię Krajową i walkę jej leśnych oddziałów po wojnie, stosując ulubione słowa-wytrychy: „bandy" i „bandytyzm".

Rakowski w roli pogromcy „narodowych aberracji"

Z niestrudzonymi atakami na polski naród, jego „nacjonalizm" i „rusofobię" występuje wciąż Mieczysław F. Rakowski. Jego mentorskich pouczeń nie hamuje nawet pamięć o tym, jak sam odszedł w niesławie od władzy jako polityk-nieudacznik, komunistyczny premier, współodpowiedzialny za katastrofalną inflację. Już w kilkanaście miesięcy po upadku kierowanego przezeń PZPR-u Rakowski pospieszył ze swoistym „donosem na Polskę" dla moskiewskiej „Raboczoj Tribuny" z marca 1991 roku. Zaledwie na kilka tygodni przed oficjalną wizytą premiera RP w Moskwie Rakowski publicznie zaatakował nowe polskie rozwiązania w wywiadzie dla dziennika KC PZPR, i to związanego ze Zjednoczonym Frontem Ludzi Pracy – betonową frakcją skupiającą tzw. prawdziwych komunistów. Rakowski ostrzegał gromko Rosjan: *Nie daj wam Boże iść polską drogą!* I z pasją donosił na rzekomych polskich „szowinistów” i antysowieckich „ksenofobów”: *Niepokojące jest, że wiele pozytywnych elementów istniejących w stosunkach między naszymi krajami, teraz ulega deformacji. W społeczeństwie polskim, niestety, sztucznie podsyca się antysowietyzm. Polakom przy braku chleba uporczywie podsuwa się igrzyska w formie „odwiecznej” wrogości do wschodniego sąsiada. Jest to krótkowzroczne i niebezpieczne (...) Niezrozumienie strategicznych interesów Polaków oznacza wpychanie Polski w otchłań konfrontacji, przekształcanie jej w newralgiczny węzeł, nieprzewidywalną puszkę Pandory dla całej Europy* (cyt. za L. Bójko: *Rakowski straszy polską drogą*, „Gazeta Wyborcza”, 21 marca 1991).

Nawet w tak przymilnej dla „partyjnego reformatora” Rakowskiego „Gazecie Wyborczej” uznano po jego artykule w „Raboczoj Tribunie” za konieczne zdystansowanie się od tak jawnego sprzeniewierzenia się polskim interesom narodowym, i to na moskiewskim forum. Redaktor Leon Bójko sprzeciwił się tak silnie akcentowanym przez Rakowskiego wobec moskiewskich komunistów alarmistycznym ostrzeżeniom o rzekomej fali antysowietyzmu, ogarniającej całe rzesze Polaków. Bójko poparł swe uwagi przy tym bardzo wymownym porównaniem. W Polsce – według Bójki – żądanie rewizji granic z traktatu ryskiego wysuwała partia polityczna, zbierająca na swych wiecach *tuzin, a w porywach do dwudziestu zwolenników*. W Moskwie natomiast na Placu Maneżowym podczas wiecu z udziałem 300 tysięcy generałów, oficerów i szeregowych Armii Radzieckiej sam Bójko słyszał na własne uszy żądanie przywrócenia narodowości radzieckiej (!) w granicach z 1916 roku. Mówiono to w obecności ministra obrony i ministra spraw wewnętrznych ZSRR. I żądania te wyrażano przy tak wysokim gremium bez żadnego sprzeciwu ze strony obecnych oficjeli. I nikt w Polsce nie zrobił z tego powodu skandalu międzynarodowego (por. L. Bójko: *op. cit.*).

Od paru lat Rakowski, były piewca prosowieckiego internacjonalizmu proletariackiego, coraz gorliwiej przebiera się w kostium super-Europejczyka, głosząc, że tylko członkostwo Unii Europejskiej będzie najskuteczniejszym środkiem do zwalczania gnębiących nas od stuleci „chorób narodowych". I wyjaśnia szczegółowo, co to za choroby i aberracje: *Tylko umocowanie Polski w strukturach Unii Europejskiej może wyzwolić nas z zaściankowego myślenia, zamykania się w narodowych opłotkach, uwolnić od stałych, ale bezproduktywnych westchnień za utraconą wielkością, nieustannego zajmowania się przeszłością, wyleczyć z megalomanii narodowej, uodpornić na kołtuństwo, klerykalizm, zminimalizować wszelkiego rodzaju narodowe aberracje* (por. „Polityka", 1 marca 1997). Czytając Rakowskiego można by mniemać, że to Polacy wpadali od stuleci w najstraszliwsze paroksyzmy nacjonalizmu. Trochę zadziwia więc jego skromne milczenie na temat jakże groźnych dla wszystkich sąsiadów i rzeczywiście agresywnych chorób zaborczości i militaryzmu, gnębiących przez stulecia choćby Niemców i Rosjan.

Na postkomunistach wciąż ciąży specyficzny typ edukacji politycznej, którą otrzymali w PZPR-ze, łączący lekceważenie dla polskiego patriotyzmu z serwilizmem dla „potężnego protektora" Polski z zewnątrz. Ta „edukacja" w serwilistycznym wiszeniu u klamki obcego „pana" czyni z nich podatny materiał do kolejnych podobnych usług. W razie potrzeby łatwo staną się maksymalnie proamerykańscy, proniemieccy czy prożydowscy. Dla wielu z nich najtrudniej jest być po prostu polskimi. Tak mocno oduczono ich rozumieć Naród, w którym żyją. W przypadku licznych postkomunistów niebezpieczna jest więc nie tylko możliwość pozyskiwania ich na kolejnych Olinów dla Rosji. Niebezpieczne jest także i to, że nie mając na ogół żadnego poczucia interesów narodowych, gotowi są nimi frymarczyć także w relacji zachodniej. Wielu z nich na pewno będzie gotowymi do stania się swego rodzaju prymusami w zabiegach o wejście do Unii Europejskiej czy NATO. Problem w tym, że im zależeć będzie głównie na osobistych korzyściach z bycia prymusami w tych zabiegach, a nie o to, by wynegocjować jak najkorzystniejsze warunki dla Polski. Tego typu troski nikt ich nie nauczył.

Wprost zdumiewająca jest ogromna gorliwość postkomunistów w biciu się w piersi w imieniu Polski i Polaków za wszystko niedobre, uczynione kiedykolwiek wobec Żydów, choć mogliby i powinni wyłącznie przepraszać w imieniu komunistów z PPR i PZPR, których spuściznę przejęli. Nikt nie zabrania im bicia się w piersi za NKWD-owsko-ubecką prowokację z Kielc 1946 roku czy za akcje Moczara z kierownictwa PZPR w 1968 roku. Niech to robią jednak na własny, komunistyczny i postkomunistyczny rachunek, a nie w imieniu Narodu, który i w 1946, i w 1968 roku był ubezwłasnowolniony i cierpiał pod sowieckim butem. Podczas sesji „Chrześcijanie i Żydzi", zorganizowanej w początkach maja 1996 roku przez Instytut Polski w Sztokholmie, Leszek Miller wystąpił z bardzo stanowczym potępieniem antyżydowskiej kampanii pomarcowej 1968 roku. Ktoś na sali zapytał go jednak z całą słusznością: *Dlaczego pańskie ugrupowanie nie widzi innych, którym uczyniło krzywdy? Dlaczego widzi tylko pokrzywdzonych w marcu 1968 roku Żydów, a nie widzi tego, że pokrzywdzonym bliźnim jest również Polak?* (cyt. za B. Sułek-Kowalską: *Michnik tubą Millera*, „Tygodnik Solidarność", 24 maja 1996). Przypomnijmy, że tak fraternizujący się dziś z przedstawicielami Żydów w świecie towarzysze Miller, Rosati, Kwaśniewski czy Cimoszewicz, bijący się za „grzechy" wobec Żydów, i to nie tylko w swoim imieniu, ale całego narodu polskiego (!), jakoś nie zdobyli się dotąd na przeproszenie na przykład choćby Kościoła polskiego za rozliczne krzywdy i prześladowania, zgotowane mu w okresie powojennym. Przeciwnie, SdRP dziś nadal, do spółki z przedstawicielami dawnej tzw. opozycji laickiej, kontynuuje deformowanie obrazu Kościoła i próby izolowania go.

„Różowi" szturmują na „zaścianek"

W powodzeniu postkomunistycznych ataków na tradycje narodowe i patriotyzm wielkie znaczenie miał fakt, że korzystały one wciąż z sukursu dawnej lewicowej laickiej opozycji, która przejęła ster władzy po czerwcu 1989. Dzięki „Gazecie Wyborczej" szybko wytworzył się niepisany sojusz „czerwonych" z „różowymi" w walce przeciwko polskiemu „anachronicznemu" patriotyzmowi, ośmieszaniu wartości chrześcijańskich i narodowych. Częstokroć właśnie dawni „różowi" opozycjoniści przewodzili atakom przeciwko prawicy narodowej i chrześcijańsko-narodowej, z ogromną energią upowszechniając mit o zagrożeniach ze strony „ciemnego polskiego zaścianka". Można tu w pełni zgodzić się z opinią Marty Miklaszewskiej, która stwierdziła, że dokładnie te same środowiska, co niegdyś w PRL-u, eksportują mit „polskiego zaścianka" do krajów Europy Zachodniej i Ameryki, wykorzystując do tego zręcznie przeinaczane incydenty, jak w Laskach czy w Mławie, czy działalność marginesowej grupy polskich skinów. I dodawała: *Tak jak pięćdziesiąt lat temu, zaczyna się dzielić polski kler na ten reakcyjny i ten nowoczesny, a społeczeństwo na światłe i endecko-kseno-*

fobiczne. Tych „światłych" jest oczywiście niewielu. Są to ciągle te same ekipy kanapowe. Tylko one zostały powołane do cywilizacyjnej krucjaty w zacofanym kraju. Tylko one są w pełni kompetentne, proreformatorskie i „europejskie" (M. Miklaszewska: *Fabryka mitów*, „Tygodnik Solidarność", 23 kwietnia 1993). Zdaniem Miklaszewskiej z tamtych odległych lat pozostał szczególny gatunek terroryzmu intelektualnego, który nie pozwala nazwać dobra – dobrem, a zła – złem, bez obawy znalezienia się w kręgu zaściankowych „ciemniaków""" (tamże).

Po czerwcu 1989 roku dla „czerwonych" i „różowych" elit Polska jawiła się głównie jako coś w rodzaju nacjonalistycznego „zaścianka", który trzeba dopiero „ucywilizować", by mógł dorosnąć do „powrotu do Europy". Elity, także dysydenckie, mając za sobą w ogromnej części lewicowe rodowody, zaczęły sobie zdawać sprawę, że dalsze akcentowanie własnych poglądów pod szyldem lewicowej opcji może być bardzo niekorzystne politycznie. Zwłaszcza w czasach, gdy w całej reszcie Europy zaznaczał się radykalny spadek poparcia dla lewicy, obciążonej prosowieckimi afiliacjami lub złudzeniami. Szybko dostrzegł to Adam Michnik, jeszcze w latach siedemdziesiątych zbierający w Europie Zachodniej dywidendy jako wybitny przedstawiciel opozycyjnej lewicy, wspierany przez jej zachodnich patronów od Sartre'a po Craxiego. Zamiast grożącego polityczną porażką podziału na lewicę i prawicę Adam Michnik i jego komiltoni zaczęli więc co rychlej chować się pod zupełnie odmiennym, a pięknie brzmiącym szyldem. O ileż to wygodniej było znaleźć się nagle w postaci Europejczyka, wyrzekającego na ksenofobię i szowinizm swych ziomków, niż pozostawać nadal w skórze adherenta tak nielubianej w społeczeństwie lewicy. Szyld „europejskości" miał również zdobyć dla lewicy OKP dodatkowe punkty w stosunku do rywalów z prawicy, malowanych propagandowo jako „narodowy ciemnogród" w sterowanych za granicę „donosach na Polskę". Typowa pod tym względem była wypowiedź Michnika w rozmowie z brytyjskim „The Guardian". Naczelny „Gazety Wyborczej" osądził wówczas, że rzekomo największymi zagrożeniami dla demokracji w Europie Środkowej są ksenofobia, szowinizm i demokratyczny egalitaryzm. I dodawał: *Bitwa rozgrywa się między liberałami spoglądającymi na zewnątrz a rzecznikami obskurantyzmu, zapatrzonymi w swój własny kraj, którzy za bardzo koncentrują się na odrodzeniu narodowej, przedkomunistycznej kultury narodowej* (cyt. za P. Bączek: *Adam Michnik – między lwem a lisem*, „Gazeta Polska", 16 listopada 1995).

Szybkie przekształcenie się opozycyjnej lewicy laickiej we frakcję „Europejczyków" miało tym większe znaczenie, że właśnie ta część opozycji zdominowała reprezentację opozycji przy „okrągłym stole", zdecydowanie odsuwając na bok prawie pominiętą przy nim opozycję niepodległościową. „Europejczycy" opanowali pierwszy rząd solidarnościowy w 1989 roku i zdominowali solidarnościowe środki przekazu, zwłaszcza najbardziej wpływową „Gazetę Wyborczą", kierując odtąd gros swych ataków przeciw różnym mniemanym „zagrożeniom nacjonalistycznym". Doszło również do opanowania na wiele miesięcy kierownictwa OKP przez grupę polityków, nie liczących się z polskimi interesami narodowymi, znaczeniem tradycji narodowej i nowoczesnego patriotyzmu.

Skrajną niechęć warszawskiej „elitki" do odrodzenia tak długo niszczonych polskich tradycji narodowych dobrze wyrażały słowa Dawida Warszawskiego (Geberta) z artykułu pt. *Czas* zamieszczonego w „Po Prostu" (1990, nr 33): *Można próbować odtworzyć w Polsce utopijną wizję społeczności zjednoczonej w pielęgnowaniu swych narodowych i religijnych tradycji, angażując swe wysiłki w odtwarzaniu tego wszystkiego, co przez pięćdziesiąt lat było zakazane. Można się opowiedzieć za tego rodzaju powszechnym katharsis – ale jedynie odwracając się plecami do Europy.* Pisał te słowa syn Geberta, jednego z czołowych niegdyś dogmatycznych działaczy Komunistycznej Partii Stanów Zjednoczonych, później zaś, w czasach stalinowskich przez lata, redaktora naczelnego tak służalczego wobec komunistów organu związków zawodowych „Głos Pracy". Gebert senior wytrwale robił, co mógł, dla wyprowadzenia Polski jak najdalej od Europy w służbie azjatycko-stalinowskiej Rosji. Gebert junior mentorsko zniechęcał Polaków przed „nieeuropejskim" odradzaniem narodowych wartości, niszczonych niegdyś z takim zapałem przez Geberta seniora i jego towarzyszy. Jerzy Mikke polemizując z pouczeniami Warszawskiego (Geberta) w świetnym tekście *Boże, broń nas od takiej Europy* („Tygodnik Solidarność", 19 października 1990), pisał, że: *Warszawski rzuca nam, ludziom (nienacjonalistycznej) centro-prawicy, wyraźne, choć zakamuflowane wyzwanie: „dopóki będziecie manifestować swą narodową i religijną tożsamość, skażecie się na izolację od Świata, poniesiecie klęskę z czasem!". Przestroga ta, choć przekazana między wierszami, pobrzmiewa szantażem.*

Skrajne obawy lewicy OKP przed możliwością umocnienia środowisk prawicy narodowej popchnęły warszawsko-krakowską „elitkę" do wystąpienia z tzw. apelem krakowskim z maja 1990 roku. Inicjatorzy apelu, wywodzący się głównie ze środowisk lewicy OKP i tzw. katolewicy*, rozpętali histeryczną wrzawę na temat rzekomego zagrożenia „nacjonalistyczno-antysemickiego" dla Polski. To wszystko w czasie, gdy zaznaczało się coraz większe osłabienie patriotyzmu i tradycji narodowych. To ostatnie nie miało jednak większego znaczenia dla ludzi z „różowej" elitki. Dosadnie, ale z całym uzasadnieniem napisał o ich postawach Jerzy Mikke w listopadzie 1990 roku: *Środowiska te nie mają nic do zaproponowania społeczeństwu poza redagowaniem apeli publicznych, pełnych troski o losy demokracji i poza pouczaniem nas, prostaczków, o dobrodziejstwach „powrotu do Europy". Zapominają jednak o sprawie elementarnej: że aby przyswoić społeczeństwu zasady tolerancji i europejskiej kultury politycznej, trzeba wcześniej przywrócić młodym Polakom nadwątloną tożsamość narodową i normy współżycia. Tymczasem w programie reformy, oświaty i wychowania, opracowanym ostatnio przez Ministerstwo Edukacji Narodowej pominięto takie kanony pedagogiki, jak ojczyzna, naród, tradycja, wskazania Dekalogu; zastąpiono je natomiast surogatami w rodzaju „państwa prawa" i „szacunku dla demokracji", (...) w społeczeństwie takim jak nasze nie można pełnić funkcji autorytatywnej elity, skoro się nie posiada recepty na polskość i na współczesny patriotyzm (wszystkie podkreślenia J. Mikke). Zwłaszcza, że w pewnych kręgach posługiwanie się takimi pojęciami uchodzi za wstydliwe lub anachroniczne* (J. Mikke: *Kiedy Polska będzie Polską*. „Tygodnik Solidarność", 2 listopada 1990). Szczególnie smutne refleksje budził wspomniany przez Jerzego Mikke fakt „zdumiewającego" zapomnienia o takich wartościach jak ojczyzna, naród, tradycja w Ministerstwie Edukacji Narodowej, wówczas kierowanym przez Henryka Samsonowicza, Witolda Kulerskiego czy Annę Radziwiłł.

* Katolewica – popularny w ostatnich latach skrót pojeciowy używany dla określenia różnych formacji „otwartych", „postępowych" katolików, nastawionych na maksymalne współdziałanie z lewicowymi środowiskami byłej opozycji (tzw. lewicy laickiej). Szczególnym symbolem tego współdziałania są bardzo ścisłe związki „Tygodnika Powszechnego" z „Gazetą Wyborczą", ich wzajemne popieranie się i wspólne ataki na reprezentantów innych nurtów myślenia.

Bezpośrednio po sromotnej klęsce wyborczej Tadeusza Mazowieckiego w listopadzie 1990 ludzie z warszawskiej „elitki" związanej z Unią Demokratyczną dowiedli, jak bardzo myślą w tonacji „Państwo to my", w którym żyją. Miejsce koniecznego, acz bolesnego dla nich, wyjaśniania faktycznych, ekonomicznych i społecznych przyczyn fiaska premiera tzw. „naszego rządu" zastąpiło u nich zrzucanie winy na „niedojrzały naród". Bronisław Geremek wyrokował: *wyniki głosowania wskazują, że społeczeństwo nie dojrzało do demokracji*, Zofia Kuratowska oceniała: *Świadczy to* (wyniki wyborów – J.R.N.) *o niedojrzałości ludzi*. Andrzej Krzysztof Wróblewski osądzał: *Wszystko to* (wybory – JRN) *jest kompromitujące. Stawia pod znakiem zapytania przydatność demokracji dla naszego narodu* (powyższe cytaty za tekstem B. Nowińskiego: *Niedojrzali politycy*, „Ekspress Wieczorny", 25 października 1991). Wszystkich przebiła minister kultury w rządzie Mazowieckiego, Izabella Cywińska, zresztą chyba jeden z najgorszych ministrów kultury w całej historii polskiej kultury, stwierdzając bezpośrednio po klęsce wyborczej Tadeusza Mazowieckiego: *Ten absurdalny kraj*.

Powstała po klęsce Tadeusza Mazowieckiego Unia Demokratyczna od początku ustawiała się na bakier wobec tradycji narodowych i patriotyzmu. Przyznawali to nawet niektórzy bardziej „szczerzy" członkowie lewicowej warszawskiej „elitki". Na przykład Krzysztof Wolicki, skądinąd znany z ciągotek do tropienia domniemanego „polskiego faszyzmu", w wypowiedzi dla „Gazety Wyborczej" z 29 listopada 1991 roku przyznawał: *Unia Demokratyczna jest w pewnym sensie dziedzicem polskiej inteligencji lat 60-ych, która zlekceważyła pytanie o tożsamość narodową*.

Upadek rządu Tadeusza Mazowieckiego nie zmienił reakcji kół rządzących na zagrożenia dla polskości i interesów narodowych. Liberałowie, kierowani przez totumfackiego Wałęsy Jana Krzysztofa Bieleckiego, okazali się równie ślepi i głusi na zagrożenia dla patriotyzmu jak ludzie Mazowieckiego. Swą postawę tłumaczyli, tak jak Donald Tusk w „Konfrontacjach" z maja 1991, dążeniem do skończenia ze snami o polskiej narodowej misji. Stosunek liberałów do polskich interesów dobrze wyraziło ich wystąpienie w meczu futbolowym z ówczesnym premierem Polski Janem Krzysztofem Bieleckim na czele w koszulkach reklamujących importowane z Niemiec mleko „Müller Milch". Najbardziej groteskowo zabrzmiało samo tłumaczenie premiera Bieleckiego, że w ogóle nie zauważył, jaki napis widniał na koszulce, którą założył, aby zagrać w meczu. Prezes PSL-u Roman Bartoszcze ironicznie zapytał: *A gdyby na koszulce widniał napis: „Jestem dupa", to premier też niczego nie zauważyłby?* Później Bielecki, już jako minister do spraw integracji, popisał się wypowiedzią, że *Polska jest zbyt duża, by mogła wejść w całości do Europy.* Dziś człowiek z tak kompletnym brakiem poczucia elementarnych polskich interesów narodowych jest przedstawicielem Polski w Europejskim Banku Odbudowy i Rozwoju w Londynie. Można sobie wyobrazić, jak reprezentuje polskie sprawy.

Sztucznie wywindowani do góry przez Wałęsę, trzeciorzędni politycy z Kongresu Liberalno-Demokratycznego (KLD), wyróżniali się głównie, skrajnym zapatrzeniem na Zachód i lekceważeniem własnych polskich szans rozwojowych. Tak jak jeden z czołowych przywódców KLD, Donald Tusk, który nie ukrywał absolutnej pogardy dla możliwości polskiego przemysłu, dając do zrozumienia, że cały nasz przemysł jest jakoby tylko kupą bezwartościowego złomu. W wystąpieniu na spotkaniu z wyborcami w Starachowicach w sierpniu 1993 roku, Tusk deklarował: *Mogę stanąć nago na głowie na szczycie Pałacu Kultury i powtarzać, że prywatyzacja już przyniosła Polsce biliony złotych, że polskie przedsiębiorstwa są mało albo nic nie warte i dlatego są tanio sprzedawane* (por. Z. Nowak: *Tusk nagi*, „Gazeta Wyborcza", 14–15 sierpnia 1993).

To lekceważenie polskiego przemysłu przez liberałów ciężko kosztowało Polskę, zwłaszcza gdy na tak kluczowym stanowisku ministra przekształceń własnościowych usadowił się jeden z głównych kompanów Bieleckiego, Janusz Lewandowski. Stał się on smutnym symbolem tak godzącej w polskie interesy narodowe „prywatyzacji za bezcen", wyprzedaży wielu dobrze funkcjonujących zakładów o wiele poniżej ich wartości w ręce zachodnich przedsiębiorców (por. szerzej: tom 2 tej książki). Deptanie przez Lewandowskiego interesów narodowej gospodarki szło w parze ze skrajnymi fobiami antynarodowymi i antykościelnymi. Obnażył je kiedyś otwarcie Lech Mażewski, w swoim czasie przywódca prawego skrzydła Kongresu Liberalno-Demokratycznego, mówiąc, że Lewandowski jest: *dziedzicem francuskiego Oświecenia. Kościół, naród to według Lewandowskiego – reakcja, przeżytek, nacjonalizm, ksenofobia. Są to poglądy zbieżne z poglądami lewego skrzydła Unii z prof. Kuratowską na przykład* (cyt. za rozmową B. Szczepuły z L. Mażewskim: *To jest spór ideowy*, „Przegląd Tygodniowy", 1992, nr 45).

Z Millerem przeciw Olszewskiemu

Ludzie z kręgu Unii Wolności i jej popleczników w ostatnich latach często wyznawali, że jest im dużo bliżej do Kwaśniewskiego i Millera niż do prawicowej i niepodległościowej opozycji. Typowe pod tym względem było znamienne wyznanie Wojciecha Tochmana, publicysty „Gazety Wyborczej", wielce „zasłużonego" w szkalowaniu Polaków na Wileńszczyźnie: *Skoro już Polacy go* (Kwaśniewskiego – JRN) *wybrali, niech buduje przyszłość i dla mnie, niech mu się uda. Komunizmu, choćby bardzo chciał, Kwaśniewski nie zreanimuje, więc chyba wolę go niż jakichś spoconych frustratów, którym coraz bliżej do faszyzmu.* (W. Tochman: *Między nami przepaść*, „Gazeta Wyborcza", 29 sierpnia 1996). W podobne tony uderzyła znana bywalczyni salonów warszawsko-krakowskiej „elitki", Ewa Berberyusz, wyznając w paryskiej „Kulturze" (!) w marcu 1997 roku: *Spytał mnie mąż dla zabawy, kogo wybrałabym w przypadku dyktatury: dyktatora Jana Olszewskiego czy dyktatora Leszka Millera... Przedłożyłam cynika nad fanatyka, bo wolę słuchać mowy bezczelnie szczerej, acz w gruncie kłamliwej, nie pozbawionej dowcipnej skrótowości, niż nadęto-namaszczonych frazesów z absurdalnymi akcentami narodowego socjalizmu w treści... A Jan Olszewski ze swoim ROP-em, niezależnie od mglistego programu, jaki głosi, ma w swojej mentalności coś z endeka... No i co ja zrobię, kiedy na tle innych polityków wolę dzisiejszego Millera!* (cyt. za „Gazetą Wyborczą" z 30 kwietnia 1997).

Rozdział IV

Wataha gromicieli patriotyzmu

O ty, dziki kocie,
Który się rzucasz na własną ojczyznę
Spokojną – świętą! Czy wiesz, co ty czynisz?!
Zadajesz może taką wielką bliznę,
Takim ją jadem namaszczasz i ślinisz,

Juliusz Słowacki: *Agezylausz*

Wojciech Młynarski przypomniał parę lat temu satyryczną parafrazę słów *Roty*: *Nie będzie wróg pluł nam w twarz, sami sobie naplujemy*. I rzeczywiście, plujących jest wielu. Od lat widzimy w akcji to same współgrające ze sobą grono zniesławiaczy patriotyzmu i polskości. Korzystając z bezkarności może dosłownie iść na całość w wyszydzaniu wartości najdroższych dla Polaków. W ostatnich latach zaznaczyła się cała grupa autorów tekstów prasowych wyspecjalizowanych w starannym obrzucaniu błotem wszystkiego, co wiąże się z narodowymi tradycjami i patriotyzmem. Częstokroć w jednym artykule potrafią umieścić po kilkanaście obelg wobec polskości, narodu, Polaków. Znamienny jest fakt, że większość z nich ma coś, co łączy ich rodowody – mniejszy lub większy udział w prokomunistycznym serwilizmie w przeszłości. Nawet, jeśli niektórzy z nich po pewnym czasie pośpiesznie doszlusowali do opozycji. Autorzy, odrzucający dziś tradycyjne wartości, robią to tym łatwiej, że już niegdyś sprzeniewierzyli się tym wartościom. Co widać choćby na przytoczonych niżej przykładach. Począwszy od Andrzeja Szczypiorskiego, skrajnego, wręcz klinicznego, przypadku odreagowywania własnych kompleksów i fobii poprzez inwektywy na naród, wśród którego żyje.

Andrzej Szczypiorski – stachanowiec antypolonizmu

Do rangi niebywałego autorytetu wywindowano w latach dziewięćdziesiątych jednego z dawnych PRL-owskich „inżynierów dusz", przez wiele lat operującego najbardziej wyświechtanymi kłamstwami propagandowymi. Szczypiorski zapisał się niegdyś jako chwalca kolejnych plenów KC PZPR, uroków świąt 1 maja i 7 listopada, czujności Milicji Obywatelskiej i nuklearnej potęgi Armii Radzieckiej – jak go scharakteryzował głośny krakowski publicysta Andrzej Nowak. Publicystykę Szczypiorskiego przez całe lata charakteryzowało nagromadzenie najgorszych prokomunistycznych banałów w stylu *Socjalizm jest jak rozłożysta jabłoń w słonecznym sadzie. Pielęgnacja tej jabłoni wtedy dopiero stanie się powszechną radością pokolenia, gdy ogrodnicy poznają słodki smak owocu* (A. Szczypiorski: *Z daleka i z bliska*, Warszawa 1957, s. 185–186). W wydanej w 1968 roku książce *Niedziela, godz. 21.10* (s. 128) Szczypiorski zapewniał z emfazą: *Polska Ludowa jest ukoronowaniem tysiąca lat narodowej historii.* W ostatnich latach Szczypiorski próbował konsekwentnie zafałszować, wybielić swą dawną, pełną prokomunistycznej chwalby przeszłość publicystyczną, przedstawiać się jako nonkonformista od zawsze. W 1991 roku zapewniał o sobie: *Byłem krnąbrny, buntowniczy (...) podsumowując te lata mojej radiowej felietonistyki, muszę powiedzieć, że n i e w y r z u c a m s o b i e* (podkreślenie – J.R.N.) *tego, com wtedy czynił* (A. Szczypiorski: *Początek raz jeszcze*, Warszawa 1991, s. 88). Zaledwie dwa lata wcześniej (24 grudnia 1989 w „Tygodniku Powszechnym") Szczypiorski przyznawał coś wręcz przeciwstawnego. Zapytany o te same felietony radiowe, czy nie miał świadomości sprzeniewierzania się sobie, Szczypiorski powiedział: *J a s o b i e m o j ą t a m t ą p o s t a w ę w y r z u c a m* (podkreślenie – J.R.N.).

Wychwalanemu dziś jako „wielkiego pisarza-moralistę" Szczypiorskiemu szereg razy (począwszy od „Gazety Polskiej" z 2 czerwca 1994, po różne artykuły w „Naszej Polsce") zarzucano współpracę z Ministerstwem Bezpieczeństwa Publicznego, a potem SB, malwersacje finansowe na placówce dyplomatycznej w Danii. O ile wiem, Szczypiorski nigdy publicznie nie zaprzeczył tym zarzutom, wybierając w tej sprawie swą ulubioną niegdyś taktykę „siedzenia jak mysz pod miotłą". Nie może jednak ukryć skrajnej irytacji z powodu rosnącej liczby wypowiedzi uznających, że Szczypiorski stanowi szczególnie wymowny przykład pisarza przecenionego, który zrobił karierę niewspółmierną w stosunku do swego talentu. Tak ocenili Tomasz Łubieński i Krzysztof Mętrak w „Polityce" z 1 lutego 1992 oraz Tomasz Burek, Krzysztof Koehler, Andrzej Nowak, Janusz Sławiński i Robert Tekieli w paryskiej „Kulturze" (1992, nr 7–8). Oburzony tym ściąganiem z piedestału, Szczypiorski tym gwałtowniej zaczął piętnować „niewdzięczną" polską nację, która nie chce go docenić. Winą za coraz ostrzejsze krytyki zaczął obciążać ryczałtem cały „ciemny" naród polski, polski „zaścianek", który nie umie dostrzec jego mniemanej wielkości, choć przecież tak go sławią w Niemczech i w Izraelu. Irytacja zaowocowała u niego prawdziwą falą artykułów i wywiadów przesyconych oczernianiem „niewdzięcznego" narodu.

Donosy na Polskę i Polaków

Szczypiorski od dawna stał się swego rodzaju stachanowcem wojującego antypolonizmu. (Młodym czytelnikom przypomnę, że stachanowcami zwano sowieckich „przodowników pracy", wytrwale przekraczających zawyżone normy.) Artykuły i wywiady Szczypiorskiego świadczą o istnieniu swoistej „normy Szczypiorskiego": przynajmniej dwie inwektywy pod adresem Polski i Polaków w artykule. Roi się u niego od określeń „polskie zadupie", „polski kołtun", „polskie fobie". W *Pięknym oszustwie*, drukowanym na łamach „Polityki" z 16 stycznia 1993 roku, stwierdził, że *kraj osuwa się z wolna w bagienko infantylizmu (...). Pragnieniem i celem narodu, egalitarne zadupie. Poza tym rzecz jasna, Polska dla Polaków*. Rzucając rozmaite inwektywy pod adresem narodu polskiego, Szczypiorski zapewnia, że w społeczeństwie polskim II Rzeczypospolitej dominował *dziki kołtun, pełen przesądów, małego cwaniactwa, bigoterii, antysemityzmu. Miał wprawdzie bardziej udanych braci, ale przy nim stanowili słabą mniejszość (...) niewiele mogli oni jednak zwojować w tamtym wszechpolskim mateczniku ciemniactwa*. Stwierdzenia te były prostą kontynuacją ponurej wizji Polski międzywojennej, danej w powieści Szczypiorskiego pt. *Początek* (Warszawa, „Przedświt" 1986, s. 67–68), przedstawianej jako Polska sanacji i tromtradracji, małostkowości, zarozumialstwa, zaściankowego kleru i antysemityzmu, kurnych chat i dygnitarskich limuzyn. W tej samej książce, fetowanej w Niemczech pod tytułem *Piękna pani Seidenmann*, pisał: *Nareszcie zdechł mit o naszej wyjątkowości, o tym polskim cierpieniu, które zawsze było czyste, prawe i szla-*

chetne. Czyż pochodnia nie oświecała twarzy powieszonych zdrajców? Czy nie umykali przed jej blaskiem szpicle Konstantego? Kto wydał Traugutta? (...) Kto przepędzał Henia Fichtelbauma na warszawskich ulicach? Kto wydał Irmę w ręce Niemców? Kto ją z Polski wygnał? Święta Polska, cierpiąca i mężna, Polskość święta, zapita, skurwiona, sprzedajna, z gębą wypchaną frazesem, antysemicka, antyniemiecka, antyrosyjska, antyludzka. Pod obrazkiem Najświętszej Panienki (...) Tępe pyski granatowych policjantów. Lisie mordy szmalcowników (*Początek*, s. 81). Właśnie to dokładanie Polsce i Polakom, przy równoczesnym wybielaniu Niemców, a więc względy pozaartystyczne zdecydowały o wyjątkowej popularności cytowanej książki Szczypiorskiego w Niemczech. Jak pisała Teresa Kuczyńska w „Tygodniku Solidarność" z 13 marca 1992: *Aplauz niemieckiego czytelnika dla „Pięknej pani Seidenmann", płynie stąd, że odnalazł on w tej książce uspokajającą jego narodowe sumienie wersję polsko-niemiecko-żydowskich dziejów podczas ostatniej wojny. Taką mianowicie. iż wszyscy w tej wojnie popełniali zbrodnie (...) wszyscy są siebie warci; podli i gotowi do zbrodni. Choć najprzyzwoiciej wypada niemiecki oficer, który co prawda ściga Żydów, ale w przypadku pięknej pani Seidenmann, dostarczonej mu przez żydowskiego kapusia, odstępuje od jej uwięzienia i wypuszcza ją na wolność, zresztą dzięki staraniom drugiego porządnego Niemca. To jednak, czego oszczędzili pięknej kobiecie porządni Niemcy, wyrównują z nawiązką w 1968 roku Polacy.*

Warto przypomnieć, że głównym animatorem niemieckiego sukcesu książek Szczypiorskiego był krytyk Marcel Reich-Ranicki, nazywany w Niemczech „papieżem literatury". Ten przybyły do Niemiec z Polski w 1958 krytyk parę lat temu został zdemaskowany jako agent polskich tajnych służb (doszedł w nich do stopnia kapitana).

Szczypiorski wie doskonale, jak bardzo spodoba się wielu niemieckim czytelnikom staranne dokładanie Polsce i Polakom. I robi, co może, w tym względzie. Niemiecki tygodnik „Christ in der Genenwart" przedstawił w 1992 roku następującą wypowiedź Szczypiorskiego: *Cechy charakterystyczne społeczeństwa polskiego to: alkoholizm, nieuczciwość, brak tolerancji względem inaczej myślących, nieposzanowanie pracy zarówno cudzej, jak i własnej. Wypadałoby zapytać, czy takiemu społeczeństwu przysługuje miano chrześcijańskiego* (cyt. za „Polityką" z 1 sierpnia 1992). W 1993 roku na łamach niemieckiego czasopisma „Das Parlament" odnotowano inną wypowiedź Szczypiorskiego, głoszącą, że Polacy są współodpowiedzialni za mordowanie Żydów w drugiej wojnie światowej (!).

Może warto raz wreszcie wystąpić do sądu ze sprawą tak licznych oszczerstw Andrzeja Szczypiorskiego pod adresem Polaków, jego hucpiarskich ataków na polską godność narodową, świadomych zniekształceń i obrzydzania polskiej historii, częstokroć także na użytek zagraniczny. Jak ocenić na przykład takie paszkwilanckie spojrzenie na historię Polski, jakie zademonstrował Szczypiorski parę lat temu podczas wystąpienia na forum Frakcji Społeczno-Liberalnej Unii Demokratycznej: *przestańmy się bujać, że jesteśmy narodem, co pokochał wolność. Przecież garstka poszła walczyć w 1863 r., a większość wydawała ich kozackim sotniom* (podkreślenia – J.R.N.). *(...) Przecież jest to społeczeństwo zanurzone w zadupiu polskim* (cyt. za: L. Koperska: *Amoralny autorytet moralny*, „Emaus", 1993, nr 2, s. 64).

Zawsze w swych działaniach i wypowiedziach stosował się do tego, co było najdogodniejsze i najmodniejsze w postawach wąskiej elity, tzw. warszawki. Wymownie ilustruje to jego stosunek do Kościoła katolickiego. W 1982 roku, już po kilku miesiącach internowania nagłaśniał swe nawrócenie na łono Kościoła, wiedząc jak wiele znaczyła wówczas obrona z jego strony. Po 1989 roku, kiedy już niepotrzebna była dłużej Szczypiorskiemu pomoc Kościoła, nagle zaczął uderzać w skrajnie antyklerykalne tony. W wywiadzie dla „Prawa i Życia" z 6 czerwca 1992 stwierdził: *Nigdzie nie ma takiego zagrożenia nacjonalistyczno-klerykalnego jak u nas. Kto będzie w ten zapyziały zaścianek, w tę parafiańszczyznę inwestować.* Bez trudu znalazłby nieporównanie większe niż w Polsce zagrożenie nacjonalistyczno-klerykalne w Izraelu, będącym faktycznie państwem wyznaniowym, ale przecież tam właśnie niektórzy fetują go za antypolonizm (!). Znalazłby o wiele większe zagrożenie nacjonalistyczne w Niemczech, gdzie w ostatnich latach zamordowano tak wielu imigrantów, ale przecież właśnie Niemcom stara się na każdym kroku przypochlebić.

Europejskość kosztem polskości

Niegdysiejszy chwalca komunizmu, Szczypiorski, teraz stał się rzecznikiem bezapelacyjnego, bezkrytycznego poświęcenia polskości na ołtarzu europejskości, znów za wszelką cenę. Jak stwierdził w „Gazecie Lubuskiej" z 24 lutego 1991: *Powinniśmy manifestować europejskość, nawet z chwilową szkodą dla polskości.* W „Polityce" z 16 marca 1991 Szczypiorski wzywał w imię integracji z Europą (!) do wydania *bezpardonowej walki własnym fobiom, ograniczeniom, iluzjom, złudzeniom polskim, a także rozbratu z tym, do czego przez powojenne dziesięciolecia dusza polska wzdychała tęsknie i co dopiero tak niedawno udało się jej pochwycić. Mam tu na myśli polskość naszą.* I gromił dalej polskie, *wybujałe przywiązanie do tradycji, do niepowtarzalności i jedyności polskiej, a więc także do narodowych znaków i symboli – i to właśnie jest przeciwne europejskości, to jest świadectwo zacofania i anachronicznego myślenia z punktu widzenia zintegrowanej Europy (...). Tak więc procesy integracyjne to także walka z pewnymi wartościami, które właśnie naród odzyskał i których wyrzekać się nie chce.* W „Gazecie Wyborczej" z 19–20 grudnia 1992 akcentował: *A jak my mówimy, że musimy się szybko zintegrować z Europą, to jest to nasza kontra na polskość. Na tę naszą okropną zapyziałość, na te śmierdzące szalety i miernotę w Sejmie.*

W książce–wywiadzie *Początek raz jeszcze* (1991, s. 146), namawiany przez Tadeusza Kraśkę, aby jasno powiedział, iż *mowa o uszczuplaniu Polski w jej dotychczasowej mitologii*, Szczypiorski dorzucił: *To znaczy scedowanie części naszej duchowej suwerenności na szerszy organizm europejski.* Stanisław Murzański w znakomitej książce *Między kompromisem a zdradą*, przypominającej zdradę ideałów wolności przez część tzw. autorytetów (Warszawa 1993, s. 219), skomentował wypowiedź Szczypiorskiego słowami: *Można się domyślać, że z tym „scedowaniem" mogliby mieć „rzecznicy" niemałe kłopoty. Nie tylko dlatego, że owych ustępstw na rzecz Zachodu domagają się często ci sami osobnicy, którzy w przeszłości z jeszcze większym zapałem dowodzili konieczności wyrzeczeń w imię „integracji" z Ojczyzną Światowego Proletariatu (...). Inaczej mówiąc, najgorliwiej chcą nas wprowadzać do Europy ci, którzy z największym zapałem chcieli nas przed laty wprowadzić do totalitarnej Azji.*

Za szczególnie nieodpowiedzialne i szkodliwe uważam różne uogólnienia-banialuki snute przez Andrzeja Szczypiorskiego na użytek cudzoziemców, a starannie pomniejszające rolę Polaków. Tak jak choćby opinię wyrażoną w rozmowie przeprowadzonej na zlecenie Biura Publicystycznego z Berlina Zachodniego, i emitowanej w niemieckojęzycznych stacjach radiowych. Szczypiorski powiedział tam, że: *od roku 1950 do 1980 przez całe trzydzieści lat, właściwie oporu prawie że pan nie uświadczył* (cyt. za: J.S. Skorupski: *Zrozumieć Polaków*, Warszawa, 1990, s. 16). Jakby nie było powstania robotniczego w Poznaniu w 1956 roku, masowego ogólnokrajowego ruchu w październiku 1956, buntu robotników Wybrzeża w grudniu 1970. Jakby nie było konsekwentnego oporu Kościoła katolickiego z Prymasem Tysiąclecia na czele przeciw zakusom komunistycznej władzy wraz z kulminacją konfliktu w latach 1965–1966 czy ogólnokrajowych manifestacji studenckich marca 1968. Jakby nie było Radomia i Ursusa w 1976 roku, działalności „Ruchu", KOR-u i ROPCiO.

We wcześniejszym tekście dla niemieckiej prasy (w 1979 roku) Szczypiorski pisał, że wielu polskich Żydów przetrwało dzięki pomocy swoich polskich rodaków. Skomentował to jednak słowami: *Nie jest to zresztą powód do wdzięczności i Polacy, którzy dziś domagają się za to uznania od świata, są głupi i małoduszni* (cyt. za przedrukiem tekstu Szczypiorskiego pt. *Polacy i Żydzi* na łamach paryskiej „Kultury", 1979, nr 5, s. 7).

W świecie można więc skrajnie pomniejszać znaczenie polskiej pomocy dla Żydów, wręcz insynuować, że tej pomocy nie było, a Polacy współpracowali z Niemcami przy mordowaniu Żydów. Jeśli zaś Polacy domagają się od świata, by należycie zostały docenione tak liczne dowody ich pomocy Żydom w czasie wojny, to są – według Szczypiorskiego – „głupi i małoduszni".

Michnik – „czekista" publicystyki

Rodzinne przesiąknięcie starą komunistyczną ideologią wychodzi z Michnika wciąż przy różnych niespodziewanych okazjach, znajduje wyraz w jego dość szczególnej stylistyce. Na przykład w „Gazecie Wyborczej" (1996, nr 302) napisał: *Zwracam się do premiera Oleksego jak czekista do czekisty*. Michnik nie dostrzegł żadnej niestosowności w tego typu zwrocie, mogącym mieć różne odmiany typu: „jak gestapowiec do gestapowca". Nawet w postkomunistycznej „Polityce" ukazała się tym razem polemika z „mocnym" porównaniem Michnika. Jej autor, profesor Józef Kozielecki, pisał: *Dla nas starych ludzi, przywoływania upiorów czekistów czy enkawudzistów we współczesnym wstępniaku nie można niczym usprawiedliwić. Dla nas te słowa ociekają krwią Polaków, Rosjan, Litwinów... Gdy je słyszę, uginają mi się kolana i „wcale mi – mówiąc słowami artykułu – nie jest do śmiechu". Szczególnie, gdy Polska chamieje* (J. Kozielecki: *Jak czekista do czekisty*, „Polityka" 20 stycznia 1996). Młodszym czytelnikom przypomnijmy, że Czeka (Czeriezwyczajka), sowiecka bezpieka w czasach Lenina i pierwszym okresie rządów Stalina, zasłynęła ogromnie krwawym terrorem wobec wszystkich „niebolszewicko" myślących.

Ciągle za mało mówi się o systematycznych działaniach Michnika dla podważania polskiego patriotyzmu i wartości chrześcijańskich oraz ciągłego zatruwania atmosfery w stosunkach polsko-żydowskich. Przede wszystkim przez ustawiczne demaskowanie rzekomego polskiego antysemityzmu i rzucanie fałszywych oskarżeń o antysemityzm na ludzi o innych poglądach politycznych. Zwracał na to uwagę już kilka lat temu, jako na fatalną cechę działań Michnika, Czesław Bielecki na łamach „Tygodnika Solidarność", podkreślając, że sam jest z pochodzenia Żydem, ale tym bardziej nie lubi fałszywych instrumentalnych oskarżeń o antysemityzm wobec przeciwników politycznych. Nic nie nauczyło Michnika to, że musiał od czasu do czasu kajać się z powodu fałszywych oskarżeń (np. z powodu niesłusznych oskarżeń pod adresem „prawdziwych Polaków" z Regionu Mazowsze etc.). Czy z powodu swych dawniejszych napaści na Kościół. W 1977 roku w wydanej w Paryżu książce *Lewica, kościół, dialog* Michnik samokrytycznie bił się w piersi z powodu tego, iż: *Katolicyzm równał się dla nas z antysemityzmem, z faszyzmem i ciemnogrodem i wszelkimi zjawiskami antypostępowości.* Bił się w piersi, a potem dalej robił swoje, jak świadczy cała linia „Gazety Wyborczej" od 1989 roku.

Z perspektywy lat coraz bardziej widoczna będzie rola Adama Michnika jako tego, który zrobił niebywale wiele dla wywoływania antyżydowskości w Polsce przez swój fanatyzm i jawne prowokacje, haniebne ataki na polską historię (w stylu ataku publicysty „Gazety Wyborczej" Michała Cichego na Powstanie Warszawskie). Nikt bardziej niż Michnik nie przyczynił się do utrudnienia autentycznego dialogu polsko-żydowskiego, on sam jest jego widocznym przeciwstawieniem. Osobiście dużo bardziej wierzę w możliwość dialogu z Szymonem Wiesenthalem niż z Michnikiem. Rozmowa z Wiesenthalem, choć niełatwa, może bowiem oprzeć się na wymianie poglądów ludzi o stabilnych, ugruntowanych przekonaniach, jakichś podstawach w sferze uznanych wartości. Na każdej wymianie poglądów z Michnikiem można tylko stracić, bo byłaby to rozmowa z cynicznym instrumentalnym krętaczem, dostosowującym swe poglądy wyłącznie do najświeższych potrzeb politycznych. Stąd te tak liczne niespodziewane ewolucje – od potępiania listu biskupów polskich na łamach „Argumentów" do późniejszego kajania się za antyklerykalizm w 1977 roku, czy zabiegania o przyjaźń z księdzem H. Jankowskim w latach osiemdziesiątych, by znów dziś powrócić – do maksymalnie podstępnych działań antykatolickich.

Ileż to razy Michnik bił na alarm na temat rzekomych skrajnych zagrożeń nacjonalistycznych i antysemickich w Polsce. Ileż to razy wysmażał skrajne „donosy na Polskę" do różnych gremiów zagranicznych. By przypomnieć choćby, dziwnie przemilczane w Polsce, wystąpienie Michnika na Uniwersytecie Hebrajskim w Jerozolimie w kwietniu 1990 roku. Mówił tam, że w Polsce grozi antykomunistyczna dyktatura, antykomunizm z bolszewicką twarzą, któremu towarzyszyć będzie szowinizm, klerykalizm, populizm i ksenofobia, nie wspominając o groźbie antysemityzmu (por. C. Hoffman: *Gray Dawn. The Jews of Eastern Europe in the Post-communist Era*, New York 1992, s. 302). A potem nagle, z głupia frant, Michnik występuje z udawaną obroną Polaków przed zarzutami antysemityzmu na spotkaniu z przedstawicielami francuskich Żydów. A w książce *Między Panem a Plebanem* przyznaje, że: *partie, które startowały pod hasłami antysemickimi, nie dostały ani jednego mandatu.* W 1989 roku Michnikowska „Gazeta Wyborcza" maksymalnie nagłaśnia akcję rabina Weissa w Oświęcimiu, popierając ją. W 1994 ten sam Michnik określa akcję rabina Weissa z 1989 roku jako klasyczny przykład prowokowania awantury. Tak więc zależnie od potrzeby występuje jako obrotowy Żydo-Polak, odcinając odpowiednio kupony za każdym razem od zamanifestowanej postawy. To przedstawia się jako zatroskany o los Polski patriota, to znów przyjmuje fetowanie w Nowym Jorku jako „Żyd Roku 1991". W wydanej w 1995 roku książce *Między Panem a Plebanem* (s. 217) mówi: *Kto zajmuje się tym, co mówi Bolesław Tejkowski? Nikt.* W rzeczywistości to właśnie sam Michnik był odpowiedzialny za nagłośnienie Tejkowskiego. Przypomnijmy, że właśnie w „Gazecie Wyborczej" z 4 lipca 1991 ukazał się ogromny wywiad z B.Tejkowskim na dwu kolumnach, pt. *Żydzi są wszędzie*, z wiadomym celem: maksymalnym nagłośnieniem, jaki to groźny antysemityzm pojawia się w Polsce. Krzysztof Wolicki napiętnował publikację wywiadu z Tejkowskim jako *Nieprzyzwoitość* („Gazeta Wyborcza" z 10 lipca 1991), pisząc: *Publikując wywiad z Bolesławem Tejkowskim („GW" nr 154) złamaliście normy przyzwoitości obowiązujące w krajach o demokratycznej tradycji.*

Wśród najhaniebniejszych Michnikowskich „donosów na Polskę" swoiste miejsce zajęły oszczercze stwierdzenia w rozmowie z niemieckim socjologiem Jurgenem Habermasem: *Zanim tu Hitler przyszedł, myśmy założyli własny obóz koncentracyjny w Berezie Kartuskiej* („Polityka" 1993, nr 47). Kiedy takie stwierdzenie Michnika ukazuje się na łamach prasy niemieckiej, a później amerykańskiej (w prestiżowym „New York Times Review of the Book"), sprzyja potwierdzaniu najgorszych oszczerstw o polskich obozach koncentracyjnych. W grudniu 1994 roku Michnik posunął swe tropienie polskiego nacjonalizmu i ksenofobii do najwyższych granic zarzucając, że w październiku 1956 polscy nacjonaliści domagali się usunięcia z aparatu władzy obcych: Ruskich, Żydów etc.

W książce–dialogu z księdzem Józefem Tischnerem: *Między Panem a Plebanem* (Kraków 1995, s. 167, 187, 191, 385), Michnik starał się maksymalnie zdemonizować Marzec 1968, jako rzekomo największe nieszczęście polskie po wojnie. Mówił, że: *Marzec utytłał polską świadomość, rok '68 to był horror horrorów, rok 1968 przyniósł wielką rehabilitację polskiej megalomanii narodowej, która owocowała straszliwym spustoszeniem społecznej substancji.* I dodawał: *Dla mnie Marzec to było rżenie demona. Wtedy – pierwszy raz za mojego życia – w Polsce zarżał przerażający demon nacjonalizmu.* Wszystkie te oskarżenia o Marcu 1968 jako „horrorze horrorów" głosił człowiek, którego rodzina żyła na znakomitych „synekurach" w dobie rzeczywiście koszmarnego dla Polaków okresu stalinizmu (brat Stefan Michnik jako morderca sądowy, wydający wyroki śmierci na AK-owców i oficerów WP, matka jako autorka komunistycznych podręczników zalecających jak zwalczać religię, ojciec Ozjasz Szechter – od 1 kwietnia 1946 do 31 grudnia 1950 zatrudniony jako kierownik Wydziału Prasowego serwilistycznej Centralnej Rady Związków Zawodowych, od 1 stycznia 1951 do 11 marca 1953 zastępca redaktora naczelnego stalinowskiego szmatławca związkowego „Głosu Pracy"). Adam Michnik, jeden z czołowych współczesnych „gromicieli" polskiego patriotyzmu, odpowiedzialny za haniebne szkalowanie Powstania Warszawskiego, krytykował w cytowanej książce *Między Panem a Plebanem* (s. 146) Prymasa Tysiąclecia kardynała Stefana Wyszyńskiego za to, że ani razu nie zdobył się na jednoznaczne potępienie antysemityzmu, istniejącego wśród Polaków i na polskiej ziemi, nie potępił przedwojennego getta ławkowego ani pogromów antyżydowskich. Tę krytykę wygłaszał Adam Michnik, człowiek, który nigdy nie zdobył się na potępienie antypolonizmu twórców koncepcji „Judeo-Polonii", działań na szkodę Polski, podejmowanych przez jakże licznych Żydów – działaczy KPP i KPZU, w tym jego ojca Szechtera. I zarazem redaktor naczelny gazety, tak zdominowanej przez autorów żydowskich, w której nigdy nie zdobyto się na uczciwy samorozrachunek z żydowską antypolską kolaboracją z Sowietami na wschodnich kresach Drugiej Rzeczypospolitej w latach 1939–1941.

„Wielki cham" (Jerzy Urban)

Przed laty, w powszechnie dziś zapomnianym tekście w „Szpilkach" z 22 marca 1981 roku, Urban akcentował, że faktycznie nie czuje się Żydem, stwierdzając w typowej dlań stylistyce: *Moje żydowskie pochodzenie zwisa mi między nogami małą nie obrzezaną glistą.* Równocześnie zaznaczał, że traktuje swoją „polskość" jako przynależność do pewnego klubu z mocy urodzenia, paszportu, miejsca zamieszkania czy języka, bez odczuwania jakichś większych zbiorowych narodowych emocji. Tu mocno podkreślał, że: *nieprzylepność do polsko-katolickich tradycji bogojczyźnianych, asymilacja kulturalna raczej od strony Brzozowskiego czy Boya, a nie innych infantylnych wieszczów: Konopnickiej i Sienkiewicza, czynią mnie takim, jakim jestem. Właśnie takim na przykład, że nic mnie nie obejdą listy, które przyjdą: „Toś pan właśnie nie-Polak, bo Polak łamie się opłatkiem i płacze jak grają «Rotę»". Po prostu jestem głuchy na dźwięk tego języka, podobnie jak kanarek na godowe ryki jelenia.* W czasie ponad ćwierćwiecza, jakie upłynęło od tego wyznania, Urban bardzo wyraźnie dowiódł, że rzeczywiście jest głuchy jak spróchniały pień na wszelkie uczucia polskości czy przeżycia religijne, przeciwnie – wręcz marzy tylko o tym, jak je zohydzić i poniżyć. Brukowa pornografia „Nie" szczególnie często uderza w rzeczy drogie Polakom i ludziom wierzącym. Przyznawano to nawet w „Gazecie Wyborczej" z 22 maja 1991, cytując zwroty z „Nie" w stylu: *To Piłsudski natchnął nas cipą,* czy opisując jak to wizerunek Matki Boskiej Częstochowskiej sąsiadował w „Nie" z ilustracją przedstawiającą sztuczne penisy. Kiedy indziej Urban popisał się zwrotem „pieprzona Polska", a prokurator umorzyła śledztwo w tej sprawie, nie widząc w tego typu zwrocie *ustawowych znamion czynu niedozwolonego* (por. H. Pająk: *Urbana „Nie" w wojnie z Kościołem katolickim,* Lublin 1993, s. 59–61).

„Chory z nienawiści" Tomasz Jastrun

Tomasz Jastrun, poeta i felietonista. Syn Mieczysława Jastruna, jednego z poetów najbardziej obciążonych „hańbą domową" w czasach stalinizmu. M. Jastrun był jednym z najbardziej wojowniczych członków redakcji „Kuźnicy", pisma marksistowskich fanatyków, walczących z tradycjami narodowymi i wartościami humanistycznymi. Pomimo zaangażowania wielu Polaków w ratowaniu Jastruna w czasie wojny, gdy ukrywał się „na aryjskich papierach", po 1944 roku należał on do czołowych tropicieli „polskiego antysemityzmu". W opublikowanym 17 czerwca 1945 roku w krakowskim „Odrodzeniu" tekście *Potęga ciemnoty* twierdził, że za wymordowanie ponad trzech milionów Żydów ponosi odpowiedzialność na równi z hitlerowskim okupantem całe bez mała polskie społeczeństwo. W czasie, gdy do ujarzmienia Polski w interesie Sowietów przystępowały całe falangi żydowskich ubeków i politruków z Bermanem, Zambrowskim, Różańskim, Brystygierową i Fejginem na czele, Jastrun piętnował polskie zbrodnicze reakcyjne organizacje, które jakoby wciąż *kontynuują krwawą robotę hitlerowską*, dybiąc na ocalałą z zagłady *grupkę inteligencji pochodzenia żydowskiego*. M. Jastrun był również autorem licznych wierszy, pisanych zgodnie z wymogami stalinowskiej poetyki (np. *Ballady o Puszczy Świętokrzyskiej*), dyskredytujących polskich powstańców, którzy zmienili się jakoby we wrogów własnego narodu, czy wyrafinowanego ataku na papiestwo w wierszu *W bazylice św. Piotra* (por. uwagi B. Urbankowskiego: *Czerwona msza*, Warszawa 1995, s. 326).

Jego syn Tomasz wyróżnia się głównie pełnymi agresywnej hucpy felietonami, atakującymi narodowych i prawicowych „oszołomów". Już w *Złotej klatce. Notatnik amerykański* (Warszawa, czerwiec 1988, wyd. podziemne) dał karykaturalny obraz Polonii amerykańskiej, zarzucając jej ciągłe szukanie Żydów i masonów, skrajny antykomunizm. Pisał, kto nie krzyczy „bić czerwonych" brany jest z miejsca za lewicę (s. 84). „Europejczyk" Jastrun nie sili się nawet na próby ukrywania swego obrzydzenia do wszystkiego, co polskie. W „Res Publice" (1989, nr 8) pisał: *Wynurzywszy się z naszego ojczystego bałaganu, wygodnie czułem się w Szwecji (...). W samolocie siedziała obok mnie ładna dziewczyna (...). Wyemigrowała z Polski kilka lat temu (...). Nie mieliśmy żadnych znajomych, a jednak wydawało się, że znamy się od zawsze. Bo przecież jedliśmy razem piasek w naszej brudnej, ale bardzo osobliwej polskiej piaskownicy* (s. 74).

Ataki na polski „Ciemnogród" przeprowadza Jastrun w stylistyce pełnej wyzwisk i epitetów w stylu: *palanty patriotyczne, palanty martyrologiczne, patriotyczno-narodowe gnioty*. Ulubione oceny Jastruna to zarzuty spiskowej wizji historii, zaściankowości i prowincjonalizmu. Z jakąż lubością cytował Jastrun w „Życiu Warszawy" z 27 stycznia 1995 roku słowa Jerzego Giedroycia: *Polacy – to okropny naród*. Podobnie jak ojca, wyraźnie nęka go obsesyjna wręcz gorączka tropienia domniemanego „polskiego antysemityzmu". W „Res Publice" (z czerwca 1991), na przykład omawiając wyniki ankiet w dwóch liceach, ze szczególnym zapałem eksponował znajdowane w nich możliwie najbardziej absurdalne stwierdzenia i hipotezy. Typu dowodzeń, że wynik wyborów prezydenckich w 1990 roku oraz usunięcie Mazowieckiego są dowodem na to, że Żydzi są ogólnie znienawidzeni. Tekst zamykało Jastrunowe „podsumowanie": *Mamy oto w Polsce antysemityzm bez Żydów. Nasze społeczeństwo zdaje się być ciężko chore, a ksenofobia to tylko jeden z tych objawów (...) prezydenckie wybory przedłużyły „życie" trupowi, który tak uparcie psuje się, a zamknięty w naszym narodowym tapczanie kompromituje nas we własnych i cudzych oczach*. Jastrun jest przy tym typowym przedstawicielem mentalności Kalego. Najmniejszą krytyczną uwagę o Żydach traktuje jako gorszący przejaw dzikiego polskiego antysemityzmu. Kiedy zaś Polacy reagują na antypolskie oszczerstwa, piętnuje to jako wyraz narodowych kompleksów, dziwaczny lament z powodu nadepnięcia na polski narodowy odcisk (tak zareagował, na przykład, na krytykę antypolskich scen w filmie *Lista Schindlera* Spielberga.) W „Rzeczypospolitej" z 11–12 maja 1996 roku Jastrun uskarżał się na to, że jego znajomi, często nawet ludzie bliscy mu w czasach opozycji, teraz sieją „szczękościsk i ksenofobię". Pytanie: kiedy Jastrun, wyraźnie chory z nienawiści, zabierze się wreszcie za leczenie samego siebie?

Atakom na polskość i Polaków towarzyszy u Jastruna gorączkowa pasja wybielania innych, z Krzyżakami na czele, jakoby niegodnie zniesławionymi przez polską historiografię i literaturę. W „Res Publice" z czerwca 1990 roku Jastrun w imieniu redakcji (wraz z W. Zajączkowskim) z zapałem celebrował obronę biednych oczernionych Krzyżaków, którzy stali się ofiarą polskiej „manipulacji historycznej". Z kierowanej przez Jastruna dyskusji można było się „dowiedzieć", że my, Polacy, mamy tę samą mentalność co Niemcy, kontynuowaną przez rozkołysany nacjonalizm, że *Krzyżacy* Sienkiewicza to jego „najgorsza powieść historyczna", a *Wiatr od morza* Żeromskiego to tylko zwykła „szmira". I usłyszeć o obawach, że społeczeństwo polskie jest bardzo podatne na antysemityzm, antysowietyzm i antyniemieckość, i grupy głośno krzyczących ideologów mogą łatwo rozkołysać te nastroje.

W „Rozmaitościach" na łamach „Niedzieli" (1995, nr 42) nazwano Tomasza Jastruna czołowym przywracaczem PRL-u. I nie bez uzasadnienia. Jastrun ze szczególną wrogością reagował na każde przypominanie łajdactw różnych pseudoautorytetów w czasach stalinowskich, tłumacząc: *Czasy takie, że chwile upadku miał każdy. Nikt jednak nie przyznaje się do tych chwil słabości, każdy natomiast jak na komary poluje na słabości innych. I z lubością rozmazuje je na ścianie, pokazując potem ślady krwi* („Rzeczpospolita" z 24 czerwca 1995). W myśl takiej poetyki pisania każdy był winien, a więc nikt nie był winien, i nie ma sensu żadne rozliczanie. Trzeba przyznać, że w tej sprawie jego ojciec, dawny stalinista, był o wiele uczciwszy. Jak przyznał Tomasz Jastrun na łamach „Res Publiki", jego ojciec z obrzydzenia swą działalnością i moralnego kaca za lata 1944–1955 nie otrząsnął się aż do śmierci.

W polemikach z inaczej myślącymi Jastrun nie waha się przed sięganiem nawet po broń najbardziej obrzydliwych oszczerstw. Spowodowało to ostrą reakcję Anatola Arciucha, który napisał wręcz o *połączeniu przez Tomasza Jastruna koncepcji goebbelsowskich na temat polemiki z niewygodnymi poglądami z koncepcjami komunistycznymi* („Gazeta Polska" 8 września 1994). Wyzwiska, wręcz chamskie słownictwo Jastruna, które przyrównywano już do wymachiwania cepem, służą naszemu „europejczykowi" do prób całkowitego równania z ziemią inaczej myślących. Dość typowy pod tym względem był atak Jastruna na książkę Krystyny Czuby *Media i władza*, jedną z najwybitniejszych książek napisanych w duchu obrony wartości chrześcijańskich w ostatnich latach. Jastrun zaatakował Czubę na odlew, oskarżając ją o rzekomy prowincjonalizm i niską klasę myślenia. W „Res Publice" z lutego 1996 roku Jastrun zwierzał się, że ciarki przechodzą go na myśl, *ilu bęcwałów o niezłych biografiach zajmowało wysokie stanowiska tylko dlatego, że ich nazwiska znajdowały się w czyimś notesie*. Zwierzenia skomentował „Tygodnik Solidarność" (1996, nr 13) przypomnieniem, jak to Jastrun dzięki wyjęciu go z notesu minister kultury Izabelli Cywińskiej wylądował na stanowisku dyrektora Instytutu Kultury Polskiej w Sztokholmie. I dodał o roli Jastruna w czasie pobytu na sztokholmskiej synekurze: *Jego osiągnięcia na polu krzewienia kultury polskiej nie są Szwedom znane. Ale żeby od razu bęcwał?*

Zatwardziały stalinowiec (Zygmunt Kałużyński)

Kałużyński „wsławił się" już w czasach stalinowskich swoistą formą „demaskowania" zagranicznych wrogów ludu. Francuskich katolickich pisarzy nurtu egzystencjalnego zaliczył do rzekomych zwolenników faszyzmu. Z Hemingwaya uczynił „agenta USA", a jego słynną książkę *Stary człowiek i morze* określił jako nowelę „anty-racjonalistyczną, antyspołeczną i antyhumanitarną". Krytyk filmowy Andrzej Ochalski pisał, że takim właśnie „życzliwie tolerancyjnym" opiniom jak tekst Kałużyńskiego o Hemingwayu „zawdzięczaliśmy" fakt, że w latach 1948–1956 nie wydano w Polsce ani jednej książki Hemingwaya (por. A. Ochalski: *Błędy i poglądy*, „Ekran" 15 listopada 1981).

Jeszcze 26 marca 1988 Kałużyński wybraniał w „Polityce" jedną z najobrzydliwszych postaci doby stalinizmu, pioniera–kapusia Pawlika Morozowa, który wydał władzom sowieckim własnego ojca. Obrona postaci młodego donosiciela wywołała ostry protest profesora Emanuela M. Rostworowskiego: *O Pawliku Morozowie i Reducie Ordona* („Tygodnik Powszechny" 17 kwietnia 1988).

Już w 1959 roku Kałużyński „zabłysnął" skrajnym lekceważeniem klasyków polskiego dramatu narodowego, pisząc, że *Dziady*, *Kordian* i *Wyzwolenie* są „ubogie intelektualnie" (por. uwagi D. Passenta: *Delegacja do Pruszkowa*, „Polityka" 22 maja 1997). Zawsze hołubiący Kałużyńskiego Daniel Passent, przez parę dziesięcioleci zastępca redaktora naczelnego „Polityki" przyznał, że Kałużyński do faktów i cytatów ma stosunek – powiedzmy – „nieobowiązujący" (tamże). I opisał, jak to w 1959 roku Kałużyński sfałszował przysłany do redakcji tekst listu polemizującego z nim krytyka, przez dopisanie tam różnych własnych wtrętów. Później zaś salwował się ucieczką przed gniewem oburzonego krytyka, chroniąc się w domu dla umysłowo chorych w Pruszkowie. Było to wszystko dowodem, według Passenta, że należy mieć wyrozumiałość dla pewnych szczególnych cech zachowania Kałużyńskiego, który poza tym przecież „pisze świetnie". Problem w tym, że wszystkie szachrajstwa Kałużyńskiego i jego bycie „na wariackich papierach" były wykorzystywane przez dziesięciolecia do pisania najskrajniejszych brecht przeciw Polsce i Polakom. Jakże chore jest państwo, którego prezydent nagradza anty-Polaka jednym z największych polskich orderów! Tworzenie i nagłaśnianie „czarnej legendy" Polaków stało się na trwałe ulubioną manierą Zygmunta Kałużyńskiego. Jeśli ktoś ma jakieś wątpliwości w tym względzie, niech przejrzy uważnie dwie kolejne książki Kałużyńskiego, wydane w latach 1991 i 1993: *Pamiętnik rozbitka* i *Bankiet w domu powieszonego*. Razem ponad 540 stron, na których nawet przy najwytrwalszych poszukiwaniach nie znajdzie się jednego ciepłego słowa o Polakach. Za to mamy tym bogatszy wybór wszelkich możliwych kalumnii: o historii Polski, o dawnych Polakach i o tych dzisiejszych. Przy okazji czytamy krytyki zagranicznych polonofili, którzy zdaniem Kałużyńskiego niepotrzebnie wypisywali ciepłe słowa o Polakach (*vide:* skrajny atak na niemieckiego historyka Haralda Laeuena, który wyraźnie zirytował Kałużyńskiego swym propolskim entuzjazmem). Laeuen wychwalał dawną Rzeczypospolitą Obojga Narodów za jej wolności humanistyczne, przeciwstawiając je despotyzmowi państwa pruskiego, wysławiał też tak unikalny w dawnych dziejach Europy akt dobrowolnego zjednoczenia Polski z Litwą. Pisał o dezercji wielkiej liczby pruskich chłopów pańszczyźnianych do Polski, w której widzieli dużo swobodniejsze życie od ucisku, z jakim stykali się na co dzień w Prusach. Dla Kałużyńskiego takie przeciwstawianie polskiej wolności pruskiemu despotyzmowi i kultowi władzy jest tylko *oceną naszej historii, wyglądającą na obłędną*. Jego zdaniem książka Laeuena stanowi nieprawdopodobne kuriozum: uczony niemiecki gloryfikuje bałagan polski jako wielki ludzki przykład, co należy zakwalifikować jako wyjątkowo oryginalne osiągnięcie współczesnej *science fiction*. (Z. Kałużyński: *Pamiętnik rozbitka*, Warszawa 1991, s. 120–121).

W *Pamiętniku rozbitka* (s. 113) pisał: *Badania opinii młodzieży, wykazują jej obojętność społeczną oraz odmowę poparcia dla państwa (...) Stykając się z młodzieżą i ja odnoszę podobne wrażenie: dominuje tam stan ducha, który określiłbym jako „porozbiorowy": poczucie, że utraciło się bazę narodową* (s. 113). Ostatecznej swej konkluzji na ten temat Kałużyński daje tytuł: *Pożytek z utraty patriotyzmu*, i wychwala sceptycyzm młodzieży.

Według Kałużyńskiego przed 1831 rokiem „wręcz generalną" miała być postawa „absolutnej nieobecności ducha narodowego" w Polsce (tamże, s. 117). Co więcej – znów w ocenie Kałużyńskiego: *Wygląda na to, że nasi przodkowie nie przejęli się tragedią rozbiorów, i tylko tu i ówdzie nieliczni awanturnicy zaczynali rozrabiać* (tamże, s. 118).

„Gołota dziennikarstwa" (Ludwik Stomma)

Ludwik Stomma, felietonista „Polityki", etnograf. Syn znanego działacza katolickiego Stanisława Stommy, od dziesięcioleci związanego z „Tygodnikiem Powszechnym". Ultraczerwony w poglądach, poszedł na maksymalną identyfikację z postkomunistami, posuwając się aż do publikacji w urbanowym „Nie" (por. „Nie" 1993, nr 51–52). Z zapałem wychwala różne postacie postkomunistyczne, z Leszkiem Millerem na czele, i gromi „antykomunistycznych oszołomów". Wyróżnia się przy tym swoistą odmianą chuligaństwa prasowego (*vide:* np. pogróżka L. Stommy pod adresem Janusza Korwina-Mikke, „Polityka"1992, nr 35): *Sądzę, że jako były bokser nie miałbym większych kłopotów w konfrontacji fizycznej z Korwin-Mikke. To MY dalibyśmy mu w mordę, a nie on NAM.* Kiedy indziej stwierdził, że Giertychowi *jako antysemicie, powinno się dać po mordzie* (cyt. za tekstem R. Ziemkiewicza; „Najwyższy Czas" 1992, nr 1). Były bokser w swych tekstach na łamach „Polityki" prawdziwie wyspecjalizował się w ciosach poniżej pasa. Stąd prawdziwie zasłużone byłoby dla niego miano „Gołota dziennikarstwa".

Jesienią 1990 roku L. Stomma zabłysnął gromkim pokrzykiwaniem przeciwko „ferworowi" zmieniania nazw ulic („Polityka"1990, nr 46), oponując między innymi przeciw odejściu od nazwy ku czci znanej młodzieżowej działaczki komunistycznej Hanki Szapiro (Sawickiej).

W tekstach Stommy można nierzadko znaleźć skrajną wręcz odmianę rusofilstwa. Kiedy na przykład w „Polityce" z 21 stycznia 1995 roku skrajnie minimalizował tragedię Czeczenii, podkreślając, że przecież Rosjanie załatwiają sprawę Czeczenii wewnątrz swoich własnych granic. W „Polityce" z listopada 1994 roku Ludwik Stomma oskarżył naród polski o ksenofobiczną, ordynarną antyrosyjskość, tym samym dzielnie wspierając rozhuśtane napaści antypolskie ze strony różnych rosyjskich szowinistów. Jak widać, Ludwik Stomma od lat godnie kroczy śladami ojca – który w styczniu 1963 roku zaatakował Powstanie Styczniowe jako wyraz chronicznego polskiego kompleksu antyrosyjskiego.

Dodajmy, że Stomma niejednokrotnie korzystał z łamów „Polityki" dla zajadłego tropienia objawów mniemanego „polskiego antysemityzmu". „Popisowy" wprost pod tym względem był jego numer z atakiem na Łysiaka („Polityka", 18 marca 1995). Oskarżeniom o antysemityzm towarzyszyła typowa dla Stommy stylistyka wyzwisk – nazwanie Łysiaka przypadkiem patologicznym, klinicznym przykładem... samousprawiedliwienia przez agresję, ćwierćtalencikiem etc.

Nie douczony mentor (Tadeusz Konwicki)

W latach pięćdziesiątych Konwicki raz na zawsze wybrał drogę podeptania patriotyzmu swej młodości. W książkach posunął się do skrajnego zaprzaństwa wobec własnego narodu, wobec sprawy, którą wyznawał w czasie wojny, bezwstydnie hańbił wileńskie AK-owskie ofiary stalinizmu i wysławiał arcykata Polski – Stalina. Raz wszedłwszy na taką drogę, przez całe późniejsze życie dorabiał do niej ideologię. Raz zhańbiwszy się podeptaniem patriotyzmu, musiał odtąd stale uzasadniać, że jest on rzekomo sprawą fałszywą i anachroniczną, a przy tym nienawistną. W latach osiemdziesiątych z furią napadał na „paskudną, wstrętną, patriotyczną literaturę", stwierdzając: *To już lepiej, żebym pisał utwory probolszewickie!* (por. Pół wieku czyśćca. Wywiad–rzeka S. Nowickiego z T. Konwickim, Warszawa, „Przedświt" 1985, wyd. podziemne, s. 45). W książce *Nowy Świat i okolice* (Warszawa 1986, s. 31) zaatakował „rodaków–troglodytów" i „polskich kołtunów", głosząc: *Od dwóch stuleci cała lepsza albo prawdziwsza literatura polska powstała z dala od Polski. Od Mickiewicza do Gombrowicza. Rodziła się tam, gdzie nie było polskiego kołtuna, rodzimego idioty, natrętnego dewota narodowego. Że tylko tam polski pisarz mógł władać swobodnie piórem, mówić śmiało i bez ogródek, co myśli o własnym społeczeństwie i o sobie, włączać się bez kompleksów w nurt ogólny myśli światowej, gdzie nie podlegał zbiorowemu szantażowi obolałej a niemądrej, tragicznej a ciemnej, żałosnej a pełnej pychy ojczystej społeczności.* Wszystko to pisał domorosły antynarodowy niedouk, odrzucając za jednym zamachem jako nieprawdziwą i gorszą twórczość Prusa, Sienkiewicza, Żeromskiego, Reymonta, Wyspiańskiego czy Witkacego. Od czasu powstałych pod koniec lat siedemdziesiątych książek *Kompleks polski* i *Mała apokalipsa* Konwicki zaczyna być fetowany jako pisarz opozycyjny, i dziwnie zapomina się o jego całym długotrwałym, żałosnym flircie z komuną. A on robi, co może, w rozlicznych wywiadach, by w kręgach „elitki" odcinać kupony od swojej koniunkturalnej opozycyjności. Zawsze miał bowiem skłonność do maksymalnego pójścia za tym, co jest aktualne. W *Rzece podziemnej* wyznawał: *Matko święta, całe moje życie było poli-*

tyczne. Kochałem politycznie, dłubałem w nosie politycznie. Matko święta, jak ja rzygnę raptem polityką. Po 1989, dzięki swoim politycznym przyjaciołom–„europejczykom" w stylu Michnika, Konwicki nagle urasta do rangi wielkiego, rzekomo niekwestionowanego autorytetu; panegirycznie wysławia się też jego „wielkość literacką". Do niewielu czytelników w Polsce dotarły dużo trzeźwiejsze oceny z ankiety paryskiej „Kultury" (1992, nr 7–8), w której Konwicki znalazł się wśród pisarzy najczęściej ocenianych jako przecenionych, przedstawiany jako pozer, pozbawiony głębszych myśli. Tym chętniej za to dalej windują go różni „europejczycy". Tak często bowiem plecie rzeczy, które lubią słuchać. W wywiadzie dla „Wprost" z werwą perorował: *mam nadzieję – większy wiatr i europejski przeciąg wydmucha ten nasz europejski zaduch.* W tym wywiadzie snuł pełne antypolskich banialuk rozważania „historiozoficzne": *Polacy mają zakodowany w sobie instynkt samobójczy (...) Ja całe pięćdziesiąt lat czekałem na to, aby Polacy się zmienili, miałem nadzieję, że w końcu nabiorą sympatycznych czeskich cech, ale na darmo* (por. *Instynkt samobójczy.* Rozmowa z Tadeuszem Konwickim, „Wprost", 3 stycznia 1993). Człowiek, który tak haniebnie wysługiwał się stalinizmowi, był autorem książek pisanych w tonacji „gadzinówek", śmie jeszcze pouczać swój naród i mówić, jak on bardzo czekał na to, by jego naród się zmienił. Najbardziej groteskowo zaś brzmią pojękiwania Konwickiego nad tym, że nie nabraliśmy w końcu „sympatycznych czeskich cech" (czytaj: skrajnego oportunizmu i przystosowania się do władzy) w sytuacji, gdy czołowi Czesi odrzucają właśnie te cechy jako skrajnie antypatyczne. Nie kto inny jak obecny prezydent Vaclav Havel, niejednokrotnie gorzko piętnował w przeszłości „bardzo niebezpieczną linię czeskiej polityki", ucieleśnioną w koncepcji „realizmu wulgarnego", mówiąc: *Mam na myśli realizm charakteryzujący się założeniem „lepszy wróbel w garści niż gołąb na dachu" (...) Mówię o „realizmie" czeskich posłów w sejmie austriackim z ich przetargami i przerażającymi ustępstwami, o „realizmie" Benesza w czasach Monachium, o „realizmie" Hachy i jego koncepcji Czech jako oazy spokoju we wzburzonej Europie, o „realizmie" niewolniczej orientacji stalinowskiej Benesza i Gottwalda po wojnie, o „realizmie" konsolidacji Husaka* (por. rozmowę z Havlem w: J. Lederer: *Czeskie rozmowy*, Warszawa, „Przedświt" 1987, wyd. podziemne, s. 27).

Wypowiadając się w ankiecie „Wprost" z 28 kwietnia 1992 Konwicki wyznał: *Nie jestem patriotą, ale nie chcę się do tego przyznać.* Tym donośniej akcentował za to skrajny apologetyczny kult Europy, jako przeciwstawienia dla polskiego „zaścianka" i polskiego „barbarzyństwa". W wypowiedzi na łamach „Gazety Wyborczej" stwierdził: *Tę „Europę" tak powtarzam i to wygląda na jakiś banał kosmopolityczny. Ale nie, to jest dosyć ważna rzecz, dlatego, że powiedzmy sobie otwarcie – jest to alternatywa wobec barbarzyństwa i dzikości* (cyt. za „Wprost" z 8 sierpnia 1993).

Tropiciel polskiego „antysemityzmu" (R.M. Groński)

Wśród zwerbowanych w latach osiemdziesiątych do „Polityki" „nowych janczarów" – obrońców „jaruzelszczyzny", szczególne miejsce zajmuje Ryszard Marek Groński. Ten nie najwyższych lotów kabareciarz, między innymi tekściarz do tandetnej „Syreny", stał się ucieleśnieniem skrajnej hucpy ocen, rozdawania cenzurek z wszelkich dziedzin życia. Groński na wszystkim „zna się lepiej" od fachowców, z niebywałą arogancją pouczając o rzekomo jedynie słusznych prawdach. Szczególnie groteskowe i kompromitujące zarazem są banialuki, wypisywane przez tego domorosłego historyka na temat historii Polski. Na przykład w „Polityce", z 1993 (nr 22) Groński wystąpił – wbrew zawodowym historykom – z pełną tupetu obroną partyjnych prominentów z Biura Politycznego KC PZPR, na których polecenie zniszczono bezcenne dla historyków stenogramy dyskusji na forum najwyższego komunistycznego gremium partyjnego. W „Polityce" z 15 lipca 1995 Groński „popisał się" niezwykle ordynarnym potraktowaniem najwybitniejszego zagranicznego badacza historii Polski, prof. Normana Daviesa, autora słynnego *Bożego Igrzyska*. Nie zgadzając się z jego uwagami o historii pomnika Bohaterów Getta i pomnika Powstania Warszawskiego, Groński stwierdził: *Może to lepiej, że p. Davies, zgodnie z wahnięciem koniunktury – przestanie zajmować się Polską i zacznie pisać o Białorusi, Rosji i Ukrainie.* Rzeczywiście godne organu partyjnych „Europejczyków", odstręczające „warknięcie" na znakomitego zachodniego historyka!

Groński łączy zapiekłą niechęć do polskich tradycji narodowych ze skrajnie bezkrytycznym filosemityzmem, który zdaje się być jego główną busolą. I ze swym specyficznym hobby – tropieniem wszelkich domniemanych przejawów polskiej antyżydowskości. Na przykład w wydanej w 1991 roku w Łodzi *Puszce Pandory* w rozdziale „Kartki z dziejów antysemityzmu" (s. 73) oskarża o antysemityzm nawet dawną inscenizację *Lalki* Prusa, dokonaną przez Adama Hanuszkiewicza. Równocześnie „dziwi się” (s. 69), że w Polsce ludzie oburzają się na Leona Urisa (najskrajniejszego żydowskiego pisarza polakożercę).

Inni „gromiciele”

Jan Błoński, krytyk literacki. „Wsławił się” tekstem na łamach „Tygodnika Powszechnego” w 1987 roku, w skrajny, zdeformowany sposób atakującym Polaków, rzekome moralne zdziczenie społeczności polskiej podczas wojny. Według Błońskiego Polacy byli bliscy ludobójstwa i tylko Bóg naszą rękę zatrzymał. Szkalujący Polaków tekst Błońskiego został błyskawicznie przełożony na angielski i inne języki. Ze szczególną satysfakcją powitały go najbardziej polakożercze środowiska żydowskie, uznając za nadeszłe w końcu przyznanie się Polaków do zbrodni przeciwko „narodowi wybranemu”. W ten sposób tekst Błońskiego odegrał prawdziwie ohydną rolę „donosu na Polaków”, zgodnie z tym, przed czym przestrzegał Władysław Siła-Nowicki w tekście poddanym zmasowanemu atakowi na łamach „Tygodnika Powszechnego”. Wydana w 1994 książka Błońskiego *Biedni Polacy patrzą na getto* stanowiła rozwinięcie tez wspomnianego artykułu. Roiło się w niej od oczywistych nieprawd, jak choćby w rozdziale o Żydach u Prusa czy Żeromskiego, prezentowanym przez Błońskiego na konferencji w Jerozolimie. Błoński nie stara się ani przez moment przedstawić prawdziwych źródeł ewolucji, którą przeszedł Prus od wieloletniej sympatii do Żydów po ostrą niechęć wobec dużej ich części. Tłumaczy ją tak: *W gruncie rzeczy Prus podziwia i zazdrości Żydom, co od początkowej sympatii prowadzi go do rosnącej niechęci.* A więc wszystko tylko z podziwu i zazdrości wobec Żydów (!). Ani słowa o rosnącym oburzeniu Prusa na antypolskie działania Żydów–litwaków w zaborze rosyjskim, na polakożercze działania Żydów w zaborze pruskim.

Jacek Kuroń. Jako zaangażowany, wręcz fanatyczny komunista, lider „czerwonego harcerstwa”, tzw. walterowców, bez reszty angażował się w rozgrywkę frakcji partyjnych: „chamów” z „Żydami” po stronie frakcji żydowskiej („puławian”). We wspomnieniowej książce *Wiara i wina* (Warszawa 1989, s. 15–25), atakując rzekomy polski antysemityzm, tendencyjnie eksponował wyłącznie racje żydowskie. Szczególnie skandaliczne były jego uogólnienia o tym, jak to Polacy wzbogacili się w czasie wojny na Żydach: *Trzy miliony wymordowanych polskich Żydów to przecież trzy miliony mieszkań, które w większości zajęli Polacy, a do tego dodać trzeba inne mienie: złoto, meble, warsztaty, futra czy choćby stare palta, buty, ubranie itp. Niemcy brali tylko to, co lepsze, a i tak nie do wszystkiego umieli dotrzeć. Nie ulega wątpliwości, że eksterminacja Żydów połączona była z awansem społecznym polskiej biedoty* (tamże, s. 20).

Domorosły statystyk Kuroń zapomina, że trzy miliony osób to wcale nie trzy miliony mieszkań, że oprócz polskiej biedoty była również żydowska biedota, i to bardzo liczna (jedna trzecia polskich Żydów, grubo ponad milion osób, utrzymywała się wyłącznie z pomocy żydowskiego Jointu ze Stanów Zjednoczonych). Bardzo wielu Żydów gnieździło się całymi rodzinami w potwornych klitkach. Miliony Polaków utraciły całe mienie i mieszkania (w Warszawie i gdzie indziej) na skutek zniszczeń miast, rabunku przez okupantów etc. To dla polskich czytelników jest na ogół wiadome, ale książkę Kuronia tłumaczono na francuski i niemiecki. Można sobie wyobrazić skutki takiego deformowania obrazu Polaków w książce serwowanej niemieckim czytelnikom (por. J. Kuroń: *Glaube und Schuld*, Berlin und Weimar 1991, s. 35).

7 listopada 1985 Kuroń wystąpił na łamach „Tygodnika Mazowsze" z panegiryczną pochwałą „wspaniałego" *Shoah* i atakiem na jego krytyków. Kuroń bez żenady wychwalał antychrześcijański i antypolski film Lanzmanna, nie widząc w nim jakoby nic obraźliwego dla Polaków (choć sam Lanzmann wyznał w wywiadzie dla „Liberation", że jego film uderza w Polskę). Dodajmy, że w przeciwieństwie do Kuronia Shoah krytykowali nawet niektórzy uczciwi intelektualiści żydowscy, jak choćby prof. Israel Shahak.

W 1989 roku Kuroń udzielił na łamach „Gazety Wyborczej" z 18 lipca absolutnego poparcia antypolskiemu awanturnikowi rabinowi Weissowi, stwierdzając: *Czuję się głęboko zawstydzony jako Polak tym, co was spotkało*, i mówiąc, że *Oświęcim jest ziemią żydowską*. Stwierdzenie Kuronia zostało uznane za wyraz dziwnej mentalności przez Radę Duszpasterstwa Byłych Więźniów Obozów Koncentracyjnych i Więzień, która przypomniała, że my, Polacy, nie nazywamy ziemi katyńskiej ziemią polską.

Ze skrajnym filosemityzmem u Kuronia szedł w parze absolutny brak słuchu na wszystko, co dotyczy losów polskich. Gdy 8 września 1990 roku jeden z posłów wystąpił przeciw dyskryminowaniu Polaków mieszkających na Litwie przez rząd litewski i domagał się od rządu polskiego wystąpienia w obronie praw obywatelskich mniejszości polskiej, spotkał się z natychmiastową gwałtowną ripostą Kuronia. Jego zdaniem wszelkie mówienie, ba, nawet napomykanie o tym, że Polacy są dyskryminowani przez Litwinów, szkodzi przede wszystkim mieszkającym tam Polakom. Najlepiej zaś pomożemy Polakom mieszkającym na Litwie, Ukrainie, Kazachstanie czy w Niemczech, jeśli Polacy żyjący tu w Polsce nie będą dyskryminowali mniejszości narodowych (wg „Westerplatte" 1993, nr 1, s. 16). Będąc na Ukrainie Kuroń popisał się dość szczególnym oświadczeniem: *Ja, Polak ze Lwowa, dumny jestem z tego, że Lwów jest ukraińskim miastem* (por. ukraiński „Wysokoj Zamok" z 5 lipca 1992).

Kuroń dopuścił się bezprecedensowego szkalowania legendarnego partyzanta antykomunistycznego J. Kurasia („Ognia"), zarzucając mu, że jakoby kazał rozstrzelać w 1945 roku grupę chorych na gruźlicę żydowskich dzieci. Tak niesamowity oszczerczy zarzut Kuronia wywołał protest nawet na łamach osławionego pisma „europejczyków" – „Po Prostu" (1990, nr 23). Danuta Szczepańska pisała w artykule *Kim jest „Ogień"*: *Zarzut wydaje mi się nieprawdopodobny, wymaga weryfikacji (...). Nie jestem skłonna sądzić, że człowiek, któremu zastrzelono dziecko, mógłby powtórzyć taką zbrodnię, zwiększając jej rozmiar. Szczególnie, że nie było mu obce uczucie chrześcijańskiego miłosierdzia.* Chętnie szkalował w swoich tekstach pamięć antykomunistycznego podziemia. W *PRL dla początkujących* (s. 13 i 18–19) aż w dwóch miejscach rozwodził się nad rzekomym bandytyzmem AK-owskim. Pisał: *Ruszył proces wyradzania się partyzantki w bandytyzm. Od chwili rozwiązania AK coraz trudniej było rozróżnić bandę rabunkową od grupy niepodległościowej* (s. 13). A na stronie 19: *Najpierw zabijali działaczy PPR. Z czasem cała ich działalność ograniczyła się do rabowania* (por. szerzej uwagi o Kuroniu J.R. Nowak: *Jacek Kuroń. Trzeźwy inaczej*, „Nasza Polska", 14 marca 1996).

Wiesław Kot, autor licznych oszczerczych antypolskich i antyreligijnych tekstów na łamach postkomunistycznego „Wprost", przedstawiających Polaków jako grabieżców mienia żydowskiego, antysemitów i ciemniaków. Kot nie oszczędził też wielkiego polskiego męczennika Ojca Kolbe. Są teksty Wiesława Kota, które wprost proszą się o jak najszybszą interwencję prokuratora, z uwagi na ohydne oszczerstwa, godzące w dobre imię narodu polskiego. Na przykład tekst o *Liście Schindlera* Stevena Spielberga („Wprost" z 6 lutego 1994), stwierdzający iż: *Schindler jest ślepy na teorie rasistowskie, po prostu kocha życie i w zabijaniu swych żydowskich współpracowników dostrzega unicestwianie części Europy – czyli to, co my w Polsce dostrzegliśmy kilka dziesięcioleci później.* Pisze to Kot jakby nie było kilkuset tysięcy Polaków bezpośrednio zaangażowanych w ratowanie Żydów, jakby nie było tysięcy Polaków i Polek straconych z tego powodu, jakby nie było największej liczby drzewek „Sprawiedliwy wśród Narodów Świata", zasadzonych ku czci 4,5 tysiąca Polaków przed Yad Vashem w Jerozolimie!!!

Marcin Król, redaktor naczelny miesięcznika „Res Publica Nova", dofinansowywanego przez Ministerstwo Kultury. Zarówno on, jak i redagowany przez niego miesięcznik hołdują poglądom skrajnie filosemickim. 9 lutego 1996 roku Król wystąpił na łamach „Tygodnika Powszechnego" (w artykule *Ojczyzna*) ze stwierdzeniem: *Jakąkolwiek, choćby najbardziej zniuansowaną formę antysemityzmu lub wszelkiej maści ksenofobii uważam za po prostu skandal, który powinien kończyć się w sądzie, a nie być przedmiotem podnoszącej nieuchronnie rangę problemu debaty politycznej.*

Król, tropiciel „polskiego antysemityzmu", przy każdej okazji uderza w polskie tradycje narodowe. W „Życiu Warszawy" z 11 marca 1994 roku pisał: *tradycja narodowa to rezerwuar mitów, co więcej, polskie mity narodowe są to w większości mity martwe. Któż z nas przejmuje się choćby przez moment Kościuszką pod Racławicami.* Król wsławił się również skandalicznym porównaniem *Myśli nowoczesnego Polaka* Romana Dmowskiego z *Mein Kampf* Hitlera. W 1995 roku popisał się kolejnym skandalicznym tekstem na łamach „Res Publiki" (nr 22, s. 6): *Istotne jest jednak nie zagrożenie nacjonalizmem, ale zagrożenie, jakie niesie ze sobą tak zwany Polak-katolik, czyli cichy nacjonalizm. Ci, którzy nawołują do tego, by wyrżnąć Żydów, to jest i zawsze będzie w Polsce margines. Ale na przykład Wałęsa może połączyć się z Glempem i Pawlakiem i te trzy chłopy będą rządzić nami przez najbliższe 25 lat. Spokojnie i niedemokratycznie, a raczej paternalistycznie.*

Rozdział V

Pomniejszanie i obrzydzanie narodowej historii

Są Francuzi lepsi i gorsi;
lepsi to ci, którzy wiedzą, kim była Joanna d'Arc

Charles de Gaulle

Jakże płonne okazały się nadzieje, że po 1989 roku dojdzie do prawdziwego odrodzenia myślenia o narodowej historii. Że w Polsce „wybijającej się na suwerenność" przezwycięży się wreszcie dziesięciolecia tabu i zakazów w pisaniu o przeszłości. Stało się dokładnie odwrotnie. Narodową historię zepchnięto na zupełny margines, poddając na dodatek kolejnym atakom szyderstw i negacji. Historia okazała się niepotrzebna i niewygodna dla rządzących elit. Przede wszystkim dlatego, że pokazywałaby ich małość i niedojrzałość, zupełne nieprzygotowanie do zadań, jakie stanęły przed nimi, jeśli chciały budować rzeczywiście suwerenną Polskę. Konfrontacja z historią pokazywałaby również, jak nisko upadły elity lat dziewięćdziesiątych w porównaniu z dawniejszymi elitami, choćby tymi, które tworzyły Polskę Niepodległą 1918–1939. Do tego dochodzi strach postkomunistycznej części elit przed historią i pamięcią. Po co mają przypominać o ich zbrodniczym rodowodzie i nie rozliczonych świństwach? Postkomunistów wprost rozjuszało przypominanie słów Norwida: *Historia to dziś – tylko cokolwiek dalej.* Dla nich Historia stanowi coś przeraźliwie męczącego i niewygodnego. Najchętniej zamknęliby Historię raz na zawsze w jakimś wielkim grobowcu na cztery spusty i obstawili kohortami policjantów.

Prawdziwie szokująca jest skala nihilistycznej negacji wielkiej części dzisiejszych elit wobec polskiego dziedzictwa historycznego. W czasach rządów komunistycznych odrzucano dużą część tego dziedzictwa z tzw. względów klasowych, antyreligijnych, czy z obawy o urażanie ogromnie drażliwego rosyjskiego Wielkiego Brata. Dziś, co radykalniejsi polskojęzyczni „Europejczycy" najchętniej odrzuciliby do lamusa całą polską historię. Jako niepotrzebny „balast" na drodze do zlania się z Europą za wszelką cenę, bez liczenia się z jakimiś tradycjami. I stąd liczne, coraz liczniejsze teksty dowodzące swą wymową, że cała polska historia nie jest warta funta kłaków, że nie ma żadnego sensu identyfikowanie się z takim narodem wciąż przegrywających „nieudaczników" i „beztalenci". Aby dowieść tych tez, odpowiednio fryzuje się fakty i przemilcza sprawy najchlubniejsze, ośmiesza bohaterów. Wszystko inne zaś ustawia się w swoistym porządku „dziejów bez dziejów", od fiaska do fiaska. A oto kilka wyrazistych przykładów tego typu nihilistycznej „historiozofii", od Stommy po Kałużyńskiego, i od Holzera po Karskiego.

Zafałszowywanie i przyczernianie dziejów Polski

Swoistą metodę zafałszowania historii Polski stosował z upodobaniem felietonista „Polityki" Ludwik Stomma. W felietonach, wydanych później w formie książkowej pt. *Królów polskich przypadki* (Warszawa 1993), Stomma zabrał się do szczególnego typu „odbrązowiania". Polegało ono na apoteozowaniu największych niedołęgów i głupców lub szkodników z historii Polski typu Władysława Hermana, Michała Korybuta Wiśniowieckiego czy Augusta II Sasa i równoczesnego starannego mieszania z błotem największych władców polskich – Bolesława Chrobrego, Krzywoustego, Łokietka, Kazimierza Jagielończyka czy Batorego. Jak to trafnie podsumował Bronisław Wildstein w „Rzeczypospolitej" z 6–7 listopada 1993 roku: *Metoda Stommy jest prosta. Jeśli monarcha jakiś jest w historii powszechnie uznany za gnuśnego, nieudolnego czy wręcz zbrodniczego, Stomma prezentuje go jako wzór cnót; i na odwrót: jeżeli wydarzenie jakieś uznane zostaje za brzemienne w złowrogie konsekwencje, Stomma robi wszystko, aby ukazać, że było dokładnie przeciwnie.* I dokonuje tego absolutnie nie licząc się z udokumentowanymi faktami historycznymi, dowolnie je fałszując i przeinaczając. Wildstein uznał taką metodę pisania za jaskrawy przejaw „nihilizmu historycznego, buszowania w historii", byle tylko dowieść z góry wymyślonych tez. Takich na przykład jak w opowieści o Władysławie Hermanie („Polityka", 1993, nr 42), dowodzącej, że trucicielscy włoscy Borgiowie różnili się od polskich Piastów tylko brakiem hipokryzji.

Przy tym wszystkim Stomma ciągle starannie zabiega o utrwalenie swego ulubionego schematu: źli Polacy i dobrzy cudzoziemcy, biedni prześladowani Żydzi i dobrzy Niemcy. Źli Polacy, powszechnie uważani za symbol patriotyzmu, i „dobrzy" ci, którzy powszechnie uważani byli za zdrajców interesów polskich. Na przykład „zły arcybiskup gnieźnieński" Świnka i „dobry" zniemczony biskup – buntownik przeciw Łokietkowi – Muskata. „Zły" – „półpanek kujawski" – Łokietek, który niepotrzebnie przeciwstawia się „wielkim" wizjom Wacława II. „Płatny propagandysta" (Gall Anonim) i przedstawiony przez Stommę (s. 124) jako największy karierowicz i dorobkiewicz w całej historii Polski Jan Zamoyski. Maksymalnie wybielony August II Sas, tak konsekwentnie knujący na szkodę Polski, wyrasta u Stommy do roli „przegranego tytana" jako utalentowany, „najbardziej wykształcony i najsubtelniej inteligentny, chcący dobrze". I „przeszkadzający" mu w jego tak dobrych chęciach polski naród – *Naród bezrządny i zakleszczony w prymitywnych waśniach, pogardzający jednak wszystkim i wszystkimi dookoła* (tamże, s. 156).

Typowe dla metody pisania L. Stommy, skądinąd gorliwego tropiciela „polskiego antysemityzmu", było przedstawienie wydarzeń z czasów buntu niemieckich mieszczan w Krakowie za Łokietka. Stomma, fałszując historię, przedstawił tłumienie tego buntu niemieckich mieszczan jako okrutny pogrom Żydów. Zmuszanie przez Polaków mieszczan do wypowiadania słów: soczewica, koło, miele młyn (których niepoprawne wymówienie demaskowało Niemców) było według Stommy świadomym morderczym testem polskich czternastowiecznych rasistów dla Żydów. Niemieccy mieszczanie bowiem byli, według Stommy (s. 57), już dobrze zasymilowani, i potrafili bez trudu przejść przez niebezpieczną próbę. A ofiarą polskiej „krwiożerczości" padali jak zwykle biedni Żydzi (!).

Historia w rękach „Europejczyka"-selekcjonera

Dywagacje Ludwika Stommy, etnografa i byłego boksera, na temat historii Polski można potraktować po prostu jako nieodpowiedzialne bredzenia na temat dziejów ze strony niefachowca – felietonisty, pełnego różnorakich fobii i uprzedzeń. Co powiedzieć jednak o skrajnie uproszczonej wizji polskich historii, którą zaprezentował zawodowy historyk Jerzy Holzer, od ponad czterech dziesięcioleci zajmujący się badaniami naszych dziejów?! Spod jego pióra wyszła jedna z najskrajniejszych – w całym okresie po 1989 roku – prób pomniejszenia polskich dziejów. Publikowany w „Gazecie Wyborczej" z 31 stycznia 1997 roku tekst profesora Holzera nosił wymowny tytuł: *Panteon Polski z mnóstwem nieprawdziwych Polaków* i szokował skrajną stronniczością kryteriów, które miały posłużyć za wybranie wybitnych postaci z całego tysiąclecia do polskiego Panteonu. Holzer od razu zaznaczył: *Z dezynwolturą historyka dziejów najnowszych odrzucam niemal całe średniowiecze.* Łaskawie zgodził się na przyznanie ewentualnego miejsca światłemu przybyszowi zza granicy Gallowi Anonimowi (każąc potem czekać ponad 200 lat na dopuszczenie do Panteonu (tym dopuszczonym szczęściarzem był Kazimierz Wielki). Zabrakło miejsca w Panteonie dla Mieszka I czy Bolesława Chrobrego. Holzer jest bezwzględnym selekcjonerem. Wstawia do Panteonu cudzoziemców lub osoby, których polskość można podważać czy pomniejszyć. Przy Gallu Anonimie nie zapomina podkreślić mniejsza o to, że nie-Polak, potem wylicza wielkiego Wita Stwosza przypominając, że był Niemcem, przy Koperniku dodaje, że w życiu prywatnym wolał od polskiego język niemiecki lub nawet łacinę. Przy Chopinie pisze, że to był pół-Polak pół-Francuz etc. Z całego XVIII wieku wymienia tylko Kościuszkę (ani słowa o Konarskim czy Staszicu). Z całą dezynwolturą stwierdza, przechodząc do okresu po powstaniu kościuszkowskim: w następnych dziesięcioleciach nie dostrzegam ani wojskowych, ani polityków, których zasługi kwalifikowałyby aż do wyżyn polskiego Panteonu. I tak namiętny selekcjoner–skreślacz odrzuca z kolei generała Jana Henryka Dąbrowskiego i księcia Józefa Poniatowskiego, najsłynniejszego polskiego dyplomatę księcia Adama Czartoryskiego i bohatera węgierskiej Wiosny Ludów – generała Bema. Z pisarzy przełomu XIX i XX wieku godnym holzerowskiego Panteonu okazał się tylko Bolesław Prus. Zabrakło miejsca dla Sienkiewicza, Żeromskiego, Reymonta czy zbyt narodowego, jak widać, dla Holzera twórcy największych polskich dramatów – Wyspiańskiego. Z XX wieku z pewnym trudem wprowadza do Panteonu Józefa Piłsudskiego, ale nie znajdujemy już ani słowa nie tylko o R. Dmowskim, ale także i o I. Paderewskim, W. Grabskim, E. Kwiatkowskim i innych.

Najgorsze to, że właśnie tacy historycy-selekcjonerzy jak Holzer mają największy wpływ na to, co wypisuje się w najbardziej wpływowych mediach o dziejach Polski, i co trafia do szkolnych podręczników. Z odpowiednimi skutkami dla poziomu edukacji młodzieży tak „wychowywanej".

Depolonizacja wielkich Polaków

Skrajne przyczernianie narodowej historii i pomniejszanie wielkich Polaków to trwałe składniki publicystyki starego „odbrązowiacza" polskich dziejów, redaktora „Polityki" Zygmunta Kałużyńskiego. Wychowany w starej szkole stalinizmu, jeszcze w latach osiemdziesiątych „wyróżnił się" namiętną obroną postaci sławetnego bolszewickiego pioniera, donosiciela na własnego ojca – Pawlika Morozowa. Nostalgia za bolszewickimi katami kazała Kałużyńskiemu jeszcze w 1991 roku ubolewać w książce *Pamiętnik rozbitka* z powodu usunięcia pomnika Feliksa Dzierżyńskiego. Według Kałużyńskiego Dzierżyński był bowiem *jednym z nielicznych Polaków, może nadal jedynym, który miał czołowy udział w decydującym wydarzeniu z historii światowej.* I dodawał: *Bo czymże mamy się pochwalić? W kulturze jest kilka figur, ale prawie każda była kwestionowana. Kopernik działający w Toruniu (Thorn) w wieku XV przedstawiany był wielokrotnie jako Niemiec, między innymi przez uczonego tak wybitnego jak Max Weber. Chopin – z ojca cudzoziemca – też był dyskutowany: ostatnie słowa na łożu śmierci powiedział po francusku. (...) Maria Curie, jak wynika z pamiętników jej uczniów ogłoszonych w 1946 r. bynajmniej nie przywiązywała wagi do swojego polskiego pochodzenia* (Z. Kałużyński: *Pamiętnik rozbitka*, Warszawa 1991, s. 132). I tak lekko spod pióra Kałużyńskiego płynęła bzdura za bzdurą. Max Weber, wybitny socjolog niemiecki, był równocześnie rzecznikiem poglądów skrajnie nacjonalistycznych, popierając między innymi usuwanie chłopów polskich z ziemi w Poznańskiem. Dodajmy, że Max Weber wsławił się w swoim czasie stwierdzeniem: *Tylko my Niemcy moglibyśmy zrobić z tych Polaków istoty ludzkie* (cyt. za tekstem P. Lisickiego w „Rzeczypospolitej" z 11 września 1993). Świadectwo tego XIX-wiecznego niemieckiego szowinisty o „niemieckości" Kopernika nie ma nic wspólnego ani z obiektywizmem, ani z dowodami historycznymi. Przypomnijmy, że „Niemiec" – Kopernik kierował w 1521 roku obroną zamku w Olsztynie przed Krzyżakami. „Francuz" Chopin pisał w listopadzie 1831 roku na wieść o upadku Warszawy: *Niech najstraszniejsze męki dotkną Francuzów, którzy nam nie pomogli!* I jeszcze w 1848 roku, na rok przed śmiercią, wyrażał niewzruszoną nadzieję, że znowu odrodzi się: *Polska świetna, duża, słowem: Polska.* Maria Skłodowska-Curie, która rzekomo nie przywiązywała wagi do swego polskiego pochodzenia, dziwnym trafem nazwała wynaleziony przez siebie pierwiastek polonem, a nie na przykład frankonem. Wszystko to jednak nie przeszkadza Kałużyńskiemu w bezkarnym robieniu wody z mózgu swoim czytelnikom.

Brechty Kałużyńskiego znalazły niespodziewane „twórcze" rozwinięcie w artykule profesor Krystyny Kersten, znanej tropicielki „polskiego antysemityzmu" i wybielaczki PRL-u. Pisząc w magazynie „Gazety Wyborczej" na temat postaci proponowanych do polskiego Panteonu, pominęła Marię Skłodowską-Curie. Tak tłumaczyła swoje pominięcie: *na liście nie znalazła się Maria Skłodowska-Curie, choć rozumiem, że może to budzić zdziwienie. Wielka uczona, o światowej sławie, uhonorowana przez Francuzów miejscem w Panteonie, no właśnie. Jej naukowa twórczość należy do dorobku nauki francuskiej, nie zaś polskiej* (K. Kersten: *Panteon europejski i narodowy*, „Magazyn Gazety Wyborczej", 25 kwietnia 1997). Prof. Kerstenowa udaje, że nie zna podstawowych informacji o Marii Skłodowskiej-Curie, w tym jej własnych jednoznacznych akcentowań swych ciągłych związków z polskością. I to zarówno tego, że odkryty przez siebie pierwiastek nazwała polonem, jak i przyczynienia się przez nią w wielkim stopniu do rozwoju badań nad promieniowaniem w Polsce, rozpoczęcia z jej inicjatywy budowy Instytutu Radowego w Warszawie, etc.

U licznych autorów zauważa się tego typu skłonność do podważania polskości wielu słynnych Polaków, wprowadzania nonsensownych podziałów na „prawdziwych" i „nieprawdziwych" Polaków, zamiast zajmowania się przede wszystkim tym, co było u nich najważniejsze – gorącą pasją życia, z jaką tworzyli i działali w Polsce, lub dla Polski poza jej granicami. Przeglądając sterty artykułów zauważyłem pewien szczególny sposób działania, który coraz mniej wydaje mi się przypadkowy. Otóż w różnych tekstach z głupia frant, od niechcenia, ale bardzo konsekwentnie powtarza się bez żadnego uzasadnienia podstaw użycia różne zbitki pojęciowe typu „pół-Niemiec" Kopernik, „pół-Francuz" Chopin", „pół-Żyd" Mickiewicz. I robi się to na ogół nie w jakichś syntetycznych tekstach biograficznych, lecz ot tak sobie, na zasadzie „przypadkowego" wtrętu. Chodzi wyraźnie o to, by tak wprowadzane pojęcia z łatwością zadomawiały się dzięki ich powtarzaniu jako „fakty prasowe" u możliwie jak największej liczby czytelników. Bez żadnego dowodzenia ich słuszności. Za to stwarzając tak potrzebne dla niektórych autorów wrażenie „wtórności" Polaków jako narodu. Wystarczy powtarzać, że najsłynniejsi wielcy Polacy, to byli „nie-pełni", „nieprawdziwi" Polacy, a faktycznie to trafili się w tym nadwiślańskim „zaścianku" jak ślepej kurze ziarno. Nader typowe pod tym względem są liczne teksty wspomnianego Zygmunta Kałużyńskiego i Edmunda Szota, przez szereg lat autora stałego, cotygodniowego przeglądu prasy w „Rzeczypospolitej" pt. *Na zdrowy rozum*. Czytając ich teksty, wciąż dokładające Polakom, przedstawianym jako mało okrzesany i zdolny naród, wyraźnie wyczuwa się sugestię, że Polacy egzystują głównie dzięki ratującemu nas, nieszczęsnych „zacofańców", zbawczemu zastrzykowi z krwi obcej. *Vide*, na przykład, rozważania Szota w „Rzeczpospolitej" z 6 lipca 1994 roku o tym, że nie ma żadnych dowodów, że Kopernik mówił po polsku i tym chętniej przypomnijmy, że największy poeta Polski był synem Żydówki, największego polskiego muzyka spłodził Francuz, najwybitniejszy polski rzeźbiarz pochodził z Norymbergi, a najdzielniejszy polski król (Batory) znał tylko parę słów w naszym języku. Czytając przeglądy prasy Szota w „Rzeczpospolitej" niejednokrotnie trafiałem na użyte przez niego niespodziewanie, ni przypiął ni wypiął, stwierdzenia, o największym poecie polskim, synu Żydówki, beż żadnego dowodu tego podważanego przez czołowych mickiewiczologów stwierdzenia. Szot wiedział jednak, co robi. Przeciętny czytelnik nie będzie zaglądał do uczonych prac mickiewiczologów, a wielokrotnie powtórzony fakt prasowy utrwali się w jego wyobraźni jako fakt realny.

„Pół-polski" Chopin, bohater skandalików

Na każdym kroku obserwujemy działania podobnych do Szota „pomysłowiczy". Ot, parę typowych przykładów. U publicysty „Gazety Wyborczej" Jerzego Sosnowskiego znów czytamy o Niemcu Koperniku, Francuzie Chopinie, nie mówiąc już o *Żydzie (po babce) Adamie Mickiewiczu* (J. Sosnowski: *Polskość i polactwo*, „Gazeta Wyborcza" z 5 sierpnia 1991). We „Wprost" z 4 maja 1997 Wiesław Kot pisze o „poezji pół-Żyda Mickiewicza" i muzyce „pół-Francuza Chopina", etc., etc. Z kolei znany nam już „odbrązowiacz" polskich dziejów Ludwik Stomma „zabłysnął" szczególnie prymitywną minicharakterystyką życiorysu i narodowości Chopina pisząc: *Fryderyk Franciszek Chopin – przypomnijmy młodzieży był to taki pół-polski kompozytor (ojciec: Nicholas, z Marainville w Lotaryngii rodem), który w wieku 20 lat opuścił definitywnie Polskę, by wkrótce osiedlić się we Francji, gdzie stał się bohaterem szeregu całkiem pikantnych skandalików obyczajowych* (L. Stomma: *Burza w setce Chopina*, „Polityka" z 15 kwietnia 1995). Dodajmy, że tak spreparowany miniżyciorys „skandalisty" Chopina posłużył Stommie jako decydujący argument w uzasadnianej przez większość felietonu tezie, że nie ma doprawdy nic złego w nazwie wódki „Chopin" i w ogóle w wykorzystywaniu nazwiska wielkiego polskiego kompozytora do firmowania i reklamowania polskich wódek. Po co bowiem taki hałas o jakiegoś „skandalistę" (!). Stosowaną przez panów Stommę, Kałużyńskiego, Holzera, Szota *et consortes* metodę depolonizowania wielkich polskich twórców można by oczywiście „twórczo" rozwinąć na dużo szerszą, międzynarodową skalę. Jakże ogołociłoby się od razu Anglików z postaci, którymi się chlubią! Natychmiast zakwestionowana by została angielskość B. Disraeliego (jako Żyda), J. Conrada (jako Polaka), O. Wilde'a, G.B. Shawa i J. Joyce'a („jako Irlandczyków"), T.S. Eliota (jako Amerykanina), etc. Francuzom wypominałoby się „niefrancuskość" Szwajcara J.J. Rousseau, Korsykanina Napoleona, syna Murzynki A. Dumasa, Żyda filozofa Bergsona, praprawnuka słynnego bogacza warszawskiego z czasów Stanisława Augusta Poniatowskiego, Polaka Apolinaire'a (Kostrowickiego), etc. Włochom zabrano by największego ich dziewiętnastowiecznego polityka H.R. Cavoura, syna Francuzki. Prawdziwemu zdziesiątkowaniu uległby Panteon rosyjski. Podważono by rosyjskość największego rosyjskiego poety A.S. Puszkina (wszak jego pradziad przywieziony został do Rosji z Afryki i stał się ulubionym Murzynem Piotra I), carycy Katarzyny II (jako Niemki), słynnych dowódców: feldmarszałka I. Dybicza (H. Diebitscha), M. Barclaya de Tolly, ministra wojny i pierwszego głównodowodzącego w wojnie z Napoleonem, słynnych polityków: W. Plehwe i S. Witte (jako Niemców), M. Lorisa – Melikowa (jako Ormianina), kierującego przez prawie czterdzieści lat rosyjską polityką zagraniczną „Niemca" K. Nesselrode. Dodajmy do tego najsłynniejszego rewolucjonistę rosyjskiego XIX wieku A. Hercena, syna Niemki Haig, twórcę podstaw astronautyki K. Ciołkowskiego, syna polskiego zesłańca, czy przypomniane przez prof. Bazylowa informacje o wywodzeniu się rodu Lermontowa ze Szkocji, antypolskiego Gogola z Polski, etc.,etc. Bardzo podobne efekty osiągnęłoby się po uważnym przyjrzeniu się amerykańskiemu Panteonowi i tropieniu w stylu Holzera czy Kałużyńskiego, kto nie był „prawdziwym" Amerykaninem, miał ojca lub dziadka Europejczyka lub sam przywędrował z Europy. Tylko zapytajmy, jaki sens miałoby tego typu „prostowanie" przynależności narodowej wielkich twórców, wodzów czy polityków, wbrew jednoznacznie przez nich samych afirmowanej przynależności do narodów, które kochali całą siłą swoich serc.

Czy Krzyżacy zostaną wybieleni?

W czasach PRL-u przez wiele lat występowała skłonność do skrajnie czarnego przedstawiania stosunków z Niemcami, dosłownie bez jakichkolwiek jaśniejszych punktów w całej historii. Sam w jednym z pierwszych swych artykułów – jako 23-letni absolwent historii – przeciwstawiałem się w 1963 roku na łamach „Polityki" takiemu jednostronnie ciemnemu obrazowi, upominając się o pisanie także i o pewnych jaśniejszych sprawach wzajemnych dziejów (np. o Polenlieder, gorącym przyjęciu zgotowanym Polakom – uchodźcom po powstaniu listopadowym w Nadrenii (por. J.R. Nowak: *Od Cheopsa do planu 6-letniego*, „Polityka" z 31 sierpnia 1963). Dziś z kolei obserwujemy wyraźnie skrajne przegięcie w drugą stronę. Jest jakaś niesamowita skłonność, by nie urażać Niemców – pełniących wszak dziś rolę „bogatego wujaszka", dostawcy stypendium dla coraz liczniejszej rzeszy petentów z Polski. Osobiście kwestionowałbym liczne przejawy nadmiernego zatroskania o „wrażliwość" Niemców na ich polski obraz. Choćby różne uwagi na ten temat wyrażane w tekstach dziennikarza Artura Hajnicza, coraz gorliwszego „wybielacza" historii stosunków polsko-niemieckich od czasu usadowienia się na stanowisku dyrektora Ośrodka Studiów Międzynarodowych w Fundacji im. Roberta Schumana. Hajnicz głosi między innymi: *dla lepszego i mądrzejszego ułożenia sobie stosunków z niemieckim sąsiadem powinniśmy dążyć do racjonalizacji historii. W okresie powojennym niezwykle rozbudowano mit piastowski, kosztem jagiellońskiego, który ze względu na terytorialne przesunięcie kraju na zachód nie pasował do nowej rzeczywistości. Generacjom uczniów wpajano, że ziemie zachodnie należą się nam, bo są to stare piastowskie ziemie, do których mamy odwieczne prawo. Na tej zasadzie można by powiedzieć, że Berlin należy się Czechom, bo kiedyś należał do królów czeskich* (z wywiadu A. Hajnicza dla „Prawa i Życia" z 6 sierpnia 1995). Zapytajmy, czy odchodzenie od stylu argumentacji o odwiecznym prawie Polaków do ziem piastowskich na Zachodzie ma również oznaczać taką „racjonalizację historii", w której będzie się przemilczać prawdę o różnych przejawach krwawego niemieckiego *Drang nach Osten* na polskich ziemiach (choćby wymordowanie polskiej ludności Gdańska przez Krzyżaków w 1308 roku). Być może doczekamy się, że nowi „cenzorzy" z klanu „Europejczyków" będą starannie wycinać jako niegodne „poprawności politycznej" odpowiednie fragmenty *Polski Piastów* Jasienicy, opisującej jak Krzyżacy *14 listopada 1308 uderzyli na miasto* (Gdańsk – J.R.N.), *tnąc w pień mieszkańców i puszczając je z dymem (...) Polacy oskarżali Zakon o wymordowanie dziesięciu tysięcy ludzi. Krzyżacy przeczyli temu. Twierdzili, że (...) gdańszczanie z własnej i nieprzymuszonej woli spalili swe domostwa i poszli gdzie indziej* (P. Jasienica: *Polska Piastów*, Warszawa 1985, s. 187).

Już w czerwcu 1990 roku w najbardziej „elitarnym" piśmie „Europejczyków" – „Res Publice", Tomasz Jastrun wystąpił w imieniu redakcji (wraz z E. Zajączkowskim) w obronie biednych, oczernionych Krzyżaków, którzy stali się ofiarą polskiej „manipulacji historycznej". Tak więc pewno i rzezi Polaków w Gdańsku nie było – wymyślili ją „polscy średniowieczni manipulanci"! Ciekawe, czy śladami polskich „wybielaczy" Krzyżaków pójdą także i Węgrzy i napiętnują „nieeuropejskie" postępowanie króla Węgier Andrzeja II. Błyskawicznie poznawszy się na zaborczych intencjach Krzyżaków przepędził ich bowiem co szybciej ze swego kraju. Dopiero potem Konrad Mazowiecki sprowadził ich na nasze nieszczęście do Polski.

Pomniejszanie znaczenia polskiej tolerancji

Przez stulecia Polska uchodziła za wzorcowy kraj tolerancji o bardzo szerokim zasięgu, niespotykanej przez wieki w przeważającej części innych krajów Europy. Janusz Tazbir pisał w książce *Tradycje tolerancji religijnej w Polsce* (Warszawa 1980, s. 6), iż: *pochwałę polskiej tolerancji znajdujemy w lekturach całej oświeconej Europy, od francuskiej „wielkiej encyklopedii" XVIII wieku poczynając, a na ogłoszonym przed paroma laty (pod auspicjami UNESCO) zarysie dziejów ludzkości kończąc.* Fakty o wyjątkowej na tle reszty Europy polskiej tolerancji przyznawali nawet zdecydowani wrogowie Polski. Tacy jak pruski feldmarszałek Helmut von Moltke, który pisał w książce o Polsce, iż: *przez długi przeciąg czasu przewyższała Polska wszystkie inne kraje Europy swą tolerancją* (por. J.R. Nowak: *Myśli o Polsce i Polakach*, 2 wyd., Katowice 1994, s. 120). Okazuje się, że w dzisiejszej polskiej prasie coraz częściej pojawiają się wypowiedzi przemilczające lub nawet negujące te polskie za-

Konwicki: Polska była wrzodem w Europie XVIII wieku

Nie douczeni kosmopolityczni twórcy posuwają się do wygłaszania najskrajniejszych nihilistycznych banialuk o historii Polski. Tak jak zrobił to Tadeusz Konwicki w wywiadzie udzielonym Adamowi Michnikowi w „Gazecie Wyborczej" z 7 grudnia 1991. Konwicki stwierdził tam, że w świetle tego, co naczytał się o XVIII wieku, *widać jak na dłoni, że Polska była wrzodem na ciele Europy i ten wrzód musiał być wycięty (...). To, co się wtedy działo – ten bezwstyd, sprzedajność, cynizm – to coś okropnego*. Konwicki bezwiednie powtarzał tezy propagandy zaborczej. Polska XVIII wieku wcale nie zginęła na skutek sprzedajności i bezwstydu szlachty. Gdyby się one utrzymały, to i Polska XVIII-wieczna pewno by się zachowała. Polska zginęła, bo sama chciała się uwolnić od swoich przywar i zaczęła się reformować. A więc mogła się umocnić i stać niebezpieczną dla swych zaborczych sąsiadów. Szkoda, że Konwicki nie zauważył ocen głośnych zagranicznych autorów o roli Sejmu Czteroletniego. Ciekawe, że można tu zacytować choćby Karola Marksa, który tak pisał o polskiej szlachcie i Konstytucji 3 Maja: *Przy wszystkich swych brakach konstytucja ta widnieje na tle rosyjsko-prusko-austriackiej barbarii jako jedyne dzieło wolnościowe, które kiedykolwiek Europa wschodnia stworzyła (...). Historia świata nie zna żadnego innego przykładu podobnej szlachetności szlachty*. Brytyjski lord kanclerz Henry de Brougham stwierdził o reformach Sejmu Czteroletniego, że potomność uwielbiać je będzie jako doskonały wzór najtrudniejszej reformy. Podobne pochwały można znaleźć u wielu innych zagranicznych autorów, między innymi u historyka pruskiego Friedricha Raumera czy najsłynniejszego zagranicznego badacza doby Sejmu Czteroletniego – amerykańskiego historyka Roberta H. Lorda. Pisał on, że: *Polska upadła nie w momencie swego największego poniżenia, lecz w chwili, gdy zaczynała budzić się do życia, a naród okazał tak wiele patriotyzmu i energii (...). Naród polski nie zasłużył na los, jaki go spotkał*. Wbrew żałosno-masochistycznej opinii Tadeusza Konwickiego w momencie upadku Polska nie była więc wcale wrzodem na ciele Europy, który „musiał być wycięty", lecz sama wycinała owrzodzone miejsca. Zaborcy nie wycinali zaś wrzodu na ciele Europy, lecz usuwali z jej ciała kraj wracający do zdrowia, po to by podporządkować go barbarii carskiego lub pruskiego despotyzmu.

Zohydzanie Kościuszki i Rejtana

Akcja zohydzania największych Polaków wciąż trwa i wciąż jest „wzbogacana" nowymi kalumniami. Na przykład na łamach „Wprost" z 10 grudnia 1995 roku opublikowano tekst łączący panegiryczne wychwalanie króla-targowiczanina Stanisława Augusta Poniatowskiego z maksymalnym szkalowaniem naczelnika insurekcji 1794 roku Tadeusza Kościuszki. Autor publikacji Dariusz Łukasiewicz zarzucił Kościuszce, że *naczelnik przyjął okrągłą sumkę od cara Pawła w zamian za oświadczenie, że nigdy nie wystąpi przeciw Rosji.* W rzeczywistości Kościuszko złożył carowi powyższe oświadczenie w zamian za uwolnienie paru tysięcy polskich jeńców z Syberii. A otrzymaną od cara sumę odesłał mu w całości po wyjeździe z Rosji, ku ogromnej wściekłości cara. Jest to powszechnie znana prawda o Kościuszce, ale redaktor z „Wprost" wolał wypisywać najskrajniejsze oszczerstwa o narodowym bohaterze, który zawsze był nieprzekupnym, wręcz wzorem bezinteresowności. Szczególnie skandalicznym wybrykiem popisano się w „Rzeczpospolitej", w dwuchsetletnią rocznicę Powstania Kościuszkowskiego. Poważny dziennik polski „uczcił" tę rocznicę w dość specyficzny sposób, paszkwilanckim artykułem Edmunda Szota. „Popisał się" on między innymi skrajnie chamskim porównaniem żałoby, jaka zapanowała w Polsce po klęsce pod Maciejowicami, z „żałobą w KRLD po śmierci Kim Ir Sena". Wymowny był z resztą cały wywód artykułu Szota, napisanego wyraźnie z myślą jak największego skompromitowania i ośmieszenia Kościuszki przy okazji rocznicy jego powstania. Szot pisał, że *w historiografii Kościuszko zajmuje miejsce tak pierwszorzędne, że po dziś dzień w świadomości społeczeństwa ostał się jako wzór wszelkich cnót i jedyna bezdyskusyjna postać, z której możemy być dumni. Na liście najbardziej zasłużonych dla Ojczyzny person we wszystkich sondażach niezmiennie zajmuje pierwsze miejsce.* Napisawszy te słowa, Szot postarał się o odpowiednie zrzucenie Kościuszki z piedestału, z całą werwą zapewniając, że Kościuszko *wodzem był miernym, czy może tylko nieszczęśliwym – co z resztą na jedno wychodzi* (E. Szot: *Jeszcze Polska nie umarła*, „Rzeczpospolita" z 8–9 października 1994).

Podobnie zohydzana jest przez niektórych pseudo-Europejczyków postać jednego z największych polskich patriotów XVIII wieku Tadeusza Rejtana. Dla Adama Mickiewicza samotny protest Rejtana przeciw rozbiorowi Polski był wspaniałym wzorcem postępowania wbrew pseudorealistom, godzącym się z hańbą Polski. Dla współczesnej naukowiec Marii Janion, Rejtan jest typem „patrioty wariata", którego umieszcza na okładce swej książki *Wobec zła* z wyszczerzonymi kłami wampira zamiast zębów. „Odbrązowiaczka" Janion już w pierwszym zdaniu swej książki akcentuje: *W polskim patriotyzmie istnieje ciemna strefa, granicząca z sacrum, obłędem i śmiercią samobójczą* (M. Janion: *Wobec zła*, Chotomów 1989). Łódzki adwokat, Karol Głogowski, reagując na zohydzenie postaci Rejtana na okładce książki Marii Janion niezwłocznie powiadomił o tym prokuraturę, sugerując, że takie znieważanie postaci słynnego patrioty ma znamiona przestępstwa. Prokuratura całkowicie zignorowała doniesienie Głogowskiego (por. „Plus" 1991, nr 48). Bezkarność zachęca kolejnych pomniejszycieli wielkich Polaków. Dziennikarka „Gazety Wyborczej" Teresa Bogucka posunęła się do nazwania Rejtana „maniakiem" (por. „Magazyn Gazety Wyborczej" z 21 marca 1997). Raczej nie dziwi takie potraktowanie w „Gazecie Wyborczej" jednego z największych i najofiarniejszych Polaków całej naszej historii. Szokuje raczej całkowity brak protestu przeciwko takiemu poniewieraniu pamięci niezłomnego Polaka. Milczeli nawet Rejtaniacy!

Deformowanie historii Polski przez Jana Karskiego

Obraz „nienormalnej" Polski, kraju „wiecznych nieudaczników" szczególnie często powracał ostatnio w licznych – nieprzypadkowo tak chętnie nagłaśnianych w różnych organach postkomunistów – wypowiedziach Jana Karskiego. Były kurier Polski Podziemnej, wsławiony próbami zaalarmowania Zachodu tragedią polskich Żydów, przeszedł ogromną, choć bardzo nieszczęśliwą dla jego wizerunku, ewolucję w ostatnim dziesięcioleciu. Niegdyś zdecydowany antykomunista, w ostatnich latach wyraźnie współdziałał z kręgami postkomunistycznymi w Polsce, zaangażował się bardzo mocno w poparcie dla wyboru Aleksandra Kwaśniewskiego na prezydenta RP. Rozmiary tego poparcia, połączonego z fałszowaniem obrazu najnowszej historii Polski, sprowokowały liczne protesty. 15 grudnia 1995 na łamach „Rzeczpospolitej" ukazał się pełen oburzenia i goryczy list otwarty kilku byłych żołnierzy Polski Podziemnej (W. Bartoszewskiego, Z. Korbońskiej, A. Pomiana, J. Nowaka-Jeziorańskiego, T. Żenczykowskiego) w sprawie publikowanego na łamach SdRP-owskiej „Trybuny" listu Karskiego do Kwaśniewskiego.

Sygnatariusze listu zarzucili Karskiemu, że w swej wypowiedzi na łamach „Trybuny" nie tylko *rozgrzeszył wasalne władze PRL od Bieruta po Jaruzelskiego ze zbrodni dokonanych na Polsce*, ale również fałszywie *przypisał im inicjatywę i zasługi w odzyskaniu przez Polskę niepodległości*. Znamienna była ewolucja Karskiego również w sprawie obrazu stosunków polsko-żydowskich. Niegdyś, w 1940 roku, w swym meldunku o sytuacji na b. kresach wschodnich obiektywnie pisał o niegodziwym zachowaniu części środowisk żydowskich wobec Polaków pod okupacją sowiecką, o ich wysługiwaniu się NKWD przeciw Polakom, skrajnym donosicielstwie. Na emigracji, od czasu ożenienia się z żydowską śpiewaczką w Stanach Zjednoczonych, Karski przeszedł na stanowisko skrajnie filosemickie, we wszystkich spornych sprawach między Polakami a Żydami opowiadał się wyłącznie za jednostronnymi żydowskimi racjami, winą za wszystkie kontrowersje obciążając Polaków. Sam zresztą akcentuje, że nie czuje się Polakiem, że teraz jest Amerykaninem (tak mówił między innymi w wywiadzie dla SdRP-owskiej „Trybuny" z 3 lutego 1997). Nowa amerykańskość Karskiego nie przeszkadza mu w ciągłym wyrokowaniu na temat Polski i polskości, których się wyrzekł. Przemawia jednak wciąż z pozycji nieubłaganego sędziego, wydającego jak najsurowsze wyroki o Polsce i Polakach. Prawdopodobnie po to, aby tym bardziej uzasadnić wyrzeczenie się takiego „złego" narodu, rzekomo obciążonego samymi wadami, swego rodzaju „chorego członka" Europy. Wypowiedzi Karskiego sączyły wciąż skrajny masochizm historyczny w odniesieniu do polskich dziejów. Tak jak na przykład w wywiadzie dla postkomunistycznego „Wprost", w którym Karski głosił: *W ciągu minionych trzystu lat przegraliśmy wszystkie wojny, wszystkie powstania, wszystkie zrywy narodowe. Jedyny wyjątek to wojna 1920 roku i zwycięstwo „Solidarności" w 1989* (rozmowa z Karskim we „Wprost", 20 grudnia 1992). Trudno zrozumieć, dlaczego Karski zaczął swe wyliczanie od trzystu lat, a więc od 1692. Przypomnijmy, że w 1699 roku w Pokoju karłowickim Polska odzyskała Kamieniec Podolski. W 1711 roku zakończyła się wojna północna, którą trudno nazwać naszą klęską — formalnie byliśmy stroną zwycięską w wojnie ze Szwecją, choć u boku faktycznego zwycięzcy Piotra I. Wojny o tron polski między Stanisławem Leszczyńskim a Augustem II, a później Augustem III miały charakter wojen domowych, choć ostatecznie rozstrzygnęła w nich popierająca Sasów Rosja. Fatalne skutki przyniosła klęska pierwszego wielkiego polskiego zrywu — Konfederacji barskiej, a potem kolejne klęski — upadek Sejmu Czteroletniego i upadek Powstania Kościuszkowskiego. Czy po 1795 roku można mówić jednak tylko o samych klęskach? Czy można nazwać klęską walkę Legionów Dąbrowskiego po stronie Napoleona, jeśli przyczyniła się ona do powrotu Polski w 1807 roku na mapę Europy w formie Księstwa Warszawskiego. Dwa lata później Księstwo Warszawskie wyszło zwycięsko ze swych pierwszych bojów w wojnie z Austrią, wydatnie poszerzając swoje terytorium. Później, w XIX wieku, spotykają nas rzeczywiście same przegrane, choć warto wspomnieć o wygranej gospodarczej Poznańskiego w bojach przeciw germanizacji. Wiek XX zaś, to nie tylko zwycięstwo 1920 roku i sukces „Solidarności" – jak głosi Karski. To również triumf powstania wielkopolskiego w 1918 roku, ostateczny sukces powstań śląskich. To również udział w rozpoczętej z powodu napaści na Polskę w 1939 roku wojnie przeciw III Rzeszy, zakończonej zwycięstwem koalicji, w której uczestniczyliśmy (inna sprawa, to kwestia porzucenia Polski wraz z resztą Europy Środkowej na rzecz Rosji przez mocarstwa zachodnie, które w ten sposób przegrały zwycięstwo 1945 roku). Czas powojenny, to również zwycięstwo Narodu wobec totalitarnej władzy w październiku 1956 i w grudniu 1970 roku. Wszystko to dziwnie przemilcza Jan Karski, bo nie pasuje do jego ulubionego schematu. Żałosno-groteskowe są podejmowane przez Karskiego próby wyszydzania polskich tradycji walki „za wolność waszą i naszą". Według Karskiego: *Kiedy Polacy zaczną się „opiekować" albo walczyć o jakiś naród, to przysporzą mu więcej kłopotów niż pożytku. Może więc byłoby dobrze, aby ktoś powiedział: „Polacy nie walczcie o nas!"* (por. *Grzech pychy*. Z rozmowy z J. Karskim, „Wprost" z 20 grudnia 1992). Szkoda, że Karski bliżej nie wyjaśnił, na czym polegały kłopoty przysparzane przez Polaków narodom, za które walczyli. Może by wyjaśnił jednak również przyczyny obchodzenia Dnia Pułaskiego w Stanach Zjednoczonych i sławy Kościuszki w Westpoint, wysławiania pamięci księcia Józefa Poniatowskiego jako marszałka Francji, tradycji bohatera węgierskiej walki niepodległościowej 1849 roku – generała Bema i czci, jaką jest po dziś dzień otaczana jego postać na Węgrzech.

Karski: Polska była wrzodem w Europie w XIX wieku

Szczególnie skrajnym przykładem oskarżycielskich, acz wręcz niepoczytalnych pomówień Karskiego pod adresem Polski był jego wywiad dla SdRP-owskiej „Trybuny" z 3 lutego 1997: *Polska – Mesjasz czy wrzód?* Powiedział w nim wprost: *Przecież Polska to jest teren w Europie, który w XIX wieku, ja to odkryłem w dokumentach, nazywany był w kancelariach dyplomatycznych „ropiejącym wrzodem Europy", z którym nie wiadomo co robić.* Karski identyfikuje się z tym stwierdzeniem i podkreśla: *faktem jest, że od wielu pokoleń Polska jest klasycznym terenem niestabilności. Ile było granic Polski? Jeszcze przed śmiercią Sobieskiego unia perejasławska – inne granice, pokój karłowicki – inne granice, I, II, III rozbiór jeszcze inne granice.* Mała poprawka: dla kancelarii państw zaborczych i rządów gniotącego ludy Europy Świętego Przymierza byliśmy rzeczywiście „wrzodem ich Europy", symbolem skrajnego a niezłomnego buntu. Karski jednak identyfikuje się z opiniami zaborców, a nie z opiniami Europy wolności. Nie identyfikuje się z opiniami najsłynniejszych wolnościowych XIX-wiecznych intelektualistów i polityków, dla których Polska była ucieleśnieniem ideałów prawdy i wolności. Z Victorem Hugo, który nazwał Polskę „rycerzem Europy" i zapewniał: *Polska będzie triumfować. Gdyby bowiem zginęła na zawsze, to jej śmierć byłaby mniej więcej śmiercią dla nas wszystkich*, ze słynnym historykiem francuskim Jules Micheletem, który pisał o Polakach jako narodzie wspaniałym, narodzie najbardziej ludzkim, a o Polsce jako o kraju, który uratował ludzkość; z przywódcą węgierskiej wojny niepodległościowej 1848–1849 roku Lajosem Kossuthem, który stwierdził: *Sprawa Polaków jest sprawą Europy i śmiało mogę powiedzieć, że kto Polaków nie szanuje (...) ten własnej nie kocha Ojczyzny*; ze słynnym rewolucjonistą włoskim Giuseppe Garibaldim, który stwierdzał: *Sprawa polska jest sprawą całej ludzkości*; z duńskim myślicielem żydowskiego pochodzenia George Brandesem, który pisał: *Kochać Polskę i wolność – to jedno.*

W dalszej części wywiadu dla „Trybuny" Karski wystąpił jako gwałtowny krytyk naszych powstań narodowych i żarliwy obrońca „ładu", który nam stwarzali carowie. Bo przez powstania traciliśmy tylko resztki: *Powstało Królestwo Kongresowe i znowu inne granice. Unia dynastyczna z carem – „macie sejmy, macie rząd, własne wojsko. No to Polacy zrobili Powstanie Listopadowe. Wtedy car odebrał konstytucję, ale ciągle jeszcze trzymał Królestwo Kongresowe. No to Polacy zrobili Powstanie Styczniowe. W odwecie następny car zadecydował: Nie ma Królestwa Kongresowego, tylko jest „Priwislinskij Kraj".*

Według Karskiego wszystkiemu byli winni Polacy, bo buntowali się przeciwko dobroci cara, który dał im wszystko: „sejmy, rząd i własne wojsko". Jak było w rzeczywistości – pokazują słowa czołowego w swoim czasie rzecznika orientacji prorosyjskiej w Polsce, byłego ministra spraw zagranicznych w Rosji, księcia Adama Czartoryskiego, który już 17 lipca 1815 roku ostrzegał cara Aleksandra I: *W. Książę Konstanty (...) żywi nienawiść do tego kraju (...). Konstytucja jest przedmiotem drwin u niego (...) pragnie kierować armią kijem i zastosowuje go (...). Czas nagli, Najjaśniejszy Panie. Każda godzina może przynieść burzę i katastrofę, o jakich myśl sama przeraża.* Według Karskiego jednak tylko Polacy byli wszystkiemu winni. Jak mogli się buntować przeciw Mikołajowi I Pałkinowi, jak mogli buntować się przeciw barbarzyńskim rządom Iwana Paskiewicza, ponurej „paskiewiszowskiej nocy", bo przecież ciągle jeszcze cały ówczesny terror odbywał się pod szyldem Królestwa Kongresowego. Włosi czy Węgrzy buntowali się, robili powstania przeciw imperium Habsburgów, o wiele łagodniejszemu pod względem terroru i barbarzyństwu od Rosji, a jednak to Polacy są winni, że się buntowali przeciwko panowaniu knuta i ciemnoty!

Z dosadną odpowiedzią na antypolskie obelgi Karskiego, choć bez wypowiedzenia wprost jego nazwiska, wystąpił Jan Nowak-Jeziorański w publikowanym w parę miesięcy po wywiadzie Karskiego tekście. Pisał w nim między innymi: *Stańczycy widzieli zbawienie w ugodzie z Austrią, ale nie uważali się nigdy za Austriaków mówiących po polsku. Byli Polakami do szpiku kości. Żaden z nich nie powtórzył potwornej obelgi, jaką rzucił wobec Polski Metternich, który nazwał ją „ropiejącym wrzodem Europy, z którym nie wiadomo co robić". Metternich, pamiętajmy, był architektem Świętego Przymierza i śmiertelnym wrogiem nie tylko Polski, ale także wszystkich ludów Europy walczących o prawo do samostanowienia. W surowych ocenach Kalinki, Szujskiego, Bobrzyńskiego i innych nigdy nie było pogardy i tonu wyższości wobec własnego narodu, który cechuje renegatów* (J. Nowak-Jeziorański: *Spór o Konstytucję 3 maja*, „Gazeta Wyborcza", 2–4 maja 1997).

Karskiego, renegata od polskości, dziś ją tak szkalującego, wyraźnie trzeba by posłać na korepetycje z polskich dziejów do niektórych wybitnych cudzoziemców, doskonale znających sprawy polskie i Polaków. Do najwybitniejszego dziś zagranicznego badacza historii Polski Normana Daviesa, autora słynnego *Bożego Igrzyska*, który stwierdził wręcz: *Historia uczy, że Polacy przetrwali, bo potrafili walczyć o swe państwo i ich obowiązkiem jest walczyć dalej* (cyt. za: *Polacy jak Irlandczycy*, wywiad W. Pankowskiego z N. Daviesem, „Gazeta Wyborcza", 10 marca 1996).

Tezy narodowego masochizmu, głoszone przez domorosłych i dyletanckich interpretatorów ostatnich stuleci naszej historii typu Jana Karskiego sprzeczne są z prawdziwymi faktami z naszych dziejów. By przypomnieć opinie najwybitniejszych badaczy naszej historii, typu tragicznie zmarłego w 1996 roku znakomitego znawcy XIX-wiecznej historii Polski profesora Jerzego Skowronka. Mówiąc o tak postponowanym przez Karskiego Powstaniu Styczniowym, profesor Skowronek stwierdził: *Powstanie Styczniowe to niespotykana przedtem ani potem narodowa determinacja walki. To utworzenie pierwszego w dziejach Europy państwa podziemnego. To największy z naszych narodowych zrywów, w który zaangażowane były – w najróżnorodniejszy sposób – setki tysięcy Polaków (...) To wreszcie l e k c j a n o w o c z e s n e j ś w i a d o m o ś c i n a r o d o w e j* (podkreślenie J. Skowronka), *która, choć bolesna, odsunęła zagrożenie wynarodowienia, do czego dążyli zaborcy* (por. *Gość Tygodnika: profesor Jerzy Skowronek*, „Tygodnik Solidarność", 28 stycznia 1994, oprac. W.P. Kwiatek). Jakże sprzeczne z dywagacjami Karskiego o zawsze niskim poziomie elit polskich były uwagi Skowronka o elicie Powstania Styczniowego, *o dojrzałości i odpowiedzialności jego przywódców, którzy swój los przyjęli z podniesionym czołem, mając świadomość, jak wiele od tego zależy. Zginęli, ale ocalili honor. O pokusy nie było trudno: denuncjacje współpracowników i towarzyszy walki lub ucieczka za austriacki kordon by ich ocaliło. Ale nic takiego nie miało miejsca* (tamże). I jakże ważna wymowa całego przesłania rozmowy z J. Skowronkiem: *Za każdym razem nasz gość dowodnie wykazywał, że nigdy nie mieliśmy powodów do wstydu, że to od nas można było czerpać garściami doświadczenia. Że j a k o n a r ó d z d a w a l i ś m y z a w s z e e g z a m i n* (podkr. J. Skowronka, tamże).

Atak Karskiego na „idiotyczne" Księstwo Warszawskie

W cytowanym wyżej wywiadzie dla „Trybuny" z 3 lutego 1997 znalazła się jeszcze inna konstatacja-horror w wykonaniu Karskiego, stwierdzenie, że *Napoleon zrobił idiotyczne jakieś Księstwo Warszawskie*. Dobrodziejstwu carów jest przeciwstawiane jako idiotyzm państwo polskie, niewielkie, ale rzeczywiście narodowe, z księciem Józefem Poniatowskim na czele narodowej armii, z demokratycznymi reformami i kodeksem Napoleona. Skrajny rusofil Karski nic z tego nie rozumie, za to tym mocniej wysławia później dobrodziejstwa Stalina dla Polski. I wychwala Polskę pojałtańską, która dzięki

Stalinowi *dostała najlepsze granice, jakie miała w historii, proste, bez żadnych wygibasów.*

Inna sprawa, że przejawy pomniejszania roli Księstwa Warszawskiego spotyka się nie tylko w publikacjach Karskiego. Nawet znany i niebywale nagłaśniany w ostatnich latach historyk Janusz Tazbir doszedł w jednym z tekstów aż do zaakcentowania, jakoby polityczna zawisłość Księstwa Warszawskiego od Paryża *była chyba nie mniejsza aniżeli podległość władz warszawskich Moskwie w latach Polski Ludowej* (J. Tazbir: *Piórem czy szablą*, „Polityka", 15 stycznia 1994). Zapytajmy więc czyż nie była czymś o wiele dogodniejszym zależność od dalekiego Paryża, który toczył wojny z nieubłaganymi wrogami Polski, niż bezpośrednia zależność od Moskwy, która konsekwentnie zmierzała do rozbicia na trwałe marzeń o polskiej suwerenności. Czas Księstwa Warszawskiego był dla Polaków okresem Wielkich Nadziei, ze zwycięską kampanią księcia Józefa przeciw Austrii w 1809 roku i z „owym rokiem" 1812, kiedy tak bardzo oczekiwaliśmy na zwycięstwo Francji, od której zależeliśmy, nad najniebezpieczniejszym z zaborców – Moskwą. I jak można porównywać tamten czas z PRL-em? Gdy zależność od Moskwy kazała kolaborantom z gen. Jaruzelskim na czele pomagać w tłumieniu *wybijania się na niepodległość* Czechów i Słowaków!

Moda na pomniejszanie polskiej przeszłości wciąż trwa, jest nawet bardzo mocno stymulowana z przeróżnych stron. Maksymalne szanse na odgórne wsparcie z różnych fundacji, z Fundacją Batorego na czele, mają książki „odbrązowiające" polską historię czy pomniejszające różne polskie tradycje narodowe.

Tak zakochany w historii Polski poeta Jan Lechoń, autor słynnych wierszy o Mochnackim i Piłsudskim, pytał kiedyś z pełnym wzruszenia patosem: *czyż są dzieje piękniejsze nad Twoje?* Dziś spotykamy za to całe tabuny autorów, którzy idąc w ślad za swoimi poprzednikami z czasów stalinowskich próbują wmówić, że nie ma dziejów brzydszych nad dzieje Polski. Starają się maksymalnie zohydzić i obrzydzić historię Polski, przekonać Polaków że nie mają ani krzty czystego sumienia że powinni wstydzić się swych dziejów i ciągle kajać się wobec sąsiadów. Wciąż tworzy się i nagłaśnia kolejne fragmenty „czarnej legendy" dziejów Polski, bezkarnie, najczęściej bez jakichkolwiek polemik i sprostowań, publikując najskrajniejsze bzdury o naszej nacji.

Pokolenia historycznych daltonistów

Całe pokolenia płacą dziś skutki dziesięcioleci amputowania polskiej pamięci narodowej w czasach rządów komunistycznych. Stąd niejednokrotnie pojawiające się w tekstach publicystycznych uwagi, że dziś mamy do czynienia z pokoleniami historycznych daltonistów i ignorantów, rezultatem długotrwałego „odmóżdżania" świadomości historycznej Polaków. Jerzy Mikke już 8 czerwca 90 roku alarmował w „Tygodniku Solidarność" na temat niebywałych rozmiarów analfabetyzmu historycznego polskiego społeczeństwa. Świadczyły o tym przytaczane przez niego dane sondażu CBOS z 1990 roku. Otóż według tego sondażu okazało się, że na blisko 2000 uczestników ankiety tylko 34,5 proc. wiedziało, co się stało w Polsce w 1830 roku, tylko 36,5 proc. wiedziało, co się stało w 1863 roku, a zaledwie 14 proc. wiedziało co się stało w 1791 roku. A więc mniej więcej tylko co trzeci Polak (!) wiedział o Powstaniu Listopadowym czy Styczniowym, mniej więcej co siódmy pamiętał o Konstytucji 3 maja.

Wielką część winy za utrzymywanie się ogromnych zaniedbań wiedzy o rodzimych dziejach ponoszą najbardziej wpływowe mass media z telewizją na czele. Jakże wiele mogłyby one zrobić dla nadrobienia długotrwałych zaległości i likwidacji przejętych w spadku po PRL-u wielkich „białych plamach" w znajomości narodowej historii. Mogłyby, gdyby nie były zdominowane przez dziennikarzy, którzy sami edukowani byli w obojętności czy wręcz nihilistycznym stosunku do narodowej historii, przekonaniu, że *od czasów Jagiellońskich niemal całe nasze dzieje były kalekie i niegodne szacunku* (por. J. Mikke: *Historia sponiewierana*, „Tygodnik Solidarność", 8 czerwca 1990).

Wiosną 1992 roku programom w telewizji poświęcono ankietę prawicowego klubu politycznego „Ruch Naprawy i Rozwoju" z wiosny 1992 roku (jej wyniki przedstawiano między innymi na łamach „Ładu" i „Polski Dzisiaj"). W ankiecie powszechnie wskazywano na brak programów patriotycznych, popularyzujących postaci wielkich Polaków, i programów popularyzujących dawniejsze dzieje Polski. Uczestniczący w ankiecie student akcentował: *brak jest dobrych programów historycznych, które by przedstawiały chlubne karty naszych dziejów, które by wzmacniały i podbudowywały społeczeństwo, ku pokrzepieniu serc, kulturalnych programów o charakterze patriotyczno-narodowym... Pomijane są ważne rocznice i rocznice wielkich Po-*

laków... Ciekawe programy historyczne o wielkich Polakach nadawane są w godzinach niewielkiej oglądalności (np. program edukacyjny o rotmistrzu W. Pileckim godz.14–15, o gen. Maczku o godz. 23). W tym czasie młodzież nie ogląda telewizji. Inny uczestnik ankiety, ekonomista, ubolewał z powodu braku dyskusji polskich historyków, przybliżających wielkie postaci Polaków (Paderewskiego, Korfantego, Dmowskiego, Konecznego, braci Grabskich). Akcentowano potrzebę popularyzacji dziejów Polski w duchu wychowania obywatelskiego, kształtowania postaw patriotycznych. Wskazywano, że *kompleksy młodych Polaków to w głównej mierze skutek zafałszowanej historii.*

W następnych latach niewiele zmieniło się w postawie telewizji wobec tradycji narodowej historii, a jeśli się zmieniło, to raczej tylko na gorsze. Można by przytoczyć na ten temat aż nadto wiele przykładów. Dość typowa pod tym względem była historia opisana na łamach „Nowego Świata" z 1 lutego 1993 przez Rafała A. Ziemkiewicza. Otóż w telewizyjnych *Wiadomościach* „odpowiednio" uczczono 130. rocznicę wybuchu Powstania Styczniowego jednym zdaniem, w 20 minucie programu, informując, że tu i tam złożono z tej okazji kwiaty. Tuż przed *Wiadomościami* reporter z warszawskiego programu lokalnego pytał przypadkowych przechodniów, co wiedzą o Powstaniu Styczniowym. Okazało się, że młodzi ludzie nie wiedzieli na ten temat dosłownie niczego, nie znając nawet daty.

Przemilczane rocznice

Wielką szansą przypomnienia o cenniejszych tradycjach narodowych, politycznych i kulturalnych mogły być uroczyste obchody znaczących rocznic historycznych. W każdym kraju na Zachodzie takie właśnie rocznice historyczne są probierzem pamięci narodowej (por. uwagi J. Mikke: *Chwała i zdrada*, Warszawa 1994, s. 124–125). W Polsce lat osiemdziesiątych już było kilka wręcz wyjątkowych rocznic historycznych istotnych dla narodu: 150-lecie śmierci najgenialniejszego polskiego publicysty historycznego XIX wieku Maurycego Mochnackiego, 400-lecie śmierci Stefana Batorego, 600-lecie Unii polsko-litewskiej w Krewie, 600-lecie Chrztu Litwy, 200-lecie inauguracji Sejmu Czteroletniego. Przemilczane zostały one jednak nie tylko przez antypatriotyczną, generalską ekipę rządzącą, ale również i przez elity (poza rocznicą Chrztu Litwy, obchodzoną uroczyście przez Kościół). Komentujący te przemilczenia Jerzy Mikke zwrócił uwagę na obojętność wykazaną w całej sprawie również przez publicystów opozycyjnych, przypominając ich jakże odmienną, nader żywą reakcję dla uczczenia rocznicy rewolucji francuskiej. I skomentował jako dowód odwracania się elity „Solidarności" od dawniejszej polskiej historii (por. tamże, s. 125).

Bardzo podobna obojętność cechowała przeważającą część dawnych gremiów opozycyjnych wobec kolejnych rocznic lat dziewięćdziesiątych, od 200 rocznicy Konstytucji 3 Maja w 1991 roku do czterechsetlecia Unii brzeskiej w 1996 roku. Całkowicie zmarnowano szansę obchodów tak wielkiej rocznicy jak 200-lecie Konstytucji 3 Maja w 1991 roku. Oficjalne obchody tej rocznicy ograniczono do różnych urzędowych imprez o stosunkowo niewielkim zasięgu, typu uroczystego koncertu w Teatrze Wielkim, uroczystego posiedzenia Zgromadzenia Narodowego, przyjęcia wydanego przez prezydenta RP w Zamku Królewskim, złożenia kwiatów w sali senatorskiej, czy zwiedzenia wystawy w bibliotece stanisławowskiej. Nie pomyślano w ogóle o nadaniu obchodom 200 rocznicy Konstytucji 3 Maja prawdziwie wielkiego rozmachu poprzez zorganizowanie prawdziwie tłumnych uroczystości dla wszystkich, a nie tylko prominentów, parad, festynów. Nie pomyślano również o nadaniu tym uroczystościom charakteru ponadnarodowego poprzez zaproszenie czołowych osobistości politycznych i przedstawicieli świata intelektualnego z Francji, Anglii, USA, etc. Prawie niezauważalny dla szerszego społeczeństwa przebieg obchodów 200-lecia Konstytucji 3 Maja był jaskrawym przykładem tego, jak mało liczą się najważniejsze tradycje patriotyczne dla rządzącej „elitki".

Podobnie zlekceważono liczne inne ważne rocznice (por. np. uwagi B. Skaradzińskiego i E. Szakalińskiego na temat nie wykorzystanych rocznicowych okazji 400-lecia unii brzeskiej, „Tygodnik Solidarność", 4 października 1996 roku). Za to, instrumentalnie dla bieżących celów politycznych nadano uroczysty charakter obchodom 300-lecia Unii polsko-saskiej. Rocznica wejścia na tron Polski Augusta II Mocnego, króla zdrajcy, autora projektów rozbioru Rzeczypospolitej, uznano za szczególnie godną zaakceptowania w dzisiejszym czasie. Cóż, jak widać niektórym postaciom z elit akurat tego typu „herosów" potrzeba!

Historycy lekceważący ojczystą historię

Jeden z największych polskich myślicieli – reformatorów XVIII wieku, ksiądz Stanisław Staszic pisał ponad 200 lat temu: *moralnej nauki poręką jest historia krajowa. Tę każdy obywatel najpierwej umieć powinien (...). Osobliwie my Polacy, przyznajemy się z wstydem, że najmniej siebie samych znamy (...) Tak obywatel obrany za senatora lub ministra, za posła prawodawcę, cóż zaradzi o losie swojej ojczyzny, kiedy on tylko o Francji myślał, a Polski stanu nie zna.*

Rzecz znamienna, że w dzisiejszym polskim życiu publicznym coraz większy wpływ mają ludzie podchodzący do spraw Polski i jej historii dokładnie w sposób z gruntu przeciwstawny zaleceniom Staszica. Nasi współcześni „Europejczycy', amatorzy „cudzoziemszczyzny", za wszelką cenę, najchętniej do minimum ograniczyliby wiedzę o dziejach ojczystych. Jakże typowe pod tym względem były wynurzenia profesora historii na Uniwersytecie Warszawskim Marcina Kuli na łamach „Gazety Wyborczej" z 16 maja 1992 roku: *niepokój budzi położenie w projekcie nacisku na historię Polski (...) może być to prosty sposób, by pomóc w stworzeniu z Polski intelektualnego zaścianka. Mogę oczywiście zrozumieć, iż uczeń kończący szkołę w Rzeczypospolitej musi coś wiedzieć o Sejmie Czteroletnim i Konstytucji 3 maja. Pozostaje jednak faktem, iż z punktu widzenia losów świata rewolucja francuska była ważniejsza.* Wtórowała prof. Kuli inna prof. UW, Ewa Wipszycka, głosząc w tym samym numerze „Gazety Wyborczej" z 16 maja 1992 roku: *Przede wszystkim trzeba więcej miejsca poświęcić historii powszechnej, jeśli ludzie, którzy będą się uczyć w zreformowanej szkole, mają się odnaleźć w Europie. Nauka historii nie może być ultrapatriotycznym łzawym wynurzeniem.*

Doszliśmy więc do sytuacji, że polski profesor Marcin Kula, łaskawie, na odczepnego dopuszcza, że uczeń „ma coś wiedzieć" o Sejmie Czteroletnim i Konstytucji 3 Maja. I on może to nawet „oczywiście zrozumieć". Jeśli doniosłe wydarzenia z dziejów narodu spotkają się z takim stosunkiem ze strony profesora historii na uniwersytecie, to cóż się w ogóle dziwić ich zupełnemu spostponowaniu przez elitę. Pozbawioną najczęściej głębszej wiedzy o historii, w efekcie nauk w szkołach PRL-u.

Kaleki naród

Warto chyba w podejściu do narodowej historii coś niecoś nauczyć się ze stosunku Żydów do swoich dziejów. By przypomnieć choćby to, co powiedział redaktor naczelny paryskiego dziennika „Le Monde" Luc Rosenzweig w czasie niedawnego kongresu „Żydzi i nowoczesność we Francji i we Włoszech": *Żydzi są narodem, który nie może żyć bez pamięci. Swoją tożsamość zachowują oni tylko przez pamięć* (cyt. Za M. Korczyński: *Pamięć, ale nie pamiętliwość*, „Niedziela", 25 sierpnia 1996).

Przypomnę tu również opinię jednego z najwybitniejszych historyków brytyjskich H.R. Trevora-Ropera: *Naród, który nie zna swojej historii lub nie ma chęci jej studiować, bo mu tę chęć odebrali oschli, profesjonalni historycy, jest intelektualnym, a może także politycznym kaleką* (cyt. za: *Skojarzenia Trevora-Ropera*, „Forum", 5 lutego 1989).

Rozdział VI

Zafałszowywanie nowszej historii Polski

Prawda chyba jest taka,
że podobnie jak nie może rozwijać się kraj,
którego ekonomika jest chorą, tak samo narażane jest
na skarlenie i wegetację kulturalną społeczeństwo,
które odwróciło się od własnej historii.

Tadeusz Manteuffel

„Gruba kreska" w mediach bardzo fatalnie odbiła się na obrazie najnowszej historii. W mediach nadal dominują ludzie wychowani w PRL-u w duchu skrajnej niechęci do wielkiej części narodowych dziejów XX wieku. Począwszy od Drugiej Rzeczypospolitej po tradycję AK-owską i pamięć Powstania Warszawskiego. Za to tym chętniej wybielający PRL. Okazało się, że w podejściu do najnowszej historii Polski w gruncie rzeczy nie wszystko się zmieniło, mimo zniesienia cenzury, i nieograniczonej możliwości likwidowania „białych plam". Zbyt wiele osób w mediach niektóre z „białych plam" nadal akceptuje i wręcz boi się ich likwidacji. Można by to udowodnić na tle licznych wiele mówiących przykładów.

Szkalowanie Drugiej Rzeczypospolitej — na modłę Kałużyńskiego

Mimo przemian po 1989 roku dalej widać utrzymanie się „czarnej legendy" Drugiej Rzeczypospolitej w tekstach licznych postkomunistycznych autorów. Potwornie ponury wręcz obraz Polski Niepodległej lat 1918–1939 przebija z dosłownie wszystkich dywagacji na jej temat, publikowanych przez jednego z filarów postkomunistycznej „Polityki", starego stalinowca Zygmunta Kałużyńskiego. Trzeba przyznać, że także i w tej sprawie jest on niezwykle konsekwentny w malowaniu „czarnej legendy" Polski. Druga Rzeczpospolita jawi się u Kałużyńskiego jako kraj skrajnej nędzy, pełen biednych dzieci o kabłąkowato wygiętych nogach. Ani słowa o jakichś sukcesach gospodarczych, budowie Gdyni czy COP-u. Nad wszystkim zaś czernieje postać Józefa Piłsudskiego, szkalowanego ze szczególnym upodobaniem przez Kałużyńskiego. Powołuje się on na słowa francuskiego polityka Leona Jouhaux w rozmowie z 1930 roku, dowodzące że *zamach stanu Piłsudskiego byłby nie do pomyślenia w Europie i zareagowano by na niego w sposób bezwzględny, ale ponieważ odbyło się to w Polsce, należy się z tym pogodzić.* (Z. Kałużyński: *Pamiętnik...*, s. 67). Przypomnijmy, że w Europie były do pomyślenia: pucze Kappa (1920) i Hitlera (1923) w Niemczech, Mussoliniego marsz na Rzym (1922), pucz generała Primo de Rivery w Hiszpanii (1923) i tamże pucz generała Franco (1936), który rozpoczął trzyletnią wojnę domową, pucz na Place de la Concorde w Paryżu (1936), etc. Jak na tym tle wygląda przedstawianie przez Kałużyńskiego zamachu stanu Piłsudskiego jako czegoś wyjątkowego w Europie i przeciwstawianie Polski Europie?

Przy różnych okazjach Kałużyński powtarza jakoby Hitler miał za co być wdzięczny Piłsudskiemu (por. Z. Kałużyński: *Bankiet w domu powieszonego*, Warszawa 1993, s. 125, tegoż: *Pamiętnik...*, s. 70). Przypomnijmy więc tak skrzętnie przemilczany przez dziesięciolecia PRL-u fakt, że Piłsudski już w lutym 1933 dostrzegł, jakim zagrożeniem dla Europy może stać się Hitler, że to on właśnie wyszedł do polityków Zachodu z tajnym projektem wojny prewencyjnej przeciw nazistowskim Niemcom. Wspominało o tym po wojnie kilkunastu polityków i publicystów zachodnich. Tak znacząca w swoim czasie postać jak brytyjski stały podsekretarz stanu w Foreign Office, lord Robert Gilbert Vansittart pisał o ogromnej przenikliwości politycznej Piłsudskiego, który niestety był osamotniony w dostrzeżeniu intencji Hitlera „niemal od samego początku", i na próżno wzywał Zachód do działania. I tak stwierdzał Vansittart w swych pamiętnikach – *odrzucono sugestie Piłsudskiego, które mogłyby zapobiec niemieckiej agresji za cenę trzydziestu tysięcy ludzi. Zapłacono za to stratą trzydziestu milionów ofiar. Osamotniony Piłsudski, nie widząc szans na działanie prewencyjne przeciw Niemcom, zdecydował się na zawarcie z nimi paktu o nieagresji.*

Druga Rzeczpospolita miała też być według Kałużyńskiego krajem skrajnej nietolerancji, w którym: *Gdy się miało poglądy nieco na lewo od Matki*

Boskiej można było skończyć (...) w klinice (Z. Kałużyński: *Pamiętnik...*, s. 152). Komuś według Kałużyńskiego złamano kciuk prawej dłoni, ponieważ przytoczył Marksa. Czytając tego typu uogólnienia na temat antylewicowego terroru w Drugiej Rzeczypospolitej można tylko szczypać się w ręce ze zdumienia. Jak wytłumaczyć, że przy takim „terrorze" poglądy lewicowe, a czasem wręcz komunizujące, mogły ukazywać się na łamach najpopularniejszego tygodnika kulturalnego „Wiadomości Literackie"? Jak mogły ukazywać się wyraźnie komunizujące czasopisma kulturalno-społeczne typu „Dźwigni", „Lewego Toru" czy „Sygnałów"?

Znamienne, że Kałużyński chętnie łączył skrajnie czarny obraz Polski pod rządami Piłsudskiego z wybielaniem najkrwawszych rządów komunistycznych, w tym samego Josifa Wissarionowicza Stalina. Jeszcze w lipcu 1988 roku wystąpił w „Polityce" równocześnie z atakiem przeciwko zbyt dobremu obrazowi „Polski piłsudczykowskiej" i z wybielaniem Stalina, który wprawdzie „niepotrzebnie mordował", ale nie powinien być wciąż oskarżany jako „czarny charakter – prześladowca" (por. Z. Kałużyński: *Moja wersja wypadków*, „Polityka" z 20 lipca 1988). Tym razem wystąpienie Kałużyńskiego wywołało jednak gorące protesty czytelników. Mecenas Henryk Nowogródzki w polemice pt. *Brudna plama* napisał wręcz: *Od pewnego czasu odsłaniamy białe plamy... przeczytałem z obrzydzeniem i zdziwieniem tekst Z.K. i ogłaszam, że jest to nowa plama, brudna plama. Można mi odpowiedzieć, że jest pluralizm i wolność słowa, ale czy plugawa treść też korzysta z wolności? Tak pisać może człowiek, który niczego nie przeżył, nie widział zbrodni, zdziczenia, łajdactw...Niech autor pomyśli o umierających w kacetach, w obozach nie tylko hitlerowskich, ale także radzieckich w tajgach... Jak długo można godzić się na to, że ktoś udaje, że funkcjonuje na wariackich papierach?* (H. Nowogródzki: *Brudna plama*, „Polityka", 1988, nr 32). Inny czytelnik, Stanisław Barański pisał: *Według Kałużyńskiego możliwe, że Stalin „niepotrzebnie mordował", ale dalej autor dodaje, że i Polska Piłsudczykowska nie była taka „budująca"! Co za ohydne zestawienie!!! Z. Kałużyński uważa, że o zbrodniach Stalina nie warto mówić i mąci w głowie młodego pokolenia* (por. *Listy–polemiki. Jaki był stalinizm*, „Polityka" z 10 września 1988).

Kiedy w Polsce w 1988 roku zaczęto wreszcie bardziej otwarcie mówić o niektórych „białych plamach" w stosunkach z ZSRR, łącznie z osławionym paktem Ribbentrop–Mołotow, Kałużyński wyraźnie nie wytrzymał nerwowo takiego przypominania zbrodni Stalina. Na łamach warszawskiej „Kultury", kierowanej przez znanego z dogmatyzmu politruka Witolda Nawrockiego, opublikował wymyślony przez siebie tekst rzekomego „Paktu Ribbentrop–Beck" choć nigdy takiego paktu nie było. Przypomnijmy, że Józef Beck nie tylko że odrzucił koncepcję paktu z Niemcami hitlerowskimi, który ubezwłasnowolniłby Polskę, lecz stanowczo przeciwstawił się polityce III Rzeszy wobec Polski – w słynnej mowie sejmowej z 1939 roku. Druk wymyślonego przez Kałużyńskiego tekstu rzekomego paktu wywołał gwałtowne protesty czytelników. Kiedy Jacek Strzemżalski w rozmowie z Kałużyńskim w warszawskiej „Kulturze" (1989, nr 5) podniósł sprawę wymyślenia przez Kałużyńskiego nie istniejącego nigdy paktu Ribbentrop–Beck, komentując: *posługuje się Pan także prowokacją*, Kałużyński tłumaczył swe intencje: *Szło mi o obiektywne (...) przedstawienie szowinizmu Polaków, nienawiści do sąsiadów i ślepoty na zagrożenie hitleryzmem w tamtych czasach. Ja wtedy żyłem i doskonale to widziałem. A idzie mi o to, by ci wszyscy, którzy tak głośno trąbią o pakcie Ribbentrop–Mołotow, nie zapomnieli i o naszych przewinieniach. Istniał w Polsce bardzo silny nacjonalizm i nie wolno tego zapominać.*

Aby osłabić efekt „głośnego trąbienia" o pakcie Ribbentrop–Mołotow i odpowiednio „dosolić" Polakom, Kałużyński posunął się więc aż do wymyślenia nie istniejącego dokumentu, mającego do cna skompromitować polską politykę zagraniczną przed wrześniem 1939 roku. Wyobraźmy sobie, że jakieś niechętne Polsce ośrodki w Rosji, czy gdzie indziej za granicą, przedrukowałyby tekst rzekomego paktu Ribbentrop–Beck i odpowiednio nagłośniłyby, powołując się na polskie źródło – warszawską „Kulturę" (!). Postępowanie Kałużyńskiego było szczytem nieodpowiedzialności, godzącej w polskie narodowe interesy, i powinno stać się podstawą skazania go za antypolskie kłamstwo wyrokiem sądowym. Jak zwykle jednak, szachrajowi z „Polityki" wszystko się upiekło. I w wydanej w 1991 roku książce *Pamiętnik rozbitka* (s. 160) znów mógł wybrzydzać na trwający w polskiej prasie „zgiełk" na temat rocznicy paktu Ribbentrop–Mołotow, powołując się na rozmowy z rosyjskimi znajomymi, w pełni wybraniającymi konieczność zawarcia tego paktu niszczącego Polskę.

Inni „gromiciele" Drugiej Rzeczypospolitej

W pismach postkomunistycznych typu „Polityki" dalej z uporem podtrzymuje się „czarną legendę" Drugiej Rzeczypospolitej jako kraju ucisku i dyktatury. By przypomnieć chociażby tekst starej chwalczyni Związku Sowieckiego Anny Strońskiej (autorki książki: *Droga długa jak Rosja*, Warszawa 1979) w „Polityce" z 19 maja 1990. Wybraniając komunistów przed zrzucaniem na nich całej winy za brak tolerancji i tendencje antydemokratyczne, Strońska rozpisywała się na temat Berezy Kartuskiej, pacyfikacji wiosek ukraińskich i „prób faszyzacji życia" w Polsce przed 1939, głosząc, że obraz polityczny międzywojennej Polski był *dość spóźniony nawet jak na ówczesną Europę*. Strońska, była miłośniczka sowieckich wzorów, zapomniała, że system polityczny Drugiej Rzeczypospolitej był wręcz demokratyczną idyllą na tle totalitarnego terroru, jaki dominował przed 1939 rokiem u obu potężnych „europejskich" sąsiadów Polski: stalinowskiej Rosji i hitlerowskich Niemiec.

Cóż jednak wymagać od „czerwonych", kiedy wśród „różowych" z katolewicy można napotkać postawy skrajnego negowania kierowniczych postaci Drugiej Rzeczypospolitej. By przypomnieć znamienne wyznanie wiceprezes warszawskiego Klubu Inteligencji Katolickiej Stanisławy Grabskiej, która w ankiecie wymieniła jako budzące jej niechęć równocześnie postaci Piłsudskiego i Dmowskiego. Według Grabskiej *obaj położyli wprawdzie wielkie zasługi dla odzyskania niepodległości, ale zarazem mieli ogromne wady, które przyczyniły szkody Polsce w okresie dwudziestolecia* (por. wypowiedź S. Grabskiej w „Przeglądzie Katolickim" z 18 listopada 1984). Jak dotąd, w kręgach niekomunistycznych oczywiście, w czasach sporów o historię II RP częstokroć podważano wymiennie rolę bądź to Dmowskiego, bądź Piłsudskiego. Odrzucenie jednak przez niekomunistkę (!) – za jednym zamachem – jako niedobrych zarówno Dmowskiego, jak i Piłsudskiego, to już wyraz dość szczególnego masochizmu historycznego.

Znany działacz Unii Wolności i domorosły historyk Henryk Wujec określił Drugą Rzeczypospolitą jako „ustrój niesprawiedliwości społecznej" – w wywiadzie dla „Tygodnika Powszechnego" z 13 sierpnia 1989. Na łamach tegoż „Tygodnika Powszechnego", o którym myślano kiedyś, że broni zohydzanych polskich tradycji, można było przeczytać inne skrajne potępienie Drugiej Rzeczypospolitej, pióra Krzysztofa Wolickiego. Tak wyrokował on o Polsce lat trzydziestych *to były fatalne lata w Polsce. Nie wierzcie żadnym legendom o wspaniałej Drugiej Rzeczypospolitej. To były lata lawinowo narastających wszelakich konfliktów* (por. *Faktów nie można rozgrzeszać*. Rozmowa z K. Wolickim, „Tygodnik Powszechny", 25 kwietnia 1993). – *To był ciężko chory kraj* – uogólniał na temat Drugiej Rzeczypospolitej znany tropiciel polskiego „nacjonalizmu" Tomasz Jastrun (Smecz) w paryskiej „Kulturze" 1991, nr 7–8, s. 69). Przypomnijmy spod czyich piór wychodzą te godne PRL-owskiej propagandy brechty o Drugiej Rzeczypospolitej. Krzysztof Wolicki był niegdyś pracownikiem stalinowskiej bezpieki (wspomina o tym Jacek Kuroń w książce *Wiara i wina*). Tomasz Jastrun jest synem jednego z najbardziej skompromitowanych służalczością wobec stalinizmu literackich „dworzan Bieruta" – Mieczysława Jastruna.

Szczególnie haniebnym „donosem na Polskę" wyróżnił się Adam Michnik w rozmowie z niemieckim socjologiem Jürgenem Habermasem w 1993 roku. Posunął się on w niej do stwierdzenia: *Zanim tu Hitler przyszedł, myśmy założyli własny obóz koncentracyjny w Berezie Kartuskiej* (por. „Polityka", 1993, nr 47). Skandaliczny był sam fakt porównania hitlerowskich obozów zagłady z obozem odosobnienia w Berezie Kartuskiej, który służył do bezwzględnego odizolowania na pewien czas przeciwników politycznych, ale nie do ich wyniszczania. Kiedy takie stwierdzenie Michnika ukazało się na łamach prasy niemieckiej, a później amerykańskiej (w prestiżowym „New York Times Review of the Book"), sprzyja potwierdzaniu najgorszych oszczerstw o „polskich obozach koncentracyjnych".

Znamienne, że w kierowanej przez Michnika „Gazecie Wyborczej" w lipcu 1994 roku ukazał się źródłowy artykuł Andrzeja Misiuka o obozie w Berezie Kartuskiej, zakończony słowami: *Porównywanie Berezy z hitlerowskimi obozami koncentracyjnymi, powtarzające się w historiografii radzieckiej, służyło przede wszystkim zafałszowaniu obrazu państwa polskiego*. Rozmowa Michnika z Habermasem udowodniła, że wcale nie trzeba sięgać do historiografii radzieckiej, by znaleźć przykłady zafałszowywania obrazu państwa polskiego. Dosłownie pod ręką mamy bowiem odpowiednie teksty Michnika.

W dziesiątą rocznicę wprowadzenia stanu wojennego w Polsce Michnik popisał się tekstem: *W imię przebaczenia* („Gazeta Wyborcza", 13 grudnia 1991), w którym jak mógł starał się wybielić autorów stanu wojennego, przypominając, że przecież i w Drugiej Rzeczypospolitej też naruszano prawo, bo w maju 1926 roku dokonano przewrotu w państwie, a 1930 roku w twierdzy brzeskiej osadzono przywódców antysanacyjnej opozycji. I akcentował: *I wtedy były ofiary, wdowy i sieroty.* Zapomniał tylko w swych porównaniach 1926 roku z 1981 rokiem o jednej podstawowej sprawie, że Piłsudski stawał w swoim zamachu z oddziałami wojska przeciw oddziałom wojska popierającym ówczesny rząd i prezydenta, podczas gdy gen. Jaruzelski narzucił wojnę bezbronnemu narodowi, nie mając w nim większego oparcia, za to tym większe w ciągłej groźbie interwencji Wielkiego Brata ze Wschodu.

Trzeba przyznać, że Adam Michnik, syn Ozjasza Szechtera, człowieka karanego sądowo w Drugiej Rzeczypospolitej za zdradziecką działalność przeciwko ówczesnej Polsce, jest niebywale gorliwy w pomniejszaniu i zohydzaniu dorobku ówczesnej Polski Niepodległej. Na przykład w „Magazynie Gazety Wyborczej" (1994, nr 40) Michnik twierdził, że po śmierci Piłsudskiego „władzę w państwie wzięły jakieś czwartorzędne figury". Protestujący w związku z tą oceną Michnika czytelnik z Wrocławia, Edmund Jaxa-Nagrodzki pisał, że wśród tych rzekomo czwartorzędnych figur znaleźli się między innymi wicepremier inż. Eugeniusz Kwiatkowski, prezydent RP prof. Ignacy Mościcki, minister spraw zagranicznych płk. Józef Beck, minister oświaty i wyznań religijnych prof. Wojciech Świętosławski, marszałek Edward Śmigły-Rydz (por. „Magazyn Gazety Wyborczej" z 4 lutego 1994).

Podobnie jak Adam Michnik, dziennikarze jego starannie „wyselekcjonowanego" ideowo zespołu „Gazety Wyborczej" wyraźnie pełni są niechęci i uprzedzeń do Drugiej Rzeczypospolitej. Widać to na każdym kroku. Weźmy na przykład teksty Anny Bikont, znanej z oszczerczego nazwania Cejrowskiego „brunatnym kowbojem RP" i równoczesnej skrajnej idealizacji komunistycznego dyktatora prasy w czasach stalinowskich Jerzego Borejszy („Magazyn Gazety Wyborczej" z 4 listopada 1994). Rozmawiając ze znanym naukowcem żydowskiego pochodzenia Piotrem Słonimskim, od 1947 roku przebywającym we Francji, Bikont zapytała: *A jak się Pan czuł jako zasymilowany Żyd w endeckiej Polsce?*, by usłyszeć zdecydowaną ripostę Słonimskiego: *Jeżeli Pani tak formułuje pytanie, to powiem, że jest ono tendencyjne i chyba obsesyjne. Po pierwsze Polska międzywojenna nie była endecka, ale piłsudczykowsko-sanacyjna. A to wcale nie było to samo* („Magazyn Gazety Wyborczej" z 27 października 1995). I tak oto żydowski naukowiec, przebywający od prawie półwiecza we Francji, musi wyjaśniać wpływowej dziennikarce z największej polskiej gazety podstawowe fakty z przedwojennej historii Polski, prostując jej „tendencyjność" i „obsesyjność"!

Rzecz znamienna, skłonność do skrajnego przyczerniania obrazu Drugiej Rzeczypospolitej u różnych „czerwonych" oraz „różowych" historyków i publicystów idzie bardzo często w parze z równoczesnym skrajnym wybielaniem „dorobku" PRL-u. Widzimy to jakże często w publikacjach Michnika, Kuronia, Kerstenowej etc. W „Życiu" z 22 listopada 1996 Krzysztof Kawalec ostro skrytykował na przykład dywagacje Krystyny Kersten, zamieszczone w „Życiu" z 9–11 listopada 1996. Dawna apologetka PKWN-u w tekście drukowanym przy okazji kolejnej rocznicy odzyskania przez Polskę niepodległości w 1918 roku przedstawiała skrajnie czarny obraz rzekomej anarchii wewnętrznej i korupcji pierwszych lat Polski po 1918 roku. Co więcej, postawiła wyraźny znak równania między stanem Polski wtedy i dziś oraz stanem ówczesnych przywódczych elit polskich i obecnych. Porównanie to jest ewidentnie fałszywe dla każdego, kto chciałby się choć przez chwilę zastanowić nad zestawieniem takich osób jak Dmowski, Grabski, Korfanty, Paderewski, Piłsudski, Witos z Kuroniem, Bujakiem, Geremkiem, Kwaśniewskim, Małachowskim czy Millerem. Patrząc na tego typu deformacje obrazu Polski Niepodległej 1918–1939 wciąż przypominają się jakże trafne spostrzeżenia świetnej włoskiej dziennikarki, obserwatorki polskich przemian – Barbary Spinelli. Już w styczniu 1991 roku pisała ona na łamach paryskiej „Kultury": *Michnik jest zresztą tylko najbardziej jaskrawym wyrazem głębokiej dezorientacji duchowej, jaka opanowała elitę intelektualną (...) Elitę, która nie chce mieć nic wspólnego z Polską przedwojenną, która nie pamięta, co to znaczy służyć naprawdę krajowi, która żywi pogardę do przedwojennych prób budowania demokracji. Elitę, która jest dzieckiem komunizmu, której brak punktów odniesienia w przeszłości i która siłą rzeczy należy po części do albumu rodzinnego Bieruta, Gomułki, Gierka i Jaruzelskiego* (B. Spinelli: *W oczach Zachodu, Warszawa – w dzień po pierwszej turze*, „Kultura", 1991, nr 1–2, s. 49).

Czarny obraz Drugiej Rzeczypospolitej, dalej tak uparcie powielany w tekstach różnych autorów z „czerwonej" i „różowej" elitki, zafałszowuje prawdę o autentycznych dokonaniach Polski Niepodległej w latach 1918–1939. Jakże odległe od tych negacji i przyczernień jest, na przykład, świadectwo wielkiego polskiego historyka Władysława Konopczyńskiego z jego *Historii politycznej Polski 1914–1939*. Świadectwo tym wymowniejsze ze względu na bardzo krytyczny stosunek prof. Konopczyńskiego do marszałka Piłsudskiego i do sanacji, rządzącej Polską w latach 1926–1939. Otóż według Konopczyńskiego: *Pod względem materialnym postęp był niewątpliwy (...) Przemysł zrobił postępy ogromne (...) W porównaniu z wielu europejskimi narodami Polska powersalska osiągnęła postęp godny uwagi i szacunku, stwierdzany też nie raz przez europejskich obserwatorów* (W. Konopczyński: *Historia polityczna Polski 1914–1939*, Warszawa 1995, s. 216–217). I rzeczywiście, można przytoczyć wiele liczących się zagranicznych świadectw, dobitnie pokazujących wielkie osiągnięcia Drugiej Rzeczypospolitej. Od bezpośrednich obserwatorów, tego co się w niej działo, typu ambasadora Francji Leona Noëla, po oceny historyków typu Normana Daviesa, Petera Rainy czy Richarda M. Watta. Może najbardziej wymowna jest w tym kontekście ocena ambasadora Francji Noëla, w czasie sprawowania funkcji ambasadora w Polsce bardzo niechętnie nastawionego do sanacyjnych kół rządzących, a w szczególności ministra Becka. Uprzedzenia wobec sanacyjnej wierchuszki nie przeszkodziły Noëlowi w wysokiej ocenie generalnego bilansu dokonań Polski Niepodległej 1918–1939. Pisał: *Na ogół biorąc, w piętnaście lat po wojnie polsko-rosyjskiej (...) dokonano dużego dzieła (...) Pomimo popełnionych błędów ten wspaniały wysiłek i piękne jego rezultaty świadczyły na korzyść Polski i jej perspektyw rozwojowych* (L. Noël: *Agresja niemiecka na Polskę*, Warszawa 1966, s. 26–27).

Szkalowanie polskiej wojny obronnej 1939 roku

Żarliwość dyżurnego oszczercy Polski zawiodła Kałużyńskiego również i do kolejnych prób zniesławienia polskiego czynu zbrojnego w 1939 roku. Nie jest tu w żadnym razie odkrywczy. Po prostu naśladuje dawne antypolskie paszkwile z czasów stalinowskich (choćby osławiony *Wrzesień* Jerzego Putramenta). Nie traci dosłownie żadnej okazji, aby z maksymalnie grubej rury odpowiednio dowalić „legendzie" polskiego września. Na przykład w *Pamiętniku rozbitka...* (s. 155) Kałużyński pisał o polskiej wojnie obronnej 1939 roku: *była to nie wojna, lecz bieganina i byłem świadkiem, na każdym kroku niedołęstwa, dezorientacji i bezmyślności.* W *Bankiecie...* (s. 230) pisze o polskiej wojnie obronnej 1939 roku: *Ja natomiast pamiętam wstyd, bałagan, głupotę, niedołęstwo i – tak jest – tchórzostwo.* Rzekomo *załganej jak mało co w naszym piśmiennictwie literaturze o wrześniu 1939* Kałużyński przeciwstawia jako rzekomo godny szczególnej uwagi obraz z noweli niejakiego Jana Kasaka, funkcjonariusza KC PZPR, a przy tym pisarza, raczej nie znanego szerszemu ogółowi. W noweli tej żołnierz–chłop, walczący w 1939 roku, *nie jest w stanie zrozumieć, dlaczego zmuszony jest do walki, o co po co, czego ma bronić. Rzeczywiście, zważywszy jego nędzne życie niewiele lepsze od zwierzęcego, trudno się dziwić, że braknie mu uzasadnienia* (Z. Kałużyński: *Pamiętnik...*, s. 122). Z dalszych dywagacji Kałużyńskiego możemy się „dowiedzieć", że o słabości polskiej armii w 1939 roku decydowała nie tylko jej gorsza od niemieckiej sprawność, organizacja, uzbrojenie czy słabsze dowództwo. Na dodatek bowiem – według Kałużyńskiego nad większością polskiej armii *unosiła się niepewność, rodzaj półmroku moralnego, pochodzącego z niepełnego przekonania* (tamże, s. 123). No, bo jeśli życie żołnierzy-chłopów było według Kałużyńskiego, „niewiele lepsze od zwierzęcego"?! Jeśli nad polską armią unosił się „półmrok moralny" i dlatego była słabsza od hitlerowskiej, która na nas napadła, to co unosiło się właściwie nad armią III Rzeszy?

Być może niektórzy czytelnicy będą mieli mi za złe, że tak szeroko rozwiodłem się nad brechtami Kałużyńskiego. Małego człowieczka i niewolnika antypolskich fobii, który – jak pisał w 1981 roku na łamach „Ekranu" Andrzej Ochalski – uzyskał kiedyś od reżimu „koncesję na doliniarstwo, na drobniutkie szachrajstwa". Rzecz w tym, że te szachrajstwa wcale nie są małe i nie groźne, w sytuacji tak powszechnej niewiedzy o narodowej historii, zwłaszcza u młodszych pokoleń. Co najhaniebniejsze zaś to fakt, że sam szachraj, autor powielanych przez dziesięciolecia oszczerstw przeciw Polsce i Polakom został odznaczony w marcu 1997 roku przez Aleksandra Kwaśniewskiego jednym z największych polskich odznaczeń – Krzyżem Komandorskim z Gwiazdą Orderu Odrodzenia Polski!

Przejawy pomniejszania polskiej wojny obronnej nie ograniczają się tylko do publikacji autorów postkomunistycznych. Można je znaleźć i na łamach różnych pism dawnej tzw. „opozycji laickiej" czy „katolewicy". Na przykład na łamach „Tygodnika Powszechnego" z 17 grudnia 1995 ukazały się oszczercze stwierdzenia Henryka Grynberga, godne kłamstw o Drugiej Rzeczypospolitej lansowanych w najgorszych stalinowskich czasach PRL-u. O tragicznej wojnie obronnej Polski, osamotnionej przez sojuszników, lecz walczącej do końca, pomimo napaści ze strony dwóch potężnych agresorów, Grynberg napisał: *Państwo zaś rozleciało się (w dość kompromitujący sposób)* (H. Grynberg: *O destrukcyjnych elementach w Polsce*, „Tygodnik Powszechny" z 17 grudnia 1995).

Wybitny krytyk literacki Andrzej W. Pawluczuk (autor między innymi książki *Rozbiory*) ostro skrytykował fakty redagowania gazet przez dziennikarzy, którzy nie rozumieją historii swego kraju, stwierdzając: *Jednym z przykładów takiej amnezji kulturowej była dla mnie zamieszczona w „Gazecie Wyborczej" krytyka obrońców Westerplatte, którzy nie chcieli spotkać się po kilku latach z Niemcami* (A.W. Pawluczuk: *Niebezpieczne obrazki*, „Gazeta Wyborcza" z 4 listopada 1993).

Wyeksponowanie anty-AK-owskiej sztuki Różewicza

W czasie, gdy ciągle w bardzo wolnym tempie likwiduje się „białe plamy" z historii Polski, narosłe przez PRL-owskie dziesięciolecia, wykorzystuje się każdą okazję do podtrzymywania dawnych zniekształceń. Widać to szczególnie w skwapliwości, z jaką telewizja sięgała niejednokrotnie do programów godzących w różne patriotyczne tradycje narodowe. Jednym z najskandaliczniejszych przykładów tego typu było nadanie przez telewizję 24 września 1990 roku anty-AK-owskiej sztuki Tadeusza Różewicza *Do piachu* w reżyserii Kazimierza Kutza. Sztuki, o której nawet broniący ją w swoim czasie w „Dialogu" (1988, nr 11–12) Tadeusz Drewnowski przyznał, że *również nowo powstała opozycja odkryła, że to sztuka antyakowska*. Różewicz w swej sztuce zjadliwie szydził (zwłaszcza w „Prologu") z AK i NSZ. Przeciwstawiał – według najbardziej obiegowego stereotypu komunistycznej propagandy oficerów, obcych klasowo, prostym żołnierzom, wyszydzał rzekomy skrajny prymitywizm wyobrażeń akowców na temat komunizmu i Sowietów (por. uwagi T. Szymy: *Naga prawda czy ozdobiony fałsz*, „Tygodnik Powszechny" z 14 listopada 1990). Wyraźnie anty-AK-owskiej i sympatyzującej z komunistami wymowie sztuki towarzyszyło odpowiednie nagromadzenie naturalistycznych drastyczności, które jeszcze bardziej uwypuklił Kazimierz Kutz w swej reżyserii. Jak pisał Tadeusz Szyma: *Ciągłe taplanie się w błocie, w krwi, śluzie, fekaliach i słownikowym rynsztoku przestało pełnić jakiekolwiek funkcje poznawcze czy artystyczne, a służy jedynie sprowadzeniu wszystkiego do parteru lub raczej – do sutereny. Dlaczegóż niby ta najprawdziwsza prawda o czymkolwiek miałaby być zawsze mroczna i ohydna?* (tamże).

Szczególnie oburzenie widzów wywołał fakt, że ten różewiczowy paszkwil na AK nadano w poniedziałkowym Teatrze Telewizji, w porze największej oglądalności, bezpośrednio po *Wiadomościach*. Tadeusz Szyma pisał: *„Cóż za straszliwe świństwo!" – powiedział mi nazajutrz, z płaczem prawie, weteran AK i NSZ, wieloletni lokator stalinowskich więzień* (tamże).

Telewizyjne przedstawienie anty-AK-owskiej sztuki Różewicza wywołało bardzo ostry protest ze strony Ireny Roweckiej, córki generała Stefana Grota-Roweckiego. W swym liście, zamieszczonym na łamach „Polityki" z 13 października 1990 roku, pisała ona między innymi o sztuce *Do piachu*: *Z tej okropności dowiadujemy się, że Armia Krajowa była tylko zbiorowiskiem oprychów, mętów społecznych (z powodu ich wyrażania), pozbawionych wszelkiej etyki, zasad moralnych i nurzającej się w pijaństwie, rozpuście i grabieży. Żołnierze słynnej armii, ogólnie kochanej przez całe polskie społeczeństwo w latach okupacji i potem... – wiedzą jak było naprawdę. W tym widowisku były prawdziwe tylko wszy i kawałek pokazanego dnia codziennego w lesie. Gdyby mój ojciec, gen. Stefan Grot-Rowecki, Komendant Główny właśnie tej oszkalowanej Armii Krajowej, zobaczył ten spektakl! To nie mogę sobie wyobrazić jakby na to zareagował i jak postąpił! Natomiast zareagowali ostro żołnierze AK. Zaraz po ukazaniu się widowiska „Do piachu" otrzymałam sporo telefonów, prawie z całej Polski. Pytano z żalem i oburzeniem, dlaczego tę sztukę pokazano właśnie teraz? Wszyscy ucieszyliśmy się, kiedy zniesiono nam dawną cenzurę prasy i wydawnictw. Musimy jednak koniecznie i jak najszybciej ustanowić nowe kryteria cenzury moralnej, zabraniające między innymi chamstwa i wulgarności w miejscach publicznych, prasie, filmach itp. Aby więcej podobnych okropności nie podsuwać młodym do „podziwiania" i naśladowania.*

Haniebne pomówienia wobec bohaterów Państwa Podziemnego

I znowu – jak w czasach stalinowskich – zamiast autentycznej prawdy o wydarzeniach drugiej wojny, w której naród polski tak godnie i tak bohatersko zdał swój egzamin, zaczęły się pojawiać różne pomówienia pod adresem bohaterów. Najczęściej miały one charakter niczym nie udokumentowanych, oszczerczych, generalizujących zarzutów, wysuwanych na zasadzie „kłamcie, kłamcie, zawsze coś z tego przylgnie". Typowym przykładem takich oszczerczych pomówień – niestety, pozostawionych bez żadnej demaskującej je publicznej riposty – był fragment tekstu Adama Michnika opublikowanego w „Gazecie Wyborczej" w kolejną rocznicę Powstania w Getcie Warszawskim. Pisał Michnik: *Zarówno heroizm ludzi, którzy pomagali Żydom, jak i podłość antysemitów są składnikiem polskiego dziedzictwa. I jest to dziedzictwo tym bardziej kłopotliwe, że wśród tych pierwszych byli także komuniści, późniejsi gloryfikatorzy stalinowskiego terroru, a wśród tych drugich – także bohaterowie antyhitlerowskiego podziemia i ofiary stalinowskich procesów* (A. Michnik: *Bunt i milczenie*, „Gazeta Wyborcza", 17–18 kwietnia 1993). Zdumiewające, że nikt w całej prasie polskiej nie postawił wówczas Michnikowi pytania, na czym oparł swoje obrzydliwe pomówienie? Dlaczego nie zażądano, by wymienił choć jedno nazwisko bohatera antyhitlerowskiego podziemia, który był jakoby „podłym antysemitą"! Bo tak przyparty do muru Michnik mógłby tylko przepraszać za haniebne pomówienia, tak jak to musiał zrobić w przypadku fałszywie oskarżonych przez niego działaczy „Mazowsza". Bo mógłby najwyżej powołać się na fałsze ze stalinowskiej kuźni kłamstw, którymi obsypywano skazanych na śmierć bohaterów AK, takich jak generał „Nil" – Fieldorf. Prawda o czasach wojny mówi, że właśnie AK robiła, co tylko było możliwe dla ratowania Żydów (słynna zainicjowana przez nią Akcja Żegota), że dowództwo AK wprowadziło wyrok śmierci na wszelkie przejawy donosicielstwa na Żydów, tzw. szmalcownictwa. A równocześnie – wbrew kolejnej michnikowskiej próbie wybielania komunistów – wychodzą na jaw ukrywane dotąd czarne karty w stosunku do Żydów. W przeciwieństwie do AK, komunistyczne oddziały partyzanckie były na ogół o wiele mniej zdyscyplinowane niż AK i częstokroć skore do aktów pospolitego bandytyzmu i rabunków. Prowadziło to niekiedy do napaści różnych „ludowych watażków" na Żydów. Szczególnie skompromitowana pod tym względem jest postać jednego z bardziej znanych dowódców AL, a po wojnie bliskiego zaufanego Gomułki, odpowiedzialnego za współudział w krwawym tłumieniu robotniczego buntu na Wybrzeżu w grudniu 1970 roku – generała Grzegorza Korczyńskiego. Taka prawda wyraźnie nie pasowała jednak Michnikowi do jego skrajnych stereotypów o polskiej prawicy i dążeń do wybielania komunistów.

Oszczerstwa przeciw Powstaniu Warszawskiemu

Brak odpowiedniej szybkiej i ostrej reakcji na oszczercze pomówienia typu wspomnianego tekstu Michnika stanowił zachętę do nowych oszczerstw na znacznie większą skalę. Jak się Polacy nie bronią, to... uznano, że można iść na całość w przyczernianiu ich wojennej historii. Uderzając w tak długo opluwane i zafałszowywane w przeszłości Powstanie Warszawskie. Rola inicjatora ataku przypadła Michałowi Cichemu, obecnie kierownikowi działu kulturalnego „Gazety Wyborczej", „wsławionemu" w międzyczasie obszernym artykułem maksymalnie wybielającym sowieckie metody „wyzwalania" Polski z suwerenności i wolności w 1945 roku.

Cichy, młody, nie dokształcony publicysta, postanowił zdobyć herostratesową sławę dzięki zniekształceniu najpiękniejszych tradycji Powstania Warszawskiego, i to jeszcze w okresie przygotowań do jego 50-lecia. Akcję oszczerstw rozpoczął opublikowaniem na łamach dodatku „Gazety Wyborczej" – „Gazety o książkach" (1993, nr 11) recenzji ze wspomnień żydowskiego policjanta Calela Pierechodnika. Wyraził w niej zdziwienie, że Pierechodnik „przetrwał nawet Powstanie Warszawskie", kiedy to „AK i NSZ wytłukły mnóstwo niedobitków w getcie"! Oszczercze „rewelacje" Cichego zostały później szeroko rozwinięte w jego paszkwilu o „czarnych kartach Powstania Warszawskiego", drukowanym w numerze 24 „Gazety Wyborczej" z 1994 roku. Artykuł roił się od skrajnych łgrstw, zarzucających powstańcom warszawskim rzekome zamordowanie około 60 Żydów. Jako szczególnie ważne „źródło dowodowe" Cichy eksponował teksty znanego z fałszowania dokumentów komunistycznego pseudohistoryka–politruka, Bernarda Marka, dyrektora Żydowskiego Instytutu Historycznego w czasach stalinowskich. (Fałszerstwa B. Marka, między innymi zniekształcenie dokumentów przez odpowiednie dopisy, już dawno zdemaskowali nie tylko autorzy polscy, jak słynny działacz emigracyjnej PPS Adam Ciołkosz, ale i wybitni historycy żydowscy, na przykład żyjący na emigracji w Paryżu Michał Borwicz).

Haniebne pomówienia Michała Cichego pod adresem Powstania Warszawskiego nie uszły tym razem bezkarnie. Wywołały liczne, bardzo ostre ataki prasowe, indywidualne i zbiorowe głosy sprzeciwu. Głośny stał się artykuł polemiczny znanego badacza historii Polski doby drugiej wojny światowej – prof. Tomasza Strzembosza pt. *Czarne karty „Gazety Wyborczej"*. Historyk Leszek Żebrowski, najwybitniejszy dziś badacz dziejów NSZ, opublikował odrębne książkowe podsumowanie sprawy oszczerczego ataku „Gazety Wyborczej" na Powstanie Warszawskie i sporów, jakie wywołał w wydanej w 1995 roku, książce *Paszkwil Wyborczej*. Dla mnie osobiście sprawa paszkwilanckiej napaści „Gazety Wyborczej" na Powstanie Warszawskie jako rzekomo czas mordowania Żydów stała się decydującym impulsem do rozpoczęcia obszernego, 47-odcinkowego cyklu artykułów o stosunkach polsko-żydowskich, drukowanego w latach 1994–1995 na łamach „Słowa – Dziennika Katolickiego". Bezprzykładna napaść „Gazety Wyborczej" na rzekomy antysemityzm Polski w czasie Powstania Warszawskiego tym mocniej uprzytomniła mi, jak bardzo potrzebne jest odkłamanie kart historii stosunków polsko-żydowskich i prawdziwe przedstawienie wszystkich najbardziej kontrowersyjnych ich aspektów.

Szczególne oburzenie wielu czytelników „Życia Warszawy" wywołał publikowany w nim w kwietniu 1994 roku, na kilka miesięcy przed obchodami 50-lecia Powstania Warszawskiego, tekst Aleksandra Małachowskiego, niezwykle ostro atakujący Powstanie jako wyraz szaleństwa. W tekście Małachowskiego znalazł się między innymi passus: *odpowiadam, że gdyby wojskowi głupcy nie rzucili pod kule, na pewną śmierć, najlepszych z naszego pokolenia, losy Polski pod czerwoną okupacją mogłyby się potoczyć zgoła inaczej*. Czytelnicy „Życia Warszawy" polemizujący z tekstem Małachowskiego przeciwstawiali się sugestiom, że bez Powstania Niemcy obeszliby się lepiej z Polakami w okresie od sierpnia 1944 roku, „zagłaskali nas z miłości". Sprzeciwiali się również twierdzeniom, że bez Powstania Warszawskiego los Polski pod okupacją sowiecką byłby lepszy. Jeden z czytelników porównał wręcz wymowę tekstu Małachowskiego do artykułu anonimowego dziennikarza (polskojęzycznego) hitlerowskiej gadzinówki „Nowy Kurier Warszawski" z 28 października 1944, pt.: *Dwie kapitulacje 1939–1944*. Dziennikarz gadzinówki wyrażał przekonanie, że *Polacy charakteryzują się polityczną głupotą, rwą się do samobójczej walki, zamiast wchodzić w rozsądne układy z zaborcami czy okupantami (oczywiście Niemcy do nich nie należeli). Taka postawa uchroniłaby naszą „substancję narodową" przed niepowetowanymi stratami* (wg *Listu dr. hab. Z. Witebskiego*, „Życie Warszawy" z 6 kwietnia 1994).

Rzecz znamienna, że dalej – mimo braku cenzury – liczni publicyści z „czerwonej" i „różowej" elitki całą winę za tragedię Powstania Warszawskiego i Warszawy obciążają „wojskowych głupców" z AK, zamiast powiedzenia prawdy o postawie władz sowieckich ze Stalinem na czele, winnych świadomej zbrodniczej bezczynności.

W atakach na Powstanie Warszawskie jak zwykle rej wodzą starzy, „szydercy", już w latach sześćdziesiątych zaprawiający się w atakach na polską bohaterszczyznę. Począwszy od naczelnego redaktora polakożernego i antyreligijnego tygodnika „Wiadomości Kulturalne", Krzysztofa Teodora Toeplitza. W artykule *Lepiej z diabłem...*, publikowanym w „Wiadomościach Kulturalnych" (1994, nr 10) Toeplitz pisał między innymi: *W łunach dogasającego powstania Polacy ujrzeli wiwisekcję światowej polityki. Kompletnie innej niż ta uprawiana przy pomocy kawaleryjskich szarż, ryngrafów z Matką Boską i mętnych obietnic, w której kształtowano ich dotychczas... „Z diabłem, lecz nie z wami" pisał poeta. Każdy wybór wydawał się lepszy od tego, na który zdecydowano się 1 sierpnia 1944 roku.*

W ponad rok później Toeplitz kolejny raz „dołożył" Powstaniu Warszawskiemu na łamach „Wiadomości Kulturalnych" (1995, nr 33), stwierdzając: *słuchając opowieści powstańców nie sposób powstrzymać się przed pytaniem, gdzie kończy się rozkaz a gdzie zaczyna zbrodnia? Ta granica w militariach Powstania Warszawskiego jest piekielnie mętna, cienka, zatarta.* Warto przypomnieć w tym kontekście jakże inne oceny skutków Powstania Warszawskiego wyszłe spod pióra tak fetowanego przez „Europejczyków" byłego dyrektora RWE Jana Nowaka-Jeziorańskiego. Piętnując antyżołnierskie stereotypy, Nowak-Jeziorański niejednokrotnie akcentował, że: *Śmiem twierdzić, że walka i zachowanie się Polski w II wojnie światowej ocaliło w jakimś sensie także odrębność innych państw satelickich (...) W Moskwie pamiętano z pewnością Powstanie Warszawskie, pamiętano, że ten naród skłonny jest popełnić samobójstwo raczej, aniżeli pozwolić innym na odebranie mu jego imponderabiliów bez walki* (cyt. za J. Nowak-Jeziorański: *Małe państwo i wielkie zwycięstwo*, „Gazeta Wyborcza", 13 sierpnia 1993). Skrajna determinacja wykazana przez Polaków w czasie walk Powstania Warszawskiego na pewno nie pozostała bez wpływu na to, że Stalin wobec Polski stosował nieco bardziej ostrożną politykę niż wobec innych państw satelickich, choćby w sprawach kolektywizacji czy Kościoła (Prymasa Polski Stefana Wyszyńskiego aresztowano dopiero po śmierci Stalina). Odrzucił nawet proponowaną przez Bieruta zmianę polskiego hymnu na nowy „socjalistyczny". Nie chcąc sprowokować wybuchu narodu takich „ryzykantów", wolał wybrać drogę powolniejszej rusyfikacji i sowietyzacji.

Autorów ataków na Powstanie Warszawskie nie obchodzą jednak fakty i prawdziwa wiedza historyczna. Korzystają po prostu z kolejnej okazji, by uderzyć w polskie „szaleństwa" i „idiotyzmy". Typowe pod tym względem były różne wystąpienia Kazimierza Kutza. Reżyserujący anty-AK-owski paszkwil Różewicza, Kazimierz Kutz w trzy lata później „wsławił się" szczególnie obelżywym atakiem na Powstanie Warszawskie w wywiadzie dla polskiego miesięcznika społeczno-kulturalnego w Republice Czeskiej „Zwrot" (1993, nr 11). Atakując Powstanie Warszawskie, Kutz powiedział tam między innymi, że Powstanie Warszawskie *w sposób świadomy zda się wchodzić w gilotynę historii i dawać się zabijać (...) to po prostu głupota (...) wybrali najbardziej nędzną wersję heroizmu, czyli wybicie kilkadziesiąt tysięcy elit młodzieży i zniszczenie miasta (...) wydaje się być po prostu idiotyzmem* (cyt. za tekstem W. Chełchowskiego: *Patriotyzm według Kutza*, „Słowo – Dziennik Katolicki" z 15 grudnia 1993). Jak ocenić postępowanie polskiego reżysera, który udzielając wywiadu dla pisma Polaków za granicą robi wszystko dla zohydzenia jednego z wielkich tragicznych i heroicznych zarazem wydarzeń z historii Polski?!

Zastanówmy się, jakie skutki przynoszą tego typu wypowiedzi, zohydzając różne wydarzenia naszej historii, częstokroć nieodpowiedzialnie kierowane przez różnych „luminarzy" polskiej kultury do środowisk polskich w krajach sąsiednich i środowisk polonijnych.

Zohydzanie narodowej historii nie pozostaje bez fatalnych reperkusji na różne środowiska polonijne, w których właśnie lektury publikacji krajowych powodują częstokroć ostateczne zabicie wiary w polskość i Polskę. Wskazywał na to w swoim czasie Jarosław Sobiepanek na łamach „Nowego Świata" pisząc o wynarodawianiu się części środowisk polonijnych: *Rodzice często nie chcą uczyć dzieci języka polskiego, ani historii i kultury ojczystego kraju: „po co się mają wstydzić później polskiego pochodzenia, przecież nasza historia to jedno pasmo samobójczej polityki, zwariowanych powstań, rzucania się z szablami na czołgi, głupoty narodowej, ciemnoty, prywaty, warcholstwa itp.* (por. J. Sobiepanek: *Naród masochistów?* „Nowy Świat", 1 kwietnia 1992).

Pomniejszanie lub wybielanie sowieckich zbrodni przeciw Polakom

Powolność w likwidacji „białych plam" z historii najnowszej, idąca w parze z jakże licznymi próbami wybielenia historii PRL i Związku Sowieckiego, powodują utrzymywanie się różnych kłamliwych informacji o historii nawet w niektórych podręcznikach szkolnych lub w książkach pomocniczych do nauczania historii, zakwalifikowanych przez ministra edukacji do użytku szkolnego. Prawdziwym skandalem pod tym względem było zakwalifikowanie do użytku szkolnego przez ministra edukacji w dniu 14 maja 1991 roku książeczki prof. Jerzego Tomaszewskiego *Mniejszości narodowe w Polsce XX wieku*. Przypomnijmy, że Jerzy Tomaszewski przez całe dziesięciolecia specjalizował się w fałszowaniu historii gospodarczej Polski Niepodległej 1918–1939, przedstawiając ją jako kraj absolutnej nędzy i stagnacji. W wydanej wspólnie ze Zbigniewem Landau książce *Trudna niepodległość* (Warszawa 1968, s. 132) pisał, iż „dominującą cechą" gospodarki polskiej w latach 1918–1939 była stagnacja! Kilka stron dalej (s. 139) dowiadujemy się zaś, że po 1945 roku dzięki wkroczeniu na drogę socjalistycznych przemian nastąpił szybki i wszechstronny rozwój całego kraju. Nowy ustrój wyzwolił w pełni twórcze zdolności – patriotyzm i inicjatywę mas ludowych. Dziesięciolecia kłamstw o stagnacji gospodarki Drugiej Rzeczypospolitej Tomaszewski musiał przerwać w latach osiemdziesiątych – oczernianie dorobku Polski w latach 1918–1939 stało się trochę niemodne (Jaruzelskiemu imponował wzorzec silnych rządów Piłsudskiego). Tomaszewski błyskawicznie przerzucił się na tematykę mniejszości narodowych. Z dnia na dzień stał się głównym specjalistą od badań stosunków polsko-żydowskich. Tym razem główną metodą prof. Tomaszewskiego stało się tendencyjne przedstawianie dziejów stosunków polsko-żydowskich jako jednego ciągu win polskich wobec Żydów, dyskryminowania biednej mniejszości żydowskiej przy skrajnym wybielaniu roli Żydów–Litwaków w rusyfikowaniu Polski czy Żydów–komunistów w organizowaniu antypolskiej Targowicy.

We wspomnianej wyżej książeczce *Mniejszości narodowe w Polsce XX wieku* Tomaszewski pomieścił pokaźną porcję tendencyjnych banialuk o „polskich nacjonalistach" jako głównych winowajcach złych stosunków z innymi narodami (nacjonalizmy innych nacji były skrzętnie wybielane). Wybielane były też rządy sowieckie na terenach zabranych Polsce po sowieckiej napaści w 1939 roku. Jerzy Tomaszewski pisał, że przy tych rządach *młodzież proletariacka zyskała nieznane dawniej szanse awansu społecznego.* W szczególny sposób tłumaczył prof. Jerzy Tomaszewski sowieckie represje wobec różnych warstw społeczeństwa na kresach: *represje spotkały natomiast tych przedstawicieli społeczeństwa polskiego, których uznano za należących do warstw sprawujących władzę i uciskających proletariat, chłopów oraz mniejszości.*

W złożonej w Sejmie 22 kwietnia 1992 roku przez posła Stefana Pastuszewskiego interpelacji w związku ze skandalicznymi przekłamaniami w książce Tomaszewskiego znalazły się pytania w związku z cytowanymi wyżej fragmentami o władzy sowieckiej: *czyżby autor przez podanie fałszywych informacji zamierzał przekonać czytelników, że bolszewicy wymierzyli sprawiedliwość i ukarali polskich wyzyskiwaczy? Czy potworna tragedia ludności kresowej (polskiej, żydowskiej, ukraińskiej, białoruskiej) da się sprowadzić do „warstw sprawujących władzę?" Czy do nich zalicza autor także niemowlęta, których zamarznięte trupki wyrzucali enkawudyści z transportów.* W efekcie interpelacji poselskiej minister edukacji narodowej Andrzej Stelmachowski poinformował, że nie zakłada się klauzuli przewidującej dalsze wydanie książki Tomaszewskiego i że nie wpisano jej do rejestru podręczników i książek pomocniczych na kolejny rok szkolny. Można się dziwić tylko, jak w ogóle dopuszczono do szkół tak tendencyjną pracę. Przypomnijmy, że profesor Leszek Tomaszewski nazwał ją wprost *antywychowawczą, depatriotyzującą, mniejszościowo-centryczną, destrukcyjną, wręcz kłamliwą.* Dr Andrzej Leszek Szcześniak już w tytule w swej recenzji, która posłużyła za podstawę interpelacji posła Pastuszewskiego, nazwał pracę J. Tomaszewskiego „książką ociekającą nienawiścią" („Polska dzisiaj", maj–czerwiec 1992, s. 18–19).

Różne skrajne przykłady przekłamań znalazły się w podręczniku historii najnowszej 1939–1945 Tadeusza Siergiejczyka dla IV klasy liceów ogólnokształcących i III klas techników zawodowych. Przypomnijmy te przykłady za tekstem listu protestującego 28 historyków, profesorów i wykładowców KUL-u, programem Wojciecha Cejrowskiego w telewizji i listem szefa Redakcji Publicystyki Kulturalnej I Programu TVP Cezarego Michalskiego (wszystkie teksty z lutego 1996). Profesorowie i wykładowcy KUL-u z oburzeniem pisali o stosowanych przez Siergiejczyka metodach pomniejszania grozy masowych deportacji ludności polskiej w głąb ZSRR, cytując stwierdzenie Siergiejczyka (*część Polaków wyjechała też w głąb ZSRR w poszuki-*

waniu lepszej pracy i zarobków, bądź na mocy przeniesień służbowych głównie do Donbasu (łącznie około 200 tys. ludzi). Profesorowie KUL-u zapytywali: *z jakich wiarygodnych źródeł wydobył autor te rewelacje? Czy zdaje sobie sprawę z bezsensu tych konstatacji? Jak świadczą rozliczne relacje, także publikowane, nikt z Polaków spod okupacji sowieckiej z Białegostoku, Łomży, Ostrołęki, Przemyśla, a nawet Lwowa nie szukał lepszej pracy w tzw. „raju", w głębi sowieckiego imperium. Było ono dla mieszkańców okupowanych ziem polskich synonimem pracy niewolniczej i biedy większej niż na anektowanym terytorium Polski. Dobrowolnie mogły udawać się w głąb imperium bolszewickiego wyłącznie osoby chore umysłowo bądź komuniści. Tych ostatnich jedynie przenoszono służbowo w głąb Związku Radzieckiego, np. Bolesława Bieruta, Władysława Gomułkę, Wandę Wasilewską oraz innych im podobnych, uważanych powszechnie wówczas za zdrajców. Wszyscy inni Polacy w głąb ZSRR zsyłani byli przymusowo* (*Przeciw deprawowaniu umysłów młodzieży*, „Niedziela", 4 lutego 1996).

Innym skrajnym fałszerstwem Siergiejczyka było stwierdzenie: *Po klęsce Francji, w obliczu rosnącego zagrożenia niemieckiego, sytuacja ludności polskiej na terenach włączonych do ZSRR zaczęła zmieniać się na korzyść. Polityka władz radzieckich uległa pewnemu złagodzeniu. Władze zaczęły zwracać większą uwagę na rozwój polskiego życia społeczno-kulturalnego.* (T. Siergiejczyk: *Historia. Dzieje najnowsze 1939–1945*, Warszawa 1995, s. 137). Polemizując z tym fałszerstwem, szef Redakcji Publicystyki Kulturalnej I Programu TVP Cezary Michalski pisał: *Warto przypomnieć, że po niemieckiej agresji na Francję w czerwcu 1940 roku miały miejsce dwie, najbardziej masowe fale wywózek i eksterminacji ludności polskiej na kresach, obejmujące ogółem ponad pół miliona Polaków a także obywateli RP innych narodowości. Pisanie w tym kontekście o „zmianie na korzyść sytuacji ludności polskiej" a nawet o „rozwoju polskiego życia społeczno-kulturalnego" (może p. Siergiejczyk ma na myśli wzrost nakładu polskojęzycznych, sowieckich gadzinówek?) jest bezczelnością* (C. Michalski: *Zsyłki i wyjazd*, „Życie Warszawy", 5 marca 1996).

Profesorowie KUL-u przypomnieli zaś, prostując zafałszowania w tekście Siergiejczyka, między innymi to, że: *Dokonano w szczególności od przełomu 1940/41 krwawych egzekucji Polaków. (...) Absolutnie nie wolno zapominać, że największa deportacja Polaków z ziem etnicznie polskich w głąb ZSRR na Sybir miała miejsce w piątek 20 czerwca 1941 roku* (*Przeciw deprawowaniu...*).

Przypomnijmy, że do publicznej krytyki zafałszowań podręcznika Siergiejczyka doszło dopiero przy VI wydaniu jego książki. A i nawet wtedy dyrektor Wydawnictw Szkolnych i Pedagogicznych Andrzej Chrzanowski próbował wybraniać podręcznik i oskarżać krytykujących jego treść o „naruszenie dobrego imienia autora i wydawcy" (por. tekst listu A. Chrzanowskiego do „Życia Warszawy" z 15 lutego 1996). Czy wszystko to nie jest dowodem skrajnej powolności w przezwyciężaniu zafałszowań przeszłości i aż nazbyt dobrego samopoczucia ludzi te zafałszowania tolerujących?!

Sowiecka okupacja „z ludzką twarzą"?

Inny przykład wybielania sowieckiej okupacji, przedstawiania jej jako lepszy typ okupacji „z ludzką twarzą" zademonstrowała Anna Tatarkiewicz w „Życiu Warszawy" z 14 sierpnia 1994. W jej ocenie wraz z wkroczeniem armii sowieckiej na kresy wschodnie RP jesienią 1939 roku Polacy zostali zepchnięci z pierwszej kategorii obywateli do pośredniej, ale prześladowania nie dotyczyły Polaków tylko potencjalnych „wrogów klasowych". Sami zaś Rosjanie nigdy nie traktowali Polaków jako „podludzi", *co znalazło wyraz przede wszystkim w tak ważnej dziedzinie jak oświata.* Wywody Anny Tatarkiewicz spotkały się z ostrym sprzeciwem pisarza Kazimierza Orłosia w artykule *Okupacja „z ludzką twarzą"* ("Tygodnik Solidarność" z 16 września 1994). Orłoś sprzeciwił się sprowadzaniu postępowania Sowietów do Polaków wyłącznie do zepchnięcia ich z kategorii pierwszej do pośledniej w czasie *kiedy NKWD rozstrzeliwało oficerów w Katyniu, deportowało tysiące rodzin na wschód.* I pisząc o rozmiarach ówczesnego zniewolenia Polaków pod władzą sowiecką konstatował: *Zdumiewające, jak różne oceny i różne miary przykładane są właśnie do sowieckiej okupacji Lwowa i niemieckiej okupacji Warszawy. Dlaczego niektórym ludziom tak trudno nazwać rzeczy po imieniu? Jakby nadal uważali sowiecką okupację za coś lepszego – za taki wyższy typ okupacji – „z ludzką twarzą".* Przypomnijmy, że to lepsze jakoby traktowanie Polaków (nie traktowanie ich jak „podludzi") w sferze szkolnictwa wyższego wyraziło się w odpowiednim spadku Polaków na uniwersytecie we Lwowie z 70 proc. przed 1939 rokiem do 3 proc. (dane wg książki R.C. Lukasa: *Zapomniany Holocaust*, Kielce 1995, s. 164).

Dawnych PRL-owskich propagandystów i aktualnych bezkrytycznych apologetów Rosji w Polsce wyraźnie boli poruszanie przez dziesięciolecia przemilczanych i zakłamanych spraw, takich jak zbrodnia katyńska. Z jakąż furią zaatakował pisanie o sprawie zbrodni katyńskiej Krzysztof Teodor Toeplitz stwierdzając na łamach „Wiadomości Kulturalnych" (1995, nr 24): *Cóż bowiem w sprawie Katynia nie od dzisiaj przecież widać było na prawdę? Otóż to, niestety, że straszliwa tragedia katyńska stała się w Polsce kartą wygrywaną już od kilku lat w sposób całkowicie jednoznaczny i nierozumny jako karta antyrosyjska. Katyń w naszej propagandzie i w naszych środkach przekazu przesłonił Oświęcim. Katyń przywoływany jest także wówczas, kiedy chcemy pokazać, dlaczego boimy się Rosji, co uzasadnia nasze coraz bardziej zresztą złudne, marzenie o NATO. Dlaczego więc, z jakiej racji, prezydent Rosji miałby przyłączać się do naszej katyńskiej manifestacji?*

Wcześniej na łamach „Wprost" ukazał się tekst Olgi Lipińskiej, godny miana najgorszych tekstów PRL-owskich propagandzistów typu płk. Wiesława Górnickiego. Lipińska wyrażała w nim przekonanie, że człowiek opuszczający szkołę jest już *zbrzydzony tematami typu Katyń i łagry, i w ogóle ideologią narodową preparowaną na użytek półinteligencji* („Wprost" z 21 lutego 1993).

Urban — współczesnym chwalcą Stalina

Wszystkie rekordy kłamstwa i hupcy pobił w 1993 roku Jerzy Urban. W swoisty sposób uczcił on 40 rocznicę śmierci jednego z największych ludobójców w historii ludzkości, Josifa Wissarionowicza Stalina. W rosyjskich „Nowoje Wremia" (1993, nr 10) opublikował artykuł przedstawiający Stalina, odpowiedzialnego za śmierć wielu dziesiątków tysięcy Polaków, jako faktycznego dobroczyńcę Polski i Polaków. Pisał tam, że przestępstwa polskiego stalinizmu *miały ograniczony charakter, natomiast w owych czasach biedniejsze warstwy ludności otrzymały szansę socjalnego awansu, co później stworzyło impuls do powstania „Solidarności" i w następstwie ekonomicznego i politycznego przewrotu w Polsce lat 90-ych.* Według Urbana to Stalin faktycznie zbliżył Polskę do Europy, przesuwając geograficzne granice Rzeczypospolitej ze wschodu na zachód, dzięki czemu do czasu tych działań Stalina sięgają korzenie „obecnej integracji Polski z Europą". Tego typu „rewelacyjne" przesłanie adresował Urban do rosyjskich czytelników, wśród których, jak wiemy, bardzo duże wpływy ma ciągle propaganda poststalinowców, akcentująca przeróżne „dobrodziejstwa" Stalina dla Rosji i jej sąsiadów. Andrzej Kern skomentował powyższy artykuł Urbana w rosyjskiej prasie jako głos wyrządzający niewyobrażalne wręcz szkody interesom polskiej racji stanu, akcentując: *Czytając te słowa nie mogłem oprzeć się wrażeniu, że słyszę jakiś szatański chichot unoszący się nad mogiłami pomordowanych Polaków (zwłaszcza Sybiraków i Kresowiaków), rozrzuconymi po całym obszarze byłego Związku Radzieckiego, że mogiły te w sposób bezczelny i brutalny zbezczeszczono. Nie mogłem oprzeć się uczuciu zawstydzenia, bo na moich oczach próbuje się deprecjonować wartość cierpień tych, którzy przeżyli piekło stalinowskich łagrów i ubeckich kazamatów* (A. Kern: *Szatański chichot*, „Słowo – Dziennik Katolicki", 22 marca 1993).

W imię Polski czy w imię Targowicy

Wciąż trwa proceder wybielania komunistycznych rządów Polski po 1944 roku, przedstawiania ich działań jako po prostu „innego patriotyzmu". Targowiczanie na usługach Kremla, gotowi zawsze do wystąpienia przeciw własnemu narodowi, urastają w ten sposób do roli rzeczników jednej z polskich opcji, na swój sposób troszczących się o losy państwa i narodu. W tym wybielaniu szczególnie żywy udział biorą historycy od młodu zaprawieni w wybielaniu PRL-owskich dokonań, tak jak autorka arcyzakłamanej monografii PKWN-u (z 1965 roku) Krystyna Kersten. Z werwą wtórują im dawni przedstawiciele tzw. „lewicowej opcji laickiej" typu Adama Michnika, brata stalinowskiego mordercy sądowego – kapitana Stefana Michnika. Konsekwentnie upowszechnia on skrajny relatywizm moralny w stosunku do powojennego reżimu komunistycznego, głosząc że nie powinno się w ogóle spierać o to, czy w 1945 roku Polska została wyzwolona czy zniewolona przez armię sowiecką. Jego zdaniem: *Dla jednych było to zniewolenie, dla drugich wyzwolenie (...) Polacy muszą być zjednoczeni. Z obszaru polskiej zgody narodowej nie da się usunąć ani formacji postkomunistycznej, dla której rok 1945 był wyzwoleniem, ani też formacji postantykomunistycznej, dla której rok ten był początkiem sowietyzacji Polski* (A. Michnik: *Igranie z Rosją*, „Gazeta Wyborcza", 1995, nr 95). Tak więc w imię sugerowanej przez Michnika zgody narodowej ma się zapomnieć o rozliczeniu morderców w obcej służbie, katujących polskich patriotów, przeciwnie, ma się prowadzić do sztucznej zgody „katów i ofiar", tych, którzy wspierali narzucany siłą proces satelityzacji Polski z tymi, co płacili ogromną cenę za obronę polskiej tożsamości.

Tego typu postawa Michnika wywołała konsternację nawet w obozie jego sojuszników, choćby u tak fetowanego w „Gazecie Wyborczej" niegdysiejszego „kuriera z Warszawy", a dziś konsekwentnie reprezentującego interesy amerykańskiego Departamentu Stanu, Jana Nowaka-Jeziorańskiego. Polemizując z cytowanym tekstem Michnika, Nowak-Jeziorański zarzucił mu, że: *urąga prawdzie historycznej. Nie może być dwóch prawd diametralnie sprzecznych. Jest tylko jedna prawda. Michnik niechcący (czy rzeczywiście niechcący? – J.R.N.) zaciera w umysłach swoich czytelników różnice między zniewoleniem i niepodległością, między jej obrońcami i tymi, którzy w 1945 roku wspomagali obcą przemoc w zniewoleniu własnego kraju (...) Samo dopuszczenie przez Michnika możliwości powtórzenia się roku 1945 – powrotu spadkobierców ekipy lubelskiej do roli, jaką wówczas odegrał PKWN – ma wydźwięk alarmujący (...) Błąd jego* (Michnika – J.R.N.) *polega na tym, że historyczna rehabilitacja PPR i jej ekspozytury z roku 1945 nie zmniejsza, lecz zwiększa groźbę powtórzenia się tragicznego scenariusza podboju Polski od wewnątrz* (J. Nowak-Jeziorański: *Nie przebaczajmy zbyt łatwo*, „Gazeta Wyborcza" z 5 sierpnia 1995). Odpowiadając na zastrzeżenia Nowaka-Jeziorańskiego Michnik z całą dezynwolturą stwierdził, iż tak się składa, że *co trzeci Polak uważa, iż w 1945 roku Polska została wyzwolona. Z tym „co trzecim Polakiem" chcę wspólnie troszczyć się o polską niezawisłość i wolność* („Gazeta Wyborcza" z 5 sierpnia 1995). Czyż trzeba było wyraźniejszej deklaracji po stronie postkomunistycznych wybielaczy PRL-u i jego targowickich rządów?

Wybielaczom komunizmu w sukurs pospieszył Jacek Kuroń, były komunista, później krytykujący go z pozycji trockistowskiej. Niegdyś w czasie swego komunizowania jako szef walterowców, czyli osławionego „czerwonego harcerstwa", odegrał bardzo fatalną rolę w rozbijaniu i niszczeniu tradycyjnego patriotycznego harcerstwa. Jednym z najohydniejszych czynów Kuronia w tamtym okresie było doprowadzenie do wyrzucenia z funkcji komendanta Gdańskiej Chorągwi ZHP Józefa Grzesiaka-Czarnego, harcmistrza, przedwojennego drużynowego Czarnej Trzynastki, później oficera AK, komendanta Szarych Szeregów w Wilnie i więźnia Workuty. Zarzuty przeciw Grzesiakowi o wrogą działalność wobec PRL-u pochodziły z SB. Kuroń stawiając wniosek o usunięcie Grzesiaka, zarzucił mu, że w działalności podległych mu drużyn *nie realizuje się łódzkiej deklaracji o socjalistycznym wychowaniu. Był to strzał nie do obrony* (J. Kuroń: *Wiara i wina*, Warszawa 1989, s. 152).

W „Gazecie Wyborczej" z 13 lutego 1993 Kuroń tak pisał o największym systemie zorganizowanego ludobójstwa: *Komunizm rzucił światu wyzwanie w imię sprawiedliwości społecznej. Wyzwolił olbrzymie siły, potrafił przemówić do biednych, uciskanych, i – co może najważniejsze – do sumień ludzkich.* Ciekawe, gdzie Kuroń znalazł w narzuconym siłą przez sowiecką armię komunizmie rzekomy apel do ludzkich sumień?

Czy Szlajfer ważniejszy jest od Fieldorfa?

W niektórych podręcznikach szkolnych wydawanych w ostatnich latach dalej brak jest rzeczywistego obrazu zbrodni komunistycznych popełnionych po 1944 roku w Polsce. Na przykład w wydanym w 1993 roku podręczniku szkolnym Jerzego Eislera nie znalazło się nawet jednego wiersza dla wspomnienia tragicznych losów polskich bohaterów zamordowanych w imię komunistycznego bezprawia, typu gen. „Nila"–Fieldorfa czy rotmistrza Witolda Pileckiego. Autor za to tym szczodrzej wysławiał cierpienia najbliższych mu ludzi z pokolenia marca 1968: relegowanie ze studiów Michnika i Szlajfera, skazanie Michnika na 3 lata więzienia, Dajczgewandta i Lityńskiego na 2,5 roku, Blumsztajna, Szlajfera, Toruńczyk i Zambrowskiego na 2 lata (por. J. Eisler i in.: *Świat i Polska 1939–1992*, Warszawa 1993, s. 289–292). Dodajmy, że książka tak fałszująca proporcje wydarzeń została zalecona do użytku szkolnego przez ministra edukacji narodowej w 1993 roku.

Jednym z największych wybielaczy PRL-u, ze szczególną satysfakcją nagłaśnianym w postkomunistycznej „Trybunie", okazał się słynny kurier czasu wojny, Jan Karski, który jest teraz manifestacyjnym zwolennikiem Aleksandra Kwaśniewskiego jako „doskonałego prezydenta". W publikowanym na łamach „Trybuny" z 25–26 listopada 1995 roku liście do Kwaśniewskiego, Karski rozgrzeszył z antypolskich zbrodni kolejne ekipy rządzące w PRL-u, od Bieruta po Jaruzelskiego i, co więcej, przypisał im specjalne zasługi w odzyskaniu przez Polskę niepodległości, stwierdzając między innymi: *Polskie społeczeństwo jest podzielone między rzekomo odpowiedzialnymi za tzw. Polskę Ludową oraz ich oponentami. W dzieleniu społeczeństwa według takiego kryterium jest dużo hipokryzji, demagogii i nieznajomości historii własnego kraju. O oddaniu Polski pod kontrolę Moskwy zadecydowały rządy koalicji wojennej Anglii, Stanów Zjednoczonych i Związku Sowieckiego, kierując się uzgodnionymi wymogami ich ówczesnej racji stanu. Polacy, żadni Polacy, nie mieli na te decyzje jakiegokolwiek wpływu. Polakom pozostało albo wyciągnąć z tego stanu rzeczy konsekwencje, albo podjąć bezskuteczną walkę. Możliwości tych, którzy wyciągnęli z tego konsekwencje, z natury rzeczy były aż do późnych lat 80-tych ograniczone polityką i potęgą rządu sowieckiego. Gdy rząd sowiecki zaczął się rozpadać, zainicjowali oni współpracę z własnym społeczeństwem poprzez bohaterską „Solidarność". W rezultacie naród polski odzyskał niepodległość. Tym razem bez wojny.*

List Karskiego spotkał się z ostrym protestem kilku zasłużonych działaczy z pokolenia Polski Walczącej: Władysława Bartoszewskiego, Zofii Korbońskiej, Andrzeja Pomiana, Jana Nowaka-Jeziorańskiego i Tadeusza Żenczykowskiego. W liście opublikowanym w „Rzeczypospolitej" z 15 grudnia 1995 roku napisali oni między innymi: *Z największą niechęcią i z żalem podnosimy głos protestu przeciwko wystąpieniu naszego kolegi z lat Polski Walczącej. Wobec nieprawdy, jaką zawiera niemal każde słowo jego wypowiedzi, milczeć nam nie wolno (...) Czy historykowi dziejów ostatnich, jednemu z ostatnich żyjących świadków historii i straszliwej polskiej tragedii lat 1944–45 oraz lat następnych trzeba przypominać powszechnie znane fakty? Czy zapomniał, że Polska była okupowana przez Armię Czerwoną i NKWD, a Stalin dokonał wewnętrznego podboju kraju dzięki dobrowolnej i gorliwej pomocy tych Polaków, dla których włączenie Polski do ZSRR jako jeszcze jednej republiki radzieckiej stało się życiowym celem od chwili odzyskania przez Polskę niepodległości w 1918 roku. NKWD już po kilku miesiącach stał się niepotrzebny. Zastąpili go polscy siepacze Bieruta, Radkiewicza i innych. Z ich rąk śmierć poniosły dziesiątki, jeśli nie setki tysięcy towarzyszy walki podziemnej Jana Karskiego. Znane są dziś dokumenty i listy imienne ludzi wieszanych, rozstrzeliwanych, więzionych i torturowanych przez Polaków z partii Aleksandra Kwaśniewskiego. Według Karskiego Bolesław Bierut nie miał innego wyboru, musiał wobec sowieckiej potęgi podpisywać wyroki śmierci na żołnierzy AK i przywódców podziemia. Gomułka musiał wydać rozkaz masakry stoczniowców w 70-tym roku. Zdaniem Karskiego wobec potęgi rosyjskiej nie mieli innego wyboru. Karski rozgrzesza partię Kwaśniewskiego z „wojny z narodem" wypowiedzianej w 1981 roku, śmierci górników w kopalni „Wujek", zamordowania Pyjasa i Przemyka, okrutnej, męczeńskiej śmierci ks. Popiełuszki i innych zbrodni stanu wojennego.*

Od dłuższego czasu kontynuowana jest rehabilitacja różnych pseudowielkości PRL-u od Szyra po Rakowskiego w programie Jerzego Diatłowickiego *Rzeczpospolita Druga i pół*. W długim, godzinnym programie, emitowanym w najlepszym czasie antenowym. Równocześnie polikwidowano programy pokazujące tak długo przemilczane „białe plamy". Neokomuna w TVP jest bardzo konsekwentna – zgodnie z jej gustami w telewizji mają pozostać tylko panegiryczne programy o PRL-u.

W tym samym czasie zaś na początku 1997 roku zdjęto z telewizji stały cykliczny program Dariusza Baliszewskiego *Rewizja nadzwyczajna*, odsłaniający „białe plamy" z najnowszej historii Polski, i dlatego szczególnie denerwujący postkomunistów. Program zdjęto, pomimo faktu, że posiadał oglądalność 9–11 proc., wręcz rekordową jak na program o ambicjach naukowo-badawczych (por. rozmowę J. Biernackiego z D. Baliszewskim: *Historia jest nauką o przyszłości*, „Nasza Polska", 16 kwietnia 1997). Dopiero po licznych protestach środowiskowych, po blisko półrocznej nieobecności na ekranach, program Baliszewskiego powrócił na ekrany telewizorów. Zdjęto za to od jesieni 1997 roku ogromnie cenny program historyczny dla Polonii *Historia – Współczesność* pod redakcją Szczepana Żaryna. Realizowany od kilku lat program przypominał telewidzom z Polonii różne ważne, przez dziesięciolecia przemilczane, momenty z najnowszej historii Polski i stosunków Polski z sąsiadami. Niszcząc ten program zniszczono jedno z ważniejszych forum nauczania historii.

Szokująca niewiedza

Tak długo zniechęcano do rodzimych dziejów, aż doszło do rzeczy najgorszej – do odwrócenia się młodych pokoleń plecami do historii. Szokują rozmiary niewiedzy o najważniejszych wydarzeniach w historii Polski, poszerzającej się w przyspieszonym tempie w ostatnich latach. O ile 1988 roku na pytanie: „co wydarzyło się w Polsce w 1918 roku?" poprawnie odpowiedziało 67 proc. respondentów, o tyle już po pięciu latach, w grudniu 1993 – niespełna 37 proc. (wg J. Mikke: *Chwała i zdrada*, Warszawa 1994, s. 123). Kilka lat temu po odczycie w gimnazjum o historii Polski dla około osiemdziesięciu 15–16-latków w jednym z miast wojewódzkich na północy Polski, postanowiłem zadać im kilka pytań z historii Polski. I uzyskałem szokujący brak odpowiedzi. Ani jedna osoba spośród osiemdziesięciu nie wiedziała, co zdarzyło się 17 września? (o 1 września na ogół wiedziano). Ta niewiedza, to przecież nie tylko wina szkół, nauczycieli wychowanych w komunistycznych czasach i, jak widać, mało przykładających się do usuwania „białych plam", ale to jaskrawy dowód zaniedbań w wychowaniu domowym, braku troski rodziców o przekazanie swym dzieciom prawdy o tragicznych przejściach Polaków.

Szczególnie szokujące okazały się wyniki badań pt. „Ślady II wojny światowej w świadomości sześciu narodów", przeprowadzonych w marcu i kwietniu 1966 roku przez Międzynarodowy Instytut Badania Opinii Społecznej IMAS International (z siedzibą w austriackim Linzu). Badania przeprowadzono w Austrii, Niemczech, Polsce, Czechach, na Węgrzech i w Rosji, przedstawiając ankietowanym listę tych samych ośmiu postaci. W czasie sondażu okazało się, że Polacy najsłabiej spośród sześciu narodów znają historię drugiej wojny światowej i okresu powojennego! Odnosiło się to także do nazwisk dwóch wielkich ludobójców: Hitlera i Stalina, których działania tak dotknęły Polskę i Polaków. Polacy i Rosjanie najsłabiej pamiętali postać Hitlera (89 proc. badanych), podczas gdy wśród czterech innych narodów pamiętało go ponad 90 proc. badanych. Także w przypadku Stalina Polacy należeli do najsłabiej pamiętających go narodów (87 proc. badanych) obok Austriaków. Relacjonujący wyniki sondażu redaktor „Gazety Wyborczej" pisał, że także w odniesieniu do rodzimych polityków *wiedza historyczna Polaków wypada nadspodziewanie słabo wśród państw postkomunistycznych: jedynie 68 proc. kojarzy nazwisko Edwarda Rydza-Śmigłego, 48 proc. Józefa Becka, 45 proc. Stefana Grota-Roweckiego, 55 proc. Władysława Andersa, 86 proc. Władysława Gomułki, 84 proc. kard. Stefana Wyszyńskiego. Dla porównania 97 proc. Czechów pamięta Edwarda Benesza, 99 proc. Gustava Husaka, 97 proc. Aleksandra Dubczeka. 97 proc. Węgrów pamięta Jánosa Kádára, 90 proc. Imre Nagya (...) Na uwagę zasługuje grupa respondentów do lat 30. Aż 42 proc. młodych Polaków uważa, że informuje się ich o wojnie w sposób tendencyjny, 27 proc. nie ma w tej sprawie zdania, a tylko 31 proc. ma zaufanie do przekazywanej wiedzy. Podobnie młodzi Rosjanie – 28 proc. uważa, że oficjalne informacje o II wojnie są kłamliwe, wierzy im 23 proc., nie ma zdania 49 proc.. W pozostałych narodach zaufanie przeważa nad otwartym krytycyzmem* (wg *Pamiętać, zapomnieć*, „Gazeta Wyborcza", 4 maja 1995).

Historyk, prof. Jerzy Holzer, komentując wyniki wspomnianego sondażu międzynarodowego, pisał: *Pytanie dotyczące postaci historycznych świadczy o zaskakująco niskiej wiedzy historycznej w Polsce. To Polacy najsłabiej (obok Rosjan) pamiętają Hitlera, najsłabiej też wśród mieszkańców dawnego bloku komunistycznego pamiętają Stalina. Najmniej wiedzą o Chamberlainie i Churchillu, o Roosevelcie, Mussolinim i Eisenhowerze, o Adenauerze i de Gaulle'u.*

Można się zastanawiać: czy jest to świadectwo niskiej wiedzy historycznej, za czym przemawiałaby stosunkowo słaba znajomość czołowych polskich postaci ostatniego 50-lecia – Gomułki, Bieruta, i Wyszyńskiego, gorsza niż w przypadku podobnie ważnych postaci na Węgrzech czy w Czechach? Czy też dowód ogólnie niższego niż w pozostałych krajach poziomu wykształcenia? (J. Holzer: *Historia i stereotypy*, „Gazeta Wyborcza", 4 maja 1995).

Gdzie młode pokolenia mają zdobywać wiedzę o historii, a zwłaszcza o przemilczanych przez dziesięciolecia „białych plamach"? Nie daje tej wiedzy – jak już wspomniałem – największe z mediów – telewizja, w której dominuje wyraźnie nurt wybielania PRL-owskiej przeszłości. Podobnym wybielaniem zajmują się bardzo wpływowe czasopisma postkomunistyczne z „Polityką" i „Wprost" na czele przy wyraźnym akompaniamencie największego dziennika „różowych" „Gazety Wyborczej" (choćby w osławionych tekstach Michnika i Cichego). W szkołach dalej dominują generacje PRL-owskich nauczycieli, przyzwyczajonych do nauczania według dawnych schematów i pominięć.

Pewnym remedium na te pominięcia i zaniedbania mógłby być szeroki dostęp do nowych, licznych skądinąd książek, demaskujących komunistyczne zbrodnie. Rzecz w tym, że zubożałe społeczeństwo może sobie w coraz mniejszym stopniu pozwolić na zakupy książek relatywnie droższych niż na Zachodzie, przy obniżonej stopie życia. Biblioteki publiczne zaś niemal nie mają pieniędzy na zakup nowych książek, odkłamujących historię. W rezultacie, jak pisał Marcin Mońko w artykule o dramacie polskiej książki: *Nadal nie ma w polskich bibliotekach książek zakazanych w czasach PRL (...) Zasadnicze zasoby biblioteczne w ponad dziewięćdziesięciu procentach składają się z książek z tzw. minionego okresu* (M. Mońko: *W cieniu kaganka...*, „Życie Warszawy" z 22–23 czerwca 1996).

Podobnie jak w przypadku obchodów rocznic dawnych dziejów Polski marnuje się szanse popularyzowania nowszej historii przez uroczyste obchody rocznic ważnych dla narodowych dziejów. Karygodne wręcz były pod tym względem rozliczne fakty dowodzące skrajnego zaniedbywania przez władze polskie kultywowania pamięci o historii polskości na Górnym Śląsku. Przypomnę tu pełne goryczy słowa profesora Andrzeja Stasiaka z PAN-u:

W 1991 roku była 70-ta rocznica Trzeciego Powstania Śląskiego. Nikt z władz centralnych nie brał udziału w tych uroczystościach. Natomiast był czas, żeby ówczesny premier spotkał się z mniejszością niemiecką. A w 1992 roku była 70-ta rocznica przyłączenia części Górnego Śląska (sierpień 1922) – również ją potraktowano lekceważąco (...). I jeżeli teraz odtworzono ponad 40 pomników ku czci Wehrmachtu, a nie znaleziono miejsca na postawienie pomnika Kadetów Lwowskich – ochotników Trzeciego Powstania Śląskiego, którzy zginęli walcząc o Polski Śląsk, to takie fakty świadczą, że elity, które o tym zdecydowały, nie myślą w kategoriach polskiej racji stanu (por. *Kto chce w Polsce pobawić się w Jugosławię.* Z rozmowy T. Szczepańskiego z prof. A. Stasiakiem, KPN-owska „Gazeta Polska" z 10 stycznia 1993).

Wraz z dojściem do władzy postkomunistów w rządzie ukształtowanym jesienią w 1993 roku i później wraz z wyborem postkomunisty Aleksandra Kwaśniewskiego na prezydenta RP coraz częstsze stawały się zjawiska bojkotowania lub przemilczania przez przedstawicieli oficjalnych władz różnych ważnych rocznic patriotycznych, bądź równie nieuczciwe próby ich zawłaszczania. Szczególnie znamienne pod tym względem były próby zawłaszczenia przez postkomunistyczne władze niemal całej reprezentacji w najważniejszych w 1997 roku obchodach ku czci Polaków wymordowanych przez stalinowskich komunistów w ZSRR (!). Otóż w skład polskiej delegacji wysłanej na uroczystości rocznicowe w Mednoje, w czerwcu 1997 roku, weszli głównie różni wysocy postkomunistyczni oficjele typu b. sekretarza KC PZPR Leszka Millera, b. członka KC PZPR Zbigniewa Sobotki, Małgorzaty Kossakowskiej-Winiarczyk, która „wsławiła się" stwierdzeniem, że należy bronić dorobku funkcjonariuszy UB, Andrzeja Anklewicza rozpracowującego opozycję w latach osiemdziesiątych z ramienia SB, b. ZOMO-wca Marka Lewandowskiego, Danuty Waniek, Marka Siwca, Jerzego Szmajdzińskiego (por. *Rodziny katyńskie oburzone*, „Życie" z 20 czerwca 1997). Nie pomyślano o zaproszeniu do udziału w obchodach rocznicowych w Mednoje nawet kapelana rodzin katyńskich ks. Zdzisława Paszkowskiego. Przejmujący był komentarz członków rodzin katyńskich na temat tak „dobranego" składu oficjalnej delegacji z Polski na obchody w Mednoje: *kamień węgielny w Mednoje został poświęcony przez Jana Pawła II. To jest jak pielgrzymka do miejsca Świętego, a jedzie pierwszych dziesięciu, którzy nie potrafią się przeżegnać – mówią członkowie rodzin katyńskich – groza przejmuje. Komuna jedzie do tych, których komuna pomordowała* (tamże).

Rozdział VII

Wstydliwa skaza Miłosza

Z goryczą myślę o historii Czesława Miłosza (...)
Czesław Miłosz nie jest wolny od osobistej odpowiedzialności
za wytworzenie się stanu rzeczy,
który później jego samego skłonił do ucieczki...

Paweł Jasienica

Miłosza zerwanie z racjami niepodległościowymi

Cytowałem już wiele przykładów nieodpowiedzialnych sądów na temat dziejów Polski, wypowiadanych przez niektórych głośnych twórców czy naukowców, lekkomyślnie zabierających głos na tematy, w których ich wiedza była bardzo daleka od pogłębionej. Przez te wypowiedzi nadużywali swego autorytetu z dziedzin twórczości czy nauki, które uprawiali, dla upowszechniania skrajnie fałszywych sądów o sprawach, o których nie mieli żadnego pojęcia. Warto szerzej zatrzymać się nad najsmutniejszym chyba przypadkiem tego typu – zamieszaniem powodowanym wśród czytelników przez różne uwagi Czesława Miłosza na temat Polski i jej dziejów. Trudno przecenić szkody wynikłe z faktu, że popularność Miłosza jako jednego z największych polskich poetów i eseistów jest jakże często nadużywana dla promowania ogromnie zgryźliwych i niesprawiedliwych sądów na temat dziejów Polski i Polaków. Tego, co Jacek Trznadel dosadnie określił jako „skazę Miłosza", pisząc o zerwaniu przezeń z polską racją niepodległościową i antytotalitarną. A w szczególności skrajnie chłodnego, pełnego potępień i uprzedzeń, stosunku Miłosza do polskiego patriotyzmu, polskich tradycji narodowych i powstańczych. Na postawę Miłosza wobec Polski wielki wpływ wywarło dojrzewanie w specyficznej atmosferze lewicowego, marksizującego wileńskiego środowiska. Jak wspomniał w *Roku myśliwego*: *Z jednej strony postępowość, otwarcie się na nowinki, snobizm, jaki taki intelektualizm, wędrująca granica pomiędzy polskim i jidisz, w Wilnie jidisz i rosyjskim – bo to całe środowisko było w 80% żydowskie. Z drugiej strony prawicowe skłonności, obrzędowy katolicyzm, brak intelektualnych zainteresowań. O moim losie przesądziła urazowa niechęć do tego drugiego obozu.* Na trwałe pozostał z tych czasów u Miłosza skrajnie zdeformowany obraz Polski lat 1918–1939 jako „strasznej" – jak ją określał w listach do Melchiora Wańkowicza na początku lat pięćdziesiątych, czy jako kraju „strasznego ubóstwa", „ciasnoty" i „śmietnika" – jak mówił w wywiadzie dla „Gazety Wyborczej" w 1991 roku. W 1945 roku Miłosz bezwarunkowo zadeklarował się po stronie marionetkowego komunistycznego reżimu narzuconego Polsce. Po dziesięcioleciach tłumaczył to swoje zaangażowanie logicznym myśleniem, które kazało mu stanąć po stronie zwycięskiej siły. Jak pisał Miłosz: *Ci, którzy stali się komunistami w 1945 roku, mieli wszelkie logiczne argumenty za sobą. A co do młodych literatów, to nawet ich inna opcja była mało prawdopodobna. Kraj był włączony w nowe imperium na stałe: wystarczyło spojrzeć na mapę. Któż więc mógł się opierać? Nie rozumiejący, stawiający na nową wojnę, na cud, itd.* (Czesław Miłosz: *Rok myśliwego*, Kraków 1991, s. 52). Zaangażowanie po stronie reżimu Miłosz szybko podparł odpowiednimi tekstami, typu wiersza *Toast*, atakującego emigrantów w Londynie, zarzucającego im sprzedajność, żerowanie na emocjach i ciemnocie prostaczków (por. uwagi S. Murzańskiego: *PRL, zbrodnia niedoskonała*, Warszawa 1996, s. 52–54). Czy też rozlicznymi proreżimowymi felietonami, jakie zamieszczał w krakowskiej prasie. Po latach Miłosz przyznał w wywiadzie dla „Gazety Wyborczej" z 8 czerwca 1991: *Ja o Bujnickim* (poecie–kolaborancie z Sowietami, zastrzelonym za zdradę przez polskich partyzantów – J.R.N.) *nie mogę ferować wyroku tylko dlatego, że sam robiłem rzeczy bardzo brzydkie. W 1945 roku pisałem takie felietony w Krakowie, które być może były wynikiem mojej szczerej wściekłości, ale nie przynoszą mi zaszczytu.* W pośmiertnych papierach Pawła Jasienicy znalazła się bardzo ostra ocena tego, tak szokującego dla wielu, postkomunistycznego zaangażowania Miłosza w 1945 roku. Jasienica pisał: *Z goryczą myślę o historii Czesława Miłosza. Ludzie, którzy już w 1945 roku mieli taką sławę pisarską jak on, mogli swoją postawą wywrzeć wpływ na rzeczywistość. Mogli przynajmniej o ten wpływ walczyć. Czesław Miłosz nie jest wolny od osobistej odpowiedzialności za wytworzenie się stanu rzeczy, który później jego samego skłonił do ucieczki. Niejeden sławny pisarz polski od samego początku bronił wolności. Bronili jej też mali, nikomu przedtem nie znani ludzie* (cyt. za P. Jasienica: *Główne punkty*, „Polityka", 23 czerwca 1990).

Urzeczony „walcem idącym ze Wschodu"

Gustaw Herling-Grudziński z kolei nigdy nie mógł wybaczyć Miłoszowi, że ten – jak sam szczerze wyznawał – pod koniec wojny: *podziwiał w duchu „walec idący ze Wschodu" jako ucieleśnienie potęgi, siły i „historycznej rozumności"* (por. G. Herling-Grudziński, *Dziennik pisany nocą*, „Rzeczpospolita", 9 marca 1996). Zbigniew Herbert tak mówił o flircie Miłosza z reżimem komunistycznym w pierwszych latach powojennych: *Miłosz należał do tak zwanej grupy socjalistów – „mandolinistów", którzy współdziałali z socjalizmem do pewnego czasu, a potem wycofywali się. Ale w decydującym momencie – w latach 1945–47, kiedy ludzie nazywani „bandytami" umierali w lesie za Polskę (używam bardzo rzadko tego patetycznego zwrotu) – Miłosz pisywał niestosowne felietony w „Dzienniku Polskim", podpisywane pseudonimem „czym". Dostał za to, bo tak trzeba to nazwać, posadę attaché kulturalnego w USA* (por. *Oni wygrają...* Z rozmowy B. Rymanowskiego z Z. Herbertem, „Życie Warszawy" z 14 grudnia 1994). Po dziesięcioleciach sam Miłosz wyznał w 1997 roku (w *Abecadle Miłosza*, Kraków 1997, s. 70), że był w „stajni" Borejszy. Przypomnijmy młodszym czytelnikom, że Jerzy Borejsza (Goldberg) był komunistycznym dyktatorem prasy i kultury, bratem osławionego kata z bezpieki Jacka Różańskiego. Miłosz wyjechał na stanowisko attaché kulturalnego stalinowskiej Polski w Waszyngtonie „za protekcją Putramenta i Borejszy" (C. Miłosz: *Rok myśliwego*, Kraków 1991, s. 135).

Miłosz: „Niech pamiętają, że każdy Polak jest śmiertelnym niebezpieczeństwem"

Kiedy zaś wreszcie zerwał z komunizmem w 1950 roku i „wybrał wolność" na Zachodzie, to początkowo wciąż zderzał się z niechęcią dużej części emigracji, wypominającej mu wcześniejszą pracę dla komunistycznego reżimu. Miłosz reagował na to wszystko urazowo. W listach do Melchiora Wańkowicza (wysłanych w latach 1952–56) pisał: *Co mi zrobili Polacy? Skła-dali setki absurdalnych donosów do władz amerykańskich. (...) Napisałem do żony, że chcę, żeby moi synowie umieli po polsku, niech im opowiada o Litwie i Polsce i o rzece Nieważy, nad którą się urodziłem, ale niech pamiętają, że każdy Polak jest śmiertelnym niebezpieczeństwem i niech wiedzą, co Polacy zrobili ich ojcu (...) Mówię w tym liście o narodzie, o Polsce, itd. – choć dla mnie to są pojęcia za szerokie i trącące abstrakcją. Kiedy ktoś na emigracji o tym mówi, to zawsze mam obraz szlachcica ryczącego – nie pozwalam!, i wymachującego szabelką (...). Jestem bardzo mało polski w sensie, jaki temu słowu zwykło się nadawać, standardy obowiązujące wśród szlachetnych Polaków są mi najzupełniej obce* (cyt. za korespondencją Wańkowicz – Miłosz (1952–56), oprac. A. Ziółkowska, „Zdanie", 1988, nr 7–8, s. 96, 103. Przedruk z „Twórczości", 1981, nr 10). Na próżno Wańkowicz usiłował tłumaczyć Miłoszowi, że wszystkie przeszkody stawiane wówczas poecie są drobnostką w porównaniu z losem, jakiego doświadczyły choćby ogromne rzesze Polaków, uderzone przez komunizm na Wschodzie. Już wtedy zaznaczał się na każdym kroku ogromny egotyzm i elitaryzm Miłosza, przekonanie, że w Polsce jest tylu mniej więcej literatów, malarzy i kompozytorów, iż „wystarczyłyby trzy wagony, by zlikwidować polska kulturę", niezrozumienie, że kultura polska nie ogranicza się do wąskiej elity. Z upływem lat, wraz ze wzrostem sławy, jeszcze bardziej umacniał się jego elitaryzm, patrzenie na wszystko z niedostępnych wyżyn Olimpu. W wywiadzie dla „Gazety Wyborczej" z 8 czerwca 1991 roku szczerze przyznawał: *czuję się dobrze jedynie w polskim środowisku intelektualnym. Ale wobec masy polskiej czuję się wyłączony.*

„Służyłem lojalnie mojej ludowej ojczyźnie"

Miłosz uskarżający się tak gorzko na niechęć emigracji, dziwnie pomijał swoją własną rolę w prowokowaniu tej niechęci. Choćby przez opublikowanie w maju 1951 roku w paryskiej „Kulturze" artykułu *Nie*, wyraźnie odcinającego go od emigracji i próbującego za wszelką cenę usprawiedliwić wcześniejsze zaangażowanie w poparcie dla komunistycznego reżimu. Swoje „zniewolenie" tłumaczył przy tym bardzo schematycznymi komunałami, wyznając: *W ciągu pięciu lat służyłem lojalnie mojej ludowej ojczyźnie... przychodziło mi to tym łatwiej, że cieszyłem się, iż pół-feudalna struktura Polski został złamana, że robotnicza i chłopska młodzież zapełnia uniwersytety, że została przeprowadzona reforma rolna, że Polska zmienia się z kraju rolniczego w przemysłowo-rolniczy". Dopiero po latach samokrytycznie przyznał: „Niestety, później (...) fałszywa ambicja zabraniała mi przyjść do Canossy, to znaczy uderzyć się w piersi i pokajać przed emigracją, bo skądinąd uważałem, że rzeczywiście – to nie jest mój świat* (por. *Czesława Miłosza autoportret przekorny*. Rozmowy przeprowadził A. Fiut, Kraków 1988, s. 339).

Miłosz w roli Zoila

Trwający od czasów przedwojennych długotrwały flirt Miłosza z marksizmem do dziś odbija się w występujących w jego publikacjach skłonnościach do etykietowania, ciągłego uznawania jednych rzeczy za lepsze, bo „postępowe", a innych za rzekomo „obskuranckie", „wsteczne", „nacjonalistyczne", etc. Jacek Bartyzel pisał wręcz w „Arce" z 1993 roku o „antynacjonalistycznej furii" Miłosza wyrażanej w jego *Historii literatury polskiej do roku 1989*. Na przykład Piotra Skargę uznał Miłosz za wyraziciela „fanatycznego patriotyzmu", co wyraźnie przypominało stylistykę pisania o Skardze w Polsce doby stalinowskiej (por. W.J. Podgórski: *Spóźniony Miłosz*, „Myśl Polska", 16 października 1993). Najbardziej dostało się w całej książce polskiemu romantyzmowi, którego Miłosz skrajnie nie znosi i przedstawia jako „dżunglę krzyżujących się prądów i narodowej arogancji". Jacek Bartyzel tak komentował te dość szczególne „wyroki" Czesława Miłosza w odniesieniu do różnych polskich twórców: *Iluż wielkich pisarzy otrzymywało od Miłosza oceny negatywne. Sienkiewicz był od pozytywistów „intelektualnie słabszy" i mniej poważny. Przyznanie Reymontowi nagrody Nobla miało wzbudzić wśród Polaków oburzenie. Słowacki i Krasiński – twórcy irytujący. Krasiński nie ma prawa stać obok wieszczów* (J. Bartyzel w „Czasie Krakowskim" nr 12 z 1993 roku). Dodajemy do tego wypowiedziane przez Miłosza w *Ziemi Ulro* (Warszawa 1982, s. 122) oskarżenie pod adresem Mickiewicza, iż ten żywcem „zapeklował" Polaków w „mesjanistycznym nacjonalizmie".

Nonsensownie oskarżał literaturę polską o antysemityzm

Zawsze skory do „odkrywania" rzeczy mogących świadczyć źle o Polakach, Miłosz posunął się kiedyś do oskarżenia literatury polskiej o rzekomy antysemityzm. Zrobił to ze skrajną dezynwolturą i równie skrajną ignorancją w wywiadzie dla „Gazety Wyborczej" w 1991 roku, zapewniając jakoby: *Postać Żyda, utrwalona w literaturze polskiej, to był ośmieszający stereotyp, wrogi, ponieważ struktura gospodarcza Polski XVIII i XIX wieku zostawiała Żydom specjalne miejsce w gospodarce. Lichwiarz, karczmarz, sklepikarz – prawie cały handel był w rękach żydowskich. Te stereotypy mają na pewno bardzo długie życie* (por. wywiad A. Michnika z C. Miłoszem: *Wstawać rano, pisać, a potem na jagody...*, „Gazeta Wyborcza" z 8 czerwca 1991). Miłosz nigdy chyba nie opublikowałby takich oszczerczych andronów, gdyby znalazł czas na przeczytanie podstawowych informacji na ten temat zawartych w tak ważnej książce głośnego socjologa żydowskiego pochodzenia Aleksandra Hertza – *Żydzi w kulturze polskiej*. Według Hertza: *Żyd występuje w polskiej literaturze pięknej stosunkowo bardzo często (...). Stosunek do niego jest najczęściej życzliwy, niekiedy – bardzo ciepły i serdeczny. Literatura polska pod tym względem odbiega i od polskiej twórczości ludowej, i od polskiej publicystyki politycznej. Ale odbiega ona i od twórczości literackiej innych krajów, w których Żydzi tworzyli znaczne zespoły ludnościowe. Weźmy jako przykład literaturę rosyjską. Istnienie Żyda było dość rzadko zauważane przez pisarzy rosyjskich i stosunek do niego – gdy był zauważony – był chłodny, nawet nieżyczliwy (...). Zupełnie inaczej w Polsce. Wystarczy zapoznać się z piękną antologią Jana Winczakiewicza „Izrael w poezji polskiej", by być uderzonym i obfitością wypowiedzi poetów polskich o Żydach, i często ciepłem ich stosunku* (cyt. za A. Hertz: *Żydzi w kulturze polskiej*, Paryż 1961, s. 179, 238–239).

Podobne jak u Hertza opinie można znaleźć również w wypowiedziach innych prawdziwie głębokich znawców przedmiotu, a nie notorycznych poszukiwaczy potępieńczych uogólnień. Na przykład Harold B. Segal, polski Żyd, slawista pracujący na Uniwersytecie Columbia w USA, stwierdził, że: *Polscy pisarze zawsze byli bardziej wielkoduszni w traktowaniu innych narodów niż ich odpowiednicy w innych krajach. Na przykład z bardzo małymi wyjątkami polska literatura jest wolna od antysemityzmu, który uwydatnia traktowanie żydowskich charakterów w literaturze rosyjskiej* (wg A. Chciuk w: *Saving Jews in War-torn Poland 1939–1945* z przedmową S. Korbońskiego, Melbourne 1969, s. 11).

Postępowi „cywilizatorzy" szwedzcy i „obskuranci" broniący Jasnej Góry

Miłosz odznacza się niebywałą wprost skłonnością do ciągłego przeciwstawiania „polskiej ciemnoty" zagranicznemu „ucywilizowaniu". Nader typowe pod tym względem były osądy Miłosza w odniesieniu do czasów „potopu" szwedzkiego: *Bo była wielka, uniwersalna idea protestancka z jednej strony, a z drugiej strony było podwórko: Jasna Góra, zakonnicy – czyli obskurantyzm (...) Potworne obskurantyzmy! (...) Ciągle powtarza się ten sam dylemat: polska zaściankowość versus jakieś uniwersalne myślenie* (cyt. za *Czesława Miłosza autoportret przekorny*. Rozmowy prowadził A. Fiut, Kraków 1988, s. 262). Przypomnijmy więc, że „wielka uniwersalna idea protestancka" w wykonaniu Szwedów polegała głównie na złupieniu ziem, przez które wojska szwedzkie przechodziły, bez żadnego oszczędzania protestantów niemieckich czy czeskich. Odczuły smak tej „uniwersalnej idei" starannie ograbione przez szwedzkich „cywilizatorów" miasta polskie z Krakowem i Warszawą na czele. (Wawel był ośmiokrotnie rabowany przez Szwedów.) Szwedzki „cywilizator" Karol X Gustaw stosował w Polsce konsekwentnie taktykę spalonej ziemi, niszcząc wszystko, czego nie dało się wywieźć (por. interesujący tekst O. Budrewicza: *Po potopie*, „Wprost" z 13 kwietnia 1997). Szwedzi dokładnie ogołocili również czeską Pragę z czeskich dzieł sztuki, między innymi dzieł Rubensa, Rafaela i Tycjana. Szwedzcy „cywilizatorzy" uchodzili w owych czasach zasłużenie za największych rabusiów Europy. Olgierd Budrewicz cytował opinię pewnego współczesnego uczonego szwedzkiego, który wspominając jak bardzo prymitywny był jego kraj w XVII wieku: *Między Polską a Szwecją była wtedy taka różnica poziomu życia i kultury, jak teraz między Szwecją a Suazilandem* (tamże). Dodajmy, że w przeciwieństwie do Polski, wielkiego schronienia dla prześladowanych Żydów z całej Europy, „cywilizowana" Szwecja konsekwentnie blokowała jeszcze w XVII wieku i przez większość XVIII wieku możliwości jakiegokolwiek dostępu dla Żydów. Dopiero w 1774 roku (!) udało się osiąść w Sztokholmie pierwszemu Żydowi–rytownikowi Izakowiczowi.

Antypolska alergia

W czasie rozmów, które przeprowadził z Miłoszem w latach 1979 i 1982 Aleksander Fiut, polski noblista z Berkeley szczególnie ostro wypowiadał się o „wzorcu patriotyzmu z Warszawy", nazywając go „nacjonalizmem lechickim", mówił o niesłychanie nasilonym lechickim poczuciu rasowym. I tłumaczył Fiutowi: *Jak pan wie, każda narodowość jest okropna (...) Ja mam alergię. Czy to jest alergia antysłowiańska, czy też antypolska – nie mam pojęcia. Oczywiście, jest to miłość–nienawiść* (por. *Czesława Miłosza autoportret przekorny...*, s. 265). Tyle że w tekstach Miłosza na ogół trudno znaleźć wyrazy miłości do polskości, za to jej gromienia co niemiara. Jakże mocno to jego rozprawianie się z polskością odbiega od „gryzących sercem" rozrachunków z narodem w tekstach Słowackiego, Mickiewicza, Norwida, Żeromskiego czy Wyspiańskiego. Szokuje zaś wręcz fakt, że tak narodowy i europejski zarazem twórca jak Norwid u Miłosza urasta na symbol groźnego polskiego, „lechickiego" nacjonalizmu. W rozmowie z Fiutem Miłosz mówi: *Norwid jest dla mnie za bardzo lechicki. To Lechita. Ja nie lubię Lechitów* (tamże, s. 85). W *Roku myśliwego* Miłosz znowu wyeksponował swą nieufność do „Polski Norwidowej" i do „etnocentrycznego" Norwida (C. Miłosz: *Rok myśliwego...*, s. 36, 38).

Miłosz: „Polska mnie przeraża"

Wydany po raz pierwszy w 1990 roku *Rok myśliwego* stał się wymownym odzwierciedleniem skrajnie chłodnego stosunku Miłosza do polskiego patriotyzmu, tradycji narodowych i powstańczych. By przypomnieć choćby tak drastyczny fragment: *Polska mnie przeraża. Powiedzmy, że przerażała mnie przed wojną, podczas wojny i przeraża mnie całe te dziesięciolecia po wojnie. Jak powinien zachować się schwytany przez nią człowiek (urodzenie się tam czy język), jeżeli chce być rozumny, trzeźwy, spokojny, a przy tym uczciwy? Jeżeli uważa te bezustanne ofiary, konspiracje, powstania za zupełny nonsens, po prostu dlatego, że w „normalnych" krajach tego nie ma? I ostatecznie, jeżeli 99% Francuzów żyło jak zwykle po klęsce 1940 roku, to jest to normalne* (tamże, s. 268). Tak więc mamy według Miłosza: Polskę – „nienormalny" kraj powstań i uporu w walce o wolność i „normalną" Francję kolaborującą z Niemcami. „Nienormalny" polski naród, bo wciąż nie zgadzający się na ukłon, na kolaborację, na poddanie. Ten niesamowity fragment książki Miłosza, odrzucający jako nonsens polskie tradycje powstańcze, i uznający za normalność francuską kolaborację po 1940 roku, wywołał ostry sprzeciw nawet w wywodzącej się z KOR-u wielce „internacjonalistycznej" „Krytyce". W 38 numerze „Krytyki" z 1992 roku Andrzej Werner napisał: *Jeśli miała to być prowokacja, to spełniła swoje zadanie. A wydaje mi się, że jestem nieźle uodporniony na wszelkie formy narodowego samodurstwa. W tym cytacie jednak co słowo, to włos się jeży i nie z obrazy narodowych świętości, ale po prostu z obrazy dla rozumu. Jeżeli już mówimy o uczciwości, to uważam, że nie jest intelektualnie uczciwe stawianie mnie (kogokolwiek, ale protestować mogę tylko w swoim imieniu) przed taką oto alternatywą: albo uznaję te bezustanne ofiary, konspiracje, powstania za zupełny nonsens, albo nie jestem rozumny, trzeźwy, spokojny, a przy tym uczciwy. Dlaczego Miłosz posuwa się do tak daleko posuniętego uproszczenia, sprowadzając narodowe dzieje do bezustannych ofiar, jakby w tych dziejach nie było innego rodzaju idei, innego rodzaju wysiłków – nie rozumiem (...). Najbardziej jednak nie rozumiem tego, że Miłosz powołuje się na francuską normalność roku 1940. Nie wiem, już chciałbym podawać jakieś argumenty, ale się wstydzę, tak są oczywiste.* W innym fragmencie *Roku myśliwego* Miłosz tak pisał o powstaniu Drugiej Rzeczypospolitej: *Dla wielu, może dla większości, polskie państwo pojawiło się jako anomalia albo wręcz przykra niespodzianka* (tamże, s. 296). Jacek Trznadel w szkicu na łamach „Tygodnika Solidarność", komentując przedziwny styl mówienia Miłosza o niepodległości zdobytej przez Polskę w 1918 roku, pisał: *Jeśli tak, to dlaczego ta większość chciała się bronić i obroniła „tę przykrą niespodziankę" w 1920?* (J. Trznadel: *Kot Hafiza, czyli skaza Miłosza*, „Tygodnik Solidarność", 21–28 grudnia 1990). Inny komentarz Miłosza w *Roku myśliwego* tak charakteryzował okoliczności ukształtowania Polski w 1945 roku: *Dla Polski nie ma miejsca na ziemi (...). Żaden rząd zachodni nie wpadłby na taki pomysł jak Stalin, żeby wysiedlić miliony Niemców z ich wielowiekowych siedzib i oddać ten obszar Polakom. Tym samym rzec można, że Polska istnieje z woli i łaski Stalina* (tamże, s. 162, 163). Jacek Trznadel w cytowanym wyżej szkicu tak skomentował ten fragment tekstu Miłosza: *Tak jakby istniała z łaski cara, nieprawdaż? Wolałbym, aby ostatnie zdanie było tylko przykrym żartem. Bo czy można akceptować moralnie złączone z tym także antyniemieckie „dobrodziejstwo" Stalina? I nie pamiętać, że wynikło ono z aneksji jednej trzeciej Rzeczypospolitej? Gdyby nie doszło do ugody w Jałcie, to może i traktat ryski obowiązywałby nadal.*

Kisiel polemizujący z Miłosza wizją Polski

Miłosz niejednokrotnie kreślił skrajnie przyczerniony i nieprawdziwy obraz dziejów Polski również w swoich wierszach, począwszy od osławionego *Toastu* po jakże ponury wiersz: *W praojcach swoich pogrzebani*. W *Toaście* pisał między innymi:

> Nie znoszę ludzi, którym nazbyt słabe głowy,
> Zamąca moczopędny trunek narodowy,
> Ich mieszanina jęków od czasów Popiela
> Jątrzy mnie i do cierpkich wyrażeń ośmiela.
> Ale ty jesteś inny. Nad historią przykrą,
> Z której, jak mówisz, nigdy i nic nie wynikło.
> Trwasz niezłomny

(cyt. z C. Miłosz: *Poezje*, Warszawa 1983, s. 173).

Ten niebywale przygnębiający miłoszowski pesymizm w obrazie dziejów Polski obruszył nawet sceptycznego Kisiela, skądinąd z takim chłodnym dystansem i krytyką oceniającego różne polskie zrywy narodowe. W pisanym w grudniu 1980 roku *Felietonie pod choinkę* Stefan Kisielewski stwierdził: *No, nie, Czesław nadmiernie już stracił do nas smak! Owszem, bywało tutaj oślizgle, bywało chmurnie i durnie, pyszałkowato i plajtowato zarazem, ale nie sposób winić biednych ludzi, że są biedni (...) nie przesadzajmy: są tu czasem zrywy powszechne a piękne, które wszystko rehabilitują i wszystko tłumaczą – dla tych chwil warto tu żyć, zaręczam, nawet i przegrywać warto. A nie warto gdzie indziej – też zaręczam* (cyt. za S. Kisielewski: *O wszystkim naraz* w: *Felietony pod choinkę*, wyd. „Res Publiki", 1987, nr 7, s. 123). Powracając kolejny raz po latach do wspomnianego fragmentu *Toastu* Miłosza w felietonie z lutego 1987 Kisiel polemicznie zapytywał: *Czy rzeczywiście historia nasza jest tylko przykra, taka, z której nigdy i nic nie wynikało?*. W rozmowie publikowanej na łamach „Gazety Wyborczej" 29–30 grudnia 1996 Miłosz wyznawał: *Nigdy nie byłem Litwinem, chociaż bardzo bym chciał. Jako poeta polski nie mogłem, bo podział przechodził po linii językowej. Ja bym lubił, żeby było tak jak w Finlandii, gdzie można pisać po szwedzku i być poetą fińskim* (z rozmowy I. Grudzińskiej-Gross i A. Michnika z C. Miłoszem, „Gazeta Wyborcza", 29–30 czerwca 1996). Parę lat wcześniej, Zbigniew Herbert, powiedział o Miłoszu: *Najważniejszy jego problem to brak poczucia tożsamości. Na ten poważny feler psychiczny znalazł radę: ogłosił się obywatelem Wielkiego Księstwa Litewskiego czy Republiki Obojga Narodów. To ładne i bardzo wygodne, a przy tym zwalnia od wszelkich obowiązków wobec aktualnej rzeczywistości (...) On jest człowiekiem rozdartym – o nieokreślonym statusie narodowym, metafizycznym, moralnym* (por. *Pojedynki pana Cogito*. Rozmowa A. Poppek i A. Gelberga z Z. Herbertem, „Tygodnik Solidarność", 11 listopada 1994).

Miłosz perorujący o „bandytach z AK"

W cytowanym tekście Herbert ujawnił również na temat Miłosza jednak i sprawę szokującą, opisując amerykańskie spotkanie z Miłoszem: *Był to 1968 czy 1969 rok. Powiedział mi – na trzeźwo – że trzeba przyłączyć Polskę do Związku Radzieckiego. Ja na to: „Czesiu, weźmy lepiej zimny tusz i chodźmy na drinka". Myślałem, że to żart czy prowokacja. Lecz gdy powtórzył to na kolacji, gdzie byli Amerykanie, którym się to nawet bardzo spodobało – wstałem i wygarnąłem. Takich rzeczy nie można mówić – nawet żartem* (tamże). Publikacja Herberta wywołała prawdziwy skandal prasowy. Miłosz oskarżył Herberta o oszczerstwo, Michnik zaatakował Herberta jako tego, który „opluł" Miłosza, etc. Czy Miłosz został rzeczywiście niesłusznie napadnięty przez Herberta? Cytowałem już wcześniej różne bardzo negatywne i wręcz fałszywe uogólnienia Miłosza na temat dziejów Polski. Co zaś do jego sporu z Herbertem?! Redaktor naczelny paryskiej „Kultury" Jerzy Giedroyc, którego autorytetu nawet Michnik nie kwestionuje, wspomniał w swej autobiografii, że Herbert zrobił Miłoszowi w Berkeley dziką awanturę, kiedy Miłosz użył u siebie w domu określenia „bandyci z AK". (J Giedroyc: *Autobiografia na cztery ręce*, oprac. K. Pomian, Warszawa 1994, s. 164). „Bandyci z AK" – cóż za wyrafinowane określenie jak na tak fetowany w Polsce autorytet noblisty. Dodajmy, że Giedroyc przypomniał w swojej autobiografii również kilka innych mało budujących faktów z życia Miłosza. Jak pisał Giedroyc:

dla Miłosza przez cały czas byliśmy dobrymi faszystami... On negował istnienie łagrów, trochę z przekory, a trochę dlatego, że nie bardzo w to wierzył (...) Uważał Wolną Europę za instytucję niesłychanie szkodliwą (tamże, s. 161–162). Giedroyc mówił również, że wciąż różnił się z Miłoszem w ocenie Związku Sowieckiego i stalinizmu, do którego Miłosz podchodził w sposób bardzo łagodny. I przypominał wystąpienie Miłosza *sprzed kilku lat w piśmie „Na Głos" w Krakowie, gdzie stwierdził, że marksizm wyprowadził Polskę z zaścianka* (tamże, s. 162) (!).

Jak określić wielkiego poetę piszącego po polsku, a równocześnie traktującego właśnie Polskę ze skrajnym lekceważeniem, wręcz pogardą? Polskiego twórcę, którego Polska zawsze tylko *przerażała i przerażała*, dla którego najwięksi polscy poeci, to anachroniczni nacjonaliści, dla którego najlepsi polscy patrioci, żołnierze czołowej formacji Polskiego Państwa Podziemnego – Armii Krajowej, to *bandyci.*

Rozdział VIII

Odrzucanie i ośmieszanie symboli narodowych

Zawsze mu polskie szumiało morze,
Tatrzański orzeł leciał w grom,
A zorze wolnych – jego zorze,
A cała Polska – jego dom!

Artur Oppman

Dla zatwardziałych wrogów Polski i jej niepodległości od paruset lat polskie symbole narodowe ze znakiem Orła Białego na czele były ulubionym celem nienawistnych ataków. Władze zaborcze karały okrutnymi represjami za przechowywanie sztandarów narodowych. Niedawno historyk Tadeusz Krawczak przypomniał na przykład, jak w okresie powstania Styczniowego wywieziono z parafii na Podlasiu na Sybir księdza, który nie zgodził się na zniszczenie chorągwi kościelnej z emblematami narodowymi. Konsekwentnie niszczyli polskie symbole narodowe hitlerowscy okupanci. Symbol Orła Białego był również i celem najobrzydliwszych napaści ze strony antyniepodległościowej części działającego w Polsce ruchu robotniczego, od SDKPiL począwszy poprzez KPP do pierwszych kolaborantów z władzą sowiecką na zagarniętych przez ZSRR terenach Drugiej Rzeczypospolitej. Z jakąż nienawistną furią atakowała polskiego orła, przezywając go „białą gęsią", fanatyczna przeciwniczka niepodległości Polski Róża Luksemburg. Na wiecach kierowanego przez nią SDKPiL otwarcie występowano przeciw Polsce i narodowym polskim symbolom, widząc w nich rzekomą groźbę odrodzenia Polski szlacheckiej. Z jakimż gniewem zareagował na te ataki Aleksander Świętochowski, czołowy w swoim czasie publicysta obozu pozytywistycznego. Występując na wiecu Związku Postępowo-Demokratycznego w 1905 roku bezwzględnie napiętnował tych, którzy *odrzucają całą przeszłość* – i chcieliby polskiego orła *zabić, wypchać i umieścić w muzeum mię-*

dzy przeżytkami, które w przeszłości zmartwychwstać nie mogą, bo nie powinny. Już kilkanaście lat potem Polska powróciła na mapę Europy i znowu zatriumfował Orzeł Biały jako symbol jej niepodległości. Gdy tylko jednak doszło do rozbicia Polski pod skoordynowanymi ciosami armii niemieckich i sowieckich, znowu rozpętała się fala niszczenia polskich symboli narodowych. Z jakąż zaciętością atakowali je najbardziej służalczy komuniści na terenach opanowanych przez Sowiety. Profesor Ryszard Bender opisał kiedyś, jak to na wiecu dla polskiej młodzieży szkolnej w Łomży wystąpił 20 grudnia 1939, w wigilię urodzin Stalina, znany komunista Jan Turlejski, i długo a donośnie opiewał „upragniony" upadek „białej Polski", „Pańskiej Polski". A na koniec przemówienia wzniósł okrzyk „Śmierć orłowi białemu" (por. *Kim pan jest panie pośle Bender?* Rozmowa Ireny Maślińskiej z posłem na Sejm, profesorem Ryszardem Benderem, „Kontrasty", 1989, nr 24, s. 19). Po 1944 roku Rosja sowiecka, rezygnując z pierwotnych planów całkowitego wchłonięcia Polski w obszary swego imperium i decydując się na stworzenie w niej satelickiego protektoratu, musiała pogodzić się z formalnym istnieniem polskich symboli narodowych. Zadbała jednak równocześnie o ich odpowiednie pomniejszenie, przede wszystkim poprzez zdjęcie polskiemu orłu korony i tępienie na każdym kroku śladów dawnego orła. Ileż zabytkowych tablic, fragmentów pomników, etc. uległo w czasach stalinowskich, i nawet w późniejszym okresie, barbarzyńskiemu zniszczeniu tylko dlatego, że walczono z koroną jako z symbolem dawnej polskiej wielkości. Wśród szerokich rzesz ludności dalej jednak utrzymywała się pamięć o prawdziwym, nie okaleczonym polskim godle narodowym. Stawała się ona wyrazem tęsknoty za utraconą suwerennością wbrew zaprzaństwu i kolaboracji, dodawała ducha do przetrwania. Nastroje prostych ludzi najlepiej wyrażała popularna piosenka śpiewana na Podhalu w zaufanym gronie na wiejskich „muzykach":

Bili my się bili
Za orła białego
Będziemy się bili
Za koronę jego

(cyt. za J. Wraga: *W obronie „Ognia"*, „Życie" z 11 kwietnia 1997).

Strach przed symbolami narodowymi

Zdawałoby się, że przywrócenie pełnego, nie okaleczonego godła narodowego i tradycyjnej nazwy Polski w miejsce znienawidzonego „PRL"-u staną się w 1989 roku bardzo szybko jednym z pierwszych widomych symboli odzyskiwania niepodległości. Profesor Ryszard Bender już 7 kwietnia 1989 zgłosił w Sejmie projekt powrotu do nazwy „Rzeczpospolita Polska", ale sprawa dziwnie przewlekała się. Nagle niespodziewanie okazało się, jak silne są w niektórych kręgach faktyczne opory wobec przywracania narodowych symboli. Typowym przykładem pod tym względem była postawa prof. Mikołaja Kozakiewicza, obecnie zasiadającego we władzach Stowarzyszenia Euroatlantyckiego. W wywiadzie dla „Tygodnika Kulturalnego" (1989, nr 16) prof. Kozakiewicz, który już wkrótce miał zostać marszałkiem sejmu kontraktowego, starał się maksymalnie pomniejszyć znaczenie różnych symboli narodowych, stwierdzając: *Ostatnio w ogóle zamieniamy się w wielki urząd do spraw ekshumacji rozmaitych szacownych zwłok, mózgów marszałków. Uważam to za psychiczną chorobę tego narodu, aczkolwiek rozumiem, iż są tacy, którzy próbują tę słabość wykorzystać. Od tego, że orłowi przyprawi się koronę, usunie przymiotnik „ludowa" albo ustanowi urząd prezydenta – nie zmieni się natychmiast Rzeczypospolita (...) Jest to nasza, powtarzam, psychiczna aberracja.* Jacek Maziarski, polemizując z powyższymi stwierdzeniami Mikołaja Kozakiewicza, pokazał, jak żenująco dalekie od poczucia polskości były jego zastrzeżenia wobec przywracania zakazanych przez dziesięciolecia PRL-u polskich symboli narodowych. Jak pisał Maziarski: *Zdaniem prof. Kozakiewicza, a także innych realistycznych znawców chorób polskiej duszy, owe korony, szacowne zwłoki, przymiotniki dodane do nazwy państwa, wszystkie te znaki i symbole nie mają żadnego znaczenia (...) Jest tedy czystym wariactwem wykłócanie się o to, czy chcemy mieszkać w Polsce czy w „peerelu", czy wreszcie pochowamy godnie szczątki generała Okulickiego, czy machniemy na to ręką. Obłędem są spory o wygląd naszego herbu narodowego (...) Dla p. Kozakiewicza sfera narodowych symboli i wartości nie tylko nie jest ważna, ale nawet podejrzana – być może została wymyślona przez manipulantów schlebiających słabościom Polaków. Jeśli dobrze rozumiem tok jego rozumowania, nie stałoby się nic strasznego, gdybyśmy zastąpili, powiedzmy, mazurek Dąbrowskiego równie udaną pieśnią „Ukochany kraj..." lub „Płynie Wisła, płynie..." (...) przywiązanie do nich* (tj. symboli narodowych – J.R.N.) *wcale nie jest objawem naszej psychicznej choroby czy aberracji, ale zachowaniem całkowicie normalnym, typowym dla wszystkich narodów na świecie. Nie radziłbym na przykład prof. Kozakiewiczowi pouczać, dajmy na to, Szwedów, że trzy korony w ich herbie to lekka przesada, że wystarczyłaby im jedna (a może i o jedną też nie warto się kłócić?* (J. Maziarski: *Między nami psychiatrami*, „Ład" z 28 maja 1989).

„Zdumiewające" zahamowania w przywracaniu narodowych symboli utrzymywały się jeszcze przez kilka miesięcy po utworzeniu tzw. „naszego rządu" Tadeusza Mazowieckiego. Było to zupełnie niezrozumiałe dla jakże wielu osób nie zdających sobie sprawy z prawdziwego stosunku do patriotyzmu ze strony dużej części tzw. dawnej opozycyjnej lewicy laickiej. Blokowanie przywrócenia dawnych narodowych symboli sprawiło, że w Polsce nie potrafiono szybko i spektakularnie zaakcentować naszego wyzwalania się z pozostałości komunistycznych. Zaprzepaszczono szansę odpowiednio uroczystego przywrócenia tradycyjnej nazwy państwa i godła narodowego w dniu 11 listopada 1989. Jakże inaczej postąpili wcześniej Węgrzy. Symbolicznie, właśnie w rocznicę antysowieckiego węgierskiego powstania narodowego 1956 roku, 23 października 1989 roku uroczyście proklamowano Republikę Węgierską w miejsce nazwy Węgierskiej Republiki Ludowej (por. *Kalendarz Polski*. Rozmowa L. Będkowskiego z prof. R. Benderem, 12 listopada 1989). Dodajmy, że właśnie 23 października Węgrzy zainaugurowali uroczyste obchody święta narodowego. W Polsce szczególnie niechętny stosunek do szybkiego przywracania symboli narodowych wykazywała wielka część ówczesnego kierownictwa OKP z Bronisławem Geremkiem na czele. Próbował on później bardzo mętnie (w rozmowie z Żakowskim) wytłumaczyć te opory rzekomym czekaniem na stworzenie dużo pewniejszych politycznych podstaw polskiej suwerenności. W rzeczywistości już wtedy wyraźnie chodziło o coś wręcz odmiennego – o tradycyjną niechęć lewicy (w tym przypadku opozycyjnej lewicy) do takich symboli jak korona, wyrażająca pamięć o dawnej polskiej przeszłości i wielkości. Trafnie określił te intencje przeciwników tradycyjnych narodowych symboli już w grudniu 1989 roku Jarosław Kaczyński, mówiąc: *Niestety, w tym unarodowieniu systemu jedni dostrzegają recydywę tego, co swego czasu robił Moczar, inni zaś, którym korona nie w smak, a bardziej odpowiada tzw. ludowe godło, nie wypowiadają wprost swych opcji, które jak sądzę – nie byłyby zaakceptowane przez społeczeństwo, a przewrotnie tłumaczą, że jeszcze nasze państwo nie jest gotowe na przyjęcie tych symboli, że trzeba z tym poczekać itp. To oczywiście naiwna argumentacja, która ma na celu przysłonięcie niechęci do tych pięknych, narodowych symboli* (z wywiadu J. Kaczyńskiego dla „Kuriera Polskiego" w dniu 8–10 grudnia 1989).

Profanowanie godła państwowego w III RP

Szybko okazało się, że przywrócenie tradycyjnej nazwy państwa i starego godła narodowego wyjątkowo wprost drażni niektórych przedstawicieli sił postkomunistycznej. Dawali temu i dają wciąż wyraz, zwłaszcza w brukowym urbanowym „Nie", wielokrotnie posuwając się do znieważania polskiego godła państwowego czy flagi państwowej. Urban tak tłumaczył intencje własnych i swoich podwładnych przy powtarzaniu tego typu wybryków: *tradycjonalistów czy nacjonalistów to powinno razić. I my chcemy by to raziło. Orzeł, sztandar, to są pewne znaki graficzne* (cyt. za programem „Fronda" z 13 kwietnia 1997). Szokująco wprost wygląda w tym kontekście karygodna wręcz bierność urzędów prokuratury, które powinny z urzędu ścigać zgodnie z prawem wszelkie przejawy znieważania państwowego godła (jak akcentował adwokat Wiesław Johann w programie „Frondy"). Przypomnijmy jeden z konkretnych przykładów dowodzących absolutnego braku reakcji władz sądowych na profanowanie godła narodowego w urbanowym „Nie". Kapelan środowisk niepodległościowych od ponad 20 lat o. Eustachy Rakoczy i historyk Tadeusz Krawczak wystąpili do władz sądowych ze skargą na sprofanowanie godła narodowego – orła w koronie, na łamach „Nie" w dniu 11 listopada 1993. Przez ponad półtora roku interweniowania w tej sprawie dr Krawczak nie doczekał się żadnej odpowiedzi ani od władz sądowych, ani od innych instancji, do których zwracał się z protestem przeciwko wyszydzaniu godła narodowego. O. Rakoczy otrzymał wyjaśnienie, że występek Urbana nie nosi znamion przestępstwa (!). Komentując tę tolerancję wobec poniżania godła narodowego dr Krawczak stwierdził: *Stanowiący symbol niepodległości orzeł w koronie, był przez cały okres PRL-u wyszydzany. Ludzie wrodzy idei III Rzeczypospolitej zawsze tak reagowali na godło narodowe. W wolnej Polsce mamy znów to samo zjawisko (...)*

Należałoby zadać sobie pytanie: jak dziś spełniamy obowiązek wychowania młodego pokolenia, uważam, że tego typu tendencja, którą reprezentują „Nie", „Wprost" i wiele innych gazet i tv – wyszydzania narodowej historii, tego, co Ojciec Święty nazywa dziedzictwem, które powinniśmy chronić, w pewnym momencie może się na nas zemścić. Bo ani Urban, ani Lipińska ze swoim kabarecikiem, kiedy dojdzie do zagrożenia Rzeczypospolitej, nic nie uczynią w obronie naszych granic czy naszych domów. Tego zadania mogą podjąć się tylko ludzie, dla których polskość jest wartością nadrzędną (cyt. za rozmową K. Pileckiego z T. Krawczakiem: *Reagować na każde zło*, „Nasza Polska", 16 listopada 1995).

Zostawmy jednak urbanowe „Nie" z całą jego patologią, chamstwem i ciągotkami do ciągłego nurzania się w błocie. Rzecz w tym, że kliniczne pomysły w stylu „Nie" nie są wcale czymś izolowanym. Przypomnijmy na przykład postkomunistyczną „Politykę". W początkach grudnia 1995 wydrukowano tam na okładce kolaż z orłem zdobionym głowami Kwaśniewskiego i Wałęsy. Rzecznik prasowy Światowego Związku Żołnierzy Armii Krajowej Tadeusz Filipkowski protestując w liście do „Polityki" (z 9 grudnia 1995) przeciw kolażowi z dwugłowym orłem pisał o zaangażowaniu i niesmaku, jaki odczuł na widok takiej okładki „Polityki". I dodawał: *może redakcja zechce zrozumieć, że dla mojego pokolenia istnieją symbole, które nie powinny być przedmiotem ani żartów, ani satyrycznej czy groteskowej transformacji.* „Moda" na profanowanie godła narodowego trwała nadal. 28 stycznia 1996 na łamach pierwszej strony „Kresów. Tygodnika Chełmskiego" ukazał się rysunek przedstawiający orła w koronie powieszonego na pętli ze sznura (por. *Powieszony orzeł w koronie. Czy sprofanowano godło?* „Gazeta Wyborcza", 6 lutego 1996). Wydawcą pisma, na którego łamach sprofanowano godło narodowe, był Dom Wydawniczo-Handlowy Waldemar Świrgoń, którego właściciel był w latach osiemdziesiątych znanym ze skrajnego dogmatyzmu sekretarzem KC PZPR. Przewodniczący rady programowej tygodnika, w którym sprofanowano godło narodowe, Witold Graboś (SLD), będący zarazem członkiem Krajowej Rady Radiofonii i Telewizji, zaprzeczył, jakoby miał coś wspólnego z publikacją rysunku. Godny zastanowienia jest fakt, że wszystkie najskrajniejsze przypadki profanowania polskiego godła narodowego miały miejsce na łamach pism wydawanych przez ludzi ze środowisk postkomunistycznych: „Nie", „Polityka", „Kresy. Tygodnik Chełmski". Podobnie jak różne jaskrawe przypadki profanowania krzyża czy obrazy Matki

Boskiej. Przypomnijmy fakt umieszczenia na łamach „Wiadomości Kulturalnych" K.T. Toeplitza ohydnego rysunku Rolanda Topora z krzyżem w kroczu kobiecym, czy osławioną okładkę postkomunistycznego „Wprost" z Matką Boską w masce gazowej. Znamienne, że kiedy coraz powszechniejszej stało się piętnowanie barbarzyńskich praktyk „Nie", a zwłaszcza profanacji Krzyża i polskiego godła narodowego na jego łamach, urbanowska „gadzinówka" znalazła obrońcę na łamach „Gazety Wyborczej". W numerze tej gazety z 25 kwietnia 1997 wyeksponowano bez żadnej próby polemiki ze strony „Gazety Wyborczej" obszerny list Włodzimierza Rakowskiego w obronie „Nie". Rakowski stwierdzał w nim między innymi: *Intelektualista nie powinien się oburzać na żarty z orła czy krzyża (...) dlaczegóż „Nie" karykaturuje orła i symbole religijne? Otóż po to właśnie, by skrytykować społeczeństwo. Gdyby co tydzień pisać: narodzie, jesteś ciemny, głupi, zakłamany, tchórzliwy, powierzchownie religijny itd., naród szybko by się od takich tekstów odwrócił. „Nie" nie krytykuje wprost, ale za pomocą symboli (od tego one przecież są).* I w taki oto sposób niezbyt rozgarnięty obrońca „Nie" ujawnił to, o co właściwie chodzi Urbanowi we wszystkich wyszydzaniach symboli narodowych – móc pokazywać Polakom co tydzień: jesteście ciemni, głupi, etc. A czytelnicy „Nie" to wszystko przełykają bez problemów, bo dawno stracili choćby elementarne poczucie polskiej godności. Jaki typ stosunku do symboli narodowych jest popularny w redakcji „Gazety Wyborczej", ujawniła bardzo szczera wypowiedź jednego z jej redaktorów – Jerzego Sosnowskiego. W styczniu 1994 roku Sosnowski napisał: *Zatem nie tylko zdegenerowanej młodzieży, ale nam wszystkim trochę śmierdzi trupem ów język wzniosłych pojęć i symboli, choć nie zawsze mamy odwagę się do tego przyznać* (J. Sosnowski: *Patrioci samych siebie*, „Gazeta Wyborcza" z 22 stycznia 1994).

Rocznice Powstania Warszawskiego – nie dla powstańców

Zdawałoby się, że w III Rzeczypospolitej wreszcie dojdzie do prawdziwego docenienia kombatantów drugiej wojny. Że wreszcie zostaną odpowiednio uczczone zasługi ludzi, którzy niejednokrotnie ryzykowali swoje życie w walce o odzyskanie polskiej suwerenności. I oto obserwujemy na każdym kroku coś wręcz przeciwnego. Kolejne rządzące elity lat dziewięćdziesiątych pokazały, jak bardzo nie mają serca dla kombatantów walk Państwa Podziemnego i formacji polskich na Zachodzie. Przy obchodach różnych ważnych rocznic z czasów wojny najbardziej lekceważeni i pomijani byli ich bohaterowie–kombatanci. Typowe pod tym względem było potraktowanie powstańców–kombatantów w czasie obchodów 49 rocznicy Powstania Warszawskiego, zorganizowanych za premierostwa Hanny Suchockiej. Były komendant Rój–„Gęstwinów" Szare Szeregi Krzeszowice, Tadeusz Karmin-Świecimski opublikował w „Życiu Warszawy" z 20 sierpnia 1993 pełen rozgoryczenia list pod wymownym tytułem: *Rocznica Powstania – nie dla powstańców.* Pisał w nim między innymi: *W „Życiu Warszawy" wiele miejsca poświęciliście uroczystościom 49 rocznicy Powstania Warszawskiego (...) Generalnie trzeba stwierdzić, że byli żołnierze AK i powstańcy Warszawy w dniu swojego święta zostali zlekceważeni. Żądano od nich jakichś zaproszeń, przepustek. Przepustką powinna być legitymacja kombatancka, a nie zaproszenie. Efekt był taki, że prawdziwych żołnierzy nie wpuszczano lub przeganiano z miejsca na miejsce. Potraktowano w ten sposób ludzi starszych, inwalidów. Ja sam jestem inwalidą I grupy i przyjechałem aż z Zabrza. Niestety, moja laska inwalidzka nie miała znaczenia dla młodych policjantów i żołnierzy, którzy stanowili obstawę. Całą uroczystość przesiedziałem na przystanku przy Placu Krasińskich. Wielu kombatantów wróciło do domu oświadczając, że więcej nie przyjdą na uroczystości.* Podobny w tonie był list do redakcji „Życia Warszawy" wystosowany przez innego byłego powstańca Janusza Kozłowskiego („Janusza", „Pilawy"). Opisał on skrajną konsternację, jaką przeżył na Wojskowych Powązkach, gdy wybrał się zapalić znicze na grobach poległych koleżanek i kolegów. Po spotkaniu z żyjącymi żołnierzami swego oddziału chciał jeszcze położyć wiązankę przy pomniku Armii Krajowej. Nie pozwolono mu jednak zbliżyć się do pomnika przed uroczystościami, do których brakowało jeszcze pół godziny – cały teren otoczony był barierą z lin i pilnowany przez silne oddziały spadochroniarzy, policji i straży miejskiej. Rozgoryczony były powstaniec pisał: *Odniosłem wrażenie, że całej sprawy nie traktuje się jako mojego święta i święta innych mnie podobnych, ale że najważniejsza w tym wszystkim była Władza, która miała się tam niebawem zjawić... Stąd ta komediowa w pewnym sensie „obstawa". W swoim czasie należałem do grupy bojowej Kedywu, której zadaniem było dokonywanie zamachów na hitlerowców i ich pomocników. Z całą odpowiedzial-*

nością za napisane poniżej słowa twierdzę, że gdyby rzeczywiście ktoś próbował zamachu na przybyłe osobistości, to, nim by się obstawa tak idiotycznie rozlokowana zdołała ruszyć, byłoby już po wszystkim (cyt. z listu J. Kozłowskiego w „Życiu Warszawy" z 19 sierpnia 1993). Jakże gorzkie są te świadectwa byłych powstańców, teraz pomiatanych i lekceważonych przy obchodach Ich rocznicy. Cóż można powiedzieć jednak o bezduszności oficjeli „solidarnościowych" (!), którzy dopuścili się takiego lekceważenia ludzi, niegdyś dających z siebie wszystko dla Polski w potrzebie. Ludzi, którzy po dziesięcioleciach zapomnienia i spychania na margines życia w PRL-u mieli prawo oczekiwać jakże innego potraktowania za czasów suwerennej Rzeczypospolitej.

Kompromitujące widowisko Cywińskiej

Całkowicie zlekceważono opinie byłych żołnierzy Powstania Warszawskiego przy przygotowaniu obchodów 50-lecia Powstania. Nikt z władz nie liczył się z bardzo słusznymi – jak się później okazało – zastrzeżeniami Komitetu Obchodów 50-lecia Powstania Warszawskiego, utworzonego w listopadzie 1993 roku przez 17 organizacji kombatanckich. Już na pół roku przed rozpoczęciem obchodów 50-lecia Powstania zaprotestowali oni przeciwko marnotrawieniu pieniędzy na ogromne koszty widowiska „Światło i Dźwięk", przygotowywanego przez Izabellę Cywińską (ok. 2–3 mld ówczesnych złotych) oraz wieczornych fajerwerków. Sugerowali, by lepiej przeznaczyć marnotrawione na przeładowany program artystyczny sumy na wspomożenie Domu Kombatantów czy przychodni fundacji AK. W oświadczeniu z lutego 1994 byli powstańcy stwierdzili: *Ogromne koszty nie pozwalają nam na wyrażenie zgody na uczestniczenie w tej imprezie* (cyt. za K. Montgomery: *Można nas uczcić inaczej*, „Gazeta Wyborcza", 9 lutego 1994). Nikt nie posłuchał protestów byłych powstańców. Obchody 50-lecia Powstania Warszawskiego przeprowadzono w najbardziej kosztownej formie. Centralnym ich punktem było skrajnie udziwnione i zrywające z tradycją widowisko w reżyserii Cywińskiej. Jak komentowano później w „Rzeczypospolitej": *13 mld złotych pochłonęły koszty oficjalnych obchodów, spektakli, wystaw, obsługi, zaopatrzenia itp. Najdroższą imprezą i najbardziej krytykowaną był spektakl plenerowy wyreżyserowany przez Izabellę Cywińską 1 sierpnia na Placu Kra-*

sińskich (cyt. za M. Kledzik: *Bilans obchodów 50-ej rocznicy Powstania Warszawskiego. W skwarze słońca, uroczyście, ale bez entuzjazmu*, „Rzeczpospolita" z 24 listopada 1994). Podobnie ostro komentowano „widowisko" wyreżyserowane przez Cywińską w licznych innych tekstach. Na przykład Rafał A. Ziemkiewicz pisał: *Uraczono nas oberchałturą pani Cywińskiej (...) Na cało owo „artystyczne widowisko" trudno było patrzeć bez zażenowania i bez skojarzenia z gierkowskimi chałturami „turniejów miast" czy dożynek (kolejny ślad pełzającej PRL)* (R.A. Ziemkiewicz: *Pełzający PRL*, „Najwyższy Czas", 13 sierpnia 1994). Nawet w tak przychylnej dla byłej minister kultury „Gazecie Wyborczej" musiano wydrukować parę bardzo krytycznych głosów na temat kosztownego i udziwnionego widowiska w jej reżyserii: *Dzwonię z Wrocławia, żeby powiedzieć, że piękne i wzniosłe uroczystości w tak znakomitej obsadzie międzynarodowej zepsute zostały przez ten pseudokoncert wyprodukowany przez Izabellę Cywińską. Najpierw ta dziwaczna inscenizacja, a potem zbiorowe jęki na chór, orkiestrę i solistów. To nie był koncert, to był skandal. (...) Z ogromnym wzruszeniem uczestniczyłam w obchodach i z niecierpliwością czekałam na koncert. Myślałam, że usłyszę te wszystkie zakazane piosenki.. A tu jakiś pająk, który próbuje się wspinać na kulę! I co on ma symbolizować? Rozmawiałam o koncercie z przyjaciółmi. Nikomu się nie podobał* (cyt. za głosami w telefonicznej opinii publicznej, „Gazeta Wyborcza" z 4 sierpnia 1994). Skandalicznie zepsuta impreza doczekała się negatywnego skwitowania także piórem Jerzego Giedroycia, redaktora naczelnego paryskiej „Kultury". Napisał on bez ogródek: *Ten rok obfitował w ogromną ilość rozmaitych rocznic i obchodów organizowanych w sposób zupełnie nieodpowiedzialny. Tak było chociażby z obchodem rocznicy Powstania Warszawskiego, z tym kompromitującym widowiskiem zorganizowanym przez p. Cywińską, które pochłonęło ogromne pieniądze* (por. *Notatki redaktora*, paryska „Kultura", 1994, nr 9, s. 179). Szokował fakt powierzenia organizacji głównej imprezy ku czci Powstania Warszawskiego właśnie Izabelli Cywińskiej, aż zanadto znanej z niechęci do prawdziwego patriotyzmu i do lekceważenia Polski, „tego absurdalnego kraju", jak stwierdziła w grudniu 1990 roku. Prawdziwym absurdem było więc powierzenie właśnie takiej osobie organizacji podniosłej uroczystości patriotycznej. Było to czymś równie niemądrym jak pomysł oddania jagnięcia pod opiekę wygłodniałej wilczycy z ufnością... że już ona je najlepiej ochroni.

Afera wokół obchodów rocznicy bitwy pod Monte Cassino

Prawdziwym skandalem okazał się sposób, w jaki potraktowano polskich kombatantów bitwy pod Monte Cassino. Jeszcze w sierpniu 1993 roku rząd Hanny Suchockiej obiecał dofinansowanie wyjazdu kombatantów spod Monte Cassino. Obietnica ta była tym istotniejsza w kontekście faktu, że w 50-lecie bitwy pod Lenino rząd Suchockiej zaprosił 300 uczestników tej bitwy i zapewnił im darmowy przejazd na uroczystości (wg wypowiedzi posłanki Marii Dmochowskiej na konferencji prasowej z 13 maja 1994, „Gazeta Wyborcza" z 14 maja 1994). Już jednak w listopadzie 1993 roku Ministerstwo Finansów, kierowane po sukcesie wyborczym postkomunistów przez Grzegorza Kołodkę, „wyliczyło", że budżetu państwa nie stać na pomoc finansową w wyjeździe kombatantów. Uczestnicy bitwy pod Monte Cassino mieli więc zostać znów spostponowani w porównaniu z uczestnikami bitwy pod Lenino – zupełnie jak za czasów PRL-u. 13 maja 1994 roku okazało się, że na obchody pod Monte Cassino ma pojechać spora delegacja rządowa i prezydencka, za to zabraknie kombatantów. Na wiadomość o tym dzień później ogłoszono akcję publicznej zbiórki pieniędzy na wyjazd kombatantów. W ciągu paru dni zebrano dzięki ofiarności społeczeństwa setki milionów złotych. W atmosferze coraz większego publicznego nagłośnienia skandalu, jakim było poskąpienie pieniędzy z budżetu na dofinansowanie wyjazdu kombatantów, raptem, z ponad półrocznym opóźnieniem, niespodziewanie „zmiękło" serce szefa resortu finansów Grzegorza Kołodki. Nagle znalazł pieniądze, ogłaszając 15 maja 1994 roku decyzję o przeznaczeniu z rezerwy budżetowej 1 mld zł na wyczarterowanie dodatkowego samolotu dla kombatantów. Rychło w czas! Jak się okazało, już tego samego dnia do wyczarterowania samolotu nie doszło, gdyż ambasador RP we Włoszech poprosił, aby nie zwiększać liczby uczestników wyjazdu do Włoch ze względu na brak miejsc w hotelach we Włoszech (zabrakło wcześniejszej rezerwacji). Obiecany przez ministra Kołodkę w ostatniej chwili miliard złotych – okazał się więc według oceny prasy „miliardem widmem". W rządowym samolocie lecącym na obchody we Włoszech znalazło się miejsce zaledwie dla ośmiu kombatantów (przypomnijmy, że pod Lenino udało się za darmo 300 uczestników walk [!]).

„Niepotrzebni weterani"

Pozostali polscy weterani udali się do Włoch autobusami podstawionymi przez biuro podróży „Mazovia". Autobusy były w fatalnym stanie, zupełnie nie przygotowane do dalekiej podróży. Jeden z sędziwych weteranów walk pod Monte Cassino skarżył się, że podróżujący kombatanci jechali 30 godzin bez przerwy. Po dojeździe czekała ich najprzykrzejsza niespodzianka. Szef biura podróży „Mazovia" Stefan Sulimierski zniknął gdzieś we Włoszech z kilkudziesięciu tysiącami dolarów. Zginęły pieniądze, które wcześniej wpłacili kombatanci, przeznaczone na opłaty za posiłki i hotele. Zdaniem dziennikarzy „Sztandaru Młodych" (nr z 20 maja 1994): *Jest prawdopodobne, że biuro „Mazovia" powstało, by zarobić na kombatantach.* Pozostawionych samopas bez pieniędzy Polaków-kombatantów musiano ratować funduszami z ambasady polskiej w Rzymie. Nie obyło się jednak bez kompromitujących dysonansów nawet i w czasie samych uroczystości pod Monte Cassino. Polskich weteranów walk ustawiono za ogrodzeniem cmentarza, na cmentarz wpuszczając tylko członków delegacji państwowych, przedstawicieli organizacji kombatanckich i dziennikarzy. Warto przypomnieć tu komentarz Zbigniewa Lipińskiego na marginesie „afery" z obchodami Monte Cassino: *Jedną z miar cywilizacji każdego narodu jest jego stosunek do przeszłości, pomników historii, zmarłych i żyjących bohaterów, ludzi starszych. Organizatorzy potraktowali weteranów jak zbędny balast. Wykazali poza tym indolencję, lekceważenie swoich obowiązków, bezmyślność, a nade wszystko bezduszność* (Z. Lipiński: *Ideał sięgnął bruku*, „Myśl Polska", 5 czerwca 1994).

Zlekceważenie kombatantów walk w Normandii i Narwiku

Kompromitacja z fatalnymi zaniedbaniami obchodów bitwy pod Monte Cassino niczego nie nauczyła postkomunistycznej władzy. (Jeśli przypuścimy, że postkomunistom w ogóle zależało na właściwym uczczeniu pamięci polskiego czynu zbrojnego na Zachodzie!) W maju 1994 roku poinformowano, że najwyżej czterech kombatantów wejdzie w skład oficjalnej delegacji udającej się na obchody 50. rocznicy lądowania aliantów w Normandii. Reszta weteranów miała pojechać nieoficjalnie i na własny koszt (wg L. Kowalskiej:

Czy kombatancka afera powtórzy się w Normandii?, „Życie Warszawy", 25 maja 1994). Podczas konferencji prasowej w dniu 24 maja 1994 polscy weterani walk w Normandii ubolewali, że w Polsce w ogóle nie zawiązano komitetu organizacyjnego obchodów lądowania w Normandii. Wyjazdu kombatantów nie koordynował Urząd do spraw Kombatantów (w marcu 1994 zdymisjonowano nie odpowiadającego rządzącej koalicji dotychczasowego kierownika tego urzędu Janusza Odziemkowskiego). Nikt nie wiedział, dlaczego tak mało polskich kombatantów jedzie do Francji. Zapytywana w tej sprawie rzeczniczka prasowa wspomnianego urzędu, Franciszka Greczko wyłączną winą za zaniedbania obciążyła ambasadę polską w Paryżu, sugerując: *Proszę zapytać o to ambasadę polską w Paryżu. Przedstawicielstwo naszych władz mogło przecież zabiegać o to, by nie zabrakło tam polskich kombatantów* (wg L. Kowalskiej: *op. cit.*). 9 maja 1994 roku prasa poinformowała, że tylko jeden Polak spod Narwiku zmieści się w samolocie rządowym na obchody 50-lecia wyzwolenia Norwegii. Do reprezentacji Polski w obchodach wyznaczono wicepremiera Aleksandra Łuczka, ale w wiozącym go samolocie rządowym było miejsce dla j e d n e g o ż o ł n i e r z a z l. Batalionu Strzelców Podhalańskich (w obchodach wyzwolenia Norwegii wzięło udział kilkuset kombatantów Wielkiej Brytanii i Francji). Zrezygnowano z pierwotnego planu wysłania na ORP „Wodnik" 25 kombatantów na obchody w Norwegii – ze względów oszczędnościowych. Czy powtarzające się, skrajne zaniedbania w uczczeniu polskiego czynu zbrojnego na Zachodzie były tylko dziełem kolejnych karygodnych przypadków? A może w tym szaleństwie była metoda – konsekwentna niechęć do niekomunistycznych i „reakcyjnych" tradycji zbrojnych! Najprzykrzejszy jest fakt, że właśnie za czasów zwącej się suwerenną Rzeczypospolitej Polskiej doszło do kolejnych przejawów zlekceważenia wysiłku zbrojnego ludzi, którzy tak godnie zachowywali się w obronie polskiego imienia na różnych krańcach Europy.

Profanowanie pamiątek walki i męczeństwa

Dominacja postaw nihilizmu narodowego i kosmopolityzmu w różnych wpływowych grupach polskich elit wciąż rzutuje na zawstydzające wręcz przejawy braku szacunku dla miejsc pamięci narodowej. W czasie ponad siedmiu lat, jakie upłynęły od czerwca 1989 roku, bardzo niewiele zrobiono dla uporządkowania zaniedbanych przez dziesięciolecia PRL-u miejsc pamięci narodowej, związanych z tradycjami walk powstańczych, lub też nadania im charakteru muzealnego. Dość typowa pod tym względem jest sprawa Olszynki Grochowskiej – nadal nie stworzono mauzoleum, mimo rozlicznych obietnic na ten temat, powtarzanych od lat osiemdziesiątych. Nadal nie ma dobrej drogi dojazdowej na miejsce słynnego pobojowiska z 1831 roku, a odbywające się w rocznicę bitwy uroczystości są wyraźnie skrajnie marginalizowane. Od początku lat dziewięćdziesiątych coraz częstszym zjawiskiem stała się rzecz dużo smutniejsza – barbarzyńskie profanowanie narodowych pamiątek walki i męczeństwa. Profanujący je wandale nie mają żadnego szacunku dla najdroższych narodowych tradycji, związanych z tragicznymi wydarzeniami dziejów. W lutym 1992 roku „nieznani sprawcy" zdewastowali zabytkowy cmentarz w twierdzy modlińskiej, niszcząc 15 betonowych krzyży w alejach. W styczniu 1993 roku w Pabianicach, na miejscowym cmentarzu rzymsko-katolickim inni „nieznani sprawcy" zniszczyli 102 krzyże stojące na mogiłach żołnierzy polskich poległych we wrześniu 1939 roku. Wykonane z betonu krzyże wywrócono i połamano. Szczególnie ohydna była dewastacja pamiątek męczeństwa narodowego na stoku Cytadeli Warszawskiej. W „Niedzieli" ze stycznia 1996 opisano mało nagłośniony w codziennej wielonakładowej prasie fakt wyrwania i rozrzucenia po stoku krzyży i tablic upamiętniających śmierć Romualda Traugutta oraz członków Rządu Narodowego (por. P. Juszczuk: *Niewygodny Traugutt*, „Niedziela", 1996, nr 2). „Nieznani sprawcy" wielokrotnie dewastowali kopiec Piłsudskiego na krakowskim Sowińcu. Jednej z dewastacji dokonano dość „symbolicznie" – w dniu Święta Niepodległości – 11 listopada 1994 roku. Po którejś z kolejnych dewastacji – 22 maja 1996 w częstochowskiej „Niedzieli" napisano: *22 maja Kopiec Józefa Piłsudskiego na krakowskim Sowińcu został po raz kolejny zdewastowany. Rozbito i zrzucono ze szczytu dwie porfirowe kolumny (o wysokości około 2 m każda), rozbito cztery granitowe ławy na ścieżkach oplatających zbocze, uszkodzono krawężniki i schody (...). Aby poradzić sobie z solidnie zmontowanymi elementami kamiennymi, trzeba było kilku osób, wyposażonych w narzędzia do podważania granitowych bloków. Wszystko wskazuje na to, że była to zorganizowana akcja, zwłaszcza że odbyła się pomiędzy 8.00 a 8.30 rano. Drobni pijaczkowie rozrabiają w Lesie Wolskim raczej późnym wieczorem i nocą, nie przynosząc ze sobą specjalistycznego sprzętu do rozbijania kamiennych elementów. Komitet opieki nad Kopcem*

Józefa Piłsudskiego przy Towarzystwie Miłośników Historii i Zabytków Krakowa nie jest już w stanie zliczyć szkód, powstałych w ostatnich latach wokół Mogiły Mogił i na jej zboczach. Regularnie rozbijane są szyby w gablocie informacyjnej i w – służącym jako zaplecze prac – pawilonie (mieszczącym również wystawę obrazującą historię budowy i odnowy Kopca), tłuczone lampy na szczycie, kradzione mosiężne orły, wyrywane drogowskazy prowadzące na Sowiniec (S. Dębicki: *Kopiec Piłsudskiego zdewastowany*, „Niedziela", 9 czerwca 1996).

Sprofanowany Katyń

„Nieznani sprawcy" szczególnie zaciekle starają się dewastować pomniki przypominające komunistyczne zbrodnie Sowietów i PRL-u. Parokrotnie (w 1992 i 1994 roku kradziono mosiężnego orła z Sanktuarium Katyńskiego z kościoła św. Karola Boromeusza na warszawskich Powązkach. Znamienne, że drugiej kradzieży dokonano w sierpniu 1994 roku podczas uroczystości obchodów ku czci 50. rocznicy Powstania Warszawskiego. Zbezczeszczono pomnik ofiar UB w Łosicach. Doszło do zerwania orła z pomnika ofiar komunizmu we Wrocławiu. W początkach 1997 roku sprofanowano symboliczną mogiłę księdza Jerzego Popiełuszki we Włoszowie. W Podkowie Leśnej rozbito monument poświęcony zbrodni katyńskiej. Pojawił się również specyficzny typ profanacji – „pseudoartystycznej". Znana działaczka małopolskiej „Solidarności" Barbara Niemiec opisała ohydny pomysł tego typu, wyeksponowany na małym ekranie: *Oto w telewizji Kraków wyemitowano „Słodki film", obraz epatujący widzów odrażającymi scenami z unaocznieniem fekaliów. Pośród tych kadrów ni stąd ni zowąd przerażony widz mógł odnaleźć zdjęcia z Katynia. Przekroczono tabu na dwa sposoby – eksponowano zachowania skrajnie patologiczne i budzące wręcz fizjologiczne obrzydzenie, jednocześnie sprofanowano pamięć zmarłych* (B. Niemiec: *Człowiek bez granic*, „Tygodnik Solidarność", 12 lipca 1996). Przykłady różnych profanacji można by długo mnożyć. „Nieznani sprawcy" skradli syrence miecz z pomnika, ułamali krzyż z papieskiego pastorału przed galerią Porczyńskich. Sprofanowano symboliczne mogiły generałów: Okulickiego i Roweckiego. Żałośnie wręcz przedstawia się miejsce narodowej pamięci w Palmirach, gdzie znajduje się zbiorowa mogiła wielkich masowych egzekucji. Cmentarz w Palmirach jest wciąż profanowany i dewastowany, okradane są tabliczki z krzyży. Parokrotnie barbarzyńsko dewastowano grobowiec marszałka sejmu Macieja Rataja. Według redakcji „Rzeczpospolitej" w narożniku jednego z trawników kryjących zbiorową mogiłę ktoś zakopał zdechłego psa, tak, że wystawała psia noga (A. Wielopolska: *Miejsce narodowej pamięci*, „Rzeczpospolita", 9 stycznia 1997).

Namiot–cyrk przed Grobem Nieznanego Żołnierza

Grób Nieznanego Żołnierza nieprzypadkowo stał się dla wszystkich myślących po polsku mieszkańców Warszawy głównym miejscem pamięci narodowej w stolicy. Już w 1923 roku rząd RP uroczyście przekazując „grobowiec" Stołecznemu Miastu Warszawie zalecał, aby stolica *opieką należytą i czcią otoczyła ten najpiękniejszy pomnik zwycięskiej walki o Wolność i Niepodległość Narodu.* W czasach komunizmu Grób Nieznanego Żołnierza i jego otoczenie były zarazem miejscem licznych nielegalnych manifestacji, dowodzących, że nie udało się zdusić ducha niepodległości w Narodzie. Nagle okazało się, że te tradycje Grobu Nieznanego Żołnierza i jego otoczenia jako miejsca pamięci dziwnie jakoś mocno przeszkadzały niektórym wpływowym osobom z warszawskich władz miejskich. Od początku lat dziewięćdziesiątych zaczęto podejmować różne działania wyraźnie prowadzące do zniszczenia wyjątkowej atmosfery wokół Grobu Nieznanego Żołnierza jako miejsca narodowego kultu i pamięci. Już w 1992 roku niedaleko od grobu urządzono handlowisko, a *mała elektrownia usytuowana około 50 metrów od Grobu Nieznanego Żołnierza napędzała energię do oświetlenia budek i energię handlującym, warcząc okrutnie* (z listu B. Przybylskiej do „Najwyższego Czasu", z 20 listopada 1993). Zapowiedziano również zbudowanie tam lodowiska, ogniska do pieczenia kiełbasek etc. Wszystko jako pomysł Warszawskiej Rady Kultury. Barbara Przybylska w liście-proteście drukowanym w „Najwyższym Czasie" (nr z 20 listopada 1993) zapytywała: *Czy ta właśnie Rada Kultury nie powinna nauczyć się jak szanować miejsca kultu Polaków, gdzie przywieziono ziemię z pól bitewnych, na których to Polacy przelewali krew (...) My też jak inne Narody chcemy mieć miejsce kultu. W Oświęcimiu przeszkadzały modlące się Karmelitanki.* Czytelniczka „Najwyższego Czasu" nie wiedziała, że władze Warszawskiej Fundacji Kultury z jej prezesem Jerzym Zassem na czele już właśnie wpadły na kolejny pomysł zdeformowania dotychczasowego charakteru głównego warszawskiego miejsca pamięci narodowej. Do targowiskowych kramów postanowiono dodać „wesołe miasteczko". Jego początkiem stał się usytuowany na placu Piłsudskiego w pobliżu Grobu Nieznanego Żołnierza, w dniu 17 grudnia 1993 roku, koszmarny biało-niebieski namiot cyrkowy. Ustawiono go z inicjatywy Warszawskiej Fundacji Kultury.

23 grudnia 1993 roku na łamach „Życia Warszawy" ukazał się list działaczy ugrupowań prawicowych do premiera RP w sprawie namiotu–cyrku na pl. Piłsudskiego. Piętnowano w nim fakt, że od pewnego czasu władze miejskie traktują Grób Nieznanego Żołnierza i jego otoczenie – pl. Piłsudskiego, będące Sanktuarium Narodu Polskiego, jako dochodowy plac targowy, „wesołe miasteczko". Jak podkreślali sygnatariusze listu, ustawienie namiotu cyrkowego w takim miejscu godzi w najwyższe wartości patriotyczne Polaków, stanowi cyniczne znieważanie narodowego Panteonu. List podpisali przedstawiciele licznych organizacji patriotycznych i kombatanckich, patriotyczni naukowcy, twórcy literaccy i filmowi. Na tym tle, tym bardziej szokujący był upór, z jakim bronili lokalizacji namiotu-cyrku niektórzy przedstawiciele władz, zwłaszcza rzecznik Warszawskiej Fundacji Kultury Jerzy Zass i burmistrz Śródmieścia Rutkiewicz. Zdumiewający był fakt, że przewodniczący Warszawskiej Fundacji Kultury „nie potrafił dostrzec", jak bardzo sprzeczne z poczuciem kultury było ustawienie z jego inicjatywy cyrku akurat w pobliżu Grobu Nieznanego Żołnierza. Burmistrz Rutkiewicz odparowywał wszelkie protesty kombatantów stwierdzeniem: *Nie ma żadnego powodu do interweniowania w tej sprawie. Do grobu jest około 200 metrów i namiot nikomu nie przeszkadza* (wg „Gazety Wyborczej" z 23 grudnia 1993). Skrajną niewrażliwość Rutkiewicza na lokalizację profanującą miejsce pamięci narodowej być może wyjaśnia jego „odpowiednie" wychowanie rodzinne w domu bardzo wysokiego komunistycznego prominenta o nastawieniu „internacjonalistycznym". Usytuowanie namiotu cyrkowego w pobliżu Grobu Nieznanego Żołnierza od początku budziło sprzeciwy u wielu nawet prostych ludzi. *Cyrk przy Grobie Nieznanego Żołnierza, to jak wesołe miasteczko koło cmentarza* – stwierdził jakiś straganiarz (cyt. za dodatkiem do „Gazety Wyborczej" z 18 grudnia 1993). Tylko władzom miejskim w Warszawie od początku zabrakło choćby odrobiny wrażliwości w tej sprawie. Prezydent Warszawy Stanisław Wyganowski gniewnie ripostował na wszelkie protesty: *Mam po dziurki w nosie różnych histerycznych apeli. Cała Warszawa była*

cmentarzyskiem i właściwie każde miejsce powinno się czcić („Gazeta Wyborcza" z 23 grudnia 1993). Okazany przez panów Zassa, Rutkiewicza i Wyganowskiego kompletny brak wrażliwości na argumenty krytykujące niestosowność lokalizacji namiotu-cyrku niesamowicie kontrastował z powszechnym wręcz negatywnym odbiorem tej decyzji ze strony społeczeństwa i różnorodnych środowisk politycznych. Znamienny był fakt, że decyzja ta została jednomyślnie potępiona przez przedstawicieli różnorodnych partii politycznych, od prawicy po lewicę (por. fragmenty ich wypowiedzi w „Słowie – Dzienniku Katolickim", z 18 lutego 1994). I tylko zaistnienie tak powszechnego sprzeciwu zmusiło w końcu władze miejskie do wycofania się cichaczem z całej tak skandalicznej inicjatywy. W nocy z sobotę na niedzielę – 9 stycznia 1994 roku namiot wreszcie zwinięto. *Ludzie w krzyk, namiot znikł* – odnotowano w tytule tekstu „Gazety Wyborczej" (z 10 stycznia 1994). Jeszcze przez pewien czas kontynuowano jednak próby odpowiedniego „ożywienia" otoczenia Grobu Nieznanego Żołnierza. 9 lutego „Gazeta Wyborcza" z werwą reklamowała stworzoną niedaleko od tego Grobu pierwszą po wojnie wrotkarnię dla młodzieży. Na placu Piłsudskiego zaczęto organizować estradę i dyskoteki, wyraźnie robiono wszystko, co tylko było możliwe, dla spotęgowania „radosnej zabawy" przy grobie. W taki to bezprecedensowy sposób potraktowano wielki symbol walki i męczeństwa Polaków (por. Zel: *Hańba*, „Słowo – Dziennik Katolicki", 18 lutego 1994). Cały przebieg tej skandalicznej historii był nader pouczający. Począwszy od jakże znamiennego milczenia wokół całej sprawy środowisk, które podniosły takie larum, aby wesprzeć żądania w sprawie usunięcia Karmelitanek z Oświęcimia, a później tak gromko domagały się zablokowania budowy supermarketu w pobliżu dawnego obozu.

Nierozwiązana sprawa PAST-y

Innym przykładem, dobitnie ilustrującym skrajną niewrażliwość miejskich władz Warszawy na sprawy cennych dla narodu tradycji, jest historia gmachu PAST-y od początku lat dziewięćdziesiątych. Wielki 11-piętrowy gmach przy ul. Zielnej 37/39, zwany PAST-ą, jest na trwałe upamiętniony wspomnieniem o jednym z najbardziej heroicznych wyczynów Powstania Warszawskiego. 20 sierpnia 1944 roku gmach PAST-y został zdobyty po zaciętych walkach przez żołnierzy batalionu AK im. J. Kilińskiego. Stąd wywodzą się dzisiejsze starania AK-owskie o przyznanie tego gmachu kombatantom z AK. Znacznie wcześniej, w kwietniu 1990 roku, PAST-a stała się obiektem dość swoistej „transakcji stulecia". Urząd Dzielnicowy Warszawa Śródmieście, podległy burmistrzowi Janowi Rutkiewiczowi, sprzedał żydowskiej Fundacji im. Rodziny Nissenbaumów dosłownie za bezcen potężny 11-piętrowy gmach PAST-y z ponad czterema tysiącami metrów kwadratowych powierzchni i dużą salą konferencyjną. Wielki gmach, położony parę metrów od głównej ulicy stołecznej, sprzedano za niewiele ponad półtora miliarda ówczesnych złotych (1,63 miliarda, czyli za równowartość miesięcznego czynszu) (por. M. Janicki: *Ile można stracić*, „Polityka" z 22 września 1990). Aby Nissenbaumowi stworzyć jeszcze korzystniejsze warunki kupna, roczny czynsz za 750-metrową działkę przy ul. Zielnej, na której stoi biurowiec, ustalono na 2 miliony złotych (tamże). W momencie gdy Fundacja im. Rodziny Nissenbaumów zwróciła się do prezydenta Warszawy Jerzego Bolesławskiego (we wrześniu 1989) o odstąpienie jej PAST-y, żaden członek zarządu fundacji nie miał nawet polskiego obywatelstwa (por. tekst E. Zarzyckiej w „Gazecie Wyborczej" z 3 kwietnia 1997). Mimo to Urząd Dzielnicowy Warszawa-Śródmieście przyznał budynek Fundacji Nissenbaumów za skrajnie zaniżoną ceną. Po licznych protestach, wskazujących choćby na niedopuszczenie do transakcji innych kupców na zasadzie normalnego przetargu i całego mnóstwa dalszych nieprawidłowości, w listopadzie 1990 roku Naczelny Sąd Administracyjny uchylił decyzję o sprzedaży. Umożliwiło to podjęcie starań innym stronom zainteresowanym przejęciem budynku. Szczególne powody do uzyskania tak cennego z punktu widzenia niedawnej historii budynku miała bezwzględnie Fundacja Pomocy na Rzecz Żołnierzy AK. W uzasadnieniu swych starań akcentowała ona, że AK-owcy pragną umieścić w gmachu PAST-y lecznicę dla kombatantów i skupić tam porozrzucane po mieście agendy organizacji AK-owskich. AK-owcy pragnęliby stworzyć w gmachu muzeum AK. Gmach PAST-y stałby się — według ich planów — swego rodzaju głównym centrum dla spraw AK-owców, żyjących zarówno w Polsce jak i w świecie. Liczy się również na to, że pieniądze z wynajmu lokali w gmachu PAST-y stworzyłyby możliwość rozszerzenia w przyszłości pomocy dla starych, schorowanych żołnierzy Armii Krajowej, zarówno z terenów Polski jak i z Białorusi, Litwy czy Ukrainy. Wymierający przedstawiciele największej i najsłynniejszej formacji Państwa Podziemnego niewątpliwie zasłużyli na otrzymanie takiego „domu" w Polsce Niepodległej, po tylu latach udręk i szykan. Pomysł, godny tylko przyklaśnięcia, szybko zderzył się jednak ze skrajnymi oporami biurokratycznymi, których dziwnie jakoś nie było, kiedy chodziło o szybciutkie sprzedanie gmachu za bezcen Nissenbaumom. Okazało się, jak donośny głos mają wciąż ludzie, których nie obchodzi pamięć o zasługach AK. I to ludzie związani duchowo z formacją, której przywódcy niegdyś tak skrupulatnie niszczyli w Polsce wszystko co AK-owskie. Z identycznymi niemal gromkimi sprzeciwami przeciw przyznaniu gmachu PAST-y AK-owcom wystąpiły między innymi dwa postkomunistyczne tygodniki: „Polityka" i „Nie". W „Polityce" z 2 grudnia 1995 roku pisano z przekąsem: *Kombatanci demonstrowali 11 listopada przed gmachem PAST-y w Warszawie. Były transparenty, okrzyki i Wrzodak z Ursusa. Kombatanci uważają, że ponieważ w dniach powstania zdobyli PAST-ę – dziś należy się im ten budynek. Kiedy okaże się, że warszawskie kanały to własność tych, których losy przedstawił Wajda w filmie „Kanał"*. Półtora roku później do ataku na AK-owców, chcących przejęcia gmachu PAST-y, włączyło się „Nie". W publikowanym na 1. kolumnie numeru z 13 lutego 1997 roku tekstu autor „Nie" ironizował: *AK-owców posmarują PAST-ą, bo ją zdobywali. Jeżeli kto co zdobył, to jego, może więc Rosji oddać Pragę, Niemcom resztę*. Redakcję „Nie" wyraźnie wzburzyła informacja, że w styczniu 1997 roku Rada Warszawy w specjalnej uchwale zobowiązała prezydenta miasta Marcina Święcickiego do wystąpienia do wojewody o skomunalizowanie PAST-y, aby można ją było przekazać Fundacji Pomocy na Rzecz Żołnierzy AK. Uchwałę tę Rada Warszawy podjęła prawie jednomyślnie, przy sprzeciwie tylko dwóch radnych z SLD. Mimo tak wielkiego poparcia dla decyzji na rzecz AK-owców, dotąd sprawy nie rozwiązano.

Telewizja lekceważąca pamięć o nowej historii

Typowe dla większości najbardziej wpływowych mediów, z publiczną telewizją na czele, jest skrajne lekceważenie pamięci o różnych rocznicach ważnych dla historii narodu. Można byłoby przytoczyć na dowód tego aż nadto drastycznych przykładów. Oto parę, jakże charakterystycznych zachowań. Telewizja Zaorskiego całkowicie zignorowała ogólnopolskie uroczystości w dniu 28 marca 1993 roku ku czci 50-lecia akcji pod Arsenałem, zorganizowanej przez harcerzy z „Szarych Szeregów" Armii Krajowej. (W uroczystościach wzięło udział kilka tysięcy osób z całej Polski, Mszę świętą odprawił Prymas Polski kard. Józef Glemp) (por. J. Pobóg: *A mury runą, runą*, „Ład", 25 kwietnia 1993). Stefan Niesiołowski napisał w liście otwartym do prezesa TVP Janusza Zaorskiego, piętnującym to pominięcie: *Pytana o możliwość zamieszczenia w programie telewizyjnym jakiegokolwiek krótkiego chociażby sprawozdania, p. Nina Terentiew odpowiedziała coś w rodzaju – „dla kilku dziadków nie będę przesuwała moich audycji". Pragnę przypomnieć, że audycje p. Niny mogą odbywać się w Wolnej Polsce tylko dlatego, że kiedyś jacyś „dziadkowie" przelewali za tę Polskę krew* (cyt. za „Polityką" z 24 kwietnia 1993). Bywało, że publiczna telewizja gruntownie lekceważyła nawet obchody największych polskich świąt narodowych. Na przykład 3 maja 1997 roku jedynym programem związanym ze świętem narodowym w ciągu całego dnia była prawie godzinna transmisja oficjalnych uroczystości w Warszawie, od godz. 11.45 począwszy. Potem w całym programie I najwyraźniej nie było już miejsca na jakiekolwiek przypomnienie wielkiej narodowej rocznicy.

Aż wreszcie znaleziono „najwłaściwszy" czas na przypomnienie o tak drogiej dla Polaków rocznicy – o godz 2.25 w nocy nagrano 20-minutowy *Tryptyk ojczysty*, inscenizację pieśni patriotycznych, dla których zabrakło wcześniej czasu (!) W drugim programie tejże publicznej telewizji poza porannym półgodzinnym programem o dziejach polskich konstytucji (o siódmej rano) i *Te Deum Paisiello*, skomponowanym dla uczczenia Konstytucji 3 Maja (o godz. 9.35 rano), przez cały czas nie znaleziono miejsca dla przypomnienia o obchodzonym w tym dniu święcie narodowym.

Niepotrzebne flagi

W przeciwieństwie do tylu innych krajów świata, w Polsce lat dziewięćdziesiątych nie widać żadnych starań o odpowiednie uczczenie najważniejszych świąt dla narodu, nie ma troski o zapewnienie w nich jak najpełniejszego udziału młodzieży. Można tu w pełni zgodzić się z uwagami Andrzeja Maśnicy w „Myśli Polskiej" napisanymi w krótkim czasie po bardzo skromnie potraktowanych obchodach Dnia Niepodległości 11 listopada 1996 roku: *11 listopada polskimi ulicami nie ciągnęły wielobarwne pochody, a narodo-*

we flagi były równie nieliczne, co daremne. Daremne, bo polska szkoła nie uczestniczyła w obchodach naszego narodowego święta; nie było uroczystych apeli, zbiórek, programów artystycznych, tras przemarszu, patriotycznych pieśni i gawęd, ognisk, akademii, czy choćby chwili wspólnego milczenia, wspólnej nad Polską zadumy (A. Maśnica: *Po co nam Święto Niepodległości?* „Myśl Polska", 24 listopada 1996). Najpopularniejsze media, z telewizją na czele, przyzwyczaiły nas do upowszechniania różnych importowanych wzorców obyczajowych typu walentynek, etc. Równocześnie zaś, i to nieprzypadkowo, brak w nich troski o pielęgnowanie tradycji narodowych, zachęt do czczenia tego, co powinno być najdroższe dla samych Polaków. Nie przypominam sobie na przykład, by telewizja zachęcała do właściwego uczczenia świąt narodowych choćby przez wywieszanie flag. I mamy odpowiednie efekty tego typu „zaniechań". W przeciwieństwie do krajów Zachodu, gdzie kolejne święta narodowe są rzeczywistą, powszechną, uroczystą fetą (tak jak 14 lipca we Francji), u nas w przeważającej części miejsc nie wywiesza się nawet flag narodowych dla uczczenia raz do roku narodowego święta. Nawet bardzo niechętny patriotyzmowi tygodnik „Wprost" przyznawał: *W odróżnieniu od społeczeństw zachodnich, gdzie wielu przedsiębiorców żyje z wytwarzania flag, koszulek czy ręczników w narodowych barwach, w Polsce nawet z okazji 3 Maja mało kto wywiesza flagę* (cyt. za B. Mazur: *Patriotyzm wojenny*, „Wprost" 31 lipca 1994). Przed obchodami święta narodowego w dniu 11 listopada 1996 okazało się, że w ogóle trudno jest zakupić biało-czerwonej flagi. Według informacji „Wiadomości" telewizyjnych flagi importowane są z Zachodu, ale nie ma polskiej, bo to nie interesowało zachodnich producentów (!)

Karanie za przywiązanie do flagi narodowej (!)

Symbole narodowe bezkarnie bezcześci się i wyszydza – i nie ma za to żadnej odpowiedzialności. Można za to być ukaranym za nadmierne przywiązanie do narodowych symboli. Dowodzi tego niedawna historia z Gorzowa Wielkopolskiego. Tamtejszą myjnię samochodową prowadzą dwaj młodzi ludzie, związani niegdyś z solidarnościowym podziemiem. Byli wówczas członkami Ruchu Młodzieży Niezależnej i kolportowali podziemne pismo „Szaniec". Tak też nazwali swoją myjnię. Zachowali szacunek dla dawnych wartości i kilkakrotnie odprawiali z kwitkiem byłych esbeków, którzy chcieli u nich umyć samochód, wywołując ich mocne zdenerwowanie. Znaleziono więc „sposób" na nich. Półtora roku temu obaj właściciele myjni wywiesili biało-czerwone flagi nad myjnią. W kwietniu 1997 roku nagle uznano, że wiszące nad myjnią flagi narodowe łamią przepisy, gdyż są wywieszone bez wyraźnego powodu. Policja powołała się przy tym na dekret z 31 stycznia 1980 roku o godle, barwach i hymnie PRL-u, mówiący o tym, że flagi należy wywieszać na budynkach urzędowych, różnych organizacji społecznych etc., z okazji świąt i uroczystości. Właścicielom myjni zagrożono grzywną lub karą 3 miesięcy więzienia za łamanie tego przepisu. Właściciele myjni, Tomasz Bicki i Kazimierz Sokołowski, bronią swego prawa do wywieszania flagi narodowej na co dzień: *Nie wstydzimy się tego, że jesteśmy Polakami. Wręcz przeciwnie, jesteśmy z tego dumni. Uważamy, że także w ten sposób można promować wartości narodowe* (wg L. Kraskowskiego, *Myjnia narodowa*, „Życie", 13 maja 1997). Ich postawa skrajnie kontrastuje z zachowaniem policjantów gorzowskiego II Komisariatu, którzy nie wywiesili flag narodowych nawet 3 maja. Właściciel myjni Kazimierz Sokołowski komentował, że *być może policjanci nie wiedzieli, że to święto. Wśród gorzowskich policjantów jest wielu byłych ubeków* (tamże). Stanowisko policji, żądającej zdjęcie narodowych flag z myjni zostało poparte przez kuratora wojewódzkiego i przez przewodniczącą gorzowskiego komitetu ds. wykroczeń. Choć ta ostatnia, sędzia Iwona Kulesza, przyznała, że na Zachodzie flagi wywieszane są w barach i stacjach benzynowych, ale dodała, że „tam obowiązują inne przepisy". Od policyjnej „gorliwości" w walce z flagami narodowymi na myjni zdystansował się natomiast prezydent miasta Gorzowa Henryk Woźniak, mówiąc: *Nie potępiam posługiwania się symboliką narodową. Oczywiście musi to być robione w granicach. Moim zdaniem te granice nie zostały przekroczone. A policja powinna zająć się ściganiem łobuzów, a nie ludzi, którzy w ten sposób chcą zamanifestować swój patriotyzm* (tamże). Wiceprzewodniczący Rady Miejskiej Gorzowa Marek Surmacz wystąpił zaś wręcz z sugestią, aby w odpowiedzi na tak absurdalne zachowanie policji społeczeństwo zareagowało oporem i gremialnie wywieszało wszędzie flagi. W ocenie oskarżonego o wywieszanie polskiej flagi narodowej właściciela myjni — Sokołowskiego: *Najśmieszniejsze jest to, że gdybyśmy wywiesili np. flagę niemiecką albo Unii Europejskiej, to nikt by się nie mógł przyczepić, bo na to nie ma żadnego zakazu* (cyt. za P. Lisiewicz: *Grzywna za flagę*, „Gazeta Polska", 21 maja 1997).

Wypieranie tradycyjnych symboli

W ostatnich latach spotykaliśmy się z bardzo różnorodnymi działaniami zmierzającymi do stopniowego wypierania tradycyjnych symboli narodowych i niepodległościowych. Na ogół unikano przy tym działań spektakularnych, pewne sprawy starano się rozstrzygać cichaczem, niemal niepostrzeżenie. I tylko czasem odzywał się jakiś głos protestu przeciwko nagłemu znikaniu tego czy innego symbolu patriotycznego. Nader znamienny pod tym względem był list publikowany w „Życiu Warszawy" z 17 maja 1993 przez Janusza Kozłowskiego. Autor listu zapytywał: *Uprzejmie pytam szanowne Polskie Radio, dlaczego sygnał programu II, będący do niedawna początkiem słynnej powstańczej „Warszawianki", zastąpiony został jakąś bliżej nieokreśloną muzyczką? Czy naprawdę w demokratycznym i wolnym świecie uważa się, że nam „Polaczkom" wszystko jedno, jaka melodia płynie z głośników radiowych (...) Żądam powrotu tego sygnału na antenę Polskiego Radia. Nie wolno go nam odbierać.* Podobnie jak w mediach, również w szkołach z roku na rok coraz mniej miejsca zostawia się na edukowanie w tradycjach patriotycznych i znajomość nawet najważniejszych dla narodu tekstów niepodległościowych. Już w 1990 roku pisała Jolanta Makowska w artykule: *Ten dom, ten kraj*, publikowanych w „Przeglądzie Tygodniowym": *W warszawskiej śródmiejskiej szkole podstawowej wśród dwudziestu sześciu uczniów klasy pierwszej znalazło się tylko ośmioro dzieci znających słowa polskiego hymnu – pierwszej zwrotki oczywiście. „Katechizm polskiego dziecka", czyli wierszyk „Kto ty jesteś" był nie znany całej klasie (...) – To jest zjawisko powszechne – twierdzi pani Janina Dziadkowska, nauczycielka. – Jeżeli się o tym nie mówi, to dlatego, że nikt się tym problemem nie interesuje.*

Rozdział IX

Brudna wojna z Narodem

Człowiek bez narodu jest duszą bez treści,
obojętną, niebezpieczną i szkodliwą.

Stanisław Brzozowski

W ostatnich latach mnożą się utyskiwania działaczy Unii Wolności z Leszkiem Balcerowiczem na czele na zawłaszczenie i zmonopolizowanie patriotyzmu przez prawicę. Autorzy tych gorzkich żalów starannie zafałszowują fakty. To nie prawica zawłaszczyła patriotyzm. To lewica wykazała skrajne lekceważenie patriotyzmu i polskich interesów narodowych, połączone z niechęcią do używania takich pojęć jak naród i ojczyzna. To lekceważenie wyrażane było po 1989 roku w równie silnym stopniu przez postkomunistów i przez „różowych" z byłej lewicy laickiej. Cóż, ten sam rodowód obu nurtów, ta sama szkoła „internacjonalistycznego" myślenia (!). Można przytoczyć ogromną liczbę przykładów z mediów znajdujących się w rękach byłej opozycji laickiej, dowodzących nieukrywanej niechęci do takich pojęć jak naród, ojczyzna czy interesy narodowe. W publikowanych na ich łamach tekstach aż tryska od zapiekłej nienawiści do słowa „naród", któremu przypisuje się możliwie najgorszy sens. Niektórzy pragnęliby, by Polacy całkowicie wyrzekli się tego tak „trefnego" słowa.

Niechciane słowo „Naród"

Wśród atakujących słowo „naród" wyróżnia się fanatycznym wręcz zacietrzewieniem Andrzej Osęka, jeden ze sztandarowych autorów „Gazety Wyborczej". Osęka, choć z zawodu krytyk sztuki, wyraźnie wyspecjalizował się na łamach „Gazety Wyborczej" w licznych atakach na „polski antysemityzm", „zdziczenie i ciemnotę" polskiej prasy patriotycznej. W „Gazecie Wyborczej" z 21 października 1991 Osęka pisał: *wszystko niemal, co przedstawia się w publicystyce jako NARODOWE, jest ponure i syczące nienawiścią*. W „Gazecie Wyborczej" z maja 1993 (nr 106) Osęka wystąpił z felietonem pod wymownym tytułem *Boję się słowa naród*, tłumacząc swe obawy tym, że słowo „naród" może być wykorzystywane do deprecjonowania „innych", „obcych". Skrajne stwierdzenia tekstu Osęki wywołały polemiczne uwagi R.D. Goldsteina z Krakowa, który stwierdził w liście publikowanym w „Gazecie Wyborczej" z 25 maja 1993: *W Izraelu nikt nie śmie napisać, po co używać termin „naród żydowski". Zachód daje nam przykłady, dlaczego warto w imię narodu bronić swych interesów.*

W innym tekście, w „Gazecie Wyborczej" z 25 marca 1991, Osęka przeciwstawiał się używaniu sformułowań typu: „Nie można się obrażać na własny naród", uznając je za powiedzenie całkowicie „puste". Nie ma bowiem zdaniem Osęki w rzeczywistości żadnych cech wspólnych, zwanych narodowymi, łączących ludzi żyjących na tym samym terytorium i mówiących tym samym językiem. Bo przecież są wśród tych ludzi leniwi, ciemni i tchórzliwi i są pracowici, światli i odważni. Siebie oczywiście Osęka uważa za „odważnego" niszczyciela polskiego narodowego „zaścianka".

Szczerze wyznawał inny przeciwnik „narodu" z „Gazety Wyborczej", Jerzy Sosnowski: *Dziś podobnie jak wielu ludzi (a zwłaszcza jak publicyści „Gazety") wolę mówić o „społeczeństwie" niż o „narodzie". (...) Treść słów „Ojczyzna", „patriotyzm" zaczęła (...) przypominać dawno nie porządkowany składzik, w którym rzeczy cenne leżą obok bezwartościowych rupieci* (J. Sosnowski: *Kłopoty z Akslop*, „Gazeta Wyborcza", 12 sierpnia 1994).

Można by bardzo długo wyliczać przykłady dezawuowania wartości narodowych, pojęcia interesów narodowych etc. Przypomnę parę najbardziej typowych tekstów tego typu. Według autora publikacji na łamach „Res Publiki" Marka Wąsowicza: *Trzymanie się tradycyjnego rozumienia racji stanu czy też głoszenia haseł narodowych, inaczej mówiąc trwanie w okopach Świętej Trójcy, oddala nas od Europy widzianej jako obszar wspólnej cywilizacji i spycha ku Europie wrogich sobie zaścianków* (M. Wąsowicz: *Państwo – naród, czyli pułapki dwóch racji*, „Res Publica", 1991, nr 4, s. 33). Znamienne, że autor „Res Publiki" nigdzie nie wyjaśniał, cóż takiego złego jest w trzymaniu się tradycyjnego rozumienia racji stanu, które oznacza bronienie interesów państwa i narodu. Czy dlatego, że jest aż takim zwolennikiem rezygnacji Polski z dużej części suwerenności na rzecz instytucji europejskich, rezygnacji prowadzącej do pełnego poddania się dyktatowi dominującego w tych instytucjach zdecydowanie najpotężniejszego państwa Europy Zachodniej – Niemiec?

Przypomnę tu również popis skrajnego kosmopolityzmu Andrzeja Szczypiorskiego, wyrażony w czasie rozmowy z redaktorem „Ilustrowanego Kuriera Polskiego". Rozmówca zapytał Szczypiorskiego: *A istnieje polskie poczucie narodowe?* Szczypiorski odpowiedział: *Być może, ale w kręgach nie do końca wykształconej inteligencji. Nawet polski chłop o tym nie myśli. Każdy interesuje się własną kieszenią, a nie polskością i poczuciem narodowym. To stronnictwa polityczne wmawiają ludziom pewną mitologię, którą powinni zajmować się od rana do wieczora. A my przeliczamy na pieniądze* (por. rozmowę M. Górskiego z A. Szczypiorskim, „Ilustrowany Kurier Polski" z 6–8 grudnia 1996). Ulubioną metodą przeciwników nurtu patriotycznego jest odpowiednie „ustawianie" rzeczników docenienia roli narodu w pozycji obrońców Ciemnogrodu i „zaścianka". Tak jak to zrobił w marcu 1997 roku Janusz A. Majcherek na łamach „Rzeczpospolitej", głosząc: *Nadgorliwi apologeci narodu każą się rodakom aprobatywnie odnosić nawet do ciemnoty, jeśli tylko jest „nasza", i sądzą, że roztaczając nad nią ochronę, bronią tym samym narodowej tradycji i tożsamości* (J.A. Majcherek: *Wymiary polskości*, „Rzeczpospolita", 25 marca 1997).

Uznawanie „więzi z narodem" za rzecz przebrzmiałą

Przeciwnikom wartości narodowych z łamów „Gazety Wyborczej", „Res Publiki" czy „Rzeczpospolitej" ochoczo wtórowali skrajnie zacietrzewieni w niechęci do słowa „naród" kosmopolici z postkomunistycznej „Polityki". By przypomnieć choćby wystąpienia Krzysztofa Teodora Toeplitza. Oto, co pisał on, na przykład, w „Polityce" z 15 marca 1997, polemizując ze stwierdzeniami biskupa polowego Sławoja Głodzia, krytykującego uparte i nieprzypadkowe unikanie słowa „naród" w opanowanych przez lewicę środkach przekazu: *Nie zauważyłem, aby środki przekazu żywiły szczególną awersję do tego wyrazu, ale wierzę księdzu generałowi na słowo. I – proszę mi wybaczyć, gdyby było to prawdą, świadczyłoby to moim zdaniem raczej o tym, że środki przekazu starają się myśleć, nie zaś o tym, że opanowane są przez jakieś wraże, antynarodowe siły. Słowo „naród" bowiem w warunkach suwerennego, niepodległego państwa jest wyrazem, którego siła emocjonalna jest nieporównanie mniejsza, niż była w czasach niewoli i ucisku, j e s t t o r ó w n i e ż s ł o w o, k t ó r e g o o g ó l n i k o w y c h a r a k t e r r a c z e j z a c i e m n i a n i ż r o z j a ś n i a s t o j ą c e p r z e d n a m i r e a l n e p r o b l e m y* (podkreślenie – J.R.N.).

W innym tekście na łamach „Polityki" Toeplitz z werwą perorował: *Po lekturze ankiety „Polityki", a więc wypowiedzi ludzi inteligentnych, wykształconych, światowych, trudno nie dojść do wniosku, że argumenty w rodzaju „więzi z narodem", „dźwigania wspólnego krzyża", „orania ojczystego, kamienistego gruntu" – a więc to, co mamy naprawdę do zaoferowania naszym „wielkim rodakom" – należą już z pewnością do przebrzmiałej XIX-wiecznej frazeologii romantycznej i mało mają wspólnego z obecnym stanem umysłów* (K.T.T.: *Wzajemność bez miłości*, „Polityka" z 16 kwietnia 1994).

Strach przed „granatem", ukrytym w słowie „Naród"

Z dramatycznym ostrzeżeniem przed skłonnościami do używania słowa „naród" wystąpił również jeden z najbardziej wpływowych autorów „Polityki", jej komentator od spraw zagranicznych, Adam Krzemiński, głosząc między innymi: *Dziś wielu polityków chętnie używa słowa Naród, a już najczęściej ci, którzy podkreślają, iż są Prawdziwymi Polakami. Naród zajął miejsce Ludu Pracującego Miast i Wsi. Jak jednak zdefiniować pojęcie Narodu? Czy wystarczy powołać się na więzy krwi? Czy Algierczyk mieszkający we Francji jest Francuzem? A Niemcy, Litwini, Żydzi czy Białorusini żyjący w Polsce – to Polacy? Naród to takie słowo, z którym trzeba się obchodzić ostrożnie, jak z odbezpieczonym granatem* (A. Krzemiński: *Umarł lud, niech żyje naród*, „Polityka" z 14 października 1995). Pocieszając innych „europejczyków", tak jak on drżących przed granatem ukrytym w słowie „naród", Krzemiński zapewniał, że choć „idea narodowa zdaje się dziś przeżywać renesans w Europie", to „niewykluczone, że jest to jej renesans ostatni" (tamże). I dodawał, że dla kultury ten renesans jest jakoby „mało twórczy i niezbyt płodny". I powoływał się na książkę niemieckiego autora Hagena Schulze, wieszczącego wszem i wobec, że mało prawdopodobne jest, by pojęcie narodu przetrwało wiek XXI.

Przykro się robi patrząc na jaskrawą nieuczciwość intelektualną tekstu Adama Krzemińskiego, jednego z niewielu naprawdę wykształconych i odznaczających się kulturą pisarską autorów „Polityki" (jakże daleko do poziomu Krzemińskiego takim jego kolegom z „Polityki" jak Ryszard M. Groński czy Ludwik Stomma, wyspecjalizowanym w publicystyce pomówień, insynuacji i inwektyw). Zapytajmy Krzemińskiego, na czym oparł twierdzenie, że *dziś wielu polityków chętnie używa słowa Naród, a już najczęściej ci, którzy podkreślają, iż są Prawdziwymi Polakami*. Jakoś nie przypominam sobie żadnego ze znanych polityków, który podkreślałby, że jest „prawdziwym Polakiem". Może z wyjątkiem Wałęsy, który zrobił to parę razy w 1990 roku, ale nie później. A w ostatnich latach wcale nie wyróżniał się uwypuklaniem słowa „naród", nie mówiąc o interesach narodowych. Niestety, jednym z poważniejszych problemów dzisiejszej sytuacji w Polsce jest fakt, że bardzo niewielu znanych w skali krajowej polityków używa słowa „naród", czy mówi o rzeczywistych zagrożeniach dla patriotyzmu. Wielu polityków z prawicy wyraźnie dało się zastraszyć manipulantom z czerwonych i różowych mediów, i drży, aby mówiąc o narodzie czy patriotyzmie nie zasłużyć na zarzuty o „nacjonalizm" czy „antysemityzm". I ulegając antynarodowemu szantażowi kornie rezygnuje z mówienia o wszelkich zagrożeniach dla polskości.

Jak bardzo niektórzy boją się słowa „naród" okazało się w dyskusjach nad projektami konstytucji. Znana jest zapalczywość, z jaką różni politycy i publicyści „czerwonej" i „różowej" orientacji przeciwstawiali się użyciu słów „My naród polski" w forsowanym przez SLD, a później wspieranym także przez Unię Wolności parlamentarnym projekcie konstytucji. Działaczka „Solidarności" Barbara Niemiec ujawniła jednak, że początkowo również w gremium ludzi toczących dyskusję nad Obywatelskim Projektem Konstytucji część osób sugerowała, by z tekstu usunąć słowo „naród". I zrobili to ludzie bez wahania przyznający się do patriotyzmu, ale argumentujący, że używając słowa „naród" *moglibyśmy być posądzeni o nacjonalizm lub – co gorsza – rasizm* i ograniczyłoby to rzesze zwolenników z tegoż projektu (por. B. Niemiec: *Polak to brzmi dumnie*, „Tygodnik Solidarność" z 20 września 1996). W rzeczywistości – jak się później okazało – przeważająca część Polaków zdecydowanie poparła w sondażu umieszczenie słów „naród polski" w projekcie konstytucji.

Wojna o narodową terminologię

Przez cały czas po 1989 roku trwa wielka wojna o język pojęć i ich znaczenie. Dominujące w mediach siły kosmopolityczne wraz z dążeniem do maksymalnego ograniczenia użycia słów „naród", „ojczyzna", „patriotyzm" dążą do tym silniejszego zaakcentowania wyłącznie negatywnego słownictwa w kontekście wszystkiego, co narodowe. Chodzi o to, by czytelnicy spotykali się ze wszystkim, co patriotyczne i narodowe wyłącznie w znaczeniu pejoratywnym. Zbigniew Lipiński pisał z całą słusznością o tych metodach manipulacji, iż orientacja kosmopolityczna *sięgnęła do arsenału propagandowego lat stalinowskich, przywracając pełny „blask" takim pojęciom jak: nacjonalizm, ksenofobia, ciemnogród, faszyzm, antysemityzm, klerykalizm. Używa je oczywiście w znaczeniu, jakie zostało nadane przez ich ideowych, a nierzadko i rodzinnych protoplastów.*

Tak więc n a c j o n a l i z m — według magów nowej propagandy — to każdy przejaw nawet najłagodniejszej próby obrony interesów narodowych. Zarzutem k s e n o f o b i i operuje się z kolei wobec tych, którzy np. wyrażają obawy przed uprzywilejowaniem niepolskich grup narodowościowych w polityce i gospodarce. Nacjonalizm i ksenofobia są zdaniem dysponentów mediów w Polsce postawami ściśle związanymi. W „c i e m n o g r o d z i e" natomiast sytuuje się ludzi przywiązanych do polskiej i katolickiej tradycji, chrześcijańskich norm moralnych. Etykietka f a s z y z m u jest przyklejana do środowisk domagających się w sposób radykalny respektowania interesu narodowego (por. Z. Lipiński: *Inżynierowie mózgów i słów*, „Myśl Polska", 20 kwietnia 1997).

Ten kraj

Dla pseudoeuropejczyków z warszawskiej „elitki" Polska nie jest ani trochę ukochaną ojczyzną, krajem ich serc, marzeń i nadziei. Wręcz odwrotnie, to jest dla nich tylko „ten kraj", w którym ich wyrafinowane osobowości muszą się ciągle niezasłużenie męczyć. Jakże typowe pod tym względem było pełne złości „wyznanie" Izabelli Cywińskiej, minister kultury w rządzie T. Mazowieckiego, wypowiedziane wkrótce po jego fatalnej przegranej w wyborach prezydenckich. Natychmiast uznała Polskę za „ten absurdalny kraj" —

(por. „Gazeta Wyborcza" z 21 grudnia 1990). W rzeczywistości to jej kierowanie resortem kultury było jednym ciągiem absurdów, niekompetencji i nieudolności. W ślad za uogólnieniami Cywińskiej o „absurdalnym kraju" ochoczo pośpieszył Adam Michnik w tekście napisanym z okazji rozpoczęcia druku tekstów Sławomira Mrożka na łamach „Gazety Wyborczej". Według Michnika: *Powtórzmy za Janem Kottem: Mrożek nie jest polskim nadrealistą. Jest realistą nad. Nad polskim absurdem. No to od dzisiaj my z nim.* („Gazeta Wyborcza" z 3 lutego 1997). Komentujący te słowa Michnika publicysta „Tygodnika Solidarność" Marian Cegła stwierdził: *„Polski absurd"? Ładnie wymyślone, krótkie, dosadne... Choć to jeszcze nie ta klasa, co „bękart traktatu wersalskiego", ale szkoła ta sama* (M. Cegła: *Szkoła ta sama*, „Tygodnik Solidarność", nr 8 z 1997).

Kosmopolityzm jako wzorzec „elitki"

Dawne marksowskie hasło „Proletariusze nie mają ojczyzny" ludzie z czerwono-różowych elitek wyraźnie zamienili na hasło „intelektualiści nie mają ojczyzny". I z zapamiętaniem depczą patriotyzm i polskość. Począwszy od omawianego już wcześniej Tadeusza Konwickiego, dawnego stalinowca, dziś z zacietrzewieniem odcinającego się od patriotyzmu i polskich cech narodowych, marzącego o wydmuchaniu „tego naszego narodowego zaduchu" przez „europejski przeciąg". Poprzez reżysera Kazimierza Kutza znanego z różnych obelżywych uogólnień na temat Polski. By przypomnieć choćby jego zdanie z wywiadu dla „Magazynu Gazety Wyborczej" w 1993 roku: *Polska była biednym, głupim krajem, zidiociałym na skutek swoich nieszczęść* (cyt. za M.A. Wasilewski: *Katzenjammer*, „Ład", 22 sierpnia 1993).

U wielu twórców zapanowała prawdziwa moda na akcentowanie swych urazów wobec polskiego patriotyzmu. Reżyser Krzysztof Zanussi zapewniał na przykład z całą swadą: *Na świecie pochlebia mi bardzo, jeśli ktoś mnie nazwie kosmopolitą, bo znaczy to, że mam zrozumienie, otwarcie, umiejętność współżycia z ludźmi innych narodów, coś czego brakuje ludziom prowincjonalnym, zamkniętym. Sądzę, że patriotyzm jest możliwy chyba dopiero wtedy, gdy człowiek jest kosmopolitą, bo w przeciwnym wypadku jest on zawsze podszyty ksenofobią, nienawiścią do tego, co obce, pogardą, poczuciem wyższości* (K. Zanussi: *Nikt nie ma racji do końca*, „Panorama" z 18 grudnia 1988).

Zadeklarowanemu kosmopolicie Krzysztofowi Zanussiemu warto polecić lekturę uwag słynnego XIX-wiecznego historyka Joachima Lelewela na temat kosmopolityzmu. Lelewel pisał wprost: *Zapamiętali głosiciele kosmopolityzmu nie baczą, że przygotowują czasy imperium rzymskiego; a naprzód nastanie zobojętnienie na to co swoje – i obcy przewodzić zaczną – a potem oziębłość na to, co się dzieje, i źli ludzie panować i uciskać zaczną, a wreszcie barbarzyniec przyjdzie, znikczemnionych, złych i dobrych kosmopolitów pochłonie.*

We wrześniu 1994 roku Zanussi występując w audycji telewizyjnej na temat „Czy warto być Polakiem?" wypowiadał się zdecydowanie najbardziej pesymistycznie. Według omówienia tej audycji na łamach „Rzeczpospolitej" przez Roberta Jarockiego z wypowiedzi Zanussiego wynikało, *że używający więcej mydła i lepiej wykształceni Polacy wolą szukać szczęścia w innych krajach i nie przyznawać się do polskości (...) Przysłuchując się tym rozważaniom, jednego tylko nie mogłem zrozumieć: dlaczego p. Zanussi tak późno zauważył cywilizacyjne zacofanie rodaków. Przypominam sobie jego wypowiedzi sprzed kilku lat – wówczas plasował Polskę bardzo wysoko, choć wątpię, żeby zużycie mydła było wtedy większe. No cóż, rozczarował się – masy nie spełniły jego oczekiwań. (...) Kiedyś w radiu Jerzy Dobrowolski wraz z Ireną Kwiatkowską zapraszali niezadowolonych Polaków na wyspy Hula-Gula. Sądzę, że to zaproszenie nie straciło na aktualności. Pierwsi powinni się przenieść nasi niektórzy intelektualiści. Mają tam szansę znaleźć plemiona mogące sprostać ich wysokim standardom intelektualnym. Pod warunkiem wszakże, iż nie wpadną na pomysł urządzania dyskusji pod tytułem „Czy warto być obywatelem Hula-Gula"* (por. R. Jarocki: *Wyjechać na wyspy Hula-Gula*, „Rzeczpospolita", 17 września 1994).

Jakże przygnębiająco zabrzmiały już w 1992 roku oceny obserwującej to, co się dzieje w Polsce, z „oddali" we Francji, Zofii Hertzowej, jednego z filarów paryskiej „Kultury": *Niestety, to nie jest Polska, o którą walczyliśmy przez 50 lat. (...) Polska przez te 3 lata niczego dobrego nie zrobiła – zmarnowała całą masę sympatii ludzi. Myśmy zawsze myśleli, że Polacy przy różnych swych wadach, są patriotami, uczciwi i pracowici. Niestety z tych zalet niewiele zostało. Są pracowici na Zachodzie, ale nie w kraju. Przestali być patriotami – wygląda na to, że nikomu na tym państwie nie zależy* (por. wypowiedź Z. Hertzowej w „Tygodniku Solidarność" z 18 grudnia 1992).

Józef Mackiewicz pisał kiedyś: *Społeczeństwo dojrzałego narodu winno być jak rozwarty wachlarz (...) czym więcej stopni tego rozwarcia, tym więcej świadczy o dojrzałości, dynamice, bogactwie myśli i o kulturze. Podczas gdy zwinięty w mocnej garści robi wrażenie raczej krótkiej pałki* (J. Mackiewicz: *Zwycięstwo prowokacji*, Londyn 1988, s. 201). Taki właśnie model krótkiej pałki usiłują nam wciąż narzucić czerwono-różowe media w podejściu do problematyki narodowej. Uparcie odrzucają pojęcia narodu i ojczyzny, traktując przywiązanie do własnego narodu jako najcięższy grzech przeciw stwarzanej przez nich „politycznej poprawności". I obrzucając gradem inwektyw wszystkich inaczej myślących. By przypomnieć choćby styl zmasowanych ataków na Wojciecha Cejrowskiego.

Jak Bolesław Prus karcił „internacjonalistów" i „kosmopolitów"

Nasi dzisiejsi antypatriotyczni „cywilizatorowie" nawet nie zdają sobie sprawy, jak mało odkrywczy są ze swymi hasłami europejskości i kosmopolityzmu w zderzeniu z polskim „zaściankiem". Przypomnijmy tu choćby to, co tak wymownie pisał Bolesław Prus ponad 90 lat temu o postawach współczesnych mu „internacjonalistów" i „kosmopolitów, do złudzenia przypominających swych dzisiejszych naśladowców z „Gazety Wyborczej", „Wprost" czy „Polityki". W „Kronice tygodniowej" z 3 marca 1906 Prus stwierdzał między innymi: *Obok walki z religią katolicką biurokracja toczyła jeszcze zacieklejszy bój z narodowością i patriotyzmem polskim. Nasi szanowni cywilizatorowie zbyt mało posiadali wykształcenia, ażeby rozumieć, iż jakikolwiek choćby patagoński patriotyzm jest lepszy od politycznego nihilizmu. (...) Patriotyzm jest (...) specjalną formą uczuć społecznych, które ludzi spajają ze sobą, każą im zapomnieć o własnym egoizmie, czasem popychają do poświęceń, a w każdym wypadku nieco hamują dzikość i okrucieństwo człowieka, nieco wynoszą go ponad ciasny zakres jego osobistych interesów. (...) Takie to uczucie tępiono u nas za pomocą drwin z historii albo jej fałszowania i za pomocą wreszcie machiny cenzuralnej. (...) Polak miał obowiązek uczyć się gramatyk: rosyjskiej, niemieckiej, francuskiej, łacińskiej, greckiej, a nawet cerkiewno-słowiańskiej. Nikt jednak nie mówił mu, że jest komórką narodowej całości, że nie mógłby ani rozwijać się fizycznie i duchowo, ani nawet istnieć bez ziemi, po której stąpa, wody, którą pije, bez chłopa, który go karmi, itd.*

A jeśli tak jest i jeżeli całe nasze życie zawdzięczamy otoczeniu, toć i względem tego otoczenia musimy poczuwać się do jakichs obowiązków, do jakiegoś długu wdzięczności. Nie tylko więc jest zbrodnią, nie tylko jest hańbą szkodzić tym naszym dobrodziejom (...), ale nadto jest prawem uczciwości i honoru (...) oddać im tyle przynajmniej ile bierzemy od nich.

Na tym polega patriotyzm, ale tego nie uczono naszej młodzieży, a raczej wskazywano jej, że gdzieś nad Wołgą czy Uralem istnieją dobrze płatne posady. Nic nie znaczy, że t u *urodziłeś się i wychowałeś, gdyż* t a m *dadzą ci dwa do trzech tysięcy rubli pensji, a jeśli będziesz obrotny, możesz zarobić i więcej. W taki sposób wychowywały się pokolenia kosmopolitów i internacjonalistów. Więc jedni żyli w tym kraju z obojętnością w sercu dla jego nędzy, inni nawet drwili sobie ze „zgniłej Polski", która zasłaniała im żywe społeczeństwo* (B. Prus: *Kroniki*, t. 18, Warszawa 1907, s. 258–259; nr 8 z 3 marca 1906, cyt. za pracą magisterską R. Wierzbickiego: *Ewolucja poglądów Bolesława Prusa po 1905 roku*, Instytut Filozoficzno-Historyczny WSP w Częstochowie).

Czy jesteśmy przeczuleni?

Próbuje się zanegować lub ośmieszyć wszelkie przejawy zaniepokojenia o polskość i polski patriotyzm, przedstawić je jako objaw chorobliwego, nacjonalistycznego przeczulenia, nie mającego żadnego uzasadnienia poza jakimiś ksenofobicznymi strachami przed „obcymi" i „Europą". Czy rzeczywiście przeczuleni są ci autorzy, którzy biją na alarm z powodu obecnych zagrożeń dla patriotyzmu i polskości? Warto przytoczyć kilka opinii z obozu tzw. „Europejczyków". Będą to opinie ludzi, których nikt nie może oskarżyć o jakiekolwiek ciągotki do polskiego „nacjonalizmu", a raczej o wyraźne negatywne uczulenie wobec wszystkiego, co traktują jako jego objaw.

Zacznijmy od zacytowania opinii Krzysztofa Wolickiego, tak związanego ze środowiskiem Unii Demokratycznej, a później Unii Wolności, skądinąd jednego z najbardziej zagorzałych tropicieli rzekomych zagrożeń „faszystowskich" w Polsce. Przyznawał on już w 1992 roku w polemice z publicystką „Gazety Wyborczej" Danutą Zagrodzką: *To prawda, że polska świadomość narodowa, zwłaszcza w młodszych pokoleniach jest teraz szczególnie zdezorientowana i obolała, cała w kompleksach niższości. Nie wolno tego ani lekce-*

ważyć, ani wyśmiewać, a już na pewno nie wolno odmawiać oczywistej słuszności tym, którzy nie smakują w każdym śmieciu czy każdej głupocie znad Atlantyku (K. Wolicki: *Bez alternatywy*, „Gazeta Wyborcza" z 11 stycznia 1992).

Przypomnę również uwagi profesora Jerzego Jedlickiego, znanego z żarliwie „antynacjonalistycznych" wystąpień, wypowiedziane w wywiadzie dla „Polityki": *Jeśli coś budzi moje obawy – to jakieś nasze wewnętrzne zachwianie wiary w autentyczne wartości polskiej kultury, odwracanie się od tradycji, osłabienie patriotyzmu, nie takiego sakralizowanego, ale powszedniego, wzmacniającego poczucie własnej wartości w relacji z własnym krajem. Ja często mam takie wrażenie, że Polacy kochają swoją ojczyznę, ale jej nie lubią. To widać zwłaszcza w młodym pokoleniu. Nie Europy więc trzeba się obawiać, ale skutków osłabienia naszej własnej indywidualności narodowej* (por. *Przedmieście Europy*. Z rozmowy J. Poprzeczko z prof. J. Jedlickim, „Polityka" z 11 listopada 1995).

I wreszcie, jakże wymowna opinia Jerzego Borejszy. W wywiadzie dla „Magazynu Gazety Wyborczej" z 29 grudnia 1995 stwierdził on między innymi: *Wybitna młodzież naukowa opuszcza Polskę. Brak czegoś, co by pozwalało naszemu krajowi więzią wewnętrzną zatrzymać swoją najlepszą młodzież naukową – jakiegoś poczucia wspólnoty narodowej, obywatelskiej, czy jak ją nazwiemy. Jest to klęska.*

Przeciw przerabianiu Polaków na inny naród

Polska inteligencja nie ogranicza się do „internacjonalistów"-„kosmopolitów" z „warszawki" i „krakówka". Jest wielu wybitnych ludzi kultury i nauki, działaczy społecznych i politycznych, prawdziwie patriotycznych, gorąco wierzących w polskość. Tyle, że ich poglądy na ogół nigdy nie trafiają do najbardziej wpływowych polskich mediów, od telewizji po „Gazetę Wyborczą", „Wprost" czy „Politykę". Dla najbardziej wpływowych „przekaziorów" niepotrzebni są tak „nieeuropejscy" ludzie, którzy myślą i czują po polsku.

Jednym z najostrzejszych krytyków „elitki", która chciałaby zniszczyć polski patriotyzm, jest znany pisarz i eseista Jarosław Marek Rymkiewicz. W głośnym wywiadzie dla „Życia Warszawy" z 17 maja 1993, Rymkiewicz bezpardonowo skrytykował komunistyczne rodowody „grupy 68", jako tych, którzy *mieli pomysł na Polskę, w której fundamentalna idea komunistyczna*

– przerabianie człowieka – będzie nadal realizowana (...) Tym, którzy rewidowali komunizm, towarzyszyła zawsze myśl, że Polacy są groźnym narodem ciemnych, ksenofobicznych chłopów. Czyli takim, który trzeba przerobić na jakiś inny naród, najlepiej światły, liberalny i europejski (...) Ja nie chcę być przerabiany na kogoś innego. Jak zechcę, to sam się przerobię i nie pozwolę się komuś innemu – jakimś komunistom – przerabiać na innego, niż jestem Polaka. To jest teraz najważniejsze polskie pytanie: czy Polacy pozwolą się przerobić na jakiś inny naród, czy będą żyli tak, jak sami chcą żyć. Jak zawsze tu żyli.

Krytykując postawy zreformowanych „różowych" komunistów, Rymkiewicz stwierdził, że: *Ci, których tak nazywam (różowi – J.R.N.), żywią przekonanie, że są o wiele mądrzejsi od głupich Polaków (...) Od społeczeństwa głupich i ciemnych Polaków. Chcieliby więc ich przerobić, tak przynajmniej twierdzą, na światłych Europejczyków. Uprzednio chcieli nas przerobić na jeden z narodów radzieckich. To przerabianie Polaków na inny naród – radziecki lub europejski, ale zawsze światły i nowoczesny – odbywało się przez ostatnie pół wieku przy użyciu rosyjskiej siły (...) Niech Pan zauważy, jak traktowani i znieważani są dzisiaj ci, którzy ośmielają się myśleć inaczej. To faszyści, nacjonaliści oraz antysemici. To są podłe oszczerstwa i podobnych oszczerstw dopuszczali się także – wobec tych, którzy myśleli inaczej – komuniści* (*Dlaczego jestem taki wściekły*. Z J.M. Rymkiewiczem rozmawia J. Morawski, „Życie Warszawy" z 17 maja 1993).

Odzyskujemy niepodległość, tracimy tożsamość

Już w marcu 1992 roku ostrzegał publicysta, eseista i dramaturg Jerzy Mikke: *Lansowanie wzorców cywilizacji konsumpcyjnej (prymat MIEĆ nad BYĆ), „tam ojczyzna, gdzie dobrze", zanik potrzeb wyższego rzędu (brak nawyków obcowania z dobrą literaturą, ze sztuką, z historią), sprawia, że odzyskując niepodległość tracimy niemal z każdym rokiem poczucie ciągłości z dorobkiem duchowym minionych pokoleń (...) Relatywizm światopoglądowych elit umysłowych, których najbardziej wpływowa część faktycznie nie ma społeczeństwu do zaproponowania żadnego programu kulturalnego czy edukacyjnego poza deklaracjami w rodzaju „powrotu do Europy" czy zmitologizowanymi wizjami państwa prawa. Wielu ludzi z tych elit wyraźnie lekceważy takie wartości jak tradycja, ojczyzna czy etyka chrześcijańska, głosząc, że nie mieszczą się one w wizji nowoczesnego społeczeństwa i jakoby utrudniają „integrację Polski ze światem zachodnim* (J. Mikke: *O polityce kulturalnej inaczej*, „Nowy Świat" z 16 marca 1992).

Znany poeta i eseista Paweł Hertz w wywiadzie dla „Gazety Polskiej" bardzo krytycznie ocenił rolę tzw. autorytetów moralnych, którzy „wzięli rozbrat z narodem". Jego zdaniem „laicko-lewicowe skłonności" tych środowisk powodują rozziew między nimi a społeczeństwem. Zdaniem Hertza: *Są pewne cechy konstytutywne, tworzące filar narodowy społeczeństwa, i jeśli jakaś grupa odejdzie od nich zbyt daleko, między nią a społeczeństwem powstaje czarna dziura. Taki układ mamy obecnie. Zmieni się on dopiero wtedy, gdy przyjdzie nowe pokolenie inteligencji* (cyt. za: *Wzięli rozbrat z narodem*. Z Pawłem Hertzem rozmawiał J. Biernacki, „Gazeta Polska" z 23 grudnia 1993).

Brudna wojna z Narodem

Na tle jakże licznych przejawów rugowania tradycji patriotyzmu, prób wyrzucania za burtę takich pojęć jak naród i ojczyzna jako rzekomo „zużytych, wyświechtanych i skompromitowanych", trudno nie zgodzić się z oceną profesora Piotra Jaroszyńskiego, wyrażoną w książce *Rozmyślania o mojej ojczyźnie*: *W zatrważającym tempie postępuje proces wyłuskiwania nas z polskości na rzecz bezimiennych „tubylców". Przecież ponad 1000-letni naród mieszka w swojej Ojczyźnie, a nie w „tym kraju". (...) Czyż dzisiaj, po nominalnym odzyskaniu niepodległości, nie zasypuje się nas, naród osłabiony półwieczną niewolą, plewami demoralizacji, kłamstwa i brzydoty, byśmy sobą nic nie przedstawiali? Czyż tak zwani Europejczycy nie próbują nas ciągle odszczepić od soków ojczystego korzenia, byśmy wyschli? Czyż nie uczy się obojętności, a wręcz pogardy dla rodaków i narodowego dziedzictwa, byśmy utracili jakąkolwiek siłę? (...) Polityka zaborców, okupantów, komunistów, zawsze zmierzała do tego, byśmy byli we własnych oczach mali: dlatego ryli w nasze korzenie, czyli ośmieszali naszą przeszłość, dlatego ogałacali nas z liści młodych pokoleń, by więdły z frustracji i nijakości. Uważajmy, gdy błędy wytykają nam ludzie nieprzyjaźni, różni „fachowcy" od polskich wad i kompleksów. Bardzo przytomnie św. Paweł zwracał się kiedyś do Kolosan: „Ojcowie nie rozdrażniajcie waszych synów, aby nie stali się małoduszni". Nas ciągle próbują jakieś nasłane „ojczymy" rozdrażniać, zarzucając nam wsteczność, ksenofobię czy antysemityzm* (P. Jaroszyński: *Rozmyślania o mojej Ojczyźnie*, Warszawa 1996, s. 5–6, 10, 14–15).

Z podobnie alarmującymi ostrzeżeniami na temat patriotyzmu w przeważającej części mediów niejednokrotnie występował ksiądz profesor Czesław Bartnik, znakomity znawca problematyki Narodu w myśli Prymasa Tysiąclecia Stefana Wyszyńskiego. Ksiądz prof. Bartnik pisał, że: *Na miejsce „narodu wprowadza się u nas „społeczeństwo" jako fenomen płytki i materialny, bezludzki, którym ma rządzić pieniądz, towar, technika* (ks. C. Bartnik: *My naród...*, „Słowo – Dziennik Katolicki" z 19 października 1993). Zdaniem księdza Bartnika: *Wielu działaczy pseudoekumenicznych próbuje wyrzucić słowo „naród" nie tylko z mass mediów, ale nawet z samego Pisma świętego, zastępując je słowem „ludzie" lub „społeczeństwo"* (tamże). Przykładem tego typu działań są – według ks. Bartnika – próby zastępowania wielkiego nakazu misyjnego, zawartego w Ewangelii według Mateusza: *„Nauczajcie wszystkie narody" słowami „nauczajcie wszystkich ludzi". Ksiądz Bartnik pisał również o manipulacjach osób, które „samo Pismo święte przedstawiają nieraz jako rzekomo nacjonalistyczne, Nowy Testament jako „antysemicki"* (tamże).

Działaczka „Solidarności" Barbara Niemiec pisała wprost w artykule *Brudna wojna z Narodem*: *Pozostaje pytanie, dlaczego tylko polskiemu narodowi tak trudno zapisać w konstytucji fakt, że nadaje swemu państwu konstytucję, podczas gdy inne narody nie miały z tym żadnych kłopotów. Czy dlatego, że dominujący na scenie politycznej establishment nie żywi przyjaznych uczuć do ciągle żywego i mocnego poczucia narodowej odrębności, charakterystycznego dla Polaków? Trudno będzie je roztopić w wykorzenionej masie – Europie ich marzeń? Europie bez historii i tradycji? Tak kiedyś marzyło się komunistom, próbującym utworzyć wielkie państwo proletariatu. Tak marzy się dzisiaj libertyńskim globalistom, protegowanym Sorosa* (por. B. Niemiec: *Brudna wojna z Narodem*, „Tygodnik Solidarność" 1997, nr 12).

I tylko w niskonakładowych tygodnikach można znaleźć piękne patriotyczne wyznania, jak np. słowa Jana Pietrzaka: *Bardzo wierzę w nasz naród. Może jestem tutaj oryginalny, bo nikt się do tego nie przyznaje, każdy chce być światłym Europejczykiem. Ja natomiast uważam, że Polacy są niezwykli, że mają nieprawdopodobne możliwości adaptacyjne, intelektualne, poznawcze – słowem jestem fanem tego społeczeństwa. A wydaje mi się, że się na nim znam, jak mało kto w tym kraju, ponieważ żyję z tego społeczeństwa – z jego szaleństw, zmienności, nastrojów, histerii, ale także z jego mądrości. Jestem optymistą – uważam, że Polaków stać na bardzo wiele. I zwłaszcza teraz, kiedy staliśmy się niepotrzebni Zachodowi, przypierani znowu przez Rosję, znowu w rękach rządów lewicowych, wierzę, że to społeczeństwo wypracuje sobie nareszcie punkt widzenia na swoją przyszłość, na swoją tożsamość* (por. rozmowa A. Sofuła z J. Pietrzakiem: *Pogoda ducha. Jestem fanem tego społeczeństwa*, „Tygodnik Solidarność z 17 grudnia 1993).

Kościół w obronie Narodu i Ojczyzny

W wystąpieniach czołowych postaci polskiego Kościoła w ostatnich latach niejednokrotnie przebijała troska o należyte docenienie roli Narodu i Ojczyzny. Jak to wyraził Prymas Polski Józef Glemp w kazaniu pasyjnym 5 czerwca 1995 roku: *Gdy wymawiamy słowo „naród", brzmi w nim wspólna sylaba ze słowem „rodzina". Rzeczywiście ostoją narodu jest rodzina, wspólnota osób pośród której może być pielęgnowana miłość. Do pielęgnowania prawdziwej i pięknej miłości przyczynia się Kościół, który – jak w przypadku Polski – wkorzenił się w naród, wszedł w jego kulturę, był u podstaw twórczości i stał jako rękojmia zwycięstwa w cierpieniach. Taki naród, który potrafi łączyć się w cierpieniu, wspomagać współbraci i wspólnie cieszyć się pomyślnością, nazywamy OJCZYZNĄ. W słowie ojczyzna pobrzmiewa pojęcie OJCA, a więc głowy rodziny, osoby której należy się miłość.*

Gdy mówię „katolik", myślę także „chrześcijanin", który ma obowiązek miłości narodu dlatego, że naród jest OJCZYZNĄ, czyli dziedzictwem języka. (por. *Kochać naród czy państwo?* Kazanie pasyjne Józefa Kardynała Glempa Prymasa Polski, „Słowo – Dziennik Katolicki", 6 marca 1995).

Prymas Polski Józef Glemp nazwał wprost odchyleniem od miłości chrześcijańskiej postawy, *które odmawiają ojczyźnie miłości, uważając przynależność do danej wspólnoty za rzecz przypadku, za fakt, który nie pociąga za sobą ani emocji, ani zaangażowania moralnego. Zwolennicy tego nurtu, zwani internacjonałami, nie używają słowa „ojczyzna" lub „naród", zastępując je wyrażeniem „ten kraj", zaś w stosunku do przeszłości pomijają przykłady bohaterskiej ofiarności, a chętnie eksponują skandale* (tamże).

W ostatnich latach mnożyły się pełne niepokoju wystąpienia biskupów katolickich, ostrzegające przed skutkami skrajnego lekceważenia i pomniejszania roli Narodu. Sprawa ta była głównym wątkiem kazania biskupa polowego Sławoja Leszka Głodzia 3 maja 1993: *Wsłuchując się w język mass mediów możemy spostrzec, że broni się on przed słowem: n a r ó d. Spycha go na głęboki margines. Wstydliwie przemilcza lub pokazuje w deprecjonujących go kontekstach. Kto dzisiaj i dlaczego boi się tego słowa? (...) Trwa w naszej Ojczyźnie erozja Narodu. Wciąż – z różnych stron – nie tylko na poziomie języka – próbuje się rozerwać jego tkankę, podważać jego spójność, kpić i ośmieszać wartości, które go scalały, które budowały tę jego duchową jedność (...) Toczy się wielka batalia (...) o duchowy kształt naszej przyszłości, o duszę Narodu, o to, jaka Polska ma być i czyją ma być (...) Czy ma odtrącić swoje dziedzictwo? Odejść od narodowej tradycji, zapomnieć o swej historii, wyrzec się zdrowego patriotyzmu, który był glebą, na której wyrastały najlepsze pokolenia, zdolne do tego, aby dla Ciebie Polsko i dla Twojej chwały – życie oddawać?* (*Batalia o duszę Narodu.* Kazanie biskupa polowego Sławoja Leszka Głodzia, „Słowo – Dziennik Katolicki").

Zagrożenia dla narodu były głównym motywem wypowiedzi biskupów zapytywanych w czerwcu 1994 roku, z okazji 70-lecia święceń kapłańskich Prymasa Tysiąclecia Stefana Wyszyńskiego, co jest dziś najbardziej aktualne z jego przesłania. Według relacji „Gazety Wyborczej": *Abp Muszyński przypomniał, że Prymas wskazywał na wyższość kategorii narodu nad państwem. Podkreślił, że dziś, gdy Polska wchodzi do nowej Europy, szczególnie istotne jest odbudowywanie świadomości narodowej. Z niepokojem mówił natomiast, że pojęcie narodu jest dziś wypowiadane cicho i wstydliwie. Abp Gocłowski dodał, że państwa nie można budować w próżni – poza jego historią i kulturą* (cyt. za: *Recydywa PRL? Koalicja godzi w naród – mówią biskupi*, „Gazeta Wyborcza", 20 czerwca 1994).

Ksiądz arcybiskup Marian Przykucki w homilii z 1995 roku ostrzegał przed masońsko-globalistycznymi planami wobec Polski, mówiąc: *W Europie dominuje masońska strategia nowego europejskiego ładu w formie jednego supertechnicznego rządu, zapewne totalitarnego, panującego nad kontynentem bez państw, bez rządów, bez narodów i bez religii* (por. ks. abp M. Przykucki: *Z Ewangelią w ręku, z modlitwą na ustach*, „Myśl Polska", 1995, nr 40).

Rozdział X

Urabianie „czarnej legendy" Polski i Polaków

Dla utrwalenia zaborów, dla ich usprawiedliwienia w opinii świata przesączała się przez cały wiek zorganizowana przez trzy zainteresowane państwa szczególna propaganda szczepiąca nieufność do każdego słowa, do każdego argumentu wychodzącego z Polski. Wszystko, co mówili Polacy, było w opinii światowej uznawane za niesłuszne i niesprawiedliwe.

Eugeniusz Kwiatkowski: *Dysproporcje*

Okres po 1989 roku przyniósł prawdziwą falę publikacji tworzących swoistą „czarną legendę" Polaków, przedstawianych jako ucieleśnienie wszystkich możliwych wad, za to wypranych zupełnie z zalet. Polacy są uparcie sadzani przez publicystów na „oślej ławce" wśród narodów świata. Traktuje się ich jako niepoprawny „najgorszy z narodów", który trzeba wciąż strofować i dla którego zachowania nie ma dosłownie żadnych, ale to żadnych okoliczności łagodzących. Autorów tych uogólnień cechuje prawdziwa duchowa alergia, negatywne uczulenie na słowa „Polska" czy „polskość".

Ataki na polskość

Ataki na polskość i Polaków częstokroć są skrajnie niewybredne i polegają na obdarzaniu słów „Polak" czy „Polska" różnego typu pejoratywnymi przymiotnikami. Najczęściej chce się utrwalić wizję rzekomej głupoty Polaków jako narodu. Tak „ustawieni", sprowadzeni do parteru, Polacy powinni kornie słuchać pouczeń nielicznych „oświeconych" Europejczyków, którzy wspaniałomyślnie chcą takich „niezgułów" mozolnym wysiłkiem doprowadzić wreszcie do Europy. Pod tym względem wszystkich przebija epitetami Andrzej Szczypiorski, jakże godnymi całej jego „osobowości" uogólnieniami o „polskim zadupiu", etc. *Przykro to mówić, ale my jesteśmy głupi naród* – uogólniał na łamach „Gazety Wyborczej" publicysta „Tygodnika Powszechnego" Tadeusz Żychiewicz. *Polak, wielki Dureń, najchętniej powiewa narodowym sztandarem* – pisał faryzejski publicysta, który później awansował do rangi wicemarszałka Sejmu – Aleksander Małachowski. *Niezgułowata Polska* – wykrzykiwał na łamach „Res Publiki" jej redaktor naczelny Marcin Król. Dawny arcystalinista Tadeusz Konwicki teraz tym skwapliwiej winę za wszystko zwala na Polskę, pisząc o polskim „zaduchu narodowym" etc. Wszystkich przebija stary miłośnik wszelkiego typu koprolalii Jerzy Urban, rzucając epitety o „polskim skurwysyństwie", etc.

„Europejczyków" język nienawiści

Przykłady tego typu epitetów można długo mnożyć. Pozujący do miana „Europejczyków" kosmopolici w praktyce stosują najbardziej nieeuropejskie inwektywy, rzucając różne wyzwiska na ludzi z obozu niepodległościowego. Oto kilka typowych określeń wraz z ich autorami: „postendecka szumowina, która obecnie pełni w telewizji obowiązki narodu" (płk Wiesław Górnicki), „narodowa hołota" (Aleksander Smolar), „narodowa czerń" (Martenka w „Angorze"), „narodowe kwiki" (Zygmunt Kałużyński), „polska podłość" (Adam Michnik), „narodowa schizofrenia" (Wiesław Kot), „polskie szumowiny" (tak określił kombatantów niepodległościowych z Krakowa postkomunista Edmund Żwan, prezes dawnego ZBOWiD-u z Głubczyc).

Szczególnego typu pomysłowość naszych kosmopolitów w negatywnym charakteryzowaniu swoich oponentów znakomicie ilustrowała ogromna fala inwektyw, jakimi obrzucono Wojciecha Cejrowskiego na łamach prasy. Znalazły się tam między innymi określenia: *Brunatny kowboj, kryptofaszysta, jawny faszysta, neofaszysta, nie faszysta tylko zwykły polski żydożerca, jawny antysemita, ociekający brunatną śliną obskurant, ksenofob, szczur kruchtowy, pupilek glempistów, żądny krwi oszołom, mała zaściankowa gnida, która się tak nadyma, że zaraz pęknie, kołtun, piewca Ciemnogrodu, ekshibicjonista dumny z wszelkiego polskiego obrzydlistwa, unurzany w polskich feka-*

liach, rasista, polski Goebbels pod satyryczną maskownicą, architekt pogromów, wódz hufców ciemniactwa, brunatny książę Ciemnogrodu (cyt. za W. Cejrowski: *Kołtun się jeży*, Warszawa 1996, s. 33–35). Czyż nie prawdziwa „europejska" pomysłowość, bon ton à la „warszawka"?

Radiowe ataki na Polskę i Polaków

Przedstawiona tu fala epitetów na Polskę i Polaków, to tylko czubek góry lodowej. Agresywne zniesławianie polskości przybiera coraz większe rozmiary, od mediów prasowych po różne stacje radiowe i telewizyjne. Szczególnie grubiański jest język antypolskich wyzwisk w różnych programach radiowych. Autorzy antypolskich epitetów w audycjach radiowych mniej boją się skontrolowania swych wybryków, a tym bardziej podania do sądu. Rzucają przecież ulotne słowa w eter, tyle że ich efekt i tak robi swoje, osłabiając świadomość narodową radiosłuchaczy i „przyzwyczajając ich" do ciągłego znieważania Ojczyzny w słuchanym przez nich środku masowego przekazu. Jak szerokie rozmiary przybiera ta kampania zniesławień Polski i Polaków i jak prymitywnymi, wręcz chamskimi manierami się cechuje, najlepiej świadczy przygotowany przez Wojciecha Załęskiego wybór cytatów z rozmaitych audycji radiowych z okresu od sierpnia do listopada 1996 roku. Oto niektóre cytaty z tego wyboru: *Język godnościowy, czyli patriotyczne chrzanienie o Ojczyźnie. (...) Brzmi w tym kretyński paradoks bycia Polakiem (...) Po co ta cała Polska Europie? (...) Całe to nasze narodowe szmaciarstwo (...) Ja mam ambiwalentny stosunek do Polski, coś między miłością a obrzydzeniem (...) Wiadomo jaki jest polski wyrób (...) To takie polsko-patriotyczne bałamucenie (...) Jest taka końska, zaściankowa, polska głupota (...) To takie polskie (o głupocie) (...) Jak zawsze u nas, jak zawsze po polsku (głupio) (...) Oczywiście u nas głupio i po polsku (...) Typowa polska nietolerancja (...) chorobliwy polski antysemityzm (...) Dlaczego znowu polski, przecież żyjemy w Europie (...) To takie niepotrzebne polskie (...) My Polacy nie rozumiemy, co to jest Europa (...) kołtun polski (...) byle polski zasraniec (...) Polacy są na szczycie nielubianych narodów Europy* (cyt. za W. Załęski: *Nou Hau czyli nie szczekaj. Jak Polaków widzą tak zwani Polacy*, „Gazeta Warszawska", nr okolicznościowy z 23 kwietnia 1997).

Ataki na „polactwo" i „Polaczków"

Stworzeniu odpowiedniego klimatu wokół Polski i Polaków, którzy jakoby niczego nie potrafią, służą też odpowiednio dobierane tytuły artykułów. Oto przykładowo kilka tytułów artykułów z tygodnika „Wprost": *Głupi jak Polak?*, *Polska z lamusa*, *Polska bez pomysłu*. Do bardzo częstych praktyk należy upowszechnianie obelżywych zwrotów o Polakach, typu „Polactwo", „Polaczek", etc. Niektóre z tych zwrotów, jak na przykład „Polactwo" są swoistą *spécialité de la maison* „Gazety Wyborczej" (*vide:* teksty Tochmana czy Sosnowskiego). Jerzy Sosnowski na przykład tak alarmował już w sierpniu 1991 roku: *Nad Polskością, otwartą na różnorodność, wzięło górę Polactwo, patriotyzm znerwicowany, ksenofobiczny, autorytarny* (J. Sosnowski: *Polskość i Polactwo*, „Gazeta Wyborcza" z 5 sierpnia 1991). Przypomnijmy, że tak ostro osądzający Polaków–patriotów za ich rzekome „znerwicowanie" Sosnowski jest sam autorem ziejących od nienawiści, histerycznych tekstów. Oto jak pisał w 1993 roku o postawie takich jak on „liberałów" (!) w stosunku do narodowych katolików: *Jesteśmy naprawdę wrogami (...) musi się tu rozegrać walka prowadząca do wyniszczenia, uczynienia bezsilnym któregoś z przeciwników. Bo narodowi katolicy nie spoczną, póki nie zorganizują Polski po swojemu* (J. Sosnowski: *Wizyta w obcym kraju*, „Gazeta Wyborcza", 1993, nr 75).

Niektóre ze zwrotów pejoratywnych na temat polskości, na przykład „polactwo", zostały tak „spopularyzowane", że czasami widzi się je na łamach pism, które zdawałoby się, powinny być wolne od tego typu wyzwisk. *Vide:* wypowiedź aktora Jerzego Stuhra na łamach „Tygodnika Solidarność" (!) z 14 maja 1993: *Zgadzam się z Gombrowiczowskim obrazem naszego społeczeństwa, w którym panoszy się polactwo, kościółek i nasz prowincjonalizm. Przed tym się bronię.*

Wiele osób chyba zbyt łatwo przyzwyczaiło się do klimatu, w którym na porządku dziennym, wręcz nagminnie używa się różnych negatywnych skojarzeń w połączeniu ze słowami „polski" czy „polska". Czym można na przykład wytłumaczyć fakt, że nawet w „Tygodniku Solidarność" pan Bohdan Skaradziński pozwolił sobie na tytuł *Litewski upór, tępota polska* („Tygodnik Solidarność" z 16 lutego 1996), nie mający zresztą żadnego uzasadnienia w treści artykułu. Porównajmy podejście Skaradzińskiego do obu stron we wzajemnych stosunkach: litewski jest tylko „upór", polska natomiast to już „tępota". Dodajmy, w świetle faktów z ostatnich lat, że to strona litewska ciągle dyskryminuje

Polaków, a nie odwrotnie. Dlaczego więc tego typu stopniowanie negatywne i inwektywa pod adresem Polaków? I to na łamach „Tygodnika Solidarność" (!)

Częstokroć słowa „polactwo" czy „Polaczek" mają być efektownym unikiem. Używający go tłumaczy, że on wcale nie chciał krytykować całego narodu, tylko jego najbardziej prymitywną część – „Polactwo" czy „Polaczków". Tak na przykład Janusz Głowacki tłumaczył fakt, że najbardziej negatywną postacią jego sztuki *Antygona w Nowym Jorku* jest skrajny prymityw i szowinista Polak Pchełka, tym, że chodziło mu „tylko" o sportretowanie „Polaczka". Że taki negatywny portret „Polaczka" doskonale wkomponowuje się w ofensywę antypolonizmu w Stanach Zjednoczonych i „Polish Jokes", to już oczywiście Głowackiego nic nie obchodzi. On jako twórca uważa, że nie musi się troszczyć o takie drobiazgi jak obalanie negatywnych stereotypów o Polakach za granicą. Inny „pomysłowiec" – Edward Redliński wymyślił nowy zwrot językowy „szczuropolacy". Jego książki: *Szczuropolacy* i *Dolorado*, opublikowane po siedmioletnim pobycie w Stanach Zjednoczonych, są wręcz przesycone pogardą dla Polaków i polskości. Marcin Baczyński komentował w „Gazecie Wyborczej" z 16 czerwca 1994: *Redliński nie tęskni też za „ojczyzną-szarzyzną". „Dogorywać w tej nieszczęsnej Polsce, zaszczutej od Zachodu i Wschodu – i jeszcze od środka? Brnąć jak szkapa ze zwieszoną, beznadziejnie głową, jakoś dobrnąć do końca? Zapić się na śmierć.* Rzeczywiście „nieszczęsna" jest Polska, w której roi się od takich postaw wobec Ojczyzny w kręgach pseudoelitki.

Dwie miary: wobec Polaków i wobec innych nacji

Stosowane przez tzw. Europejczyków metody zohydzenia polskości bardzo celnie obnażyła Marta Miklaszewska na łamach „Tygodnika Solidarność, pisząc: *W naszym współczesnym języku mamy sporo słów niemodnych. Nie posługują się nimi „prawdziwi" intelektualiści ani wyrafinowani „Europejczycy" (...) Słowem najbardziej niemodnym, intelektualnie wręcz odrażającym jest określenie „Polak" lub „polski patriota"* (M. Miklaszewska: *Patriotyzm, honor – słowa niemodne*, „Tygodnik Solidarność", 1993, nr 43). Akcentując, że narodowość określaną słowem „Polak" zohydzili dowcipnisie działający później w Unii Demokratycznej, Miklaszewska pisała: *Polak mógł być w ich świecie pojęć co najwyżej „prawdziwy". Któż to jest tzw. prawdziwy*

Polak? Z wykładnią tego pojęcia można było zapoznać się w wielu różnego gatunku publicystycznych próbkach. „Prawdziwy Polak" to ciemny, ksenofobiczny i szowinistyczny matoł z cywilizacyjnego zaścianka, antyrosyjski, antyniemiecki, antyczeski, i oczywiście antysemicki, zamknięty na wszelką nowoczesność, poza tym katolicki i podkreślający rangę Kościoła i tradycji tego kraju (...) Przeciwieństwem tego potwora – „prawdziwego Polaka" – był cywilizowany, światły, gardzący katolickim „ciemnogrodem", prawdziwy Europejczyk (...). Prawdziwy Europejczyk (...) uznaje oczywiście, że może istnieć ktoś taki jak patriota francuski, belgijski czy angielski. Byle nie patriota polski. Taka propozycja drażni delikatne nozdrza „prawdziwego Europejczyka". Patriota może bowiem istnieć tylko w Europie. A Europa zaczyna się nie bliżej niż w zachodniej części Berlina (tamże).

Wyszydzanie „głupiej dumy narodowej"

Moda na wyszydzanie wszystkiego, co polskie i narodowe, stopniowo przechodzi od starych pretorianów komunistycznego reżimu typu Andrzeja Szczypiorskiego do odpowiednio „edukowanych" w niechęci do polskości przedstawicieli młodszych pokoleń. Oto jakże dosadny i wymowny zarazem tekst wokalisty Kazika Staszewskiego:

> Coście skurwysyny uczynili z tą krainą
> Pomieszanie katolika z mafią postkomunistyczną
> Ci modlący się co rano i chodzący do kościoła
> Chętnie by zabili ciebie tylko za kształt twego nosa (...)
>
> Coście skurwysyny uczynili
> z tą krainą
> Czas idzie od wieków, płynie
> I nie zatrzymasz go siłą.
>
> Głupia duma narodowa
> I kompleksy od stuleci
> Brudne twarze z wąsikami
> – ci agresywni frustraci

Dla Kazika Staszewskiego polskie poczucie godności i dumy jest tylko „głupią dumą narodową", połączoną z kompleksami od stuleci. Dla niego jest nieważne (pewno zresztą nic o tym nie wie), że ta „głupia duma narodowa" jakże często broniła Polaków przed załamaniem wobec terroru o ileż potężniejszych ciemiężców. I stawała się źródłem podziwu tyluż słynnych cudzoziemców, od Wagnera po Nietzschego, od Viktora Hugo po Garibaldiego, od Tołstoja po Sołżenicyna. Gdyby Staszewski poza śpiewaniem swych songów o skurwysynach znalazł odrobinę czasu na czytanie, to może dotarłby na przykład do słynnej książki Sołżenicyna *Archipelag Gułag*. I przeczytałby w jej trzecim tomie wyznanie wielkiego rosyjskiego pisarza-patrioty, jakże pełne podziwu dla Polaków i ich dumy narodowej. Na tle opisu samotnej nieugiętości polskiego uczestnika głodowego buntu zesłańców Sołżenicyn stwierdził, że wtedy zrozumiał *co to jest polska duma – i na czym polegał sekret polskich powstań, tak pełnych zapamiętania* i komentował: *Gdybyśmy wszyscy byli tak dumni i nieustępliwi – to jaki tyran by się ostał?* (cyt. za A.I. Sołżenicyn: *Archipelag Gułag 1918–1936* (przekład J. Pomianowskiego), Warszawa 1990, t. III, s. 239).

Czy coś z tego jednak zrozumiałby w ogóle Kazik Staszewski, który w swych piosenkach głosi skrajną negację. I uzasadnia ją słowami: *Nie czuję ideowej więzi z pojęciami naród, państwo* (cyt. za Ł. Gołębiewski: *Oblicza negacji*, „TeleRzeczpospolita", 24–30 maja 1997).

Niedawno szczególnie skrajnym szyderczym atakiem na polską dumę narodową popisał się tygodnik „Wprost". Wiesław Kot, od dawna zaprawiony do walki z polskim patriotyzmem i Kościołem katolickim, już w tytule swego artykułu stwierdzał: *Duma z niczego*, a podtytuł dodawał *Co to jest polska tożsamość narodowa* („Wprost" z maja 1997). Cała wymowa artykułu koncentrowała się na dowodzeniu, że faktycznie nie ma żadnych takich cech jak polska tożsamość narodowa, nie mamy żadnej wartości, którą moglibyśmy zaoferować światu, a wszystkie „szczególne cechy", jakie przypisuje się Polakom to tylko czcza gadanina. Powołując się na socjologa dra Pawła Śpiewaka, Wiesław Kot zapewniał, że istotą polskiej narodowej tożsamości jest faktycznie połączenie dumy z „niczym".

Polak – wiecznym Schwarzcharakterem

Nasi „internacjonałowie" niewiele troszczą się o pokazanie prawdziwego obrazu Polaków z ich wadami, ale także i zaletami. O pokazanie prawdziwej wizji naszego narodu, która wyjaśniłaby, dlaczego ten tak „zły" rzekomo naród miał tak wielką siłę atrakcyjną przyciągania do polskości nawet w okresie największego poniżenia w niewoli zaborców. Co sprawiło na przykład, że urzekliśmy i spolonizowaliśmy tylu Niemców. By przypomnieć choćby nazwiska takich Polaków niemieckiego pochodzenia, jak Anczyc (Anschütz), Asnyk (Asnick), Balzer, Brückner, Estreicher, Kolberg, Lelewel (Loelhoeffel), Pol (Pohl), Linde, Dietl. Przyłączali się do naszego narodu, który w ocenie licznych tutejszych kosmopolitów jest jednym wielkim zbiorowiskiem wad. „Cóż za niesłychany i nierozważny masochizm" – skomentowałby ktoś. Rzecz w tym, że Polacy przez stulecia mieli na szczęście obok chronicznych wad również i wiele zalet. Takich choćby jak jej gościnność, odwaga, umiłowanie wolności. Że w oczach wielu obserwatorów zagranicznych prezentowali się jako „najbardziej ludzki naród świata". Tak pisał o Polakach na przykład słynny francuski historyk Jules Michelet (por. J.R. Nowak: *Myśli o Polsce i Polakach*, wyd. 2, Katowice 1994, s. 122). Ale taki obraz bardzo nie pasuje do kreowanego nam przez współczesnych rodzimych kosmopolitów, „godnych" kontynuatorów postawy mickiewiczowskiej Telimeny, bezgranicznie zaczadzonych narodowym nihilizmem i snobizmem. Oni już raz na zawsze osądzili – Polak jest odwiecznie zły i... basta, i za nic nie chcą zweryfikować tego typu opinii, tak dogodnej dla ich mentorskiej ambicji. A najczęściej także dla ich różnych małych, nieciekawych interesów.

Klimat poszukiwania i eksponowania wszystkiego co najgorsze w polskim charakterze sprzyja powstawaniu książek plasujących Polaków jako skrajnych Schwarzcharakterów na mapie Europy. Nader typowa pod tym względem była książka Edmunda Lewandowskiego *Charakter narodowy Polaków i innych* (Warszawa 1995). Przytoczę tu jakże celne uwagi krytyczne na jej temat z recenzji Macieja Łuszczkiewicza z września 1995 roku: *Autorowi jakby nie zależało na niczym innym jak tylko na wyeksponowaniu negatywnych cech polskiego charakteru narodowego. Owszem, wspomina o istnieniu zjawisk dodatnich, ale nacisk kładzie na tym, co ułomne i słabe, gdyż temu poświęca 90 proc. swego tekstu. Sposób traktowania materiału zmierza w tym samym kierunku (...) Innym rysem budzącym wątpliwości jest skłonność* do *przyjmowania obcych opinii nawet w sytuacji, gdy ich mijanie się z obiektywizmem jest oczywiste. Czytamy więc np.: „Polacy uważani są za złych pracowników... Opinie o złej pracy Polaków dotyczą wszystkich warstw społecznych. Mylenie pracy z zabawą stanowi chyba ewenement w skali światowej”. Wiemy przecież, że w tej sprawie bywają wypowiadane bardzo często opinie wręcz przeciwne; z dawniejszych czasów przypomnijmy opinię amerykańskiego twórcy przemysłu samochodowego Henry Forda, który szczególnie wysoko cenił polskich robotników... Jakby dla wykazania, że i w skali makro Polacy wypadają słabo autor przywołuje, jako wiarygodny dowód – slogan „polnische Wirtschaft” (...) Tu jeszcze raz warto by przypomnieć międzywojenne osiągnięcia gospodarcze Polski (...) I znów mamy rzecz trudną do wytłumaczenia: dlaczego charakterologia Niemców, Francuzów i Żydów została zaprezentowana zupełnie inaczej aniżeli – Polaków, a mianowicie bez jednostronnego eksponowania osobowościowych cech ujemnych, z wyraźnymi natomiast akcentami panegirycznymi (...) Strach pomyśleć, że książka Lewandowskiego już została przetłumaczona na język angielski i wydana w Anglii. (...) obiektywnemu wizerunkowi Polaków w świecie wyrządza najgorszą przysługę* (M. Łuszczkiewicz: *Malowany Polak*, „Magazyn Słowa – Dziennika Katolickiego”, 29 września 1995).

Jak „Wprost” obsmarowuje Polaków

Liczne czasopisma z uporem upowszechniają możliwie jak najczarniejszą wizję narodu nad Wisłą i Odrą, w którego języku wychodzą. Szkoda tu czasu na zajmowanie się całym arsenałem chamstwa i fekaliów używanych dla charakteryzowania Polaków na łamach urbanowej „gadzinówki”. Przyjrzyjmy się za to bliżej wymowie tekstów tygodnika z pewnymi ambicjami i utrzymanego na bardzo dobrym poziomie technicznym. Myślę o poznańskim postkomunistycznym tygodniku „Wprost”, redagowanym przez byłego sekretarza KC PZPR Marka Króla. Pismo to poza skrajną nienawiścią do Kościoła i katolicyzmu wyraźnie wyspecjalizowało się w działaniach mających na celu staranne przyczernianie polskości i zakompleksianie Polaków. Służy temu przede wszystkim odpowiednie gromadzenie skrajnie przejaskrawionych negatywów. Tak – aby czytelnicy mogli wciąż masochistycznie bić się w piersi i zasmęcać, jak nas wszędzie nie lubią. Dość typowe pod tym względem były liczne teksty we „Wprost", przedstawiające alarmujący wprost stopień niechęci do Polaków w różnych krajach świata. Na przykład we „Wprost" z 26 marca 1995 pisano, że *87 proc. młodych Niemców ankietowanych przez Emnid-Institut uważa, że Polacy jako naród są gorsi od nich. Zdecydowanie lepiej od nas wypadają Rosjanie i Turcy. Na skali sympatii Niemców – według najnowszych badań Fundacji Friedricha Naumanna i amerykańskiego RAND-Institut – Polacy znaleźli się na ostatnim, jedenastym miejscu. Wyprzedzają nas Szwedzi, Austriacy, Francuzi, Amerykanie, Włosi, Węgrzy, Anglicy, Japończycy, Rosjanie i Turcy. Równie źle oceniają nas Rosjanie. Aż 52 proc. respondentów moskiewskiego miesięcznika „Rodina" uznało, że Polska nie jest krajem Rosji przyjaznym, a tylko 13 proc. stwierdziło, że Polacy są im najbliżsi w rodzinie narodów słowiańskich. Za prawdziwych braci Słowian uznano Bułgarów i Serbów. Polacy wzbudzają więcej niechęci niż sympatii w Czechach i w Słowacji, a obojętność na Węgrzech. Polacy stali się w wielu krajach przykładem wzorcowego wręcz czarnego charakteru. Bijemy jako nacja rekordy niepopularności.*

Autor tego wyliczenia równocześnie starannie zatroszczył się o pominięcie krajów, w których Polacy cieszą się dużo lepszymi notowaniami, jak i, przyczernienie faktycznego obrazu Polski w niektórych z wymienionych przez siebie krajów. Dla przykładu, Polacy w ostatnich latach wcale nie budzili więcej niechęci niż sympatii w Słowacji, lecz znajdowali się na czele narodów uznanych przez Słowaków za najbardziej sympatyczne. Podanie tego typu informacji kolidowałoby jednak z upragnionym przez dziennikarza „Wprost" dążeniem do zakompleksiania tak bardzo rzekomo wszędzie nielubianych Polaków. Redaktor „Wprost" starannie pominął na przykład opinie o tym jak wielu Białorusinów ogląda się na rozwiązania w Polsce. To, o czym pisała na łamach „Polityki" Jagienka Wilczak: *Kilka milionów młodych Białorusinów było choćby w Polsce, zwykle handlowo. Zobaczyli, że ludzie żyją inaczej, że świat może być przyjazny dla człowieka. Nie chcą teraz wegetować w kraju bez przyszłości, bez swobód obywatelskich* (J. Wilczak: *Rodzi się Białoruś*, „Polityka", 11 maja 1996).

Inny tekst „Wprost", pióra Doroty Modelskiej, już w podtytule akcentował: *Dla Czecha Polak jest pokątnym handlarzem, dla Węgra leniem, a dla Rosjanina i Niemca nie istnieje wcale* (por. D. Modelska: *Umowa pierwotna*, „Wprost" z 4 lutego 1996). Podobną wymowę miały bardzo liczne teksty

„Wprost", malujące Polaków z użyciem jak najostrzejszej czerni. Przodował pod tym względem Stanisław Janecki, który już w tytułach swych artykułów o Polakach zapowiadał wszystko, co najgorsze. *Vide:* tytuł tekstu Janeckiego: *Czarny charakter Europy. Polacy jako nacja biją rekordy niepopularności.* Inny swój tekst Janecki zatytułował słowami: *Czarne owce. Dlaczego nas nie lubią* („Wprost" z 20 sierpnia 1995). Polacy przedstawieni byli tam w maksymalnie negatywnej tonacji jako odstraszający od siebie w różnych krajach ilością elementów przestępczych, etc. Autor powoływał się między innymi na uogólnienia popularnych czasopism niemieckich, według których „przybysz znad Wisły i Odry, to wprawdzie katolik, ale zaraz potem bałaganiarz, złodziej, oszust i hochsztapler". Polemizując z uogólnieniami Janeckiego czytelnik „Janusz K. z Rzymu" stwierdził w liście do „Wprost" z 10 września 1995: *Stanisław Janecki pisze w artykule „Czarne owce" (nr 34) o wielu istotnych szczegółach zachowań polskiej emigracji, oceniając nas bardzo surowo. Uważam, że uwagi te odzwierciedlają realny obraz bardzo wąskiej grupy Polonii, ale nie większości (...) Również władze Niemiec czy Szwecji borykają się z problemem grup przestępczych, w których działają obywatele tych państw, dlaczego to my, Polacy, mamy być tymi najgorszymi? Bądźmy więc bardziej obiektywni i przestańmy się oczerniać.*

Bardzo podobne w tonacji do tekstów Janeckiego były omawiane już szerzej artykuły Wiesława Kota, najskrajniejszego w całej redakcji „Wprost" tropiciela „polskiego nacjonalizmu" i „antysemityzmu". Na przykład w artykule o Boyu-Żeleńskim Kot pisał między innymi: *Na długo przed Gombrowiczem zrozumiał, że rodacy mają mózgi impregnowane przez matryce romantyczne i obracają się w zamkniętym kręgu schematów myślowych (...) W XIX wieku Polacy wywoływali powstania, które nie mogły się zakończyć sukcesem i zamiast przyznać się do własnej nieudolności i lekkomyślności, celebrowali teorię „Polski – Chrystusa narodów" (...) Boy nie ścierpiałby narodowej schizofrenii, do jakiej przyucza się już maturzystę, stawiając mu „piątkę" za mielenie frazesów o poświęceniu dla ojczyzny, a potem zmuszając do wegetacji bezrobotnego* (W. Kot: *Poboyowisko*, „Wprost" z 2 sierpnia 1992).

Inny gromiciel „polskich fobii", Stanisław Tym pisał w artykule odpowiednio zatytułowanym: *Śmieszna polska nędza*: *Polska ksenofobia, prowincjonalizm, nasz mentalny lamus i zaścianek – to mamy na co dzień i od święta i to są nasze główne artykuły eksportowe (...) Ale jeśli będzie dalej tak jak jest, zostaniemy jako taki dziwoląg światowy, sami z sobą zakiszeni – ale w polskim sosie! Przedmurzem chrześcijaństwa się otoczymy w koło i będziemy uprawiać nasze gospodarstwo z Orłem Białym w kurniku trzymanym. Kurnik będzie brudny, ale za to będzie polski brud i nasze guano i nasz polski smród* (S. Tym: *Śmieszna polska nędza*, „Wprost" z 8 marca 1992).

Trzeba przyznać, że „Wprost" jest niebywale konsekwentne w obsmarowywaniu Polaków na czarno i nie zaniedbuje żadnych wysiłków w tym względzie. Świadczą o tym kolejno pełne antypolskiej żółci artykuły z wiosny 1997 roku. Już na okładce numeru z 6 kwietnia 1997 roku widzimy skrzydło Orła Białego z wbitymi w nie gwoździami i odpowiedni tytuł: *Dlaczego Polacy są mało twórczy*. A potem znajdujemy w numerze odpowiedni artykuł pod wspomnianym tytułem, wychodzący spod pióra omawianego już przyczerniacza polskości Stanisława Janeckiego. Autor tekstu wysila się jak może, aby dowieść skrajnego braku innowacyjności i kreatywności u Polaków w XX wieku, ich „wtórności", technicznego i organizacyjnego zapóźnienia. Kiedy zaś nawet przyznał, że Polak był autorem świetnego technicznego rozwiązania, to wnet próbuje to pomniejszyć, autorytatywnie dowodząc: *Stefan Kudelski, twórca i producent najlepszych na świecie profesjonalnych magnetofonów Nagra, należy bardziej do kultury technicznej Zachodu niż Polski*. Dla Janeckiego oczywiście zupełnie nieważny jest fakt, że sam Kudelski czuje się Polakiem, jest wręcz namiętnym polskim patriotą, w przeciwieństwie do różnych krajowych prozachodnich snobów, i stanowczo ostrzegał przed wyprzedażą polskiego przemysłu zachodnim przedsiębiorcom (por. *Te opinie warto znać*, „Tygodnik Solidarność", 31 maja 1991).

Tak starannie pomniejszający zdolności twórcze Polaków jako narodu redaktor „Wprost" nie doczytał, jak widać, nawet publikowanego półtora roku wcześniej w jego tygodniku tekstu Olgierda Budrewicza, dowodzącego na podstawie faktów rosnącego wkładu osób z Polski w różne sfery życia w świecie. Jak pisał Budrewicz we „Wprost" z 23 lipca 1995: *Stale wydłuża się na świecie lista Polaków zajmujących poważną zawodową i społeczną pozycję w państwach osiedlenia. Coraz głośnej o wybitnych uczonych, biznesmenach, menedżerach, artystach polskiego pochodzenia (...) Powszechnie znany jest specjalista od światłowodów i czujników, profesor optoelektronik z Quebecu, Wojciech Bock. W Atlancie od kilkunastu lat pracuje prof. Krzysztof Krawczyński, światowy autorytet w leczeniu żółtaczki zakaźnej (...) Znakomitą markę wyrobili sobie w Ameryce polscy informatycy i specjaliści od komputerów; wielkie pieniądze zdobył informatyk polskiego pochodzenia,*

Steve Woźnak, współtwórca Apple Computers, raz po raz czyta się w prasie fachowej o prof. Ryszardzie Michalskim z George Mason University (badania nad sztuczną inteligencją) (...) I jeszcze znakomici konstruktorzy: zmarły niedawno Mieczysław Bekker, twórca amerykańskiego łazika księżycowego. J. Starostecki, konstruktor rakiet Patriot, które odegrały znaczącą rolę w czasie wojny z Irakiem, a także S. Gałęzowski, projektant wielkiego mostu w San Diego. Budrewicz wspominał również o tak znaczących postaciach jak Aleksander Wolszczanin, pracujący w Teksasie astronom, odkrywca pierwszego układu planetarnego poza naszą Galaktyką, czy syn polskiego generała Andrew Schally, laureat nagrody Nobla w dziedzinie medycyny. Przypomnijmy, że Budrewicz, przedstawiający tak optymistyczny obraz wkładu Polaków w światową myśl naukową dobrze wie, o czym pisze, bo od kilkudziesięciu lat zajmuje się problematyką Polaków z różnych krajów świata. Głoszący wręcz przeciwną opinię, z takim uporem pomniejszający zdolności twórczo-innowacyjne Polaków, red. Janecki jest jednym z jakże licznych u nas dzisiaj besserwisserów, powierzchownie rozpisujących się na każdy temat z doskoku, bez ładu i składu. I nie mających ani krzty odpowiedzialności za deprymujące czytelników skutki wypisywanych bredni.

Tym, którzy próbują tak usilnie pomniejszać intelektualny dorobek Polaków, jakże warto polecić lekturę słów Henryka Mikołaja Góreckiego, jednego z największych kompozytorów XX wieku. Polaka, którego entuzjastycznych słów o Polsce nie można zbyć określeniem „zaściankowy prowincjusz". Nawet w „Gazecie Wyborczej" z 24 lutego 1993, odnotowując wspaniałe międzynarodowe sukcesy kompozycji Góreckiego, stwierdzono: *Świat oszalał na punkcie III Symfonii Henryka Mikołaja Góreckiego.* Tym wymowniejsze więc są zwierzenia Góreckiego jako kompozytora światowej sławy: *Mamy wiele wspaniałych rzeczy, których nie doceniamy. Całe życie interesowały mnie sprawy polskie, nasza muzyka, fantastyczna spuścizna kulturowa, zabytki i przyroda. Czy jest np. gdzieś drugi taki zbiór jak u Kolberga? (...) Cóż, jestem chory na Polskę, jest to straszliwa choroba, która niejednego zabija, ale ja jej się nie boję, jest mi z nią dobrze* (cyt. za „Kościół nad Odrą i Bałtykiem", 20 marca 1994).

„Leczenie" narodu masochizmem

Tendencja do przyczerniania obrazu Polaków przybrała tak ogromne, wręcz szokujące rozmiary, że wydała się aż nadto przesadzoną nawet dla znanego satyryka Michała Ogórka, publikującego w „Gazecie Wyborczej". W tekście z września 1992 wyszydził on skrajną skłonność do „leczenia" Polaków narodowym masochizmem, udowadniania na każdym kroku, że „w naszym kraju wszystko jest gorsze niż gdzie indziej". Tyle, że w swej satyrze pominął skrzętnie to, co robi w rozwijaniu narodowego masochizmu jego rodzima „Gazeta Wyborcza", skupiając się na przytoczeniu różnych uogólnień z tygodnika „Wprost", w stylu: *Od Europy dzieli nas nie tylko zaściankowa pruderyjność i brud, również brak szacunku do pracy i własności, nietolerancja, parlamentarne pieniactwo.*

Komentując wyraźnie dominującą w naszych mediach manierę pisania o Polakach jak o „najgorszych z najgorszych", Ogórek zauważył: *Polskie gazety nie służą do tego, żeby nas o czymś poinformować, ale do tego, żeby nas zawstydzić. Cały świat powoli zaczyna istnieć po to, abyśmy na jego tle mogli wypaść gorzej (...) Obyczajowo wyróżnia nas nietolerancja wobec innych narodów. Z tego powodu już na sam widok Polacy bici są, kiedy tylko zjawią się w Niemczech, albo zamieszkają na Litwie* (M. Ogórek: *Naród wyprany*, „Gazeta Wyborcza" z 12 września 1992).

Podkpiwając z maniery stosowanych w mediach różnych absurdalnych porównywań z innymi krajami na niekorzyść Polski, Ogórek pisał, że tego typu porównań można by podać jeszcze o wiele więcej, bo na przykład *W Holandii chociażby osuszono przecież wiele więcej terenów depresyjnych niż u nas. Rośnie tam na przykład zdecydowanie więcej tulipanów. Islandia produkuje nieporównanie więcej tranu. W uprawach owoców południowych wleczemy się na szarym końcu – w tyle za krajami Trzeciego Świata. (...) W odróżnieniu od Polski świat składa się z samych jasnych stron. W tym świecie zbudowanym z korespondencji zagranicznych, jest czysto i uczciwie jak w duńskim miasteczku, ciekawie i wystawnie jak w Nowym Jorku, ludzie dorabiają się jak w Chicago. Brudno jak w Nowym Jorku, nudno jak w duńskim miasteczku i gangstersko jak w Chicago jest ewentualnie dopiero wtedy, gdy wracamy do Warszawy. (...) Rzeczy dziejące się w Polsce są niewytłumaczalne, gorszące, kompromitujące, zaś to, co się dzieje na świecie, ma proste i racjonalne przyczyny (...) Zamieszki rasowe w Los Angeles, podczas których zginęło kilkadziesiąt osób, mają głębokie przyczyny społeczne. Natomiast przyczyną nietolerancji w Polsce jest, jak wiadomo, nietolerancja, twierdzenie to dość powszechnie przyjęte, jest zresztą jednym z ważniejszych odkryć socjologii* (tamże).

Wymowne były konkluzje Ogórka–prześmiewcy: *Powód, dla którego na każdym kroku przypomina się nam, że wszyscy tu jesteśmy jacyś felerni lub obciążeni genetycznie, jest jasny: jest nim funkcja terapeutyczna. Robi się to w trosce o nas – żebyśmy nie pomyśleli Bóg wie czego i nie wpadli w megalomanię (...) Niestety, tak się jakoś dzieje, że ludzie, którzy w siebie nie wierzą, nie zdrowieją, kiedy w ramach terapii powie im się, że są mało warci. Kiedy próbuje się więc wzmocnić kurację, aplikując diagnozę, że do niczego nie dojdą w dającym się przewidzieć czasie, a zapewne i później też nie – ich stan się od tego nadal dlaczegoś nie poprawia. Im intensywniej się ich w ten sposób leczy, tym jest z nimi gorzej* (tamże).

Najpikantniejsze i najsmutniejsze zarazem w całej sprawie jest to, że jak się okazuje, rację w ocenie sytuacji ma satyryk–prześmiewca, a nie różni poważni publicyści, pisarze i naukowcy, wymyślający (rzekomo „leczniczo"), ile wlezie swemu narodowi, i snujący na jego temat jak najgorsze uogólnienia. Naród przyczerniany i zohydzany przez bardzo silną grupę pod wezwaniem „narodowego masochizmu" traci coraz bardziej wiarę w siebie i w potrzebę istnienia takiego kraju jak Polska. Dowodzą tego aż nadto przekonywająco kolejne sondaże opinii publicznej z ostatnich lat.

Warto przytoczyć w tym kontekście opinię Ewy M. Thompson, autorki znakomitych korespondencji ze Stanów Zjednoczonych nadsyłanych do „Tygodnika Solidarność". Niejednokrotnie wyrażała w nich zdziwienie z powodu masochistycznych samobiczowań Polaków na tle o wiele gorszych rzeczy w innych krajach, choćby nieporównanie większej przestępczości czy ksenofobii. I tłumaczyła ten masochizm nawykami z przeszłości, starannie utrwalanymi przez władze. Pisała: *Pewien polski matematyk, z którym rozmawiałam pod koniec lat 70., powiedział mi: ci, którzy sprawowali rządy w Polsce, starali się wyrobić w Polakach opinię, że oni Polacy, są do niczego, jest tu bałagan, sprawy toczą się po równi pochyłej, a polskie produkty są zawsze drugorzędne (...) najpewniejszym sposobem zniszczenia narodu jest odebranie mu wiary w siebie, wyrobienie w nim przekonania, że nic nie jest wart.*

Patrząc na Polskę z zagranicy nie mogę się oprzeć wrażeniu, że matematyk miał rację. Relacje o tym, jak biła się policja z młodzieżą, na jakimś koncercie rockowym czy na imprezie sportowej, zawierają sugestię, że „my, Polacy, nie dorośliśmy do Europy, jesteśmy młodsi, gorsi, nasza młodzież jest głupsza, u nas jest bałagan". W rozmowach z przybyszami z Polski zauważyłam, że nawet ludzie wykształceni masochistycznie się cieszą, opowiadając o jakichś rozróbach, wulgarnościach. Bo tacy właśnie jesteśmy, bo tacy chcemy być, takimi nas zrobili – to podtekst tej masochistycznej radości. Uderza w Polakach zapatrzenie w teraźniejszość, w chwilę obecną, i brak tej brutalności z jaką inne grupy etniczne odcinają z pola uwagi te współczesne wydarzenia, które nie budują ich pewności siebie. A przecież, w porównaniu z tym, co się dzieje gdzie indziej, Polakom można czasem pozazdrościć (E.M. Thompson: *Polska z daleka*, „Tygodnik Solidarność", 27 sierpnia 1993).

Można przytoczyć dziesiątki obserwacji potwierdzających rozmiary powszechnej nagonki na patriotyzm, traktowania polskości jako czegoś ułomnego i niższego. Czołowy krytyk filmowy Jerzy Płażewski zapytywał nie bez racji w artykule z listopada 1996 roku: *Czy przypadkiem wieszanie psów na wszystkim, co polskie, nie stało się modą promującą do elity umysłowej kraju nad Wisłą?* (por. J. Płażewski: *Krachu nie było*, „Gazeta Wyborcza" z 28 listopada 1996). Przestrzegał Polaków dobrze znający polskie sprawy włoski profesor filozofii prof. Rocco Buttiglione: *Może wydawać się paradoksem, że to, co nie układało się komunizmowi – zduszenie polskiej tożsamości narodowej – może się udać „mieszance" materializmu postkomunistycznego z cywilizacją zachodnią* (por. *Włoska rozmowa o Polsce*. Wywiad W. Rzędziocha z prof. R. Buttiglione, „Niedziela" 28 stycznia 1996).

Sparaliżowani kompleksem niższości

Długotrwałe podważanie polskości i patriotyzmu w mediach, wychowaniu, etc. przyniosło zastraszające efekty. Aż nadto sprawdziło się to, co pisał przed pięciu laty Ryszard Legutko o możliwych fatalnych skutkach „terapii" ciągłego traktowania Polaków jako nacji w sposób skrajnie krytyczny: *krzyczą na nas politycy, że nie dorośliśmy do demokracji lub, że nie zasługujemy na nią; krzyczą publicyści, satyrycy i gazetowi prorocy, że jesteśmy zsowietyzowani, brudni, leniwi, że większość z nas to złodzieje i warchoły. Gdyby zastosować u nas teorię obowiązującą w Ameryce, że grupy i jednostki popadają w tarapaty, jeśli się ich nie lubi, to od dawna powinniśmy być jednym wielkim gettem, zamieszkanym przez frustratów i neurotyków, sparaliżowa-*

nych kompleksem niższości, niewiarą we własne siły, autonienawiścią i uwiądem woli (por. pisany w 1992 tekst Legutki z jego książki: *Nie lubię tolerancji*, Kraków 1993, s. 83). Legutko snując swe przypuszczenia prawdopodobnie nie przypuszczał, że bardzo szybko zostaną one zrealizowane w praktyce. Już w 1993 roku kilku autorów, powołując się na najnowsze badania socjologiczne, stwierdziło, że skrajnemu pogorszeniu uległy samooceny Polaków; osiągnęły ona ogromnie niski pułap.

Obserwujemy coraz więcej katastrofalnych efektów długotrwałego podważania patriotyzmu, malowania obrazu Polaków tylko w czarnych barwach, szydzenia z polskości. Młode pokolenia polskie są coraz bardziej zakompleksione z powodu swej polskości, coraz częściej przyznawanie się do polskości staje się czymś wstydliwym. Ewa Wilk przytoczyła na łamach tygodnika „Spotkania" z 15 marca 1993 alarmujące dane z badań porównawczych przeprowadzonych przez socjologów z UAM w Poznaniu wśród maturzystów, najpierw w 1988 roku, a następnie w 1991 roku. Według artykułu E. Wilk: *Chodziło (...) o to, by młodzi ludzie przypisali cechy najlepiej charakteryzujące Polaków i Europejczyków. „Możemy stwierdzić, że wzrosło poczucie upośledzenia młodzieży wobec innych mieszkańców Europy" – utrzymują autorzy badań, z których wynika, że coraz częściej młodzi ludzie charakteryzują Polaków wyłącznie poprzez przywary. Najczęściej wymieniane cechy Polaków (pijaństwo, gościnność, lenistwo, dewocja) rzadko dostrzegane są u Europejczyków. I odwrotnie – najczęstsze cechy Europejczyków (kultura bycia, pracowitość, wykształcenie, sobkostwo) są w małym stopniu przypisywane Polakom. Młodzież dorastająca w 1991 roku nie zauważyła w ogóle cech przypisywanych Polakom przez rówieśników sprzed zaledwie trzech lat: wspaniałomyślność, ofiarność, rycerskość.*

Inaczej też postrzegali młodzi maturzyści wyróżniającą Polaków religijność. W 1988 roku była to cecha jednoznacznie pozytywna, w 1991 roku – traktowano ją raczej jako „uleganie dewocji".

Polak siebie nie lubi

Ewa Wilk zwróciła również uwagę na zaskakujące wyniki badań naukowców z Uniwersytetu Warszawskiego, badających postawy studentów. Z jednej strony bardzo znacząco zmalała niechęć do Żydów (w 1974 roku deklarowała ją połowa respondentów, w 1993 roku, co piąty student) i zmalała niechęć do Niemców (wyrażał ją co drugi student, w 1993 co trzeci). Równocześnie jednak zastraszająco pogorszyła się narodowa samoocena młodych Polaków. Według Wilk: *Za pomocą wyłącznie ujemnych cech scharakteryzowało swoich rodaków aż 40 proc. respondentów, podobne notowania uzyskali tylko Rosjanie* (E. Wilk: *My Polacy, My Europejczycy*, „Spotkania" z 15 kwietnia 1993).

Socjolog Elżbieta Skotnicka-Illasiewicz akcentowała w wywiadzie dla „Rzeczpospolitej" z 31 grudnia 1993, iż: *Kryzys tożsamości wyraża się, między innymi w rosnącym braku akceptacji dla „grupy własnej", dla własnego społeczeństwa. A Polacy siebie nie lubią, nie akceptują. W minionym dwudziestoleciu akceptacja dla własnego społeczeństwa spadła z 93 do 65 punktów* (cyt. za: *Kryzys i nadzieja. Świadomość europejska i świadomość narodowa u progu XXI wieku.* Z Elżbietą Skotnicką-Illasiewicz rozmawia Anna Baniewicz, „Rzeczpospolita" z 31 grudnia 1993).

Masochistyczne, zakompleksione oceny Polaków w odniesieniu do własnego narodu wyraźnie się utrzymują. Według tekstu Ireneusza Krzemińskiego, pracownika Instytutu Socjologii UW („Rzeczpospolita" 16 marca 1995): *Nasze badania przyniosły rezultaty co do stereotypu własnego samych Polaków. Otóż Polak we własnych oczach wygląda fatalnie (...) W stereotypie Polaka występuje ogromna przewaga cech negatywnych, wynosi ona 40 proc. Oznacza to, że Polak siebie nie lubi. (...) Ten negatywny obraz samych siebie jest nawet silniejszy niż negatywny obraz innych narodowości, nawet tych, ze strony których Polacy odczuwają zagrożenie* (por. *Między Polakami.* Rozmowa W. Adamieckiego z dr hab. I. Krzemińskim, „Rzeczpospolita" z 16 marca 1995). Okazało się również, że w tym samym czasie, gdy Polacy siebie nie lubią, gdy tak przeważają cechy negatywne podawane przez nich w określeniu Polaków jako narodu, to w tym samym sondażu była ogromna przewaga pozytywnych określeń wobec Niemców — 40 proc. Pozytywne określenia przeważały również wobec Żydów (tamże).

Uogólnieniom o rzekomej skrajnej polskiej ksenofobii przeczą też wyniki badań socjologicznych. Podsumował je w 1995 roku dr hab. Ireneusz Krzemiński, skądinąd znany ze swych uczuleń na wszelkie przejawy antyżydowskości (kiedyś musiał przeprosić publicznie Tomasza Wołka za niesłuszne posądzenie o antysemityzm). Według Krzemińskiego: *Z badań (...) wynika, iż ksenofobia nie jest zbyt silna jako uogólniona postawa wobec obcych (...) Nader często zarzuca się Polakom nacjonalizm. Otóż z badań wynika, że Po-*

lacy są przede wszystkim patriotyczni, ale patriotyzm ten sprowadza się do polskości cierpiętniczej, do obrazu Polaka najbardziej pokrzywdzonego w historii (por. *Między Polakami...*).

Szczególnie niepokojące są wciąż mnożące się przykłady całkowitego zobojętnienia wielkiej części młodych pokoleń wobec takich pojęć jak naród czy ojczyzna. Młodzi coraz częściej zauważają obumieranie patriotyzmu w swoich środowiskach. Już pod koniec 1989 roku jakiś siedemnastolatek zauważył w odpowiedzi na ankietę: P*ojęcie ojczyzna umiera powoli w sercach i umysłach Polaków* (cyt. za „Res Publica" 1989, nr 12, s. 143). Felietonista „Rzeczpospolitej" pisał w październiku 1993: *Takie słowa, jak wolność, niepodległość, patriotyzm, nic dla nas nie znaczą – zapewniała kilka dni temu w radiu młoda dziewczyna. – My jesteśmy młodymi realistami – kontynuował jej kolega. – Jesteśmy o tyle wolni, o ile ten kraj daje nam możliwość przebicia się w świecie. A takich możliwości Polska nie daje. Co to w ogóle jest Polska? Takie poglądy są dziś powszechnie wyznawane przez młodzież* (M. Rosalak: *Młodzi realiści*, „Rzeczpospolita", 16–17 października 1993).

Wyobcowanie z polskości przybiera rozmiary iście szokujące u części młodych pokoleń. Cóż powiedzieć na przykład o kandydatce na polonistkę, która nie potrafiła ukryć skrajnego wzburzenia na wieść, iż temat pracy pisemnej na egzaminie wstępnym zatytułowano: „Polaków portret własny w dramatach Mickiewicza, Wyspiańskiego i Mrożka". I zaczęła krzyczeć: *To jest obłęd! Megalomania narodowa! Nacjonalistyczne obsesje!* (wg J. Sosnowski: *Polskość i polactwo*, „Gazeta Wyborcza" z 5 sierpnia 1991). Prawdziwa ofiara „antynacjonalistycznej" edukacji polskojęzycznych mass mediów!

Kryzys patriotyzmu wśród żołnierzy

Szczególnie szokujące były wyniki badań przeprowadzonych przez Wojskowy Instytut Badań Socjologicznych na zlecenie Sztabu Generalnego w 1993 roku. Według „Gazety Wyborczej" z 20 grudnia 1993, z badań wynika, że co trzeci żołnierz służby zasadniczej uważa, że patriotyzm nie ma dziś racji bytu. Zdaniem autora „Gazety Wyborczej": *Żołnierze nie czują się związani emocjonalnie z ojczyzną – tylko co trzeci chciałby żyć w Polsce. Pozostali pragnęliby wyemigrować do Australii, USA czy Niemiec. Liczba chętnych do opuszczenia kraju wzrosła z 57 proc. (lata 80.) do ponad 70 proc. (1992). 30 proc. na pytanie o patriotyzm odpowiada: „Nie mam zdania"* (D. Rostkowski: *Szwejk zblazowany*, „Gazeta Wyborcza" z 20 grudnia 1993).

Dowodem całkowitego zaniku świadomości narodowej u niektórych Polaków jest zachowanie grupy polskich handlarzy na bazarze w Słubicach. Zaopatrują oni niemieckich skinheadów w różne faszystowskie akcesoria i symbole (między innymi imitacje klamer do pasów ze swastyką, hitlerowskich orderów i odznaczeń, czy swastyk noszonych na mundurach przez członków NSDAP). Sprzedają im także kasety z zakazanymi w RFN piosenkami faszyzujących grup z przesłaniem szowinistycznym i rasistowskim. Jak komentował Michał Jaranowski w korespondencji z Bonn pt. *Eksport faszyzmu* w „Życiu Warszawy" z 14 grudnia 1993: *Gazety z obszaru wschodnich landów piszą ze zdumieniem, że ani policja ani polskie władze administracyjne nie czynią nic, aby poddać kontroli handel propagandą neonazistowską.*

Szczególnie gorzko zabrzmiało zapytanie: Gdzie jest polski patriotyzm?, umieszczone już w tytule artykułu księdza Marka Czecha publikowanego w „Niedzieli" w parę miesięcy po wyborach prezydenckich 1995 roku. Zastanawiając się nad powodami, które spowodowały kolejne etapy przejmowania władzy w Polsce przez postkomunistów, ks. Czech postawił pytanie – czy jedną z tych przyczyn nie jest zanik poczucia patriotyzmu, zobojętnienia na sprawy Ojczyzny. Komentując przejawy patrzenia jakże wielu Polaków na wszystko wyłącznie z pozycji interesów materialnych, myślenia wyłącznie w kategorii „mieć", a nie „być" ks. Czech pisał wprost: *Może zabrzmi to nieprawdopodobnie, ale gdyby znalazł się ktoś obcy, kto zagwarantowałby zasiłki socjalne, obiecał „dawanie" mieszkań, zapewnił pracę (najlepiej markowaną; zgodnie z zasadą, „czy się stoi, czy się leży, stała pensja się należy"), przyrzekł „darmowe" lecznictwo i „darmową" edukację – to czy miliony Polaków nie zaakceptowałyby go jako władcy Polski? I nieważne, czy byłby to sułtan turecki, chan tatarski, ktoś pokroju Wittemberga czy Murawiewa? Nieważne, czy nad Warszawą łopotałyby flagi biało-czerwone, czerwone z narzędziami pracy, zielono-żółte lub jakiekolwiek inne. Grunt, żeby były mieszkania, zasiłki, praca (albo raczej zatrudnienie), niezgorsze zaopatrzenie w sklepach. Podejrzewam, że sporej rzeszy Polaków to by wystarczyło* (por. M. Czech: *Gdzie jest polski patriotyzm?*, „Niedziela", 18 lutego 1996).

Do jakiego stopnia są prawdziwe te gorzkie konstatacje księdza Marka Czecha, najlepiej świadczy kompletny zanik poczucia godności narodowej i zwykłego uczucia wstydu u niektórych publicznie występujących niby-Polaków. Typu uczestnika telewizyjnej dyskusji „Prawo wyboru" z 22 marca 1992, który na oczach milionów telewidzów zapytywał: „A co ja za ten patriotyzm mogę kupić?"

Na tle ciągłego przyczerniania i zakompleksiania Polaków jakże odmiennym tonem zabrzmiały słowa Wielkiego Papieża Jana Pawła II podczas jego piątej wizyty w Ojczyźnie w maju 1997 roku: *Jestem przekonany, że Polacy to naród o ogromnym potencjale talentu, ducha, intelektu, woli. Naród, który stać na wiele, który w rodzinie krajów europejskich może odegrać doniosłą rolę* (cyt. za: „Życie" z 2 czerwca 1997).

Rozdział XI

Fałsze o „polskim antysemityzmie"

Zebrałam wiele zeznań o Polakach,
którzy uratowali Żydów i nieraz myślę: Polacy są dziwni.
Potrafią być zapalczywi i niesprawiedliwi. Ale nie wiem,
czy w jakimkolwiek innym narodzie
znalazłoby się tylu romantyków, tylu ludzi szlachetnych,
tylu ludzi bez skazy, tylu aniołów, którzy by z takim poświęceniem,
z takim lekceważeniem własnego życia, tak ratowali obcych

ze wspomnień Klary Mirskiej,
Żydówki, która wyemigrowała z Polski po marcu 1968,
pt. *W cieniu wielkiego strachu*, Paryż 1980

Powojenne kampanie pomówień o „antysemityzm"

Od kilku dziesięcioleci fałszywe uogólnienia na temat rzekomego skrajnie niebezpiecznego „polskiego antysemityzmu" stały się głównym punktem wszelkich kampanii antypolonizmu, przynosząc bardzo duże szkody obrazowi Polski i Polaków na świecie. Inicjowane za granicą ataki przeciwko „polskiemu antysemityzmowi" są tym groźniejsze, iż częstokroć są wspierane wewnątrz Polski przez różne antypatriotyczne środowiska, gotowe na wszelkiego rodzaju dokładanie „temu krajowi". Przez środowiska, które faktycznie nie czują żadnego związku z Polską i są spadkobiercami starych prosowieckich „internacjonałów", którzy tak wydatnie pomagali w zniewalaniu Polski po 1944 roku. Już w latach 1956-1957 z inicjatywy tych środowisk nagłośniono bardzo szeroko poza granicami Polski wielką kampanię ostrzeżeń przed rzekomą groźbą „polskiego antysemityzmu". Chodziło o fikcyjną groźbę, całkowicie wymyśloną w imię interesów politycznych jednej z dwóch głównych postalinowskich frakcji PZPR-owskich, tzw. puławian. Przypomnijmy, z jak wielkim oburzeniem zareagował na ówczesną kampanię antypolskich pomówień Prymas Tysiąclecia kardynał Stefan Wyszyński w czasie rozmowy z premierem Józefem Cyrankiewiczem 14 stycznia 1953. Gdy Cyrankiewicz długo rozwodził się nad „wzrastającym antysemityzmem" ksiądz Prymas wyraził zdanie, że: *antysemityzm jest większy w prasie polskiej niż w rzeczywistości. Prowadzi to do tego, że zagranica wierzy prasie, bo nie zna faktów. To przynosi wielką szkodę Polsce w jej zabiegach o pożyczki zagraniczne. W tej chwili szkodzi Polsce i rządowi straszak antysemityzmu* (cyt. za: P. Raina: *Stefan Kardynał Wyszyński Prymas Polski*, Londyn 1988, s. 633). Różne ataki i nawet kampanie pomówień wobec Polaków o „antysemityzm" jako rzekomą naszą „specjalność narodową" powracały również i w następnych dziesięcioleciach. I nie pomagały nawet stanowcze próby prostowania tych tak szkodzących nam uogólnień przez świetnie znające Polskę osoby z innych krajów, począwszy od słynnych zagranicznych badaczy historii Polski: Normana Daviesa, Richarda C. Lukasa, Petera Rainy, po liczne wybitne postacie ze środowisk żydowskich, od profesora Israela Shahaka poprzez Oswalda Rufeisena do rabina Byrona Shervina. Pomimo wszystkich apeli o autentyczny dialog polsko-żydowski, przeciwko ciągłemu nadużywaniu oskarżeń o antysemityzm, nadal robi się wszystko dla fałszywych uogólnień o mniemanej antyżydowskości wielkiej części Polaków, czy nawet całego narodu *in corpore* – jak głosił fanatyczny premier Izraela Icchak Szamir. Co gorsza, oskarżenia o antysemityzm niebywale przybrały na sile także wewnątrz Polski, stając się wygodnym instrumentem dla urabiania negatywnego obrazu oponentom, zwłaszcza politycznym. I można tu się w pełni zgodzić z uwagami księdza biskupa Adama Lepy z końca 1997 roku, gdy bardzo ostro napiętnował stosowanie „otumaniającej społeczeństwo" etykietki o rzekomym antysemityzmie w Polsce, pisząc: *Etykietka antysemityzmu Polaków znalazła wyjątkowo korzystną glebę w mediach po 1989 r. Widać dotąd gorączkową i hałaśliwą wręcz krzątaninę, aby uczynić zeń jedną z głównych wad, na zawsze określających image Polaków. Etykietka ta jest tak skutecznie stosowana, że nawet światli ludzie w Polsce mówią potocznie o „narodowym antysemityzmie" i gotowi są wszystko poświęcić, aby się z nim raz na zawsze rozprawić. Jednakże dokładna i spokojna analiza tego rodzaju wypowiedzi prowadzi do dwóch gorzkich wniosków: po pierwsze – dziś już tylko*

Polakom można bezkarnie wmawiać antysemityzm, po drugie – odnosi się wrażenie, że permanentne obciążenie społeczeństwa polskiego etykietką antysemityzmu zdradza znamiona różnorakich uprzedzeń, a nawet zaplanowanego antypolonizmu (por. bp A. Lepa: *Chytra etykietka*, „Niedziela", 1997, nr 48, s. 10).

Instrumentalizm oskarżeń o „antysemityzm"

Sam „antysemityzm" jako termin jest ogromnie nieprecyzyjny, odnosi się do wrogości wobec Żydów, która nie jest równoznaczna ze stosunkiem do przeważającej części Semitów (zwłaszcza narodów arabskich). Poza tym potocznie jest używany najczęściej dla określenia nienawiści rasowej do Żydów, a takie użycie tego pojęcia w przypadku Polaków można uznać za szczególnie krzywdzące. Arcybiskup Henryk Muszyński w czasie, gdy był przewodniczącym Komisji Episkopatu ds. Dialogu z Judaizmem, jednoznacznie akcentował: *antysemityzm spotykany w Polsce nie miał nigdy korzeni rasowych, a wyrastał z podłoża religijnego, gospodarczego i społecznego, i dlatego ja osobiście wolę go nazwać antyjudaizmem, właśnie w odróżnieniu od antysemityzmu rasistowskiego* (H. Muszyński: *Żydzi jako problem chrześcijańskiej Polski*, „Więź", 1989, nr 1, s. 7–8). Można znaleźć aż nadto wiele przykładów potwierdzających precyzyjne określenie dane przez arcybiskupa Muszyńskiego. Dość porównać konkretne wydarzenia z historii Żydów w Polsce i w różnych krajach Europy Zachodniej (por. J.R. Nowak: *Antysemityzm* w *Wielkiej ilustrowanej encyklopedii powszechnej*, Gutenberg Print, t. 23. Suplement, t. I. s. 271–277), aby dostrzec jak wielkie były różnice między występującymi w Polsce przejawami antyjudaizmu, czy antyżydowskości, a przejawami rasistowskiego antysemityzmu występującego w niektórych krajach Zachodu, Rosji czy nawet Czechach w pewnym okresie historii. Niejednokrotnie zauważa się skrajne wręcz rozmiary nadużywania pojęcia antysemityzmu, zwłaszcza w różnych instrumentalnych celach. Pojęcie to często bywa nadużywane do charakteryzowania każdej osoby krytykującej Żydów czy spierającej się z nimi. Stosuje się je także w odniesieniu do konfliktów na tle gospodarczym, krytyki polityki Izraela czy lobby żydowskiego w Waszyngtonie, starć partyjnych frakcji politycznych (np. puławian i natolińczyków w Polsce od 1956 roku), wyśmiewania żydowskiej wymowy (tzw. żydłaczenia), krytycznej oceny polityków, biznesmenów lub twórców żydowskiego pochodzenia. Oskarżenia o antysemityzm wysuwano nawet wobec krytyków zbyt brutalnego rytualnego uboju bydła, wobec krytyków sprzedaży zbyt tanio gmachu PAST-y Nissenbaumom, etc. etc. W Polsce w czasie kampanii prezydenckiej 1990 roku, w kręgach warszawskiej „elitki" dość nagminnie próbowano dyskredytować przeciwników Tadeusza Mazowieckiego jako „antysemitów". Jak komentował Przemysław Żurawski vel Grajewski w „Gazecie Polskiej" z 5 września 1996: *Czyż nie było wygodniej, zamiast tłumaczyć się z własnych zaniedbań, krzyknąć: „Atakujecie nas, bo jesteście ciemnymi antysemitami"*. Świetnie wyraził kiedyś Piotr Wierzbicki, jak wielkim workiem z oskarżeniami jest antysemityzm w walce propagandowej różnych „dewotek od tropienia antysemityzmu", pisząc: *Bowiem oskarżonym o antysemityzm można dziś zostać za wszystko. Za użycie wyrazu „Żyd". Za pominięcie wyrazu „Żyd". Za wymienienie Trockiego. Za podanie prawdziwego nazwiska Zinowiewa. Za zignorowanie Marksa. Za krytyczne wyrażenie się o Ministerstwie Bezpieczeństwa Publicznego. Za wypowiedzenie poglądu, że nie w roku 1968, lecz w latach czterdziestych i pięćdziesiątych była kulminacja komunistycznego terroru i komunistycznego kłamstwa w Polsce. Za ironiczną wypowiedź na temat polskiej antologii wierszy o Feliksie Dzierżyńskim. Za wspomnienie o zasługach Romana Dmowskiego dla odzyskania niepodległości Polski w roku 1918. Za skrytykowanie „Tygodnika Powszechnego". Za polemikę z „Gazeta Wyborczą". Za poparcie polityka, którego nie zna osobiście i nie ceni Adam Michnik. Za użycie wyrazu „narodowy". Za użycie wyrazu „polski". „Gazeta Polska" to oczywiście tytuł antysemicki, sugerujący, że inne gazety są żydowskie. Jeżeli mój dziadek nie był w Komunistycznej Partii Polski a wujek w UB, to będę podejrzany o antysemityzm za to tylko, że jestem Polakiem* (P. Wierzbicki: *Czy nie lubimy Żydów*, „Gazeta Polska", 2 grudnia 1993).

Kogo oskarżono o antysemityzm?

Przy wysuwaniu zarzutów antysemityzmu niejednokrotnie dochodziło do skrajnych absurdów. Zdarzało się, i to nierzadko, że zarzuty antysemityzmu wysuwano nawet wobec osób, które przez całe życie zachowywały się przychylnie wobec Żydów, były rzecznikami jak największego dialogu czy zbliżenia z nimi, ale naraziły się temu czy innemu żydowskiemu politykowi lub dziennikarzowi w jakiejś konkretnej sprawie. Nierzadko zarzuty antysemityzmu kierowano nawet przeciwko Żydom za to, że ośmielali się krytykować takie czy inne wady swojego narodu, czy zachowanie jego części w jakimś okresie – *vide:* skrajne oskarżenia o antysemityzm pod adresem Hannah Arendt, wspaniałej intelektualistki, najwybitniejszej chyba Żydówki XX wieku, atakowanej za jakże gorzki rozrachunek z zachowaniem Judenratów w książce *Eichmann w Jerusalem*. Wśród oskarżanych o antysemityzm, najczęściej bez żadnego uzasadnienia, było bardzo wielu twórców, polityków i osobowości Kościoła, o nierzadko wręcz przeciwstawnych postawach i poglądach. Byli wśród nich między innymi: Cycero, Seneka, Tacyt, Horacy, Juvenalis, Erazm z Rotterdamu, W. Shakespeare, D. Diderot, P. H. Holbach, Wolter, J. W. Goethe, G. W. F. Hegel, I. Kant, J. G. Fichte, A. Schopenhauer, Napoleon Bonaparte, Ch. Dickens, A. Puszkin, R. Wagner, F. Dostojewski, N. Gogol, P.J. Proudhon, F. Liszt, E. Degas, A. Renoir, K. Marks (jako „Żyd–antysemita"), H.G. Wells, G.K. Chesterton, T.A. Edison, W. Disney, T.S. Elliot, E. Hemingway, T. Dreiser, G.B. Shaw, M. Bułhakow, A. Sołżenicyn, Ch. de Gaulle, A. Gide. W odniesieniu do Polaków o antysemityzm oskarżano: S. Konarskiego, S. Staszica, H. Kołłątaja, J.U. Niemcewicza, Z. Krasińskiego, A. Mickiewicza, J.I. Kraszewskiego, C. Norwida, B. Prusa, A. Świętochowskiego, W. Reymonta, R. Dmowskiego i nawet J. Piłsudskiego (!) (por. np. głupawy atak A. Minkowskiego w „Le Monde", zob. Z. Hertz: *Listy do Czesława Miłosza 1952–1979*), Paryż 1992, s. 46). Oskarżano o antysemityzm I.J. Paderewskiego, gen. W. Sikorskiego, A. Słonimskiego (jako „Żyda–antysemitę" za tekst o nadwrażliwości Żydów), J. Tuwima (jako „Żyda–antysemitę" za wiersz o „srulkach bankowych"), gen. Roweckiego (Grota), gen. T. Bora-Komorowskiego, gen. W. Andersa, prymasa A. Hlonda, prymasa S. Wyszyńskiego, prymasa J. Glempa. Nawet Ojciec Święty Jan Paweł II, który zrobił chyba więcej niż ktokolwiek inny spośród całego pocztu papieży dla dialogu między katolikami a Żydami, nie uniknął fanatycznych pomówień o „antysemityzm" (!). Rzekomy antysemityzm zarzucano Andrzejowi Wajdzie w wielkiej części prasy francuskiej z „Le Monde" na czele (za film o doktorze Korczaku). Wajdzie, który był autorem kilku tendencyjnych filmów ze skrajnymi pomówieniami Polaków o „antysemityzm" (*Samson*, *Krajobraz po bitwie*, *Wielki Tydzień*). Cóż, nosił wilk razy kilka... Ostatnio w styczniu 1998 roku oskarżono w „Gazecie Wyborczej" o rzekomo „antysemickie tony" nawet księdza Waldemara Chrostowskiego, jednego z polskich duchownych najbardziej zasłużonych dla dialogu między chrześcijanami a Żydami, wiceprzewodniczącego Komisji Episkopatu Polski do dialogu z judaizmem, współprzewodniczącego Polskiej Rady Chrześcijan i Żydów.

Ofensywa antypolonizmu

Zbrodnicza obojętność rządu PRL wobec systematycznie rozwijanej ofensywy antypolonizmu sprzyjała tym większemu jego nasileniu w interesie Związku Sowieckiego i Niemiec oraz niektórych wpływowych lobby żydowskich. W okresie po 1968 roku kampania antypolonizmu coraz bardziej się rozszerzała, między innymi dzięki jej bardzo aktywnemu wzmocnieniu przez niektórych emigrantów z Polski, i to na ogół z reguły tych, którzy poprzednio ogromnie gorąco popierali reżim komunistyczny w Polsce (*vide* np. Paweł Korzec, były marksistowski historyk łódzkiego ruchu robotniczego, a później autor skrajnie oszczerczej antypolskiej książki *Juifs en Pologne*, Paris 1980). Najbardziej skrajne kłamstwa na temat Polski i Polaków wysuwano i wysuwa się w odniesieniu do czasów drugiej wojny światowej. Naród polski coraz częściej przedstawiano jako wspólnika Niemiec w mordowaniu Żydów, a ostatnio nierzadko nawet próbuje się już zrzucić na Polaków całą odpowiedzialnością za mordowanie Żydów. Już w latach sześćdziesiątych w sztuce jednego z czołowych amerykańskich dramaturgów żydowskiego pochodzenia, Artura Millera *Incydent Vichy* była mowa o „polskich obozach śmierci", bez wymieniania w ogóle Niemców, którzy stworzyli obozy koncentracyjne w Polsce. W książce bardzo popularnego w Stanach Zjednoczonych pisarza Williama Styrona *Wybór Zofii* przedstawiono Polaka, profesora Uniwersytetu Jagiellońskiego, jako rzekomego twórcę planu likwidacji Żydów, usilnie namawiającego hitlerowców do jego realizacji. Komentujący treść *Wyboru Zofii*, znany pisarz i publicysta amerykański John Gardner, postawił kropkę nad „i" pisząc, że Polacy wspólnie z Niemcami starali się zlikwidować kilka milionów Żydów. Już w 1980 roku w paryskiej „Kulturze" (1980, nr 10, s. 124–126) zwrócono uwagę na kłamstwa *Wyboru Zofii*, pisząc, że książka ta ukazuje antysemityzm polski jako jeszcze gorszy od niemieckiego, bo w Niemczech antysemitami byli jakoby tylko naziści, a w Polsce wszyscy. Nawet tak kłamliwa książka znalazła u nas szybko obrońców w zgodnym duecie współpracującego z reżimem stanu wojennego „Europejczyka”, redaktora naczelnego „Literatury na świecie” Wacława Sadkowskiego i „Europejczyka” z opozycji Jana Józefa Lipskiego (por. J.J. Lipski: *Polonicum Styroniaum*, „Literatura na świecie”, 1984, nr 11, s. 309–313). Można by bardzo długo wyliczać przykłady najbardziej fantastycznych bredni o roli Polaków w eksterminowaniu Żydów, wypisywanych w setkach różnych publikacji na Zachodzie, najczęściej produktów wyobraźni Żydów amerykańskich. W książce Reba Moshe Shoenfelda: *The holocaust Victims accuse* (Ofiary holokaustu oskarżają), New York 1977, s. 11 można było na przykład przeczytać: *U Żydów w Polsce przyjęło się powiedzenie: jeśli Polak spotka mnie na brzegu drogi i nie zabije, to zrobi tak tylko przez lenistwo.* W bardzo popularnym komiksie *Maus* (Mysz), nagrodzonym najsłynniejszą nagrodą dziennikarską – Nagrodą Pulitzera, przedstawiono swoista alegorię eksterminacji Żydów w czasie drugiej wojny światowej z Żydami przedstawionymi jako myszy, Niemcami jako koty, a Polakami jako świnie (!). W wydanej w australijskim Melbourne publikacji Douglasa Wilkie można było przeczytać, że polscy więźniowie urządzili w obozie koncentracyjnym wielką libację–popijawę dla okazania radości, że Niemcy gazują Żydów. Inny żydowski paszkwilant Michael Elkins dał swoistą wersję zachowania Polaków w 1939 roku. Według niego po polsko-niemieckiej kampanii we wrześniu 1939 roku polscy żołnierze odrzucili karabiny i chwycili za pałki, używając ich do bicia Żydów (M. Elkins: *Forget in Fury*, s. 125). Antypolonizm w USA przybiera najróżniejsze formy. Znalazł ujście nawet na okładce płyty z utworami Paderewskiego i Rubinsteina. Jej recenzent William B. Ober napisał tam, że *polski wkład do kultury zachodniej został wniesiony wyłącznie przez uchodźców (...) najznaczniejszym osiągnięciem Polaków jest chyba przeprowadzenie najlepiej zorganizowanych i najkrwawszych pogromów* (wg A. Kapiszewski: *Stereotyp Amerykanów polskiego pochodzenia*, Wrocław 1971, s. 91). W grudniu 1976 roku dokonano złośliwej manipulacji z telewizyjnym montażem recitalu Czesława Niemena, włączając pomiędzy jego piosenki komentarz o eksterminacji Żydów przez Polaków Do najskrajniejszych wybryków antypolonizmu należały kłamstwa telewizyjnego filmu *Holocaust* zrealizowanego na podstawie książki Geralda Greena. W filmie wyświetlanym w amerykańskiej telewizji 15–16–17 kwietnia 1978 znalazła się między innymi scena pokazująca żołnierzy w polskich mundurach z orzełkami na rogatywkach (!), którzy jakoby dokonywali na polecenie SS egzekucji na żydowskich mieszkańcach getta. Te i inne oszczercze sceny antypolskie oglądało blisko 128 milionów odbiorców. Film wywołał między innymi pełen oburzenia protest ze strony słynnego żydowskiego polonofila Józefa Lichtena (por. fragmenty listu Lichtena do Gerarda Greena w książce J.R. Nowaka: *Myśli o Polsce i Polakach...*, s. 319–320). Protesty przeciw kłamstwom filmu *Holocaust* nie przeszkodziły w pokazaniu go w nie zmienionym kształcie w innych krajach świata (między innymi w telewizji niemieckiej). Siedzący w studiu telewizji niemieckiej na dyskusji wokół przesłania filmu *Holocaust*, uratowany przez Polaków w czasie wojny znany krytyk literacki żydowskiego pochodzenia, Marcel Reich-Ranicki, ani słowem nie zająknął się na temat antypolskich oszczerstw w filmie.

Antypolska patologia

Wśród liczącej setki publikacji „literatury" antypolonizmu można spotkać wiele skrajnie obrzydliwych przejawów antypolskiego szowinizmu i rasizmu. Przeważająca ich część nie jest znana w Polsce, i dlatego polska opinia publiczna nie zdaje sobie nawet sprawy z rozmiarów i charakteru kampanii oszczerstw, rozwijanej przeciwko nam przez dziesięciolecia. By wspomnieć choćby o zupełnie nie znanej w Polsce książce *The Penalty of Innocence* (Kara za niewinność), wydanej w 1973 roku w Nowym Jorku. Mimo żydowskiego pochodzenia jej autor mógłby uchodzić za jednego z najbardziej pojętnych uczniów Goebbelsa. Główny bohater książki Biermana – Jakov Żeiv Weiler, jest zdecydowanie prokomunistyczny, współpracuje z armią sowiecką i PPR, a równocześnie zionie patologiczną wręcz nienawiścią do Polski i Polaków. Ta nienawiść wyrażana jest dosłownie na każdej stronie książki, która aż roi się od opisów jak to „dzielny" Jakov zabił jakiegoś „reakcyjnego" i „nacjonalistycznego" Polaka, uderzył polskiego oficera cegłą w głowę, wyłamał mu po kolei palce, kazał oberwać uszy, etc. (por. np. s. 12, 15, 50, 51). W jednym miejscu autor chwali się, że to Żydzi zlikwidowali stu dwudziestu polskich endeków (s. 15). Polacy bardzo często są obdarzani ulubionym określeniem Biermana „hiena". Parokrotnie dowiadujemy się na przykład, że *Nie można zrobić ludzkiej istoty z Polaka, ponieważ on jest hieną* (por. s. 34, 109). W innym miejscu czytamy, że nie ma możliwości pogodzenia się między Żydami i Polakami. Bo „jak tylko Polak uzna, że się czegoś nauczył od Żyda, to zanim Żyd się zorientuje, Polak będzie dążył do zabicia go i zabrania wszystkiego, co Żyd zbudował (s. 108). W innym miejscu książki Biermana spotykamy się z uogólnieniem: *Kiedy Polak jest głodny, to jest twoim przyjacielem, a potem jak mu pomożesz, to jest twoim najgorszym wrogiem* (s. 106). O polskiej Armii Krajowej Bierman pisze, że była „tak podła jak Hitler" (s. 62). Według Biermana: *Polacy grali rolę najlepszych przyjaciół Niemców, którzy realizowali polskie marzenia o całkowitej eksterminacji Żydów* (s. 89). Z książki Biermana dowiadujemy się, jakoby Polacy z generałem Borem-Komorowskim na czele zaatakowali armię sowiecką, gdy podeszła do Warszawy, uniemożliwiając w ten sposób Rosjanom rozpoczęcie ratowania milionów Żydów z obozów koncentracyjnych (s. 99). Zdumiewający jest fakt tolerowania, i to w Stanach Zjednoczonych, gdzie żyje piętnaście milionów osób polskiego pochodzenia takich patologicznych wybryków antypolskiej nienawiści, wręcz rasistowskiego judzenia (!). W jednym z epizodów telewizyjnej wersji *Skrzydeł wojny* autorstwa bardzo popularnego amerykańskiego pisarza Hermana Wouka – Heinrich Himmler informuje Adolfa Hitlera, że trzy tysiące żołnierzy i oficerów z Einsatzgruppen jest gotowych do zabicia Żydów z Rosji. Oni będą organizatorami – mówi Himmler, ale miejscowa ludność wykona zadanie, gdyż istnieje mnóstwo ochotników w Polsce. W „naukowej" książce: *The holocaust Years* (wyd. New York 1978) czytamy na s. 154, że: *To nie przez przypadek naziści wybrali Polskę na miejsce eksterminacji Żydów z Europy. Polska była najbardziej dogodnym regionem dla obozów koncentracyjnych, ponieważ trwający od stuleci klimat antysemityzmu w tym kraju prowadził do terroru wobec Żydów.* Szczególnie odrażającym kłamstwem popisał się w 1993 roku bardzo wpływowy amerykański tygodnik „Time", w którym poinformowano, że „wielu Polaków służyło w hitlerowskich oddziałach SS" i teraz bez skrupułów pobierają emerytury za swą dawną służbę od rządu niemieckiego". Przez wiele miesięcy „Time" odmawiał sprostowania tych informacji mimo interwencji Kongresu Polonii Amerykańskiej w tej sprawie. Na próżno redaktor naczelny polonijnego pisma „Zgoda" Wojciech A. Wierzewski powoływał się w liście otwartym do redaktora „Time" na fundamentalne prace o historii SS pióra Georga H. Steina i Geralda Reitlingera, z których wynikało, że w formacjach SS, obok rdzennych Niemców, służyło między innymi 40 tysięcy Holendrów i Węgrów, 8 tysięcy Norwegów, 6 tysięcy Duńczyków, nawet 100 Anglików, nie było natomiast ani jednego Polaka. Skandal z kłamstwami tygodnika „Time" i antypolskie kłamstwa z *Listy Schindlera* sprowokowały do zabrania głosu najwybitniejszego dziś amerykańskiego badacza historii Polski – profesora Richarda C. Lukasa, autora pięciu książek o naszych dziejach, w tym słynnego *Zapomnianego Holocaustu*. Piętnując antypolskie fałsze, Lukas stwierdził, że ich autorzy *traktują historię jak luźny kołonotatnik, z którego można wyjmować kartki, które komuś nie pasują – wstawiać nowe, które służą ilustrowaniu własnej wizji i określonym interesom*.

W 1994 roku, przez kilka miesięcy przelewała się prawdziwa fala panegiryków w zdominowanych przez „Europejczyków" mediach na temat filmu Stevena Spielberga „Lista Schindlera" jako filmu „wielkiego", „perfekcyjnego" etc. Autorzy entuzjastycznych recenzji (między innymi Barbara Hollender w „Rzeczpospolitej") nawet się nie zająknęli na temat scen filmu Spielberga ukazujących w sposób zdeformowany obraz stosunków polsko-żydowskich. Na tle skrajnie wyidealizowanego „wspaniałego" Niemca Oskara Schindlera Polaków jako naród postrzegamy w *Liście Schindlera* tylko poprzez pryzmat ich nienawiści do Żydów. Już w jednej z pierwszych scen widzimy, jak Polki obrzucają błotem Żydówki eskortowane do getta. Jakaś młoda Polka z twarzą pełną złości krzyczy: *Żegnajcie Żydy! Żegnajcie Żydy!* Dużo dalej pojawia się scena z polską dziewczynką wymownie pokazującą ręką stryczek Żydom transportowanym wagonami do Oświęcimia. W samym obozie zagłady z ust strażniczek padają wciąż słowa komend po polsku (!). W końcowej scenie polski aktor grający rolę sowieckiego żołnierza mówi do ocalonych Żydów: *Na wschód nie idźcie, tam was nienawidzą* (chodzi wyraźnie o Polskę). Na koniec słyszymy informację, że w Polsce żyje dziś tylko 4 tysiące Żydów, podczas gdy pokolenia Żydów uratowanych przez Schindlera liczą 6 tysięcy osób. Porównanie wyraźnie sugerujące, oto jeden dobry Niemiec uratował tak wielu Żydów, więcej niż wszyscy Polacy razem. Film Spielberga kręcony był w koprodukcji z polskim przedsiębiorstwem filmowym Heritage Films, kierowanym przez Lwa Rywina. Trzon ekipy filmującej stanowili Polacy (75 osób). W filmie występowało dziesięcioro polskich aktorów i aktorek, zdjęcia kręcono w Krakowie. Zdumiewa fakt, że polscy koproducenci nie zatroszczyli się o ukazanie dużo bardziej złożonego i prawdziwego obrazu stosunków polsko-żydowskich w czasie wojny, o scenę pokazującą przynajmniej jednego z kilku tysięcy Polaków, którzy mają swoje drzewka w Alei Sprawiedliwych przed Instytutem Yad Vashem. (A przecież w akcji ratowania Żydów w ten czy inny sposób uczestniczyły setki tysięcy Polaków). Odpowiedzialni polscy koproducenci powinni byli zatroszczyć się o sprostowanie wierutnego kłamstwa z początku filmu – informacji, że *we wrześniu 1939 r. wojska niemieckie pokonały armię polską w d w a t y g o d n i e* (podkreślenie – J.R.N.). Tak głosiła propaganda goebbelsowska i propaganda sowiecka, uzasadniająca napaść na Polskę 17 września, podczas gdy w rzeczywistości walki w Polsce toczyły się do 5 października 1939 r. Zdumiewa brak reakcji ze strony licznych polskich aktorów i reżyserów, entuzjastycznie fetujących Spielberga w Krakowie. Fala rosnącego antypolonizmu przybiera największe, wręcz przerażające rozmiary w Stanach Zjednoczonych, znajdując odbicie w dosłownie setkach publikacji prasowych ostatnich lat, filmach pokazywanych w telewizji i w kinach dla wielu milionów widzów (od *Holocaustu* poprzez *Shoah*, *Listę Schindlera* po *Shtetl* Marzyńskiego). Warto w tym kontekście przytoczyć uwagi amerykańskiego profesora nauk humanistycznych Paula Gottfrieda, publikowane w styczniu 1997 roku na łamach renomowanego czasopisma „Chronicles". W gruntownym, świetnie napisanym szkicu *Polonofobia*, profesor Gottfried pisał między innymi: *Od upadku imperium sowieckiego, żaden z krajów znajdujących się pod jego panowaniem nie był traktowany przez prasę amerykańską tak źle, jak Polska. Tylko w ostatnim roku, nie mające uzasadnienia oskarżenia o rzekomych polskich okrucieństwach wobec Żydów zostały opublikowane przez: „New York Times", „Washington Post", „International Herald Tribune", „Toronto Star", „Toronto Globe and Mail" oraz pomniejsze dzienniki i czasopisma w całej Ameryce Północnej.*

Nieomal wszystkie te teksty mają podobne pochodzenie, znajdują się też w nich te same zarzuty. W większości są one pisane przez polskich Żydów lub ich potomków i zawierają miksturę ataków przeciwko Polakom jako narodowi beznadziejnie antysemickiemu (Icchak Shamir oskarżył ich o to, że: „wysysają antysemityzm z mlekiem swoich matek") z opisami pogromów przypisywanych Polakom (cyt. za: P. Gottfried: *Polonofobia*, „Rzeczpospolita", 1–2 lutego 1997).

Prezes Moskal za dialogiem prawdziwym, nie pozorowanym

Aby dialog między Polakami i Żydami mógł być rzeczywiście owocny, musi on się opierać na pełnej równości stron i pełnej uczciwości intencji. Czy te warunki są jednak spełnione? Niestety nie, i to głównie dzięki eskalacji różnych roszczeń i fałszywych oskarżeń ze strony żydowskiej. Stąd jakże słuszne pytania prezesa Kongresu Polonii Amerykańskiej Edwarda Moskala postawione w styczniu 1997 roku w odniesieniu do warunków skuteczności tego dialogu. Prezes Moskal zapytywał: *jakie ów dialog miałby przynieść nam korzyści? Czy rokuje on zakończenie prawie pięćdziesięcioletnich zmagań z rozpowszechnianymi, a tak fałszywymi opiniami o rzekomym współudziale Polaków w prześladowaniach Żydów przez nazistów?*

Czy moglibyśmy oczekiwać, że Muzeum Holocaustu w Waszyngtonie na koniec poda do publicznej wiadomości prawdziwą informację, że podczas II wojny światowej zginęły również 3 miliony Polaków, którzy byli chrześcijanami?

Czy żydowskie organizacje zaprzestaną mnożenia swoich wygórowanych żądań w odniesieniu do obozu oświęcimskiego? Czy zakończą się żądania specjalnego statusu dla Żydów? (...) Nie zapominajmy, że istnieje także druga strona medalu. Czy napotkamy w końcu na gotowość przedyskutowania roli Żydów w ich współpracy z NKWD, w latach 1939–1941, w rezultacie której co najmniej jeden milion 200 tys. Polaków zostało deportowanych w głąb Związku Sowieckiego, znosząc nieopisane cierpienia i śmierć?

Czy liderzy żydowscy są gotowi do przyznawania się do roli, jaką pełnili w potwornościach Urzędu Bezpieczeństwa, kontrolowanym przez Sowietów systemie terroru na polskim terytorium po II wojnie światowej? Czy nadszedł czas aby podjąć temat współdziałania Żydów w procesie sowietyzacji powojennej Polski?

Prawdziwy dialog – zdecydowanie tak! Pozorowany, w ramach którego Polacy mieliby przyjmować pokornie zniewagi, przyznawać się do win nie popełnionych i rezygnować z własnego, dobrze pojętego interesu narodowego – nie!

Jeśli dialog miałby być owocny i realistyczny – jego agenda musiałaby być wyraźnie ustalona, podobnie jak określone uczciwie reguły gry. Jeśli nie – brakować będzie w sposób oczywisty atmosfery dla prawdziwego dialogu (E. Moskal: *Dialog prawdziwy czy fałszywy*, „Dziennik Związkowy", 24–26 stycznia 1997).

Najważniejszą myślą przewijającą się przez cały tekst prezesa Edwarda Moskala było wyrażone przez niego stanowcze stwierdzenie: *Wyciągnięta ręka może być objawem przyjaznych intencji tylko wtedy, gdy wita otwartą dłonią, a nie ściśniętą pięścią* (tamże).

Ataki na polski Kościół katolicki

W 1991 roku z inicjatywy rabina Weissa zorganizowano żydowską demonstrację przeciwko kardynałowi Józefowi Glempowi w czasie jego wizyty w Nowym Jorku. Podczas demonstracji rzucał się w oczy plakat, na którym w swastykę wkomponowano krzyż (por. zdjęcie tej demonstracji umieszczone w książce Petera Rainy: *Ks. Henryk Jankowski nie ma za co przepraszać*, Warszawa 1995). Żadne władze amerykańskie nie zareagowały na tak potworną profanację krzyża, świętego symbolu dla dziesiątków milionów amerykańskich chrześcijan. Kilka lat później prezydent Clinton publicznie protestował w związku ze zniekształconym – jak teraz wiadomo – przez „Gazetę Wyborczą" fragmentem kazania księdza Jankowskiego w Gdańsku, ba, uzależniał spotkanie z Wałęsą od jego odcięcia się od gdańskiego prałata.

Swego rodzaju „klasykiem" kampanii oszczerstw przeciw Polakom jako narodowi i Kościołowi katolickiemu w Polsce jest adwokat rabina Weissa Alan M. Dershovitz, który zaatakował jako „notorycznych antysemitów" kardynałów Hlonda, Wyszyńskiego i Glempa. Uzupełnił to równie haniebnym twierdzeniem, że *ponad dwa miliony Żydów, mężczyzn, kobiet i dzieci (..) było zagazowanych w polskich obozach koncentracyjnych* (A.M. Dershowitz: *Chutzpah* [Hucpa], Boston 1991, s. 140). Dershowitz z prawdziwą furią wystąpił przeciwko jakimkolwiek próbom porównywania wojennej tragedii Polaków i Żydów. Pisał, że w ogóle nie można porównywać „ludobójstwa" wymierzonego przeciwko wszystkim Żydom z „selektywnym zabiciem niektórych dorosłych Polaków" (*selective killing of some Polish adults*) (por. A. Dershowitz: *op. cit.*, s. 151). Książka Dershovitza była wydana w paru milionach egzemplarzy, stała się amerykańskim bestsellerem. I żaden wysoki przedstawiciel amerykańskich władz, nie mówiąc o prezydencie USA, nie zdobył się na wystąpienie przeciw ohydnemu szkalowaniu Polaków w jego kraju.

Ucieczka od wdzięczności

W czasie dziesięcioleci kampanii antypolonizmu, nader często służących interesom Związku Sowieckiego lub wybielaniu Niemiec, aż nazbyt wyraźnie potwierdzała się w praktyce trafność uogólnienia słynnego żydowskiego przywódcy syjonistycznego Leo Reicha (z 1910), iż: *Potrzeba trzymania z silniejszym bierze u Żydów górę nad poczuciem wdzięczności.* Obserwowaliśmy i obserwujemy, niestety jakże liczne przykłady „ucieczki od wdzięczności" Żydów uratowanych przez Polaków od śmierci, a potem po wojnie bez skrupułów szkalujących Polskę i Polaków.

Jednym z najgorszych antypolskich oszczerców był uratowany dzięki przechowaniu przez polskiego chłopa niejaki Oskar Pinkus. W książce *House of Ashes* pisał: *W krótki czas później mordowanie Żydów stało się regularną polityką Armii Krajowej (...) wszyscy lokalni członkowie Podziemia, których znaliśmy osobiście, przyznawali, że mordowali Żydów i powiedzieli nam, że Organizacja ta miała tajne instrukcje, aby nas (Żydów) likwidować* (cyt. za J. Modrzejewski: *Genocide of the National Charakter*, „The Kościuszko Foundation Monthly News Letter", 1974, May, s. 7). Jaskrawymi przykładami czarnej niewdzięczności wobec polskich wybawców popisał się ojciec pisarza Jerzego Kosińskiego (Lewinkopfa) i sam Jerzy Kosiński. Ojciec, uratowany przez polskich chłopów, odpłacił się im według relacji publikowanych w książce Joanny Siedleckiej *Czarny ptasior* doprowadzeniem przez swe donosy do aresztowania wielu chłopów przez NKWD, a częstokroć ich wywózek do ZSRR. Sam Jerzy Kosiński w okropny sposób zdeformował obraz polskiej społeczności chłopskiej w paszkwilanckiej książce *Malowany ptak*. Jerzy Narbutt opisał kiedyś w „Ładzie" dyskusję w „Krzywym Kole" o stosunkach polsko-żydowskich, w czasie której jedna z Żydówek „popisała się" antypolskimi oskarżeniami pełnymi nienawistnego jadu. I wtedy zareagowała na to mecenas Aniela Steinsbergowa, słynna adwokatka żydowskiego pochodzenia. Nachyliła się do swego sąsiada i „scenicznym" szeptem (czyli takim, by go słyszano daleko) powiedziała: *A dzięki komu ta idiotka, jeśli nie dzięki Polakom, przechowała się i żyje?*

Polska Żydówka Klara Mirska, która w swoim czasie zebrała wiele relacji Żydów uratowanych w czasie wojny, odnotowała w swych wspomnieniach: *Opowiedziała mi starsza Żydówka analfabetka. Pod swoim zeznaniem postawiła trzy krzyżyki. „Przeżyłam okupację w jednej wsi pod Lublinem. Cała wieś wiedziała o mnie. Cała wieś mnie ratowała. Wszyscy chcieli, żebym przeżyła. A kiedy Niemcy zostali przepędzeni, opuściłam wieś i nigdy już do niej nie wrócę.” – Dlaczego Pani tak zrobiła – zapytałam – dlaczego Pani nie chce więcej widzieć ludzi, którzy panią uratowali? – Bo musiałabym się całej wsi odwdzięczać. Dlatego odeszłam i dlatego nie wrócę. Też swoista logika ograniczonego człowieka, której nie rozumiałam* (K. Mirska: *W cieniu wiecznego strachu. Wspomnienia*, Paryż 1980, s. 455).

Gorzej, gdy podobna logika cechowała nie proste Żydówki, lecz wielu, bardzo wielu Żydów wykształconych, naukowców, działaczy politycznych i społecznych. Weźmy choćby przykład Emanuela Ringelbluma. Dwa razy Polacy uratowali mu życie, narażając się dla ratowania żydowskiego historyka (między innymi wykupiono go z obozu). Ostatecznie bunkier, w którym ukrywał się Ringelblum wraz z rodziną, został wykryty przez Niemców, którzy ich zamordowali. Rozstrzelano również dające schronienie Ringelblumowi i jego rodzinie polskie rodziny Marczaka i Wolskiego. Później okazało się po publikacji zapisków Ringelbluma, dokonywanych w czasie, gdy był ukrywany przez Polaków, że jego stosunek do nich bił wprost rekordy antypolskiej tendencyjności. Wręcz szokował rozmiarami zaperzenia, prawdziwego jadu nienawiści.

W książce *Żydzi, Polacy, czy po prostu ludzie...* Ewa Kurek-Lesik przytoczyła parę jaskrawych przykładów skrajnej niewdzięczności Żydów wobec Polaków, którzy uratowali im życie. Opisała na przykład historię Żyda amerykańskiego, który przyznał, że przeżył wojnę tylko dzięki Polakom we Lwowie, a jednak ze złośliwą satysfakcją powoływał się na komiks *Maus*, w którym Polacy przedstawiani zostali... jako świnie (por. E. Kurek-Lesik: *Żydzi, Polacy czy po prostu ludzie...*, Lublin 1992, s. 55). Tenże Żyd szedł na czele manifestacji Żydów protestujących przeciw wizycie Papieża–Polaka w Kalifornii. Ewa Kurek-Lesik opisała rozmowę z fanatycznie antypolską – mimo uratowania przez Polaków, Żydówką Niną. W pewnej chwili Nina powiedziała: *Dla mnie Polacy to najgłupszy, najokrutniejszy i najbardziej brudny naród na świecie.* Ewa Kurek-Lesik odpowiedziała jej pytając: *O tym, że jesteś Żydówką, wiedziało ilu Polaków? Stu, dwustu, pięciuset? Gdyby byli tacy okrutni, to czy siedziałabyś tutaj?* (tamże, s. 35).

Bezkarność polakożerców

Od początku lat dziewięćdziesiątych mnożyły się symptomy zaniku elementarnego poczucia godności narodowej w szerokich kręgach polskiego społeczeństwa. Jeden z najdrastyczniejszych tego dowodów przyniosła sprawa wywiadu z żydowskim pisarzem Leonem Urisem na łamach „Życia Warszawy" z 4 maja 1990 roku. Zacięty wróg Polski i Polaków, Uris w powieściach wydanych w milionowych nakładach (*Exodus*, *Miła 18*, *OB VII*) wysuwał najskrajniejsze oszczerstwa na temat rzekomych „polskich zbrodni" wobec Żydów. Pisał, że *Przez siedemset lat Żydzi w Polsce byli poddawani prześladowaniom najróżnorodniejszego rodzaju, począwszy od maltretowania po masowe mordy* (L. Uris: *Exodus*, New York 1958, s. 117). Porównajmy te stwierdzenia z faktem, że Polska przez ostatnie stulecia uchodziła na najlepsze i jedyne schronienie dla Żydów z całej Europy. Najbardziej oszczercza z książek Urisa *OB VII* mogłaby ubiegać się o specjalną nagrodę im. Goebbelsa za wybrany w niej sposób szkalowania Polaków. Głównym schwarzcharakterem tej powieści Uris uczynił oficera AK – chirurga, który stał się zbrodniczym eksperymentatorem na Żydach w obozie koncentracyjnym, i cieszył się zaufaniem samego Himmlera. Zarówno w tej książce, jak i innych powieściach Urisa Polacy jako naród są o wiele gorzej potraktowani niż Niemcy, i nieprzypadkowo w Niemczech każda z antypolskich powieści Urisa miała po 4-5 wydań. Polakożercze kalumnie Urisa predysponowały go do tego, by jako „persona non grata" nigdy nie został wpuszczony do tak szkalowanej przez niego Polski. Zamiast tego Uris został przywitany entuzjastycznymi tekstami na łamach „Trybuny Ludu" (przez znanego niegdyś politruka partyjnego Michała Misiornego) i postkomunistycznej „Polityki" (przez kierownika jej działu historycznego Mariana Turskiego).

4 maja 1990 roku na łamach „Życia Warszawy" ukazał się skandaliczny wywiad z Urisem przeprowadzony przez Marka Zielińskiego. Uris poszedł w nim dosłownie na całość, mówiąc o antysemityzmie, że „taka postawa tkwi w genach polskiego i rosyjskiego ludu". Rasistowskie uogólnienia Urisa wywołały ostro polemizujący z nim list prof. Stefana Kurowskiego i mec. Władysława Siła-Nowickiego („Życie Warszawy" z 13 lipca 1990). List spotkał się jednak natychmiast z pełną hucpy ripostą autora wywiadu z Urisem Marka Zielińskiego, skądinąd współpracownika katolickiej „Więzi". Zaatakował on prof. Kurowskiego i mec. Siła-Nowickiego za to, że ośmielili się wystąpić

przeciw Urisowi, uznając ich za zwolenników „starego myślenia o społeczeństwie”, nie chcących zrozumieć europejskiej tradycji profesji dziennikarskiej. Przy okazji Zieliński napiętnował *fałszywą godność narodową i upajanie się polskością – zza której wyzierają brud, nędza i pogarda dla innych* („Życie Warszawy” 27 lipca 1990). Znamienny fakt – w jednym z czołowych dzienników polskich ostatnie słowo zostawiono publicyście odpowiedzialnemu za publikację rasistowskich polakożerczych bredni. Bredni, które powinny znaleźć swój epilog w sądzie za obrazę narodu polskiego.

Można by długo wyliczać przykłady polakożerczych działań, które nie spotkały się z żadną karą. Na przykład w postkomunistycznej „Polityce” z 8 czerwca 1996 opublikowano artykuł Krystyny Kerstenowej: *Ręka Polaka*, na temat antyżydowskich zajść kieleckich z 4 lipca 1946 roku. Wśród ilustrujących tekst Kersten zdjęć w „Polityce” najbardziej dramatyczne przedstawiało osoby dobijające leżących na ulicy ludzi. Podpis pod zdjęciem sugerował, że to Polacy zabijali Żydów. W rzeczywistości chodziło o zdjęcie publikowane dużo wcześniej w różnych zachodnich albumach i ukazujące mordowanie Żydów przez hitlerowców w 1941 roku na ulicach Kowna (por. uwagi J. Engelgarda: *Oblicza antypolonizmu*, „Myśl Polska” z 21 lipca 1996). Po listach czytelników protestujących przeciw zafałszowaniu podpisu pod zdjęciem redakcja „Polityki” półgębkiem przyznała (w numerze z 15 czerwca 1996), że: *Czytelnicy zwrócili uwagę, że jedno z tych zdjęć chyba nie dotyczy omawianego miejsca i czasu, albowiem wydaje się, że co najmniej dwie z widocznej w tle nieostrej fotografii postaci ubrane są w mundury niemieckie. Podzielamy (niestety, poniewczasie) wątpliwości czytelników.* Nikogo nie ukarano jednak za świadome fałszerstwo. Publikowane zdjęcie wydrukowano w „Polityce” bowiem w formie zdeformowanej (z obciętą najbardziej wyrazistą sylwetkę mordującego Żydów niemieckiego żołnierza w mundurze).

Antypolskie „edukowanie” młodych Żydów w Izraelu

Systematycznemu zaszczepianiu niechęci, a nawet nienawiści do Polaków zamiast dialogu służy bardzo często oficjalna indoktrynacja młodzieży w Izraelu. Typowym przykładem pod tym względem była ukierunkowana w duchu antypolskim informacja na łamach najpopularniejszego izraelskiego dziennika „Yediot Achronot" z 21 maja 1993. Gazeta informowała w ramach wskazówek dla uczniów, jak powinni odpowiadać na egzaminie, że powstanie w getcie warszawskim wybuchło *po tym jak Niemcy i Polacy weszli w celu ostatecznego zniszczenia getta.* Zaprotestował przeciwko temu fałszowi znany publicysta żydowski z Warszawy Stanisław Krajewski i fakt ten warto tym mocniej podkreślić, że był to jeden z rzadkich, niestety, przykładów reagowania polskich Żydów na antypolskie kalumnie. W liście do ministra edukacji państwa Izrael z 17 czerwca 1993 roku Stanisław Krajewski pisał, że cytowane wyżej stwierdzenie z izraelskiej gazety wyraża oczywisty fałsz. Żadne polskie oddziały nie wkraczały do getta. Krajewski uznał za „fałszywe i oszczercze" dzielenie odpowiedzialności za zagładę getta między Niemcami i Polakami, dotkliwie krzywdzące i głęboko oburzające tych Polaków, którzy pomagali Żydom. Konkludując Krajewski apelował: *Mam nadzieję, że również Pan Minister podejmie działania mające na celu wyeliminowanie z nauczania szkolnego i świadomości potocznej krzywdzących dla Polski fałszów i przezwyciężanie negatywnych schematów* (por. S. Krajewski: *Prawda przeciw schematom, list otwarty do ministra edukacji Państwa Izrael,* „Gazeta Wyborcza" z 19 czerwca 1993).

„Marsze Żywych" – w cieniu stereotypów

Systematycznemu urabianiu niechęci do Polaków służą również organizowane przez różne oficjalne instancje izraelskie tzw. Marsze Żywych w Oświęcimiu. Wyraźną antypolską tendencyjność stosowanej przy okazji tych marszów indoktrynacji młodych Żydów przyznawały tak prominentne osoby z Izraela jak b. minister edukacji w rządzie Izraela Szulamit Aloni, współzałożycielka liberalnej partii Merec i jeden z najsłynniejszych izraelskich publicystów, prawnik Uri Huppert. Jak akcentowała b. minister Szulamit Aloni: *W swoim czasie zalecałam, aby młodzi Izraelczycy spotykali się z polską młodzieżą. Nie podoba mi się sposób przygotowania naszej młodzieży do wizyt w Polsce i formy zachowania na miejscu. Przede wszystkim ona musi wiedzieć, że Oświęcimia nie wymyślili Polacy. Nie można robić z tych wizyt defilad zwycięstwa, nadużywać ciągle pojęcia „sześciu milionów". Nie wolno traktować Polaków jak wrogów (...) – syndrom ofiary pogłębia etnocentryzm. Wyjazdy do Polski wykorzystywane są, żeby wychowywać młodzież w duchu nacjonalistycznym. Akcentowane jest poczucie, że jeśli sami padliśmy ofiarą przemocy, to teraz wszystko nam wolno* (cyt. za M. Grochowska: *Kadisz*, „Gazeta Wyborcza”, 10–11 maja 1997).

Podobnie krytyczne oceny Marszów Żywych formułował publicysta i prawnik Uri Huppert, przez wiele lat przewodniczący w Izraelu „Lidze do walki z przymusem religijnym”. Zdaniem Uri Hupperta: *Ci młodzi Izraelczycy przyjeżdżają do Oświęcimia po to, by udowodnić sobie wrogość świata nieżydowskiego w stosunku do Żydów. Nie chcą być świadomi tego, że ginęli tam nie tylko Żydzi (...) – Młodzież izraelska została wychowana w stereotypie Polaka–antysemity (...) Oni myślą tak: wszyscy byli przeciwko nam. Wy – Polacy – wiedzieliście, a wasze milczenie ułatwiało hitlerowcom zadanie. Nie wiedzą, że wojsko polskie walczyło tak po stronie aliantów, że wznieciło powstanie (...) – Te marsze są antyhumanistyczne, bo nie dają zrozumienia* (tamże).

Wypowiedzi b. minister Szulamit Aloni i prawnika Uri Hupperta faktycznie potwierdziły zasadność o kilka miesięcy wcześniejszych zarzutów prezesa Kongresu Polonii Amerykańskiej Edwarda Moskala. Zarzucił on uczestnikom żydowskich Marszów Żywych *zachowanie jawnie uwłaczające elementarnym zasadom szacunku dla miejsc martyrologii, na których zginęły także setki tysięcy ludzi narodowości innych niż Żydzi, w tym również Polacy* (wg „Życia” z 20 marca 1997).

Negatywne skutki nacisków w sprawie „mienia żydowskiego”

Na stosunki polsko-żydowskie w ostatnich latach bardzo źle wpływały różnorakie, częstokroć dość grubiańskie, naciski w sprawie uregulowania zwrotu tzw. mienia żydowskiego. Szczególnie dużą szkodę przyniosły różnorakie szantaże, częste łączenie nacisków ze strony działaczy organizacji żydowskich z groźbami blokowania wejścia Polski do NATO. Skandaliczna była wręcz wypowiedź jednego z działaczy Światowego Kongresu Żydów, grożąca ciągłym „upokarzaniem Polski”, jeżeli kwestii mienia żydowskiego nie rozpatrzy się tak, jak chcieliby tego światowi działacze żydowscy. Do tego dochodziły lobbistyczne naciski, na przykład grupy ośmiu kongresmanów amerykańskich wspierających postulaty Żydów. Autorzy nacisków i szantaży jakby zupełnie „zapomnieli" o tym, jak wielkie zniszczenia w czasie wojny poniosła sama Polska i Polacy, o utraceniu przez Polskę na rzecz Rosji większej części przedwojennego terytorium, o niewypłaceniu przez Niemców odpowiednich odszkodowań za ogromne zniszczenia (choćby samej Warszawy), o braku jakichkolwiek odszkodowań ze strony Rosji. Rzecz znamienna – jak przypomniał ks. Waldemer Chrostowski – światowe organizacje żydowskie nie występowały z żądaniami odszkodowań pod adresem Rosji, która przejęła tak wielką część Polski, w 1939 roku, w tym majątku Żydów. Uznano, jak widać, że warto raczej skupić się na naciskach na słabą Polskę.

W postulatach żydowskich w sprawie mienia żydowskiego w Polsce rzucała się w oczy wyraźna chęć narzucenia kryterium narodowościowego przy procesach reprywatyzacji. Roszczenia żydowskie do różnych praw własności miałyby w myśl tych postulatów być załatwione odrębnie i wcześniej przed uregulowaniem jakichkolwiek odszkodowań reprywatyzacyjnych dla samych Polaków. Byłaby to dość szczególna „reprywatyzacja dla uprzywilejowanych" (por. uwagi krytyczne S. Michalkiewicza: *Stare i nowe pomysły uwłaszczenia gmin żydowskich*, „Najwyższy Czas" 1997, nr 7, M. Miszalski: *Szowinizm w reprywatyzacji*, „Niedziela" 7 maja 1995).

Jednym z najciekawszych krytycznych wystąpień wobec postulatów żydowskich w sprawie rewindykacji mienia wyróżnił się Adam Sandauer. Niejednokrotnie wypowiadał się on z prawdziwym obiektywizmem w sprawach stosunków polsko-żydowskich i z troską o autentyczną równorzędność dialogu obu narodów. Komentując żądania w sprawie zwrotu majątku gminom żydowskim, Sandauer pisał, że przewiduje się zwrot całego majątku gmin w oderwaniu od możliwości i potrzeb kilkutysięcznej społeczności żydowskiej w Polsce, „bez kontroli dalszego wykorzystania". I dodawał, mówiąc o rozmiarach tego majątku: *Pochodzenie żydowskie stanie się opłacalne. Dla wykorzystania przepisów ustawy zaczną się tworzyć nowe gminy. Wielu przypomni sobie o pochodzeniu* (A. Sandauer: *Namiot szamana*, „Życie", 6 luty 1997). W ocenie Adama Sandauera: *przyjęcie ustawy w obecnej formie stworzy precedens. Analogiczne roszczenia ze strony ziomkostw niemieckich będą w pełni uzasadnione. My będziemy mogli domagać się zwrotu mienia gminnego czy religijnego od Ukrainy. Indianie zaś będą mieli niewątpliwie podstawy, by żądać zwrotu nieruchomości na Manhattanie. Stał tam niegdyś namiot szamana* (por. tamże).

Niepokojącym aspektem różnych żydowskich postulatów w sprawie zwrotu majątku jest wysuwany tam postulat, aby odzyskanym majątkiem zarządzano nie tylko przy udziale Żydów z kraju, ale także z zagranicy. Oznaczałoby to groźbę przejścia bardzo znaczących funduszy pod kontrolę zagraniczną i odpowiedniego dysponowania takim kapitałem. Wygląda na to, że oficjalni przedstawiciele strony polskiej tak się przyzwyczaili do ciągłych ustępstw wobec nacisków różnych lobby żydowskich, że w końcu mogą zaakceptować najbardziej niekorzystne dla Polski rozwiązania. A stanie się tak jeśli w parlamencie i w mediach nie zostaną dostatecznie zaakcentowane racje strony polskiej!

W ostatnich latach niektórzy, nawet najbardziej cierpliwi i dalecy od jakichkolwiek emocji rzecznicy dialogu polsko-żydowskiego zwracali uwagę na wyraźnie krzywdzące zakłócenia tego dialogu nie z polskiej winy. Na przykład tak zaangażowany w dialog z judaizmem ksiądz Waldemar Chrostowski, współprzewodniczący Polskiej Radzie Chrześcijan i Żydów, pisał w wydanej w 1996 roku książce o wyraźnej dysproporcji na niekorzyść Polski w kontrowersyjnych i krzywdzących wypowiedziach po obu stronach, stwierdzając: *Wypowiedzi o charakterze antyżydowskim lub antysemickim są bardzo nagłaśniane, w przeciwieństwie do antypolskich – lekceważonych i bagatelizowanych. Popatrzmy na ten problem choćby ze statystycznej strony: na całym świecie żyje około 15 milionów Żydów i prawie 40 milionów Polaków w kraju oraz kilkunastomilionowa Polonia. Antypolskie wypowiedzi dotyczą narodu, który jest trzy razy liczniejszy. Sądzę, że jednym z aspektów dialogu i nowej sytuacji po 1989 r. powinno być przywracanie Polsce i Polakom godności. Oznacza to domaganie się szacunku i stanowczy sprzeciw wobec antypolskich wystąpień, bagatelizowanych przez wiele środowisk także w kraju (...) Istnieją środowiska i osoby – również w naszym kraju – uważające, że dialog polega jedynie na przedkładaniu racji i emocji żydowskich stronie polskiej, co się odbywa często z zadziwiającą skutecznością. Tymczasem nie ma drugiego bieguna tego procesu – przedkładania w podobny sposób argumentów i emocji stronie żydowskiej, zarówno w Izraelu, jak i środowiskom diaspory. Upraszczając rzecz powiedziałbym, że największym problemem we wzajemnych stosunkach nie są Polacy i Żydzi, lecz ci, którzy chcą się Żydom przypodobać* (ks. W. Chrostowski: *Rozmowy o dialogu*, Warszawa 1996, s. 230–231, 232).

Syndrom antynarodowej elitki

Przyglądając się sylwetkom niektórych osób bardzo wpływowych dziś w naszych mediach czy polityce można bez trudu zauważyć powtarzanie się swoistego syndromu cech antynarodowej elitki „europejczyków" rodem z „warszawki" i „krakówka". Są to – idące w parze z bezkrytycznym filosemityzmem – odraza do polskiego patriotyzmu i lekceważenia polskiego narodu („polactwa" i „Polaczków", „tego absurdalnego kraju"), niechęć do „zaściankowego" Kościoła katolickiego i równocześnie wybielania komunistów. Jakże trafne były uwagi na temat tej antynarodowej „elitki", napisane w 1994 roku przez znakomitego historyka czasów najnowszych prof. Tomasza Strzembosza: *Odnoszę od dawna nieodparte wrażenie, że ta tolerancja, którą głosi i którą realizuje środowisko „Gazety", to taka tolerancja, która absolutnie nie toleruje antysemityzmu, natomiast antypolonizm, antygoizm uważa za coś zupełnie naturalnego i nie mającego nic wspólnego z nietolerancją. Jest to tolerancja „ w jedną stronę", dążąca do obezwładniania jednych przy pełnej agresji drugich.*

U części „elitki" obserwujemy wyraźny filosemityzm koniunkturalny, stawiający wyraźnie na to, co aktualnie dominuje w mass mediach i decyduje o odpowiednim poklasku lub wyklęciu. Równocześnie obserwujemy wyraźne umacnianie się swoistego żydowskiego triumfalizmu i żydowskiego antypolonizmu.

Jakże odmienne niż w czasach przełomu XIX i XX wieku wśród wpływowych dziś w polskich mediach Żydów czy osób pochodzenia żydowskiego nie przeważają, niestety, ludzie czujący swą pełną identyfikację z Polską i polskością, typu Juliana Unszlichta, Szymona Askenazego, Wilhelma Feldmana, Mikołaja Korenfelda czy Henryka Nussbauma. Ton nadają dzisiejsi „gettowcy", skłonni zawsze do maksymalnego uwypuklania wyłącznie żydowskich „racji" i uprzedzeń wobec Polski. Ludzie typu Dawida Warszawskiego, któremu kilka stanowczych stwierdzeń Prymasa Józefa Glempa po napaści rabina Weissa na klasztor karmelitanek wystarczyło do szumnego trąbienia na cały świat, że się czuje „trochę mniej w domu". I do obrzucania Prymasa niewybrednymi epitetami na łamach, wychodzącego w Ameryce żydowskiego periodyku „Tikkun".

Dlaczego milczą na temat antypolonizmu rozliczne „autorytety", dlaczego nie słychać głosów „sprawiedliwych Żydów" z Polski w tej sprawie. Czyżby bali się narazić dominującemu w Polsce lobby, utrudnić możliwości publikacji, a nawet awansu? Niełatwo, naprawdę niełatwo, być dziś w Polsce Żydem – polskim patriotą.

Przyczyn tego milczenia należy szukać w tragicznych wydarzeniach drugiej wojny i deformacjach rozwoju Polski, wynikłych z wprowadzenia stalinowskiego totalitaryzmu. W czasie wojny wyniszczona została ogromna część propolskiego muru wśród Żydów (tzw. asymilatorów, którzy stanowili około 10 proc. ogółu polskich Żydów (w 1931 roku 371,9 tys. Żydów uznawało język polski za język ojczysty, najwięcej na terenie dawnej Galicji). Byli bardzo wyraźną mniejszością wśród Żydów, ale liczącą się intelektualnie (od Askenazego i Feldmana po Słonimskiego i dra Janusza Korczaka). Po wojnie resztki nurtu Żydów–asymilatorów zostały rozbite w stalinowskim dziesięcioleciu PRL-u. W czasach Bermana, Zambrowskiego i Minca, gdy deptano polskie tradycje narodowe, bardzo ciężko było być Żydem–polonofilem. Łatwiej Żydem–polonofobem. Zastępy tego typu Żydów celowo wzmacniano sterowaną odpowiednio migracją z Rosji Sowieckiej. Odsyłam tu do przemilczanych wspomnień znakomitego matematyka żydowskiego pochodzenia Hugo Steinhausa, który opisywał, jak w imię zasady „dziel i rządź" kierownictwo Rosji Sowieckiej po 1944 roku celowo wysyłało do Polski rzesze Żydów–litwaków, skomunizowanych i obcych jakimkolwiek polskim tradycjom.

W latach 1945–1948 będąc Żydem można było stosunkowo łatwo wyjechać z Polski, o wiele łatwiej niż w przypadku Polaków. I przeważająca część z kilkuset tysięcy ocalałych Żydów wyjechała z Polski. I wcale nie z powodu rzekomego polskiego antysemityzmu, lecz dlatego, że po przebyciu hitlerowskich czasów pogardy nie chcieli przeżywać kolejnego totalitaryzmu – sowieckiego. Dla wielu Żydów zetknięcie się z komunistycznym rajem w Rosji wystarczyło raz na zawsze. I tak opuszczali Polskę masowo Żydzi preferujący kapitalizm nad socjalistycznym społeczeństwem biedy, Żydzi „wolnorynkowcy" – jak ich określił Janusz Korwin-Mikke. Wyjeżdżali Żydzi demokraci i antykomuniści, zostawali głównie ci Żydzi, którzy z fanatyzmu i karierowiczostwa lub po prostu z naiwności popierali komunizm. Abel Kainer pisał nie bez racji na łamach KOR-owskiej „Krytyki": *Większość Żydów pozostających w Polsce akceptowała „budowę socjalizmu". Większość nie-Żydów nie godziła się na to. Jakkolwiek duża jest ta dysproporcja, wynikała ona głównie z tego, że społeczność żydowska miała szczególną właściwość: antykomuniści się w niej nie utrzymywali. Bo wyjeżdżali* (z artykułu A. Kainera w „Krytyce", 1983, nr 15 s. 194).

Jak stwierdził w niedawno wydanym *Dzienniku 1976–1977* Marian Brandys, sam pochodzący z polskiej rodziny o żydowskim rodowodzie: *Ci Żydzi, którzy pozostali, weszli niemal w całości do nowej klasy rządzącej.*

Powstała w ten sposób dysproporcja ocen między politycznymi ocenami Żydów i nie-Żydów wywarła fatalny wpływ na późniejsze kształtowanie stosunków polsko-żydowskich. Pisali o tym liczni, choć dotąd przemilczani w najbardziej wpływowych mediach autorzy, od Tyrmanda i Mantela po Korbońskiego. Odwołam się tu jednak do wyżej cytowanego już A. Kainera z KOR-owskiej „Krytyki", który stwierdzał: *Pamiętajmy jednak, że na atmosferę stosunków polsko-żydowskich wpływały takie okoliczności, jak związki Żydów w elicie władzy i w aparacie represji, „rządy mełamedów", niejednakowo rzetelny stosunek do rewolty getta warszawskiego i do powstania warszawskiego, procesy ateizacji i rusyfikacji (związane z Żydami, którzy istotnie rzadziej mieli opory wobec tych dążeń), wreszcie nie pozbawione domieszki spraw żydowskich zjawiska walki z odchyleniem prawicowo-nacjonalistycznym i potem aktywności partyjnych rewizjonistów* (por. tamże, s. 198). Z tych właśnie uczestniczących w elicie władzy środowisk żydowskich wywodziła się znacząca część tak silnego dziś polityczno-prasowego lobby, nieczułego na sprawy polskości, ludzi typu Urbana czy KTT. Faktem jest również i to, że zostawali w kraju i Żydzi, dalecy od komunizmu, ale za to najbardziej zrośnięci z Polską. Ci jednak, już wtedy w latach 1945–1949, wybrali pełną identyfikację z polskością, nie przyznając się do żydowskich rodowodów, bo nie chcieli identyfikować się z pozostającymi u władzy politrukami czy ubekami w stylu Bermana, Minca, Różańskiego czy Fejgina.

Przemilczani rzecznicy polsko-żydowskiego dialogu

Niestety, przeważająca część polskiego społeczeństwa, widząc na wielu wpływowych stanowiskach działaczy żydowskiego pochodzenia, niemal nic nie wiedziała równocześnie o istnieniu innych Żydów, konsekwentnych antykomunistów i polonofilów. Tamci bowiem w przeważającej mierze znaleźli się poza Polską i byli skrupulatnie przemilczani na łamach reżimowej prasy.

Ciągle jeszcze za mało wie się o dwóch wielkich polskich patriotach żydowskiego pochodzenia, „niezłomnych z Londynu”: wydawcy, pisarzu i krytyku Mieczysławie Grydzewskim oraz poecie i satyryku Marcinie Hemarze. Mieczysław Grydzewski (1864–1970), założyciel Skamandra, twórca, redaktor i współwydawca tygodnika „Wiadomości Literackie” od 1939 roku redagował w Paryżu, a później w Londynie ich kontynuację – „Wiadomości Polskie”. Londyńskie „Wiadomości Polskie” wyrażały konsekwentnie niepodległościową postawę Grydzewskiego, jego absolutną wrogość do obu totalitaryzmów: hitlerowskiego i komunistycznego. Stopniowo zaczęły się spotykać z rosnącą niechęcią rządu Sikorskiego i władz brytyjskich. Przyczyną była wyrażana na ich łamach otwarta niechęć do układu Sikorski–Majski, uważanego przez redakcję dla zbyt korzystny dla Sowietów. Szczególnie ostro atakował Związek Sowiecki na łamach „Wiadomości Polskich” Zygmunt Nowakowski, zarzucając Sowietom ciągłe łamanie postanowień układu. Zaniepokojony bardzo ostrym antysowieckim tonem „Wiadomości” rząd Sikorskiego przerwał wypłacanie dla nich subwencji. Później zakazano umieszczania „Wiadomości Polskich” w świetlicach wojskowych, a wreszcie zakazano wojskowym w ogóle ich czytania. Władze brytyjskie zaś, troszcząc się o „zagrożone” przez „Wiadomości Polskie” interesy sowieckiego sojusznika, odebrały im przydział papieru. Po likwidacji „Wiadomości Polskich” w 1944 roku Grydzewski wznowił je w tym samym roku pod nazwą „Wiadomości”. Dalej nadawał im konsekwentnie antysowiecką i antykomunistyczną wymowę, demaskując wszelkich postępowców i poputczików. Mawiał o sobie „ja mam czarniejsze podniebienie niż nawet sam Franco”. W walce z komunizmem Grydzewski konsekwentnie odwoływał się do polskich tradycji narodowych, a nie popierał raczkujących rewolucjonistów, jak to zaczęła robić w pewnym czasie giedroyciowska „Kultura”. Sprawiło to, że niektórzy traktowali Grydzewskiego, wielkiego patriotę polskiego żydowskiego pochodzenia, jak swego rodzaju neoendeka. Taki Julian Tuwim na przykład, kolaborując *con amore* z komunistami i buszując na balach UB (co mu wytknął Miłosz) nie mógł wybaczyć Grydzewskiemu nurzania się w „polskim nacjonalizmie” i „reakcji”.

Grydzewski nigdy nie wypierał się swych żydowskich korzeni rodowych, z dumą przyznawał się do tradycji żydowskich. Wszystko to jednak łączył z niezwykle gorącym polskim patriotyzmem. I można w pełni zgodzić się z opinią Kazimierza Grocholskiego opublikowaną w *Książce o Grydzewskim*, iż *nade wszystko i przede wszystkim był Grydz do szpiku kości Polakiem, Polska – jej przeszłość, teraźniejszość i przyszłość – była jego chlebem, wodą i powietrzem, oddał jej i kulturze całe swe życie hojnie i bez reszty* (*Książka o Grydzewskim*, Londyn 1971, s. 69).

Akcentował: *Polacy mają niesłusznie opinię narodu antysemickiego (...) Wyrazem istotnych nastawień narodu jest zawsze jego literatura. Literatura polska jest literaturą filosemicką, a zagadnienie Szajloków i Faginów po prostu w niej nie istnieje.* Znany emigracyjny krytyk i publicysta Karol Zbyszewski pisał na marginesie swych wspomnień o Grydzewskim: *Im głupszy Żyd, tym bardziej dopatruje się wszędzie „antysemityzmu". Grydzewski nie tylko sam nie przypinał nikomu etykiety „antysemityzmu", ale bardzo się irytował na tych Żydów, którzy to robili.*

W 1949 roku pisał Grydzewski o fatalnej roli *litwaków (Żydów – przybyszy z Rosji), którzy próbowali wspierać rząd carski w jego działalności rusyfikacyjnej i prowokowali społeczeństwo polskie.* I konkludował: *Bardzo skądinąd umiarkowany odpór jaki dawało społeczeństwo polskie tej fali obcego i przeważnie pasożytniczego elementu wzbudził wrzawę na całym świecie i jak zwykle, gdy o Polskę chodzi, przesadne i kłamliwe oskarżenia* (M. Grydzewski: *Silva rerum*, teksty z lat 1947–1969 w wyborze J.B. Wójcika, Gorzów Wlkp. 1994, s. 30).

Grydzewski ogromnie ubolewał, że: *W Poznańskiem Żydzi z nielicznymi wyjątkami byli poplecznikami zaborców, takimi samymi jak w Królestwie napływowi Żydzi rosyjscy tzw. litwacy* (tamże, s. 178).

Grydzewski niejednokrotnie bardzo stanowczo występował przeciwko fanatycznej zaciekłości niektórych Żydów, przypominał ponure tradycje tego fanatyzmu, fakt, że najokrutniejszymi wielkimi inkwizytorami byli dwaj inkwizytorzy pochodzenia żydowskiego – Torquemada i jego bezpośredni następca (por. M. Grydzewski: *Silva...*, s. 183). Z prawdziwym niekłamanym oburzeniem pisał o dyskryminacji religijnej w Izraelu.

Całe swe życie starał się maksymalnie przyczynić do zbliżenia polsko-żydowskiego, cierpliwego budowania mostów między obu narodami. Był jednak chyba zbytnim optymistą, jeżeli chodzi o możliwości przerwania fali żydowskiego antypolonizmu. Przypomnijmy, że już w 1962 roku wyrażał nadzieję, że wreszcie dojdą do opamiętania *pewne grupy Żydów zatracające wszelką miarę w bezpodstawnych oskarżeniach miotanych na społeczeństwo polskie pod okupacją* (tamże, s. 367).

Występując konsekwentnie w obronie obrazu Polski i Polaków za granicą, niejednokrotnie demaskował fałsze propagandy sowieckiej na temat historii stosunków polsko-rosyjskich. W 1945 roku wydał w Londynie osobną książeczkę *Na 150-lecie Pragi* demaskując próby rehabilitacji Suworowa w pełnej kłamstw historycznych książce sowieckiego „dziejopisa" Osipowa.

Drugi wielki „niezłomny z Londynu", Marian Hemar (Jan Marian Herscheles, 1901–1972), twórca wspaniałego kabaretu emigracyjnego, mistrz satyry politycznej, na emigracji był zawsze nieugiętym obrońcą polskości. Słynny był jego protest przeciwko oszczerstwom na temat Polski w liście do brytyjskiego „Timesa" z 11 lipca 1942 roku. Skrytykował w nim twierdzenie głoszące, że część Żydów chce odejść z jednostek armii polskiej z powodu panującego w niej rzekomo antysemityzmu. Hemar stwierdził, że w armii polskiej nie ma żadnego antysemityzmu, a Żydzi starający się uniknąć w niej dalszej służby, to po prostu zwykli leserzy, którzy pragną wymigać się od jakiejkolwiek służby wojskowej.

Był nieubłaganym przeciwnikiem wszelkich przejawów oportunizmu i narodowego zaprzaństwa. Dostawało się w jego tekstach niezwykle ostro różnym płaszczącym się wobec Bieruta i Bermana literatom, nawet najwybitniejszym, jeśli w tym czasie wybijali pokłony na reżimowym dworze. Nie oszczędzał przy tym i niektórych wybitnych twórców żydowskiego pochodzenia, w tym Słonimskiego i Tuwima, którego nazywał wprost „służalcem". W głośnej *Naradzie satyryków* pisał:

> Na nic talenty poety, gdy on w takiej roli,
> Że jest obrońcom gwałtu, lokajem niewoli.
> Kiedy on barbarzyńcy pisze panegiryk
> Szubrawa jego sprawa. I żaden satyryk.
> Nigdy na niej nie rośnie i nigdy nie wyrósł!
> Nie dziw, że dziś z Tuwima satyryczny szmirus

M. Hemar: *Siedem lat chudych*,
New York 1953, s. 384

Dziś wśród osób pochodzenia żydowskiego, które pojawiają się w mass mediach, do wyjątków należą postacie, które obiektywnie wypowiadają się w sprawach stosunków polsko-żydowskich i które niechętne są pełnym uprzedzeń atakom na rzekomy skrajny „antysemityzm polski". Jest wśród nich postać Żydówki z Drohobycza Dory Kacnelson, głęboko zrośniętej z polskością, która swój doktorat poświęciła badaniu patriotycznych pieśni powstańczych 1863 roku. Dora Kacnelson niejednokrotnie zdecydowanie występowała w obronie interesów polskiej ludności na byłych kresach wschodnich, z pasją krytykując ludzi z ekipy ministra Krzysztofa Skubiszewskiego za fatalne zaniedbania w tej sprawie. W wywiadzie dla „Gazety Polskiej" z 28 października 1993 roku Kacnelson powiedziała: *Pan minister Skubiszewski jest zdrajcą wobec Polaków, rodaków, niedobitków na Wschodzie.* Kacnelson ostro piętnowała również, tych wszystkich, którzy inspirowali nagonkę przeciw klasztorowi karmelitanek w Oświęcimiu. Ale Dora Kacnelson, nieugięta polska patriotka żydowskiego pochodzenia, jest gruntownie przemilczana w pismach zdominowanych przez „czerwono-różowe" lobby i jak dotąd znana jest tylko z wywiadów w „Gazecie Polskiej" czy „Ładzie". Cała „czerwono-różowa" prasa codzienna skrupulatnie przemilczała wypowiedź Szymona Szurmieja, gdy zaprotestował jako Żyd–polski patriota przeciw kolejnej awanturze rabina Weissa. Tak jak kiedyś starannie przemilczano wypowiedź architekta i analityka politycznego Czesława Bieleckiego, gdy napisał: *Jako polski Żyd – a dbam o naturalność mojego statusu społecznego – nie mogę bez niesmaku obserwować, jak A.M.* (Adam Michnik – J.R.N.) *kokietuje na Zachodzie swoim żydostwem, a w Polsce na odwrót – polskością i każdą uwagę etniczną traktuje jako objaw antysemityzmu* (C. Bielecki, *Kwestia smaku*, „Tygodnik Solidarność", z 24 sierpnia 1990 roku).

W czasie, gdy od wielu lat trwa międzynarodowa kampania zmierzająca do pomniejszenia lub nawet zohydzenia roli Polski w drugiej wojnie światowej, tym cenniejsze są relacje tych Żydów, którzy publicznie dają świadectwo prawdzie o wojennej walce i męczeństwie Polaków. Wiele pod tym względem zrobił nieustraszony żydowski partyzant w czasach wojny, a później ksiądz katolicki Oswald Rufeisen (ojciec Daniel), od wielu lat przebywający w Izraelu. Rufeisen, od lat prowadzący fundację pomocy dla osób nieżydowskiego pochodzenia, które ratowały Żydów w czasie wojny, wielokrotnie występował publicznie przeciw fałszowaniu obrazów Polski i Polaków. W wywiadzie dla „Polityki" z 29 maja 1993 roku stwierdził między innymi: *Nigdy nie mówię o polskim antysemityzmie i gdzie tylko mogę walczę z tym, bo to jest przesąd (...). Wydaje mi się, że o antysemityzmie mówią nie ludzie, którzy przeżyli czas holocaustu w Polsce, a ci, którzy przyjechali do Izraela z Polski przed wojną (...). Widziałem Białorusinów, widziałem Łotyszów, Estończyków, Ukraińców, którzy mordowali, a polskich jednostek, które by mordowały, nie widziałem. Ale tego wszystkiego ci idioci tutaj nie wiedzą (...). Ja wiem jak było.*

Stosunkowo znana jest również postać Franka Morgensa, przedstawiciela na Polskę Fundacji dla Chrześcijan Ratujących Żydów. Morgens niejednokrotnie publicznie wyrażał swe poczucie wdzięczności wobec Polaków, którzy uratowali mu życie. I mówił, że za nazwiskiem każdej osoby, która była zaangażowana w ratowanie Żydów, *kryje się niezwykła odwaga, nieraz brawura, cierpienie, śmierć, donosy, walka z własnym lękiem i słabością psychiczną.*

Niestety, poza kilku wyjątkami przeważająca część współczesnych Żydów–polonofilów z różnych krajów świata pozostaje w Polsce prawie nie znana i chodzi tu o nieprzypadkowe przemilczenia. Osoby dominujące w polskich mediach, propagujące narodowy masochizm i samobiczowanie, chciałyby maksymalnie zagłuszyć te opinie zagraniczne, a tym bardziej żydowskie, które pokazywałyby inny, pochlebniejszy, obraz Polaków, wzmacniałyby poczucie polskiej dumy narodowej. Stąd chyba wynika skrajne przemilczanie (poza paru pismami katolickimi) postaci wspaniałego Żyda – polskiego patrioty Józefa Lichtena (1906–1987), człowieka, który zrobił bardzo wiele dla obrony polskiego imienia w świecie po drugiej wojnie światowej. Głos Lichtena było słychać ciągle z protestem wobec wystąpień polakożerczych oszczerców i był to głos oparty na faktach. Głośny stał się jego list otwarty do autora scenariuszu filmu „Holocaust" Geralda Greena z 24 czerwca 1978, protestujący przeciw antypolskim fałszom historycznym w tym filmie (między innymi ukazaniu rzekomego udziału polskich żołnierzy w rogatywkach z orzełkiem, do spółki z SS w mordowaniu Żydów w getcie). Lichten z oburzeniem krytykował „zaniedbanie" przez Greena wniknięcia w historię stosunków polsko-żydowskich, jego „niewiedzę" o tym że: *przecież, kiedy tak zwane zachodnie cywilizowane narody wygnały Żydów ze swych krajów, to właśnie Polska ich przyjęła.* Na łamach polskich pism emigracyjnych, a zwłaszcza paryskich „Zeszytów Historycznych", Lichten ostro polemizował z żydowskimi autorami oczerniającymi Polskę: Pawłem Korcem, Celią S. Heller etc. Wystąpienia Lichtena miały tym większe znaczenie w czasach karygodnej pasywności PRL-owskich kół dyplomatycznych wobec nagminnego oczerniania Polski i Polaków oraz przy braku reakcji czołowych polskich historyków z Kraju na jawne antypolskie oszczerstwa.

W 1986 roku Lichten stanowczo wystąpił w obronie sióstr karmelitanek w Oświęcimiu, stwierdzając, że ich modlitwa nie przeszkadza nikomu, a decyzja o założeniu klasztoru w Oświęcimiu „musi zasługiwać na szacunek". Lichten był inicjatorem pierwszego po 1945 roku dialogu katolicko-żydowskiego w USA, w latach 1963–1965 reprezentował żydowską Ligę Antydyfamacyjną na sesjach Drugiego Soboru Watykańskiego. W sierpniu 1986 roku został odznaczony najwyższym wyróżnieniem w Watykanie – został rycerzem Komandorem Orderu Papieża Grzegorza Wielkiego. Jego książkę o stosunku Piusa XII do Żydów oceniano jako najbardziej wartościowy wkład do zrozumienia dylematów, które stały przed papiestwem w czasie wojny. Prezydent Instytutu Studiów Polsko-Żydowskich w Oxfordzie Anthony Polonsky jakże słusznie pisał: *Jako pośrednik i budowniczy mostów Józef Lichten nie miał sobie równych.* W Polsce jako zdecydowany antykomunista Lichten był gruntownie przemilczany, a po 1989 roku niewiele zrobiono, by to zmienić. Choć chodzi o człowieka, który dawno zasłużył na uczczenie jego pamięci ulicą w Warszawie, jako tego, który prawdziwie pokochał Polskę i umiał bardzo skutecznie jej bronić.

Jakże niewiele wiemy również o innych sprawiedliwych Żydach-polonofilach, konsekwentnie broniących polskich racji. O naukowcu izraelskim profesorze Israelu Shahaku, który 29 stycznia 1986 roku wystąpił na łamach „New York Review of the Books" z bardzo ostrą krytyką antypolskich uogólnień Lanzmanna w filmie *Shoah*. (Tekst Shahaka przemilczano w polskiej prasie poza niskonakładowym krakowskim „Zdaniem" i podziemnym „Aneksem".) O wywodzącym się z Polski znakomitym językoznawcy amerykańskim żydowskiego pochodzenia profesorze Aleksandrze M. Schenkerze, który zareagował stanowczym listem otwartym na antypolskie fałsze zawarte w artykule „New York Timesa", opublikowanym 19 kwietnia 1968 roku z okazji 25 rocznicy powstania w getcie warszawskim. Profesor Schenker pisał między innymi:

Pisze pan, „podczas agonii warszawskiego getta, ludność miasta, które je otaczało, żyła mniej więcej normalnie. Nie było powszechnego powstania ani większego wysiłku, aby dopomóc tym, którzy tak desperacko walczyli z nazistami". Oskarżenie to brzmi bardzo nieprzekonywująco, kiedy wysuwają je ci, którzy pozostali tak tragicznie bezradni – żeby nie powiedzieć bezczynni – podczas kiedy w niecały rok po bohaterskiej walce getta lud Warszawy powstał przeciw Niemcom i w ciągu wielu miesięcy samotnej walki był świad-

kiem jak jego miasto zamieniono w stos gruzów; zarzut jest bardzo mało przekonywujący, kiedy wysuwają go ci, którzy – wobec dymiących jeszcze ruin Warszawy – nie uczynili nic, aby zapobiec decyzjom jałtańskim – decyzjom, które znamionują totalną obojętność wobec losów Polski (...). Zadaję też sobie pytanie, czy społeczność Zachodu ma prawo traktować swoją własną bierność wobec nazistowskiej rzezi polskich Żydów z mniejszym „wstydem, żalem i niedowierzaniem" niż Polacy, którzy w pełni dzielili męczeństwo Żydów (cytowane fragmenty z przekładu listu prof. A. M. Schenkera, które były transmitowane do kraju w audycji „Wolnej Europy", podaję za całkowicie przemilczaną w Polsce książką Stefana Nowickiego *Wielkie nieporozumienia*, Sydney 1970, s. 96–97).

Gdyby „Gazeta Wyborcza" rzeczywiście dążyła do rozwoju prawdziwego dialogu polsko-żydowskiego, a nie do jednostronnego przedstawiania żydowskich racji i upokarzania Polaków, to starałaby się spopularyzować dawnych i współczesnych rzeczników dialogu polsko-żydowskiego. Przypominałaby wkład do historii polskiej Żydów patriotów, tych, którzy najbardziej boleli nad lekceważeniem polskiej historii i tradycji przez Żydów – rzeczników tzw. luksemburgizmu, a później przez żydowskich komunistów i politruków. Czy można wymagać tego typu przypomnień od Adama Michnika – godnego spadkobiercy luksemburgizmu (już przed laty wybraniał jak mógł Różę Luksemburg w katolickiej „Więzi" pod pseudonimem Andrzej Zagozda). Gdyby zależało im na autentycznym dialogu, to przypominaliby tak przemilczane i prawie nie znane w Polsce postacie współczesnych Żydów, rzeczników dialogu polsko-żydowskiego od Józefa Lichtena począwszy po Michała Borwicza, Feliksa Mantela, Israela Shahaka, Solomona Rappaporta, Dorę Kacnelson, Izaaka Lewina, Klarę Mirską etc. Próżno jednak szukać wielkich artykułów na ich temat w „Gazecie Wyborczej"czy „Polityce". Czy dzieje się tak dlatego, że przypomnienie poglądów tych polskich patriotów żydowskiego pochodzenia czy Żydów–polonofilów obalałoby jednostronnie żydowskie racje? Te racje, które tak uparcie serwuje się polskim czytelnikom od czasów osławionego ataku Jana Błońskiego na „antysemickie" polskie społeczeństwo w „Tygodniku Powszechnym" w styczniu 1987 roku. Świadectwa skrzętnie pomijanych przez filosemickie media polonofilów najlepiej pomagałyby w obalaniu antypolskich kłamstw i uprzedzeń. Dlatego przemilcza się na przykład książkę Klary Mirskiej *W cieniu wielkiego strachu*, zawierającą między innymi relacje

Żydów uratowanych przez Polaków. Autorka w świetle tych relacji stwierdzała, że nie wie, „czy w jakimkolwiek innym narodzie znalazłoby się tylu romantyków, tylu ludzi bez skazy, gotowych do ratowania obcych z poświęceniem własnego życia".

W Polsce powszechnie zna się rabina-awanturnika i polakożercę – Abrahama Weissa, a prawie nikt nie zna innego rabina z tych samych Stanów Zjednoczonych – Solomona Rappaporta, znakomitego rzecznika dialogu polsko-żydowskiego. Dla filosemitów polskich to właśnie rabin Rappaport jest jednym z potencjalnych „wrogów numer jeden", bo ośmielił się w książce *Jew and Gentile* (New York, 1980) zdecydowanie wystąpić w obronie chrześcijaństwa i Polaków. Dziwnym trafem jednak jakoś książki Rappaporta nie można znaleźć w Bibliotece Narodowej i innych ważniejszych polskich bibliotekach. Jak wytłumaczyć fakt, że w czołowych polskich bibliotekach nie można znaleźć monumentalnego dzieła żydowskiego historyka Barnetta Litvinoffa: *Antysemityzm i historia świata*, na które powoływał się premier Tadeusz Mazowiecki podczas spotkania z przedstawicielami Amerykańskiego Kongresu Żydów 26 marca 1990 roku (podczas kwerendy w katalogach Biblioteki Narodowej dowiedziałem się, że jedyny egzemplarz tej książki można znaleźć w bibliotece WSP w Rzeszowie). Nie ma jej w naszych centralnych bibliotekach, chociaż Litvinoff napisał wprost, że w czasach średniowiecza i renesansu *Polska prawdopodobnie ocaliła żydostwo przed wytępieniem, ocaliła od zupełnego zaniku.*

Dlaczego w czerwono-różowych mediach tak starannie przemilcza się postać wielkiego przyjaciela Polaków profesora Izaaka Lewina, autora ponad 20 publikacji o związkach polsko-żydowskich (liczne z nich są na szczęście dostępne w polskich bibliotekach), byłego dyrektora agencji ONZ, powszechnie szanowanego działacza i historyka, dwukrotnie typowanego do Pokojowej Nagrody Nobla? Czy przemilcza się dlatego, że w swojej książce o stosunkach polsko-żydowskich w latach 1918–1919 bardzo ostro napiętnował szkodzących tym stosunkom fanatyków typu litwaka Noaha Pryłuckiego, że w 1995 roku kolejny raz z rzędu publicznie zaprotestował przeciw używaniu w amerykańskiej prasie oszczerczego określenia „polskie obozy koncentracyjne"? A może przemilcza się go w „polskojęzycznych" mediach za to, że przedstawiał tak piękny obraz polskiej tolerancji, że pisał, że dawni królowie polscy wyprzedzili pod tym względem wielu XX-wiecznych ustawodawców?

Dlaczego w „czerwono-różowych" mediach w Polsce starannie przemilcza się wydaną wspólnie w Kanadzie w 1994 roku przez dwie autorki: Polkę Irenę Tomaszewską i Żydówkę – Tecię Werbowską książkę o pomocy Polaków dla Żydów w czasie wojny pt. *Żegota. The Rescue of Jews in Wartime Poland* (Montreal 1994)? Czy dlatego, że zawiera ona obiektywne świadectwa Żydów o polskiej pomocy, nie ukrywające czasem nawet bardzo ostrych opinii Żydów o podłości „żydokomuny". *Vide:* opinia Heleny Merenholz, która w czasie wojny współpracowała z Adolfem Bermanem w getcie: *ZSRR rekrutowało żydowskich komunistów, ponieważ nie mogło ufać polskim komunistom. Przybyli Żydzi, którzy byli nie tylko komunistami, lecz nawet nie potrafili mówić po polsku. Oni nienawidzili wszystkiego co polskie... (...) Tam byli Różański, Fejgin. Oni byli bandytami (...). Oni dążyli do zniszczenia polskiej kultury. Oni reprezentowali ZSRR.*

Przemilczani Żydzi-antykomuniści

W „Gazecie Wyborczej" nieraz pomstowano na „zakodowany" u Polaków stereotyp „żydokomuny". A czy sama „Gazeta Wyborcza" zrobiła coś naprawdę istotnego dla przezwyciężenia tego stereotypu? Czy może raczej go jeszcze bardziej utrwalała? Zapewniam, opierając się na zszywkach roczników „Gazety Wyborczej", że konsekwentnie robiła właśnie to drugie. Najlepszą metodą przezwyciężania stereotypu „żydokomuny" byłoby: pokazywanie postaci wybitnych Żydów–antykomunistów, opisy ich walki z komunizmem, w najważniejszych dziełach temu poświęconych. Więc zapytam, kiedy „Gazeta Wyborcza" przypominała i popularyzowała takie postacie, jak Józef Lichten, Michał Borwicz, Feliks Mantel. Kiedy zachęcała do lektury *Cywilizacji komunizmu* Tyrmanda, stanowiącej między innymi jego gorzki rozrachunek z Żydami–komunistami, ubekami i politrukami? Jakoś nie przypominam sobie, by w „Gazecie Wyborczej" ukazał się kiedykolwiek wielki szkic o wydanej w Polsce książce Andrzeja Wróblewskiego *Być Żydem*, jeden z najuczciwszych intelektualnych rozrachunków autora żydowskiego pochodzenia z rolą polskich Żydów w okresie stalinizmu w Polsce. Za to tym więcej było pełnych idealizacji ogromnych story o Żydach-komunistach, wybielania nawet tych najbardziej skompromitowanych w stalinizmie z Jerzym Borejszą na czele.

Książki na indeksie

Polscy czytelnicy nie zdają sobie sprawy, do jakiego stopnia niepełna jest dostępna w Polsce literatura na temat stosunków polsko-żydowskich w okresie po 1939 roku. Niepełna ze względu na specyficzne warunki dziesięcioleci PRL-u, które powodowały zablokowanie przekładów zagranicznych autorów lub polskich książek emigracyjnych uczciwie i odważnie poruszających tę tematykę. Nie miały szans dotarcia do Polski książki jawnie antykomunistycznych autorów, i tych, co pokazywali rolę części Żydów polskich w aparacie władzy (typu książek Korbońskiego, Chęcińskiego, Iranka-Osmeckiego, Tyrmanda, Mantela). Podobnie blokowano dotarcie książek pokazujących porównawczo problemy Żydów w krajach Europy Środkowo-Wschodniej (Fejtö, Lendvaiego, etc.). Po 1989 roku nadal ogromna część tych zaległości nie została wyrównana. Niemały wpływ miał fakt, że na czele kierownictw licznych wydawnictw i mediów prasowych stały osoby reprezentujące przekonanie o wyłącznie żydowskich racjach, szukające winy za wszystko głównie u Polaków. Osoby nie zainteresowane w upowszechnianiu w Polsce dzieł dużo bardziej obiektywnych i przedstawiających różne, nierzadko bardzo złożone racje. Jeśli zaś nawet ukazują się w końcu książki prezentujące propolskie racje, to najczęściej pojawiają się one w mało znanych, peryferyjnych wydawnictwach, i są starannie przemilczane w dominujących mass mediach (*vide:* totalne przemilczenie tak ważnych książek jak wydanej w Gorzowie Wielkopolskim książki *Silva rerum* pióra słynnego „niezłomnego z Londynu" Mieczysława Grydzewskiego, naczelnego redaktora londyńskich „Wiadomości", czy wydanej w Kielcach książki znakomitego amerykańskiego historyka Richarda C. Lukasa *Zapomniany holocaust*).

Ciężkim błędem polskiego obozu niepodległościowego są ciągle zbyt małe kontakty z Żydami–polonofilami ze świata. Nie umiemy w dostatecznym stopniu odwoływać się do ich argumentów w polemice z polakożerczymi kłamstwami, nie umiemy docenić ich znaczenia. Nie rozumiem, dalibóg, na przykład, dlaczego na uroczystości 50-lecia obozu w Oświęcimiu zaproszono tylko prezydentów i laureatów Nobla (w tym polakożerczego Elie Wiesela, znanego z oszczerstw na temat chrześcijaństwa i Ojca Świętego Jana Pawła II). Dlaczego zaś nie zaproszono tam z kilkudziesięciu Żydów–polonofilów, w tym profesora Israela Shahaka i Oswalda Rufeisena z Izraela czy Dory Kacnelson z Drohobycza. Ta ostatnia by sama najlepiej powiedziała rabinowi Weissowi, co myśli o jego walce z krzyżem.

(Prezentowany tu rozdział zawiera tylko bardzo skrótowe przedstawienie aktualnych problemów w stosunkach polsko-żydowskich. Pełne i wielostronne przedstawienie tych tak złożonych stosunków pragnę dać w przygotowywanej do wydania w 1998 roku w wydawnictwie «ad astra» odrębnej książce o stosunkach polsko-żydowskich w latach 1944–1997, pt. *Za co Żydzi powinni przeprosić Polaków*.)

Rozdział XII

Mit o polskiej ksenofobii

Dziwna sprzeczność: naród właśnie spomiędzy wszystkich
najbardziej ludzki wytrącono z ludzkości.
Naród wspaniały, gościnny, naród dający, że tak powiem,
on, dla którego hojność bez granic była potrzebą serca,
ten naród wydano na łup i odarto.

Z uwag
najsłynniejszego francuskiego historyka XIX wieku
Julesa Micheleta o Polakach

Sądząc po jakże licznych wypowiedziach kosmopolitów z „warszawki" i „krakówka" Polacy są narodem nacjonałów, dziedzicznie obciążonym zaognioną ksenofobią. Co więcej, ma to być ksenofobia wyjątkowa w świecie i wzmocniona specyficznie polskim klerykalizmem, marzeniami o państwie wyznaniowym. Polacy w myśl sugestii rzeczników wymierzonej w nas „czarnej legendy" są bardzo ciężko chorzy na nietolerancję narodową i wyznaniową, z której może ich uleczyć tylko twarda, bezlitosna kuracja, zaaplikowana przez rządy światłych „Europejczyków". Skrajnymi uogólnieniami na temat polskiego społeczeństwa „popisał się" Wiktor Kulerski, niegdyś za rządów Mazowieckiego sekretarz stanu w Ministerstwie Edukacji Narodowej. W wywiadzie udzielonym Teresie Torańskiej w książce *My* (Warszawa 1994, s. 181) znajdujemy stwierdzenie Kulerskiego: *Nawet najświatlejsi w Polsce, z którymi miałem do czynienia, dotknięci są ksenofobią, wypływającą z zaściankowości. Bo niestety, znani jesteśmy z naszej nienawiści do tego, co inne i obce* uogólniała Krystyna Janda w wywiadzie dla „Gazety Wyborczej" (nr 107 z 1992).

Dla różnych naszych pseudo-Europejczyków koronną zasadą działania pozostaje pogląd „cel uświęca środki". W imię tej zasady między innymi starannie manipulują sondażami, aby wykazywać „szczególną nietolerancyjność Polaków" w porównaniu z Węgrami czy Czecho-Słowakami (szczególnie zaś z Czechami) (por. ocenę prof. socjologii Tomasza Gobana-Klasa: *Sondaż nieprawdę ci powie*, „Polityka" z 21 września 1991).

Istnieje typ dziennikarzy, którzy wyspecjalizowali się w wyszukiwaniu faktów, które mogłyby za wszelką cenę potwierdzić ich pełne uprzedzeń uogólnienia na temat Polaków. Dość typowe pod tym względem było zachowanie redaktor Jadwigi Jankowskiej z Polskiego Radia, która w nocnym programie *Noc Tułaczy* starała się wciąż wyduszać z radiosłuchaczy informację na temat polskiej nietolerancji. Kiedy telefonował radiosłuchacz z Berlina i opowiadał o podpaleniu tureckich domów w Niemczech, redaktor Jankowska tłumaczyła to zajście następująco: *Gdyby w Polsce było tak dużo cudzoziemców jak w Niemczech panowałby u nas rasizm i każdy Polak byłby rasistą* (cyt. za E. Świderską: *Pani Jadzia z Myśliwieckiej*, „Najwyższy Czas" z 16 lipca 1994). Tropicielce polskiej ksenofobii wyraźnie przeszkadzały odmienne opinie na ten temat. Ewa Świderska z „Najwyższego Czasu" opisała bardzo wymowny pod tym względem przebieg rozmowy redaktor Jankowskiej z cudzoziemcem w programie nocnym z 27 na 28 czerwca 1994:

– *Och, nareszcie cudzoziemiec, cieszymy się i słuchamy. Skąd pan przyjechał?*

– *Z Jugosławii. Chcę powiedzieć, że Polska to piękny kraj z pięknymi, gościnnymi ludźmi. Jestem tu od piętnastu lat i nigdy nie spotkało mnie nic przykrego.*

– *Proszę pana! – skarciła go pani Jadzia. – Wróćmy jednak do przykrych wspomnień. To dla nas impuls.*

– *Często się zdarza, że cudzoziemcy w Polsce zachowują się prowokująco i niewłaściwie, na przykład...*

– *Czy nie pamięta pan nic przykrego? – przerywa gospodyni.*

– *Niech pani nie dzieli na siłę ludzi, bo będzie druga Jugosławia, nie trzeba wywoływać przykrych wspomnień. W Polsce nie istnieje ani rasizm, ani nietolerancja – ciągnął uparcie cudzoziemiec.*

– *Proszę pana, gdyby w Polsce zdarzył się choć jeden przypadek nietolerancji w stosunku do cudzoziemca – ja – jako Polka – już biłabym na alarm – zwierzyła się dziennikarka* (por. E. Świderska: *op. cit.*).

Można by długo wyliczać przykłady urabiania Polakom opinii narodu ksenofobów w najpopularniejszych polskojęzycznych mass mediach. Praktyka ta stała się bardzo szkodliwa dla obrazu Polski i Polaków. Były przewodniczący Stowarzyszenia Dziennikarzy Polskich Maciej Iłowiecki uznał wręcz twierdzenia o ksenofobii jako szczególnie groźnej wadzie Polaków za jeden z najbardziej rozpowszechnionych dzisiejszych mitów (por. M. Iłowiecki: *Nie ma komu ufać*, „Rzeczpospolita", 3–4 lutego 1996).

Warto w tym kontekście zacytować opinię Janusza Kotańskiego, poety, historyka i autora scenariuszy kilku bardzo inspirujących filmów historycznych. Był wśród nich emitowany w telewizji film *Kochany Panie Prezydencie* (o czasach stalinowskiech), filmy z cyklu *Kultura duchowa narodu* (o Pawle Jasienicy i Jerzy Łojku) i trzyczęściowy film (we współpracy z Rafałem Wilczyńskim) o tragicznych „spotkaniach" Polaków z sowieckim komunizmem w latach 1939–1941. Kotański bardzo ostro sprzeciwił się nieustannemu wmawianiu Polakom wrogości do innych nacji – ksenofobii. Powiedział, że *Jest to absurd; zagraża nam raczej oikofobia – pogarda dla własnego narodu. Ośmieszana jest tradycja polska, ośmieszana i nadal fałszowana jest polska historia* (cyt. za T. Pulcyn: *Pasja historyka i poetycka wrażliwość*, „Niedziela", 2 marca 1997).

Jak fałszowano obraz zajść w Mławie

Aby dokładniej pokazać, jak się urabia w stosunku do Polaków opinię narodu ksenofobów, i stosowane przy tym metody manipulacji, warto przyjrzeć się z bliska najbardziej nagłośnionemu w mediach dowodowi na ksenofobię Polaków – obrazowi zajść antycygańskich w Mławie w czerwcu 1991. Są one bowiem niezwykle wymownym przykładem tak rozwiniętej w polskojęzycznych mediach „sztuki kłamania" w imię podstawowego celu – maksymalnego uczerniania obrazu Polaków.

Bezpośrednią przyczyną zajść w Mławie była sprawa wypadku samochodowego spowodowanego przez 17-letniego Cygana Romana M., który potrącił samochodem dwoje młodych ludzi. Sprawca uciekł z miejsca wypadku, zostawiając ofiary w bardzo ciężkim stanie. Jedna z ofiar – młody 21-letni żołnierz, zmarła w rezultacie wypadku, a jego dziewczyna została kaleką. Do wzburzenia nastrojów przyczyniła się zarówno ucieczka sprawcy z miejsca wypadku, jak i fakt, że fatalna w skutkach brawura młodych kierowców cygańskich już przedtem budziła wiele poruszenia w Mławie. Ludzie z oburzeniem wspominali fakt, że sąd skazał na zaledwie dwa lata z zawieszeniem młodocianego kierowcę cygańskiego, który spowodował śmierć przechodzącego na pasach mieszkańca Mławy. Młodociany kierowca natychmiast po wypuszczeniu, w dzień po wyroku ostentacyjnie obnosił się ze swoją wolnością, budząc rozgoryczenie mieszkańców.

Przypomnijmy, że zajścia w Mławie, w czasie których doszło do niszczenia willi i luksusowych samochodów należących do miejscowych bogatych Cyganów, wybuchły na tle nasilających się w Mławie od kilku lat napięć społecznych między Polakami a Cyganami. Napięciom sprzyjało rosnące zubożenie i bezrobocie wśród wielkiej części polskiego społeczeństwa po załamaniu się rynku pracy i krachu dużych zakładów w mieście. Zbiedniali ludzie, częstokroć bezrobotni, z poczuciem braku szans życiowych i jakichkolwiek perspektyw, z tym większym oburzeniem obserwowali błyskawicznie rosnące fortuny wielu Cyganów, iż uważali, że majątki te zdobyto w sposób nieuczciwy. W artykule na łamach „Nowego Świata" z okazji procesu uczestników zajść w Mławie akcentowano: *Dość powszechne było przekonanie, że Cyganie wszystko mogą. Czują się bezkarni, stoją ponad prawem, mają mnóstwo pieniędzy, najczęściej niewiadomego lub nielegalnego pochodzenia* (J. Orłowski: *Proces przeciwko miastu*, „Nowy Świat", 26 maja 1992). Przypomnijmy tu też godne uwagi wyjaśnienie przyczyny ostrości ataku na Cyganów w Mławie, dane przez Annę i Jana Poleszczuków z Instytutu Socjologii UW. Ich zdaniem Cyganie stali się w Mławie „elitą bogactwa", sugerowali, że mają „władze lokalne w kieszeni, w jednej siedzi burmistrz, w drugiej zaś policja". Zajścia antycygańskie w Mławie wydarzyły się w okresie gwałtownego bezrobocia w tym mieście. O ile w Polsce na jedną ofertę pracy przypadało 66 osób, w Mławie – 122 osoby i aż 40 proc. bezrobotnych nie osiągnęło 25 roku życia. Frustracja ekonomiczna zbiegła się z erozją autorytetu władzy (por. rozmowę E. Pawełek z A. i J. Poleszczukami z Instytutu Socjologii UW: *Wszędzie, gdzie las, tam nasza ojczyzna, rozwłóczona po świecie*, „Życie Warszawy", 15–16 maja 1993).

Do tego wszystkiego dochodziła skrajna ostentacja wielu nowobogackich Cyganów w afiszowaniu się swoim bogactwem i nagminne lekceważenie prawa (między innymi uchodzące wciąż bezkarnie szalone kawaleryjskie jazdy młodocianych kierowców cygańskich). Nawet w akcie oskarżenia przeciwko uczestnikom zajść antycygańskich przyznawano, że jedną z przyczyn wydarzeń było *aroganckie zachowanie się niektórych młodych ludzi narodowości cygańskiej, w wielu przypadkach przybierające jaskrawe formy* (wg A.W. Małachowskiego: *Powtórka z Mławy*, „Prawo i Życie", 23 maja 1992).

W przeważającej części najbardziej wpływowych mediów świadomie spychano w cień, przemilczano lub marginalizowano te gospodarczo-społeczne przyczyny zajść w Mławie. Wydarzeniom, w czasie których nie doszło do poturbowania żadnego z Cyganów, choć zniszczono mienie niektórych z nich, od razu nadano dźwięczne miano „pogrom". I zabrano się za gremialne „demaskowanie" mławskiego i polskiego rasizmu. W jednym z pism w krzyżówce podano do rozwiązania hasło: miasto ksenofobów na 5 liter, zaczynające się na M. W jednej z gazet napisano: *Haniebne wydarzenia w Mławie cofnęły Polskę o przeszło pół wieku – do czasu pogromu w Kielcach. Polska nie może się stać krajem, w którym milczeniem będzie chciała przykryć nowe rany sumienia.* Skrajnie krzywdzącymi uogólnieniami popisała się była minister kultury Izabella Cywińska. W jej artykule za wszystko byli oczywiście winni polscy „nacjonałowie". Jak pisała: *Tłum „prawdziwych Polaków" wyległ i podczas gdy jedni (...) plądrowali i bili, drudzy przyglądali się (...) z aprobatą* (I. Cywińska: *Nadchodzi Wielka Mława*, „Gazeta Wyborcza", 17 września 1991).

Jeszcze ponad pół roku po zajściach w Mławie korzystano z nich w mediach dla skrajnych uogólnień na temat zajść w Mławie, rozpisywania się o nich jako być może „ostatnim pogromie w historii Europy" – jak zrobił Jan Jerschina w „Przeglądzie Tygodniowym", pisząc: *Czyż tak częsty w Polsce etnocentryzm, antysemityzm, antyukraińskość, antyrosyjskość, antyniemieckość, są tylko dziedzictwem sowieckim? (...) W ciągu kilku lat możemy stać się krajem chaosu politycznego i politycznego terroru, krajem represywnych praw, nagonek i gett, krajem szarpanym przez tłumione konflikty polityczne, etniczne i religijne z braku praw i urządzeń zapewniających równe prawa, tolerancję i możliwości rozwoju wszystkim, bez względu na poglądy polityczne, wyznaniowe oraz pochodzenie etniczne. Czyż ostatni z nas pogrom Cyganów nie zostanie zapisany w historii Europy jako prawdopodobnie ostatni pogrom w Europie w ogóle, jeśli naturalnie nie sprezentujemy dziejopisom Europy jeszcze jakiegoś nowego pogromu w nadchodzących latach? Czyż było mało dowodów nietolerancji i ciemnogrodu w ciągu ostatnich dwóch lat?* (J. Jerschina: *Dziedzictwo*, „Przegląd Tygodniowy", 23 lutego 1992).

„Pogrom" czy zajścia na tle społecznym

Nagłaśnianym maksymalnie przez wielką część prasy i warszawską „elitkę" twierdzeniom o pogromie i skrajności ksenofobii mławian wyraźnie przeczą miarodajne opinie ludzi znających dokładnie cały przebieg wydarzeń. W pierwszej kolejności szefa Rejonowej Komisji Policji nadkomisarza Zdzisława Świniarskiego. Wyraźnie akcentował on, że to, co się działo w Mławie *nie było pogromem, jak pisała prasa. Nie atakowano fizycznie Cyganów, tylko ich mienie. Domów biednych Cyganów nie demolowano* (wg O. Iwaniak: *Mławska krzyżówka*, „Życie Warszawy 21 marca 1992). We wcześniejszej relacji „Polityki" (nr z 6 lipca 1992) przytaczano również słowa nadkomisarza Świniarskiego na temat przebiegu zajść. Świniarski wyraźnie podkreślał, że młodzi ludzie atakowali wyłącznie wille i wyróżniające się okazałością domy cygańskie, natomiast spokojnie przeszli koło ubogich cygańskich baraków, nie atakując ich.

Przeciwko nazywaniu mławskich zajść pogromem wystąpił w 1996 roku burmistrz Mławy Henryk Antczak, wspominając wydarzenia sprzed 5 lat, gdy był pracownikiem Pekaesu. Zdaniem Antczaka, spowodowany przez młodego Cygana wypadek był iskrą, impulsem, który doprowadził do detonacji prochu gromadzącego się od dawna. Według niego: *To był incydent o podłożu ekonomicznym. Biedna, bezrobotna Mława miała już dość ostentacyjnego panoszenia się cygańskiego bogactwa, bierności policji i bezradności urzędów. Nic dziwnego, że pierwsza iskra spowodowała żywiołową reakcję* (cyt. za Z. Lentowicz: *W Mławie upał*, „Rzeczpospolita", 15–16 czerwca 1996). Zdaniem Antczaka: *Atak tłumu na cygańskie domostwa, który wtedy nastąpił, nie da się nazwać pogromem, ani zakwalifikować jako erupcja mławskiej ksenofobii* (tamże). Na dowód Antczak przytaczał konkretne argumenty: fakt, że tłum nie poturbował wówczas żadnego Cygana, a agresję skierowano wyłącznie przeciwko przedmiotom: niszczono domy i samochody. Faktem jest, że nie doszło wówczas do pobicia żadnego Cygana wbrew kłamliwym uogólnieniom w stylu Izabelli Cywińskiej, która twierdziła z całą hucpą, że „prawdziwi Polacy" bili Cyganów w Mławie.

O głębokich społecznych korzeniach konfliktu mówił wkrótce po mławskich zajściach również ówczesny burmistrz miasta Adam Chmieliński, stwierdzając, że *konflikt jest następstwem dezintegracji Cyganów wśród lokalnej społeczności. Na palcach jednej ręki można policzyć Cyganów, którzy przez*

30 lat, jak tu są, ukończyli szkołę podstawową. Żaden cygański chłopak nie był w wojsku (...) Cyganie mają najlepsze domy i samochody i nie potrafią zrozumieć, że nie należy tego eksponować (...) muszą zrozumieć, że nie wszystko można kupić za pieniądze i że prawo jest dla nich takie samo, jak dla Polaków (cyt. za I. Dudziec: *Dzisiaj jest spokój*, „Gazeta Wyborcza", 2 lipca 1991). Podobną opinię wyraził wówczas mławski nadkomisarz policji Stanisław Czerwiński, stwierdzając między innymi: *Ta polsko-cygańska wojna ma podłoże ekonomiczne. Cyganie należą w tym mieście do najbogatszych. Wszystko załatwiają dzięki swoim pieniądzom i układom. Kupują telefony poza kolejnością, najlepsze działki budowlane, najlepszych architektów, najlepsze samochody i do tego również prawa jazdy. Nie wiem, kto wydał prawo jazdy chłopakowi, który nie skończył jednej klasy podstawówki.* I tu zaczepiamy o kolejne źródło napięć w Mławie. Jak wyrażano w opiniach cytowanych w „Życiu Warszawy" z 15–16 maja 1993 na temat nastrojów w Mławie: *Wszystko sprowadzało się do pytania, skąd oni to mają. Przecież nie pracują i nigdy nie pracowali, nie uczą się, żyją na marginesie. My zaś (Polacy) ciężko pracujemy.* Wielu ocenia, że nie byłoby napięć antycygańskich w Mławie, gdyby uważano, że majątki Cyganów (piękne wille, najnowsze marki zachodnich samochodów etc.) zostały zdobyte dzięki talentowi, efektom pracy czy znakomitym kwalifikacjom. Przypomnijmy tu opinię cytowanej już pary socjologów: Anny i Janusza Poleszczuków. Ich zdaniem: *Cygański sukces czynił wysiłki podejmowane przez Polaków (nauka, praca) śmiesznymi i bezsensownymi. Cyganie więc nie tylko odrzucili wartości respektowane przez ogół, ale wręcz podważyli sens ich istnienia. Żadna zaś zbiorowość nie lubi, kiedy tak jawnie i bezkarnie lekceważy się to, co ona uznaje za słuszne i sprawiedliwe.*

Na tle zajść antycygańskich w innych krajach

Media zrobiły – jak to już akcentowałem – wszystko dla nagłośnienia rzekomej wyjątkowej antycygańskiej ksenofobii w Polsce przy okazji opisu zajść w Mławie. Tuszując, lub minimalizując faktyczne społeczne tło zajść, na siłę urabiały wokół nich klimat pogromu, posuwając się aż do określeń w stylu *ostatni pogrom w Europie*. Skorzystano z okazji dla oskarżenia tych, którzy *pod płaszczykiem haseł narodowych i chrześcijańskich przyczyniają się do wzmagania w kraju napięcia.* Z oskarżeniem takim wystąpili duchowni trzech wyznań: ewangelicko-augsburskiego, ewangelicko-reformowanego i ewangelicko-metodystycznego, i uzyskali odpowiednie nagłośnienie w „Gazecie Wyborczej" (nr z 5 lipca 1991).

Dziwnym trafem, przez ignorancję lub świadomą nieuczciwość, starano się przemilczeć lub zminimalizować fakt, że w szeregu innych krajów Europy w pierwszej połowie lat dziewięćdziesiątych doszło do o wiele brutalniejszych niż w Polsce zajść cygańskich, czasami mających rzeczywiście charakter pogromu. Zajść, w których zabijano Cyganów. A przy tym zajść o jednoznacznie szowinistycznych czy rasistowskich korzeniach. Pod tym względem zdecydowanie niechlubnie przodują tak mocno chwaleni niegdyś za „otwartość" i „tolerancję" nasi południowi czescy pobratymcy. Tylko w ciągu trzech lat: 1991–1993, w Czechach zamordowano 16 Cyganów (por. A. Jagodziński: *Alarm antyrasistowski*, „Gazeta Wyborcza", 9 grudnia 1993). Z kolei według artykułu Michaela Binyona i Rogera Boyesa w „The Times" z 1992 roku w Czechosłowacji już w 1991 roku skinowie zabili czternastu Cyganów. Już na kilka miesięcy przed zajściami antycygańskimi w Mławie w Czechach doszło do brutalnego pogromowego „polowania na Cyganów w miejscowościach Klatava i Libkov. Uzbrojeni w pałki i noże młodzi Czesi zabili jednego z Cyganów, a czterech ciężko zranili. Wnoszono przy tym rasistowskie okrzyki w stylu „Europa tylko dla białych" (por. *Pogrom Cyganów w Czechach*, „Gazeta Wyborcza", 28 lutego 1991). Szczególnie drastyczne było zabójstwo dokonane w maju 1995 roku w Zdziarze nad Sazawą. Czterech skinów wdarło się do domu zamieszkanego przez Romów. Pałkami zatłukli ojca rodziny Tibora Berki na oczach jego żony i pięciorga dzieci (por. T. Maćkowiak: *Skini zdezorientowani*, „Gazeta Wyborcza", 7 sierpnia 1996).

Sondaż z 1994 roku pokazał, że aż trzy czwarte „białej" populacji w Czechach ma do Romów stosunek negatywny, a jedna piąta obywateli czeskich zgodziłaby się na wprowadzenie specjalnych przepisów prawnych dla Romów na wzór ustaw norymberskich (wg VP: *Kwestia Cygańska w Czechach*, „Tygodnik Powszechny" z 4 grudnia 1994). Według socjologa Ivana Gabala z badań na temat postaw Czechów wynika, że aż 78 proc. ankietowanych preferuje wymierzone wyłącznie przeciwko Romom regulacje prawne na wzór dyskryminacji rasowej. 15 proc. czeskich respondentów widzi rozwiązanie problemu Romów w tolerowaniu działalności skinów (I. Gabal: *Czeski homo ethnicus*, „Gazeta Wyborcza", 20–21 maja 1995). Wyraźnemu pogorszeniu uległa sytuacja Cyganów w Słowacji począwszy od utworzenia Republiki Słowackiej 1 stycznia 1993 roku. Niechęć do Cyganów ma tu wyraźne poparcie w najwyższych gremiach władzy. Premier Vladimir Mecziar „wsławił się" wystąpieniem na wiecu w Spiskiej Nowej Wsi we wrześniu 1993 roku, kiedy określił Cyganów mianem ludzi niedorozwiniętych psychicznie i oskarżył ich o bezprawne pobieranie zasiłków państwowych. W październiku 1993 roku doszło do bestialskiego zamordowania dwóch Cyganów przez słowackiego policjanta w gminie Rimavska Sobota.

W Austrii w lutym 1995 roku w niewielkiej austriackiej miejscowości Oberwart dokonano brutalnej rasistowskiej napaści na tamtejszych Cyganów. Czterech z nich zginęło od zamachu bombowego.

W grudniu 1992 roku banda młodych ludzi dokonała pogromu Cyganów w bułgarskiej wiosce Małorad, około 100 kilometrów na północ od Sofii. Uzbrojeni w kije baseballowe, łomy i broń palną napastnicy przyjechali do wioski kilku luksusowymi samochodami i zabrali się za masakrowanie miejscowych Cyganów. Ofiarą pogromu padł 29-letni Cygan, ojciec dwojga dzieci, zabity strzałami z karabinu, co najmniej siedmiu Cyganów zostało rannych (por. *Pogrom Cyganów*, „Gazeta Wyborcza", 17 grudnia 1992). Do pobicia Cyganów dochodziło w ostatnich latach w szeregu miast węgierskich. W 1992 roku zatłuczono na śmierć Cygana w Salgotarian. W ostatnich latach dochodziło do wyraźnego nasilenia nastrojów antycygańskich w niektórych środowiskach na Węgrzech. Sprzyjały temu pewne dość specyficzne czynniki konfliktogenne – fakt, iż Cyganie są sprawcami większości przestępstw i wykroczeń popełnianych na Węgrzech. Według danych z 1991 roku spośród Cyganów wywodzi się aż 70 proc. ogółu węgierskich więźniów (por. L. Nagai: *Węgierscy Cyganie*, „Gazeta Wyborcza", 13 sierpnia 1991).

Tropienie antycygańskich „rasistów"

Jak widać z tych faktów Polska, na szczęście, daleka jest od przodowania w Europie pod względem rozmiarów nastrojów antycygańskich czy brutalności ich wyrażania. Wyraźnie przodujemy za to, jak się zdaje, pod względem szokujących wręcz rozmiarów tropienia „nacjonałów" i „ksenofobów". Czasami ofiarami nadgorliwych „tropicieli" padają nawet wypróbowani „internacjonałowie" typu dziennikarzy z redakcji postkomunistycznej „Polityki". Tak stało się w przypadku reportażu Jolanty Wrońskiej w „Polityce" z 1 kwietnia 1995 roku o stosunkach Polaków i Cyganów w Pabianicach.

Reporterka „Polityki" przyjechała do Pabianic na wiadomość o tajemniczym zabójstwie na małżeństwie Romów. Przy okazji odnotowała fakty mówiące o diametralnej przepaści warunków materialnych miejscowych Cyganów i Polaków, cytując uwagi o prawdziwych „Himalajach dysproporcji". Pisała, że ani jeden Rom nie był zarejestrowany w miejscowym biurze przeciążonym od bezrobotnych. I o tym, że dzieci polskie za 50 zł noszą teczki do szkoły swoim cygańskim rówieśnikom, a za stówę odrabiają lekcje, że w odróżnieniu od ich polskich rówieśników, najczęściej bez perspektyw i szans życiowych, u Cyganów już nastolatkowie bardzo często dostają w darze BMW, oni nie muszą o nic zabiegać, niczego zdobywać. Na dodatek władza jest skrajnie pobłażliwa wobec Cyganów wchodzących w kolizję z prawem, policjant „nie podskoczy", bo ma tu rodzinę. Reporterka „Polityki" ostrzegała, że w zubożałym mieście, dobitym przez masowe bezrobocie, tli się zarzewie wybuchu niebezpiecznego konfliktu.

Reportaż z „Polityki" ostrzegający przed potencjalnymi zagrożeniami wywołał zdumiewający, wręcz koncentryczny atak czworga reporterów „Gazety Wyborczej": Lidii Ostałowskiej, Pawła Smoleńskiego, Wojciecha Tochmana i Piotra Wójcika. Zaatakowali autorkę reportażu za rzekome rasistowskie uprzedzenia i świadome podgrzewanie atmosfery w stosunkach między Polakami i Cyganami. Co więcej, porównali jej uwagi z antycygańskimi oskarżeniami wysuwanymi przez hitlerowców (!), którzy zarzucali Cyganom dziedziczną kryminogenność. Przy okazji zaś sami przyznali, że pognali do Pabianic, „gdyż kiedy mordują Żydów, może to pachnieć pogromem" (por. „Gazeta Wyborcza" z 4 kwietnia 1995). Przypomnijmy w tym kontekście zacytowaną przez reporterkę „Polityki" uwagę pabianickiego prokuratora, że *wśród tabunu dziennikarzy odwiedzających okazały dom przy Rzgowskiej, miejsce zbrodni, dawało się wręcz wyczuć zawód i rozczarowanie, że nie doszło do żadnych aktów zemsty, palenia domów, pogromu.*

„Śledczą poprawnością" nazwał postępowanie reporterów „Gazety Wyborczej" dziennikarz „Życia Warszawy" Leszek Będkowski, przypominając, że „reporterzy śledczy" z „GW" sugerowali, że „reportaż w „Polityce" był powielaniem, a może wręcz inspirowaniem postaw rasistowskich. W tym celu proponują tak czytać tekst, by w miejsce słów „Rom", „Cygan", wstawiać słowo „Żyd".

„Donosy na Polskę"

Pisałem już wcześniej o wyspecjalizowaniu się przywódców komunistycznych za rządów Jaruzelskiego w „donosach na Polskę" za granicą. Ich praktyka została na szeroką skalę podjęta po 1989 roku również przez przedstawicieli „różowej" elitki na czele z Adamem Michnikiem. Niejednokrotnie w wystąpieniach zagranicznych „dosalali" oni bez skrupułów Polsce, przedstawiając ją jako kraj zagrożony przez groźną ksenofobię, „antysemityzm bez Żydów", etc., etc.

Typowym „donosem na Polskę" był artykuł Michnika w prestiżowym „The New York Review of Books" z 19 lipca 1990 roku. Michnik rozważał w nim, kto zwycięży w postkomunistycznej Europie Środkowej – demokraci czy szowiniści. Jako szowinistów wymieniał w jednym zdaniu, obok siebie, tych, którzy w Bułgarii dyskryminują mniejszość turecką, tych, którzy w Rumunii odmawiają węgierskiej mniejszości prawa do własnych szkół, i tych, którzy w Polsce propagują antysemityzm i kraj bez Żydów. I nie ważne było dla Michnika, że ci ostatni w Polsce stanowili absolutny margines, podczas gdy nacjonaliści antywęgierscy w Rumunii i antytureccy w Bułgarii stanowili bardzo wpływową część elity rządzącej. Wymowę artykułu Michnika precyzyjnie określił Robert Terentiew w „Tygodniku Solidarność": *O problemach z mniejszościami w Rumunii i Bułgarii jest w świecie głośno, bo realnie tam istnieją, amerykański czytelnik musi odnieść wrażenie, że i w Polsce zjawisko to występuje w takiej samej, jak tam skali.* (R. Terentew: *Gdzie są normalni ludzie?*, „Tygodnik Solidarność", 21 grudnia 1990).

Dodajmy, że o chwytliwości nowych „donosów na Polskę", wychodzących od „elitki" III RP, decydowało i to, iż różne kręgi na Zachodzie chętnie nastawiały na nie uszy. Ułatwiało im to bowiem zajmowanie postawy skrajnej obojętności wobec wszelkich postulatów sugerujących prawdziwą zachodnią pomoc dla Polski i stworzenie autentycznych gwarancji jej bezpieczeństwa wobec wielkiego państwa rosyjskiego. Po cóż zajmować się bowiem takimi „wstecznymi" polskimi „nacjonałami" i „klerykałami"?! Efekty nagminnie kolportowanych za granicą przez naszych „internacjonałów" donosów na Polskę okazały się zgodne z ich zamierzeniami. Udało się im – kosztem oczywiście obrazu Polski (ale to ich mało wzrusza) – skutecznie „przyprawiać gębę" swym narodowym i chrześcijańskim adwersarzom. Z powodzeniem stworzyli na Zachodzie obraz polskiej prawicy jako skrajnych klerykalnych i faszyzujących ksenofobów, groźnych dla przyszłości Europy. Stąd oczywisty wniosek upowszechniany z zapałem przez naszych „internacjonałów" – Zachodzie, popieraj w Polsce tylko lewicę, bez względu na odcienie, bez względu na komunistyczne rodowody jej wielkiej części. Bo to jest jakoby jedyną nadzieją ucywilizowania tego narodu „przesiąkniętego barbarzyńskim nacjonalizmem"!

Na wyraźne bardzo szkodliwe skutki wychodzących z naszego kraju „donosów na Polskę" wskazywał wykładający od lat we Włoszech polski profesor Krzysztof Gawlikowski. Zdaniem Gawlikowskiego, we Włoszech doszło do bardzo poważnego pogorszenia się obrazu Polski *przede wszystkim w okresie kampanii przed wyborami prezydenckimi. Było bardzo wiele artykułów niechętnych Wałęsie oraz uwłaczającym nam, jako Polakom (...) Sądzę, że było to inspirowane z Polski, ale nie chciałbym o tym mówić, to dawne zaszłości. W każdym razie od tamtej pory entuzjazm wobec Polski zaczął zanikać. Ostatnio nastawienie do naszego kraju jest raczej negatywne* (cyt. za rozmową W. Giełżyńskiego z prof. K. Gawlikowskim: *Nawet brać nie umiemy*, „Tygodnik Solidarność", 7 luty 1992).

Podobne arcyszkodliwe dla Polski i Polaków skutki przyniosły wychodzące z kręgów polskiej elitki „donosy na Polskę" we Francji. Pisał o tym w swym notatniku paryskim ksiądz Krystian Gawron, stwierdzając między innymi: *Kiedy w latach 80-ych Polska zrzucała z siebie jarzmo totalitaryzmu (odważnie i metodą „non violence") Francuzi rozpisywali się o naszym kraju niemalże w samych rymach (...) Dziennikarze prześcigali się w doborze określeń jak najbardziej pozytywnych (...) Dlaczego z początkiem lat 90-ych pojawił się we Francji i coraz bardziej się rozszerza pewien antypolonizm – negatywne nastawienie do Polski? Jest to antypolonizm rzeczywisty. To, co polskie, spychane jest w cień, a jeżeli już dostaje się na szpalty prasy, to zwykle zaopatrzone jest jakimś kąśliwym komentarzem (...) Skąd się to wzięło? Francuzom wystarczało cytować wypowiedzi polskiej prasy, by odwrócili się i gdzie indziej szukali partnera – narodu, który potrafi bardziej się szanować. Ot, choćby... Rosjanie (...) Czy nie nadszedł już czas, by skończyć w polskich mediach z epoką ośmieszających nas manipulacji?! Dlaczego sami robimy sobie opinię jaskiniowców, a potem dziwimy się powstającym antypolonizmom?* (Ks. Krystian Gawron: *Francuzi o Polakach. Notatnik paryski*, „Niedziela", 12 marca 1995).

Istnieją psychologiczne uwarunkowania sprzyjające nagłaśnianiu za granicą różnych „donosów na Polskę". Na tle praktyki ostatnich lat wiele osób z Polski doszło do przekonania, że piętnując za granicą różne zjawiska negatywne w Polsce, a tym bardziej je wyolbrzymiając, zyskają łatwy poklask we wpływowych, kręgach. Byle tylko odważnie „dosoliły" na zagranicznym forum wszelkim przejawom „polskiego Ciemnogrodu". Skorzystała z takiej „okazji" zagranicznej Miss Polski pani Wachowicz w czasie finałów konkursu Miss Świata w 1993 roku. Gdy dziesięciu finalistkom zadano pytanie, czym by każda się zajęła, gdyby właśnie ona została wybraną Miss Świata, Wachowicz pospieszyła z odpowiedzią, że zamierza walczyć z panującą w Polsce nietolerancją wobec chorych na AIDS. Komentując tę dość szczególną deklarację „na eksport" Rafał Ziemkiewicz pisał: *pani Wachowicz nie zadeklarowała chęci walki z „nietolerancją" wobec chorych w Ameryce (gdzie się ich nie wpuszcza do kraju, a już w nim zamieszkałych bez zbędnych wyjaśnień wywala się z pracy), Izraelu (gdzie właśnie uchwalono prawo odbierające im prawo wstępu do tego kraju) albo Szwecji.*

Proszę o mniej masochizmu – apelował Jerzy Kropiwnicki w tekście dla „Słowa – Dziennika Katolickiego" z 1 lipca 1993 roku, i przytaczał fakty dowodzące, o ile więcej zamieszania i rozgardiaszu jest w różnych krajach Europy Zachodniej, przeciwstawianych jako uosobienie normalności rzekomo skrajnie anarchicznej Polski. Pisał Kropiwnicki o wiele większych niż w Polsce manifestacjach w Niemczech i we Francji, i o ich o wiele gwałtowniejszym charakterze, o płonących domach, krwawych rozruchach w Niemczech. A przy tym wszystkim o Niemczech pisze się, jako o kraju bezpiecznym i stabilnym „z definicji", a o Polsce jako „zagrożonej zamieszkami na wielką skalę". Kropiwnicki przypominał: *We Włoszech jest parlament z kilkudziesięcioma partiami – i to od ponad czterdziestu lat, ale już jakiś polski geniusz dziennikarski „ze słonecznej Italii" zdołał poinformować świat, że ordynacja i parlament we Włoszech są „alla Pollacca", w stylu polskim. Ciekawa koncepcja, prawda.* Tym trafniejsza na tym tle wydała się konkluzja Kropiwnickiego: *To my, Polacy, tworzymy o sobie, o naszym kraju opinie odstraszające inwestorów. Tworzymy je i powtarzamy z masochistycznym upodobaniem. A potem dziwimy się, że inwestorzy wolą Czechy, Węgry, Bułgarię, Rumunię.*

Tak chętnie upowszechniane na co dzień przez naszych „Europejczyków" twierdzenia o wyjątkowej wręcz dzisiejszej polskiej nietolerancji i ksenofobii nie mają nic wspólnego z rzeczywistymi postawami Polaków. Jakże wymowne zaprzeczenie tym oskarżeniom przynoszą liczne obiektywne świadectwa cudzoziemców, którzy zetknąwszy się bliżej z Polakami nijak nie mogą się doszukać naszej rzekomej nietolerancji i ksenofobii. By zacytować choćby opinię Amerykanina Philipa Earla Steele, od kilku lat wykładającego historię w Instytucie Lingwistyki Stosowanej Uniwersytetu Warszawskiego, z artykułu: *Tolerancja i Dziki Zachód*, publikowanego na łamach „Życia Warszawy" z 27–28 stycznia 1996: *Jestem ciągle zdumiony rytualną inwektywą jaką Polacy obrzucają się nawzajem za brak tolerancji (...) zdumiony, bo imponuje mi poziom tolerancji w Polsce. Dopóki rozumie się tolerancję jako postawę typu „żyj i pozwól żyć", zwłaszcza w odniesieniu do „innych", to Polska zasługuje na uznanie (...) szczerze mówiąc, białych ludzi z Zachodu czy Japończyków stawia się tu na piedestale. Również przybysze ze Wschodu nie stykają się z niechętnym przyjęciem. Tak naprawdę do żadnego innego kraju na świecie nie przyjeżdżają równie licznie – według rosyjskiego ambasadora w Warszawie, Jurija Kaszelewa, co roku jest ich osiem milionów (...) sądząc po tym, co widać w księgarniach, być może mamy w Polsce do czynienia z falą filosemityzmu. Dla mnie kapitalny przykład polskiej tolerancji stanowi dyskusja i debata (...) Polacy wydają się mieć szczególną zdolność do unikania konfrontacyjnego i moralizatorskiego podejścia, typowego dla zbyt wielu Amerykanów.*

Warto przypomnieć również publikowane na łamach „Tygodnika Solidarność" uwagi Ewy M. Thompson z Teksasu, niegdyś, w latach siedemdziesiątych, współpracowniczki paryskiej „Kultury". W artykule *Jankeska na dworze księcia Oleksego* („Tygodnik Solidarność" z 1 września 1995) Thompson pisała pod wpływem wrażeń ze świeżo odwiedzonej Polski: *Po raz n-ty stwierdziłam też, że Polacy są narodem wyjątkowo łagodnym i tolerancyjnym. Brak im angielskiej i niemieckiej – nie mówiąc już o rosyjskiej – agresywności w przedstawianiu swojego punktu widzenia na forum publicznym (...) w życiu codziennym USA natrętne żebractwo jest rzadkością i wyobrażam sobie reakcję dobrze ubranych mieszczanek powiedzmy w Kansas City, jeśli by pociągnęła je za rękaw Cyganka. Nie tylko zostałaby wezwana policja, ale poszkodowana prawdopodobnie poświęciłaby parę tygodni czasu na działalność lobbystyczną dotyczącą delegalizacji agresywnego żebractwa. A w Polsce to nie wywołuje nawet wzruszenia ramion. Dlatego ze zdziwieniem czytam w polskiej prasie nagminne oskarżenia Polaków o brak tolerancji w stosunku do „inakomysliaszczich".*

W języku angielskim istnieje powiedzenie „selfulfilling prophesy", samo spełniające się proroctwo. Wydaje mi się, że ci, którzy wciąż piszą o rzeko-

mym polskim braku tolerancji chcieliby być może podświadomie doprowadzić do sytuacji, w której rozwścieczony tłum rzuca się na jakiegoś pojedynczego człowieka za to, że jest Cyganem. Wtedy będzie się miało satysfakcję powiedzenia: „a nie mówiłem!" W czasach komunistycznych nazywało się to prowokacją. Warto pamiętać o tych jakże celnych spostrzeżeniach Ewy M. Thompson za każdym razem, gdy w różnych wpływowych polskojęzycznych mediach nagle podnosi się niebywałe larum z powodu rzekomej wyjątkowej w świecie polskiej ksenofobii czy nietolerancji, eksplozji „polskiego nacjonalizmu" etc.

Tym, którzy patologicznie wręcz tropią tak jak Kulerski rzekomą falę ksenofobii w Polsce, warto zalecić lekturę dużo trzeźwiejszych obserwacji ich własnych kolegów z obozu „Europejczyków". Choćby tak silnie związanego z Unią Wolności politologa Aleksandra Smolara. W wywiadzie dla „Rzeczpospolitej" z 17 lipca 1993 Smolar stwierdził wręcz: *Potrafiliśmy ułożyć dobre, a nawet bardzo dobre stosunki ze wszystkimi sąsiadami. Oczywiście, i tu trzeba docenić wagę postawy społeczeństwa, w którym praktycznie nie pojawiły się radykalne ruchy ksenofobiczne czy rewindykacyjne – znane aż za dobrze gdzie indziej – które by takie stosunki uniemożliwiły.*

Na tle szowinizmów w innych krajach

Stefan Kisielewski pisał kiedyś, że Adam Michnik jest pobłażliwy dla wszystkich nacjonalizmów, poza jednym – polskim. I rzeczywiście, sądząc z lektury „Gazety Wyborczej" w Polsce mamy do czynienia z nacjonalizmem, czy wręcz szowinizmem, który jest jakąś potężną siłą, ogromnym zagrożeniem dla wartości humanistycznych, na skalę wręcz niebywałą w Europie. Przybrani w szaty pokutne powinniśmy tylko bić się przepraszająco w piersi i spoglądać z utęsknieniem na szczęśliwe, wolne od szowinizmu stolice państw Zachodu.

Prawda jest jednak inna, a nawet diametralnie inna. Oskarżona przez krajowych kosmopolitów o skrajny, wyjątkowy szowinizm Polska okazała w czasie kolejnych wyborów 1991, 1993 i 1997 roku tyle zdrowego rozsądku, że żadnemu z szowinistycznych czy antyżydowskich ugrupowań w stylu Wspólnoty Narodowej B. Tejkowskiego nie udało się zdobyć choćby jednego mandatu. Okazało się, że na szczęście chodzi tylko o absolutny społeczny margines, którego rolę skrajnie wyolbrzymiają dla swych celów niektórzy wpływowi publicyści. Notabene marginesowa grupka typu Tejkowskiego byłaby już dawno zdelegalizowana w większości krajów Zachodu. W Niemczech po wojnie zdelegalizowano z parę dziesiątków takich ekstermistycznych ugrupowań (w tym dziewięć tylko w okresie od 1989 roku). U nas tego się nie robi, dlaczego – zgadnij, koteczku? – zapytałby nieodżałowany Kisiel. Odpowiem, nie robi się chyba tylko po to, by móc ciągle pokazywać palcem – oto w Polsce działa zorganizowana grupa szowinistycznych ekstremistów. Czy nie o to tylko wam chodzi w dotychczasowej przedziwnej „tolerancji" wobec Tejkowskiego i jego grupy skinów, panowie internacjonaliści? Sami ich przecież nader chętnie nagłaśniacie w telewizji czy w „Gazecie Wyborczej" (ogromniasty prawie dwukolumnowy wywiad z Tejkowskim w „Gazecie Wyborczej").

Mit o polskiej ksenofobii staje się wręcz groteskowy, gdy porównamy stosunki w Polsce z sytuacją w licznych krajach Zachodu. Można nawet powiedzieć wręcz, że na tle szeregu krajów Zachodu, przeżywających skrajne ekscesy antycudzoziemskie i krwawe wybryki rasistowskie, Polska może wydawać się nawet swoistą oazą spokoju i wyspą tolerancji. Choćby na tle tego, co się dzieje w Niemczech, tak panegirycznie wychwalanych przez Szczypiorskiego i przedstawianych Polsce jako „wzorzec".

Brunatna fala w Niemczech

W ciągu kilku zaledwie lat całkowicie padł mit o rzekomym pełnym wyleczeniu się Niemców z obciążeń nazizmu. Napaści na cudzoziemców w Rostocku, Dreźnie, Kolonii, Flensburgu, Berlinie i Bremie, liczne ofiary śmiertelne tych napaści, stały się wręcz sygnałem ostrzegawczym. Tym bardziej niepokojącym, że fala szowinistycznej i rasistowskiej przemocy przybiera zwłaszcza wśród niemieckiej młodzieży. Z niej wywodzi się gros brutalnych fanatyków, atakujących cudzoziemców. Najdrastyczniejsze jak dotąd były ekscesy antycudzoziemskie w Rostocku, stolicy Meklemburgii, w sierpniu 1992. Uczestniczyło w nich około 500 neonazistów, ogarniętych prawdziwym paroksyzmem nienawiści. Butelkami z benzyną atakowali hotel dla azylantów, wykrzykiwali: „Cudzoziemcy won!", „Niemcy dla Niemców – precz z obcokrajowcami!" Udało im się wedrzeć do hotelu, zamieszkiwanego przez azylantów, podpalali w nim metodycznie piętro po piętrze. Gdyby osaczonym przez nich Wietnamczykom nie udało się w ostatniej chwili wydostać na dach budynku, byłoby kilkadziesiąt trupów (por. A. Krzemiński: *Orgia przemocy*, „Polityka", 5 września 1992). Miejscowa policja nie mogła sobie poradzić z agresywnymi neonazistami, musiano ściągać na pomoc policję z innych landów. Razem w akcji tłumienia neonazistowskich rozruchów uczestniczyło 1500 policjantów, z których ponad 110 odniosło rany. Opanowanie rozruchów było tym trudniejsze, że ekscesy cieszyły się poparciem wielkiej części mieszkańców Rostocka. Kilka tysięcy osób gorąco kibicowało napastnikom, zagrzewając ich do ataków. Tylko w 1992 roku zabito 17 cudzoziemców w czasie napaści niemieckich neonazistów, 77 razy pohańbiono żydowskie cmentarze i inne miejsca związane z historią bądź kulturą Żydów (por. A. Dworak: *Hańbiący bilans nazistowskiej przemocy*, „Gazeta Wyborcza" z 9 lutego 1992). Oficjalne oceny Urzędu Ochrony Konstytucji z 1992 roku zakwalifikowały 5 tysięcy osób jako neonazistów gotowych do wszelkiej przemocy. Dość powszechnie uważano tę liczbę za zaniżoną, wskazując na fakt, że w ciągu 1992 roku doszło do 1760 napaści ze strony faszyzujących bojówkarzy. Niemal każdego dnia dochodziło do pięciu różnego typu napadów, od podpaleń i pobić poprzez akcje z użyciem materiałów wybuchowych aż po morderstwa. Stąd wniosek wysunięty w korespondencji Krystyny Grzybowskiej z Niemiec („Rzeczpospolita" 28–29 listopada 1992): *Trudno sobie wyobrazić, by 5 tysięcy neonazistów obsłużyło równocześnie aż tyle akcji.*

Tygodnik „Der Spiegel" poinformował w listopadzie 1991 o licznych faktach bezsprzecznego udziału żołnierzy Bundeswehry w antycudzoziemskich ekscesach w Rostocku, Kolonii i Flensburgu. Żołnierze uczestniczyli w paleniu schronisk, biciu i rabowaniu cudzoziemców, pobili i utopili w basenie portowym Niemca, który stanął w obronie napadniętego cudzoziemca (wg tekstu *Bundeswehra nie lubi cudzoziemców*, „Nowy Świat", 19 listopada 1992). Znamienne, że i w niemieckich środowiskach inteligenckich można spotkać się z wyraźną skłonnością do różnicowania rasowego. Nader wymowne było pod tym względem uzasadnienie wyroku czterech lat więzienia wydanego w Niemczech na zabójców Angolijczyka. Sędziowie uznali za okoliczność łagodzącą to, że ofiara... była Murzynem (por. K. Pytko: *Pola minowe*, „Wprost" z 25 października 1992).

Wśród większości ludności Niemiec dalej brak autentycznego potępienia roli granej przez Niemcy w drugiej wojnie światowej. W 1995 roku tylko

18 proc. ankietowanych Niemców wyraziło opinie negatywne na pytanie o ocenę niemieckich żołnierzy walczących w II wojnie światowej, podczas gdy aż 41 proc. akcentowało swój podziw dla nich (32 proc. wyraziło obojętność w tej sprawie) (por. *Dwie wizje historii. Niemcy o swojej przeszłości*, „Gazeta Wyborcza", 6 maja 1995). Wcześniejsza (z 1992 roku) ankieta Emnid-Institut z Bielefeldu pokazała, że aż 37 proc. Niemców ocenia pozytywnie hitlerowski reżim narodowo-socjalistyczny, podczas gdy bardzo negatywnie tylko 10 proc. (negatywnie – 24 proc., neutralnie – 29 proc.) (dane wg tekstu K. Grzybowskiej w „Rzeczpospolitej" z 13–14 czerwca 1992). W tej samej ankiecie największa ilość respondentów, bo aż 42 proc. uznała, że naród niemiecki nie ponosi szczególnej odpowiedzialności wobec Żydów, w porównaniu z 30 proc., które przyznało taką odpowiedzialność (bez zdania było 24 proc.) (tamże).

Wzrasta popularność faszyzujących ekstermistów. W 1992 roku w wyborach krajowych w Badenii-Wirtembergii 10,9 proc. głosów dostał były oficer SS Franz Schoenhuber. Według telefonicznego sondażu gazety „Bild" z września 1992 aż 39 proc. osób telefonujących do redakcji (85 tys. osób na 200 tys. głosujących) poparło kandydaturę byłego hitlerowskiego oficera na kanclerza Niemiec. Schoenhuber zdecydowanie wyprzedził w tym sondażu kanclerza Kohla (23 proc. poparcia). W wyborach do parlamentu krajowego w Szlezwiku-Holsztynie 6,3 proc. głosów uzyskał milioner Gerhard Frey, wydawca „Niemieckiego Dziennika Narodowego". Ze szczególnym upodobaniem głosi on pogląd: *Niemcy nie ponoszą winy za drugą wojnę światową!*

Wielkie zaniepokojenie obserwatorów w Niemczech budzi popularność noenazistowskich haseł wśród części młodego pokolenia, bez porównania większa niż wśród starszych pokoleń. Młodzież stanowi też trzon najbardziej agresywnych napastników na domy azylantów. Coraz częściej do różnych kręgów młodzieży trafiają specyficzne gry komputerowe typu: „Jak zagazować Żydów" czy „Jak zabić Turków" (por. „Życie Warszawy" z 7 kwietnia 1992). Wśród niemieckich skinów popularna jest piosenka ze słowami: *Jesteś głodny, jest ci zimno, wracaj do Buchenwaldu, tam będziemy sobie gotować zupę z żydowskiego mięsa i rosyjskich kości.*

Co najgorsze, również nowsze dane z 1997 roku dowodzą, że nie widać zmniejszania się ksenofobii w nastrojach dużej części niemieckiego społeczeństwa. Wręcz przeciwnie. Wyraźnie wzrasta zwłaszcza ksenofobia wśród młodzieży niemieckiej. Jak pisała na ten temat Krystyna Grzybowska w korespondencji z Bonn: *Niezależnie od motywów i stopnia głupoty, w Niem-*

czech, a zwłaszcza w dawnej NRD rośnie aktywność grup młodzieżowych o nastawieniu antycudzoziemskim. Szczególnie wyróżnia się w tej niechlubnej statystyce najbiedniejszy land niemiecki Meklemburgia (por. K. Grzybowska: *Napaści na cudzoziemców*, „Rzeczpospolita", 16 czerwca 1997). W marcu 1997 w „Gazecie Wyborczej" opublikowano alarmującą korespondencję z Poczdamu, informującą o powszechnej ksenofobii w Brandenburgii: *Raport, który przygotowała dla swojego rządu Almuth Berger, odpowiedzialna za sprawy cudzoziemców w Brandenburgii, wzbudził w Niemczech przerażenie. Najbardziej przeraził fakt, że już nie neonaziści czy prawicowi ekstremiści, ale całe właściwie społeczeństwo bez żenady, otwarcie mówi, że bez cudzoziemców życie byłoby lepsze i takie wypowiedzi wydają się normalne. Nauczyciele twierdzą, że trzy czwarte uczniów wyznaje poglądy mniej lub bardziej rasistowskie (...) Nie ma prawie dnia, by w Brandenburgii, niemieckim landzie, który ma najdłuższą granicę z Polską, nie zdarzył się jakiś napad na cudzoziemca (...) Gniew Brandenburgczyków skierował się najpierw przeciwko schroniskom dla azylantów – to właśnie w Brandenburgii leży wieś Dolgenbrodt, gdzie mieszkańcy złożyli się na podpalacza, by podłożył ogień pod przyszłe schronisko* (por. D. Zagrodzka: *Wrogość do wroga bez wroga*, „Gazeta Wyborcza", 14 marca 1997).

Szowinistyczne ekscesy w Austrii

Według badań socjologicznych z 1992 roku, 15 proc. ogółu młodzieży austriackiej sympatyzowało z grupami neonazistów. Aż 41 proc. młodych Austriaków zgadzało się zaś z podsuniętym przez ankieterów stwierdzeniem, że potępiany dziś powszechnie Hitler w rzeczywistości miał w wielu sprawach racje (wg J. Górski: H*itler miał rację*, „Spotkania" 2–8 lipca 1992). Ulubionym sposobem spędzania czasu przez dużą część młodych ludzi w Wiedniu było zabawianie się w eksterminację Żydów na ekranie gier komputerowych z „menadżerem" KL Auschwitz. Uczestnicy gry zyskują w niej punkty za skuteczne zagazowanie „podludzi". Szczególnie niepoczytalnym wybrykiem popisał się Gerard Honsik, wydawca neonazistowskiego pisma „Halt", w którym głosił, że krematoria obozów koncentracyjnych zostały po wojnie wybudowane przez aliantów w celach propagandowych. Honsik opublikował książkę *Uniewinnienie Hitlera*, w której twierdził, że w obozie w Dachau nie było żadnych komór gazowych, tylko *wielki bufet z ciastami, potrawami mlecznymi, kiełbasą, sznyclem i kawą* (wg J. Górski: *Hitler...*). Niektórzy ekstermiści austriaccy posuwali się do tworzenia paramilitarnych grup, szkolących nastolatków do akcji przejęcia władzy... w kraju. Na początku 1992 roku policja austriacka wykryła magazyn broni należący do takiej tajnej paramilitarnej grupy bojowej, zorganizowanej przez Hermana Ussnera, i aresztowała jej najaktywniejszych działaczy.

Coraz częściej dochodzi również do brutalnych aktów gwałtu. W 1991 roku austriaccy neonaziści obrzucili butelkami z benzyną hotel w Transkirchen w Górnej Austrii, gdzie mieszkało około 180 azylantów, w tym wiele kobiet i dzieci. W lutym 1995 czterech Cyganów zginęło w rezultacie zamachu bombowego w austriackiej miejscowości Oberwart.

Wzrost tendencji rasistowskich w Czechach

Szczególnie silny wzrost szowinizmu i ksenofobii zaznaczył się w ostatnich latach w Czechach, niegdyś wysławianych jako wzór tolerancji i otwartości kulturowej. Alarmujące pod tym względem są już suche liczby – w ostatnich kilku latach w wyniku napaści na „Romów" i „kolorowych" w Czechach zamordowano 19 osób (wg I. Gabal: *Czeski Homo Ethnicus*, „Gazeta Wyborcza", 20–21 maja 1995). Według czeskiego socjologa Ivana Gabala, b. doradcy prezydenta Havla, a dziś szefa firmy socjologicznej „Gabal and Colsulting": *Jeśli za kryterium przyjąć stosunek do rozwiązania problemu Romów, można oszacować, że we współczesnym czeskim społeczeństwie istnieje około 12,5% zagorzałych rasistów, zdecydowanych udzielić poparcia także rozwiązaniom eksternistycznym. Kolejnych 23,5% przejawia silną skłonność do otwartego rasizmu, a 35% demonstruje częściową nietolerancję* (I. Gabal: *op. cit.*).

W przygotowanym na zamówienie czeskiego ministra spraw wewnętrznych pod koniec 1993 roku raporcie alarmowano, że w Republice Czeskiej wyraźnie nasilają się tendencje rasistowskie, a w okresie od 1990 roku gwałtownie wzrosła liczba aktów przemocy wobec osób innych narodowości (por. A. Jagodziński: *Alarm antyrasistowski*, „Gazeta Wyborcza", 9 grudnia 1993). W raporcie informowano o ponad 100 konfliktach rasowych w ciągu trzech lat 1991–1993. Ich liczba wciąż się zwiększała z 25 w 1991, 31 w 1992 do 46 w okresie do września 1993 (tamże).

Od Szwecji po USA i Izrael

Przybierająca fala ksenofobii i szowinizmu ogarnęła nawet uważaną długi czas za swego rodzaju oazę spokoju – Skandynawię. W wysławianej niegdyś jako symbol tolerancji Szwecji coraz częściej dochodzi do brutalnych napaści na tle szowinistycznym i rasistowskim. Już w 1991 roku w angielskim „The Times" alarmowano w związku z licznymi atakami szwedzkich neonazistów. W Sztokholmie zginął od kuli szowinistycznego fanatyka Gastarbeiter z Iranu. Z kolei Etiopczyk – ojciec rodziny, wraz z dwojgiem dzieci, tylko cudem uniknęli śmierci po wrzuceniu bomby zapalającej do ich mieszkania. Później doszło do dalszych napadów skrytobójczych na imigrantów. Część z nich uległa postrzeleniu z broni o laserowym celowniku (wg T. Jastrun: *Czerwona plamka*, „Życie Warszawy" z 21 marca 1992). W listopadzie 1992 roku w ciągu jednej tylko doby nieznani sprawcy zbeszcześcili 150 grobów na dwóch żydowskich cmentarzach w Sztokholmie. Na części nagrobków wymalowano swastyki. Zwiększała się popularność różnych ugrupowań szowinistycznych typu Arisk Motstand (Aryjski Biały Ruch Oporu). Marginalna niegdyś grupa rockowa w 1993 roku awansowała na drugie miejsce na liście przebojów. I sukces ten tłumaczono poparciem dla ich szowinistycznych i antyemigranckich tekstów (por. Z. Bidakowski: *Bitwa pod Płockiem wciąż trwa* „Magazyn Gazety Wyborczej" z 5 listopada 1993). Coraz liczniejsze stawały się również przypadki pobić „obcych", podpaleń ośrodków dla uchodźców. Po gwałtownych protestach przeciw budowie meczetu Goeteborgu został on podpalony wkrótce po zbudowaniu. Alarmujące są najnowsze sygnały o poglądach szwedzkiej młodzieży. Według ankiety przeprowadzonej w czerwcu 1997 roku wśród młodzieży szkolnej na terenie całej Szwecji okazało się, że 12 proc. młodzieży przyznaje się do słuchania płyt z rasistowskimi utworami, a aż 34 proc. uczniów nie jest przekonanych, że Holocaust miał rzeczywiście miejsce (por. korespondencja P. Cieślaka ze Sztokholmu: *Młodzi faszyści czy nieucy*, „Gazeta Wyborcza" z 13 czerwca 1997).

Szokujące informacje zaczęły napływać z innego kraju skandynawskiego przez dziesięciolecia wysławianego jak jeden z wzorców tolerancji – Danii. W „Rzeczypospolitej" z 24 lipca 1995 informowano o przygotowaniach do uruchomienia w Greve pod Kopenhagą pierwszej lokalnej rozgłośni o zdecydowanie nazistowskim charakterze. Greve uznano za rodzaj stolicy duńskich nazistów. Według „Rzeczpospolitej", burmistrz Greve Rene Milo uważa, że ruch nazistowski staje się coraz bardziej magnesem dla młodych ludzi z problemami socjalnymi i byłoby czymś niebezpiecznym lekceważenie jego wpływów. Brytyjski periodyk nazistowski „The National Socialist" charakteryzował Danię jako idealne miejsce dla działalności nazistowskiej w Europie, między innymi ze względu na „znakomicie zorganizowany miejscowy ruch nazistowski" (wg korespondencji N. Gurfinkela z Kopenhagi: *Duńscy naziści wychodzą w eter*, „Rzeczpospolita", 24 lipca 1995). W 1994 roku skrajną konsternację wywołał rasistowski wybryk duńskich żołnierzy z Jutlandzkiego Pułku Dragonów, pełniących służbę w kontyngencie ONZ w rejonie Sarajewa. W audycji radiowej poświęconej duńskim żołnierzom nadano śpiewaną przez nich dziarską pieśń wojskową, głoszącą między innymi: *będziemy maszerować naprzód, będziemy zabijać i gwałcić. Ładuj dobrze broń, by naboje mogły wylądować w czołach Serbów* (por. N.G: *Rasistowski wybryk*, „Rzeczpospolita" z 11 kwietnia 1994).

Do bardzo wielu incydentów na tle rasistowskim dochodzi ciągle w Stanach Zjednoczonych. Przypomnijmy, że 29 kwietnia 1992 w czasie rozruchów w Los Angeles, mających podłoże rasistowskie, zginęło 58 osób, a 2300 zostało rannych. Zniszczono lub uszkodzono ponad 1100 budynków. Przewidywalne koszty ich odbudowy oceniono na blisko 1,5 miliarda dolarów. Murzyni atakowali głównie Koreańczyków. Również Wielka Brytania było areną bardzo wielu incydentów na tle rasistowskim. Wymowne pod tym względem były dane opublikowanego w czerwcu 1990 roku raportu Komisji Parlamentu Europejskiego do Badania Rasizmu i Ksenofobii. Informowano tam, że w samym tylko Londynie zanotowano 70 000 napadów o podłożu rasistowskim.

W Izraelu, według stałego korespondenta „Życia Warszawy" w Tel Awiwie Mieczysława Sztycera (korespondencja z 1 grudnia 1991 roku), powołującego się na sondaże opinii publicznej – krańcowo szowinistyczne siły, obejmujące świeckich nacjonalistów i klerykalnych fundamentalistów oceniano na ponad 10 proc. elektoratu. W oficjalnej polityce Izraela na wewnątrz i na zewnątrz przez całe lata można było zauważyć aż za wiele elementów działań skrajnie szowinistycznych – *vide:* osławiona masakra ponad 200 cywilów, w tym wielu kobiet i dzieci w Kanie Galilejskiej. Były izraelski generał Arie Biro przyznał się, że podczas walk na Półwyspie Synaj w czasie wojny w 1967 roku wraz ze swoimi oficerami zamordował 49 arabskich jeńców (wg korespondencji J. Kociszewskiego z Tel Awiwu, „Życie Warszawy" z 17 sierpnia 1995). Z kolei według historyka z uniwersytetu Bar-Ilan, dr Arie Icchaki (jego wywiad dla izraelskiego radia), podczas wojny sześciodniowej 1967 roku izraelscy żołnierze rozstrzelali razem około 900–1000 Egipcjan, którzy poddali się i zostali rozbrojeni (tamże). W 1995 roku Wojskowy Instytut Historyczny po raz pierwszy ujawnił dokumenty na temat wcześniejszej zbrodni popełnionej przez żołnierzy izraelskich na bezbronnych jeńcach egipskich. Chodziło o zamordowanie 30 wziętych do niewoli Egipcjan podczas bitwy w przełęczy Mitle na półwyspie Synaj. Dowódca batalionu odpowiedzialnego za masakrę 30 jeńców, Rafael Eitan został szefem Sztabu Generalnego izraelskiej armii, a w 1995 roku był członkiem Knesetu i przewodniczącym prawicowej partii Tzomet.

W Polsce niewiele się wie o rozmiarach fanatyzmu izraelskich sądów rabinackich, rozstrzygających wiele codziennych problemów. Na przykład sąd rabinacki unieważnił kilkunastoletnie małżeństwo pewnej kobiety z Hajfy, ponieważ jej przodek trzy tysiące lat temu (!) złamał jeden z zakazów religijnych (chodziło o ożenienie się z rozwódką i w ten sposób „nieodwracalne splamienie wszystkich swoich potomków”). Opierając się na antycznym dokumencie sąd rabinacki unieważnił małżeństwo, a dzieci pochodzące z tego związku uznał za bękarty (por. J. Kociszewski: *Kobiety Izraela*, „Życie Warszawy”, 12 marca 1995).

Przypomnijmy, że znany z religijnego fanatyzmu naczelny rabin Izraela Meir Lau potępił w 1995 roku zaproszenie na uniwersyteckie sympozjum w Tel Awiwie arcybiskupa Paryża, katolickiego kardynała Jeana Marie Lustigera (Żyda z pochodzenia). Naczelny rabin oświadczył w telewizji na temat Lustigera: *Żydom nie wolno było zapraszać go! W najcięższym okresie historii narodu żydowskiego zdezerterował z pola walki o nasze duchowe i fizyczne przetrwanie. Było to przestępstwo równe zbrodniom nazistów, autorów doktryny o ostatecznym rozwiązaniu kwestii żydowskiej* (cyt. za M. Sztycer: *Żyd-kardynał i nieprzejednany rabin*, „Express Wieczorny”, 4 maja 1995).

Istnieje aż nadto wiele dowodów skrajnej dyskryminacji chrześcijan zamieszkujących Izrael. Szczególnie tragiczny los spotkał chrześcijan-pustelników żyjących w pieczarach w Ein Fara na Zachodnim Brzegu Jordanu. Pewnego zimowego wieczoru 1979 roku izraelski kolonista napadł z siekierą na mnicha – Filloumenasa, a po zabiciu spalił jego zwłoki. Zbeszczeszczono pieczarną kaplicę. W klasztorze Ein Karem izraelski zelota zabił nożem dwie mniszki rosyjskie. Co najmniej osiem razy (do 1994 roku) bezczeszczono cmentarz chrześcijański na górze Synaj. W Jerozolimie ultraortodoksyjni fanatycy żydowscy doszczętnie zburzyli dwa chrześcijańskie kościoły i chrześcijańską księgarnię (por. W. Dalrymple: *Jeruzalem, jeśli o tobie zapomnę...*, „Ład", 25 grudnia 1994).

Arabscy mieszkańcy Izraela są wciąż dyskryminowani przez budżet państwa i traktowani pod różnymi względami jako obywatele drugiej kategorii. Potoczny język hebrajski roi się od terminów odzwierciedlających uprzedzenia wobec Arabów. Słowo „Arab" jest używane jako synonim chciwości, nieudolności i złego smaku. Mówi się „zupełnie jak Arab", „arabska robota", „arabski gust" (wg A. Elon: *Żydzi Żydów*, „Gazeta Wyborcza", 16 sierpnia 1993).

W ostatnich latach Izrael był widownią licznych aktów skrajnego żydowskiego fanatyzmu religijnego. Jednym z najstraszniejszych była zbrodnia popełniona 25 lutego 1994 przez żydowskiego lekarza Barucha Goldsteina. Otworzył on ogień do muzułmanów modlących się w „Grocie patriarchów" w Hebronie, zabijając ponad 30 ludzi. Goldstein był fanatycznym zwolennikiem ekstremistycznego rabina Meira Kahane, założyciela partii Kach, i był nawet szefem kampanii wyborczej rabina do Knesetu. Dużo wcześniej, w liście do dziennika „The New York Times" w 1981, Goldstein postulował, by Izrael wysiedlił Arabów z terenów okupowanych. Masakrę w Hebronie planował na zimno od dwóch lat. Fanatyczny morderca Baruch Goldstein po śmierci stał się idolem ultranacjonalistycznej sekty religijnej w Izraelu. Sekta ta, czcząc pamięć zabójcy, organizuje wciąż pielgrzymki do jego grobu, gdzie na terenie komunalnym wzniesiono mu pomnik. Znany izraelski pisarz Amos Oz, piętnował *haniebny monument Barucha Goldsteina, z każdą godziną przyciągający nowych czcicieli i pielgrzymów*" (por. A. Oz: *Kto zabił Icchaka Rabina?*, „Gazeta Wyborcza", 2–3 listopada 1996).

Według autora szkicu o Rabinie, publikowanego w „Magazynie Gazety Wyborczej", Icchak Rabin nigdy nie mógł zrozumieć, *dlaczego Izraelczycy wybrali w 1997 roku premierem Begina, szefa terrorystycznej organizacji Irgun, który 30 lat wcześniej wymordował wszystkich mieszkańców arabskiej wioski Deir Jassin. Albo Szamira, członka jeszcze bardziej radykalnej grupy Sterna, terrorystę ponad wszelką wątpliwość* (por. P. Paziński: *Icchak Rabin*, „Magazyn Gazety Wyborczej, 28 października 1994).

Byli Izraelczycy jednak, którzy nigdy nie mogli i nie chcieli pogodzić się ze zbrodniczymi działaniami niektórych oddziałów armii izraelskiej. By przypomnieć choćby słynnego, zmarłego kilka lat temu filozofa Jeszai Lejbowicza, który obdarzał armię izraelską przydomkiem „judeonaziści".

W ostatnich latach odnotowano dziesiątki przypadków zastosowania skrajnej przemocy przez Izraelczyków wobec Arabów, traktowanych przez nich częstokroć jako swoistych „podludzi". Typowe pod tym względem były akty brutalności z jednego tylko tygodnia na przełomie października i listopada 1996. Osadnicy izraelscy podpalili arabski dom na przedmieściach Hebronu. Pięciu jego mieszkańców, w tym jedną osobę w stanie ciężkim, musiano przewieźć do szpitala. Z kolei szef bezpieczeństwa w żydowskiej osadzie Hadar Beitar – Nahum Kurman, pobił na śmierć 11-letniego Palestyńczyka Hilmi Suszę. Powodem zabójstwa było to, że chłopiec wcześniej obrzucił kamieniami samochód Kurmana (por. tekst: *Narasta przemoc*, „Gazeta Wyborcza" z 4 listopada 1996).

Przykłady tego typu z różnych „cywilizowanych" i „tolerancyjnych" krajów świata można by długo mnożyć. Są to rzeczywiście „wspaniałe" wzorce dla anachronicznego polskiego „zaścianka". Dobrze, że jak na razie dla nas niedościgłe. Dzięki utrwalonej od stuleci naturze Polaków, nie przepadających za krwawymi ekscesami.

Rozdział XIII

Osłabianie i pomniejszanie kultury narodowej

Naród jest tą wielką wspólnotą ludzi,
których łączą różne spoiwa,
ale nade wszystko właśnie kultura.

Jan Paweł II

W żadnej chyba z dziedzin polskiego życia nie doszło do tak gruntownego zniweczenia nadziei na jej szybki rozwój po 1989 roku, jak w sferze kultury. Przez dziesięciolecia PRL-u była ona ograniczana różnymi komunistycznymi zakazami i tabu, gnębiona kolejnymi „przykręceniami śruby". Mimo to, na tle upadku tak wielu dziedzin życia, a zwłaszcza katastrofy gospodarczej, właśnie kultura była tym, czym można było się chlubić nawet w czasach PRL-owskich. Bo stamtąd dobiegał oryginalny polski głos, tam wyrażała się polska indywidualność narodowa, tak mocno zduszona gdzie indziej. Polski teatr, polska szkoła filmowa, plastyka, muzyka, plakat, wybijały się daleko poza opłotki komunistycznej części Europy, budziły tym większe zainteresowanie polską „innością" wewnątrz totalitarnego obozu. Kultura przynosiła Polsce najwięcej sukcesów w skali międzynarodowej, mogliśmy nią najlepiej legitymować się przed światem. Mimo to wciąż spychana była (wraz z nauką) na szary koniec wydatków budżetowych. Coraz ciężej płaciliśmy za wciąż nasilającą się degradację materialną i społeczną środowisk inteligenckich.

Zdawałoby się, że wraz z przywracaniem polskiej suwerenności po 1989 roku bardzo szybko dojdzie do podjęcia znaczących kroków dla ratowania polskiej kultury. I do wydatnego podniesienia jej pozycji, tak istotnej dla umocnienia narodowej tożsamości. Przecież już w XIX wieku to tak wielkie znaczenie kultury dla obrony polskości było powszechnie dostrzegane, także przez cudzoziemców. Przypomnijmy, że już recenzujący pierwsze tomy

Słowackiego paryski krytyk Louis Lemaitre pisał, że w polskiej kulturze można znaleźć jedyny ratunek dla pozbawionego niepodległości Narodu.

Wielki papież–Polak, Jan Paweł II, mówiąc o niezastąpionej wprost roli kultury w przetrwaniu polskości w ostatnich stuleciach, stwierdził między innymi w przemówieniu wygłoszonym 2 czerwca 1990 roku w siedzibie UNESCO:

Jestem synem Narodu, który przetrzymał najstraszliwsze doświadczenia dziejów, którego wielokrotnie sąsiedzi skazywali na śmierć – a on pozostał przy życiu i pozostał sobą. Zachował własną tożsamość i zachował pośród rozbiorów i okupacji własną suwerenność jako Naród nie w oparciu o jakiekolwiek inne środki fizycznej potęgi, tylko w OPARCIU O WŁASNĄ KULTURĘ, która okazała się w tym wypadku potęgą większą od tamtych potęg. I dlatego też to, co tutaj mówię na temat praw Narodu do stanowienia o swojej kulturze i swojej przyszłości, nie jest echem żadnego „nacjonalizmu", ale pozostaje trwałym elementem ludzkiego doświadczenia i humanistycznych perspektyw rozwoju człowieka. Istnieje podstawowa suwerenność społeczeństwa, przez którą równocześnie najbardziej suwerenny jest człowiek (Jan Paweł II: *Nauczanie społeczne 1980*, Warszawa 1984, s. 456).

Porzucenie kultury przez elity

Po utworzeniu rządu Tadeusza Mazowieckiego we wrześniu 1989 roku dość szybko okazało się, że przeważająca część elit solidarnościowych (głównie tych z lewicowym rodowodem), które doszły wówczas do władzy) faktycznie nie ma serca dla spraw kultury. A już tym mniej jako „Europejczyków" obchodzi ich jej rola dla narodu. Przedsmak tego, co nastąpiło w stosunku do kultury po 1989 roku, zyskaliśmy już przy „okrągłym stole". „Różowi" i „czerwoni" stołownicy okazali się całkowicie obojętni na sprawy przetrwania kulturowego dziedzictwa. Kultura była jedyną sferą polskiego życia zbiorowego, o której całkowicie zapomniano przy „okrągłym stole". Była tam do końca nieobecna. Nikomu nie przyszło ani przez chwilę do głowy, by upomnieć się o osobny stolik dla kultury podczas obrad okrągłego stołu – ani Geremkowi, ani Michnikowi, ani Mazowieckiemu!

Zapomniano o obronie kultury w parlamencie wybranym w czerwcu 1989 roku, pomimo faktu, że w nowym Sejmie i Senacie znalazła się nadspodziewanie szeroka reprezentacja środowisk kulturalnych. Przypomnijmy, z jakąż dumą anonsował to Andrzej Wajda na łamach „Gazety Wyborczej z 13 października 1990 roku: *Nigdy dotąd środowiska twórcze i kulturalne nie miały tak licznej i silnej reprezentacji w Parlamencie.* Ta liczna reprezentacja osób ze środowisk kultury, najczęściej zupełnie niekompetentnych w sprawach szerszej polityki, tak jak Andrzej Szczypiorski czy Andrzej Łapicki, senatorowie od 1989 roku, czyniła ich tym podatniejszymi na „dyrygujące sugestie" głównego guru lewicy OKP Geremka. Okazało się, że liczna reprezentacja parlamentarzystów ze środowisk kultury jest równocześnie straszliwie słaba nawet w sferze obrony interesów kultury, na której powinni się znać. I w pełni uzasadnione stały się późniejsze komentarze, że parlamentarzyści „zdradzili kulturę polską". Już w lutym 1990 roku pisarz Władysław Terlecki mógł z całym uzasadnieniem stwierdzić, że obecny parlament jest jednym z najbardziej obojętnych wobec kultury parlamentów, jakie mieliśmy po wojnie. Zachwyceni własnymi awansami ludzie z elit kulturalnych zapomnieli o jakichkolwiek próbach bronienia szerszych problemów kultury czy oświaty, a niektórzy z nich wręcz szkodzili całkowicie bagatelizując zagrożenia. Typowy pod tym względem był casus Andrzeja Szczypiorskiego, który jako senator OKP w 1990 skrajnie minimalizował zagrożenia dla kultury. Po kilku latach zaś, gdy między innymi również dzięki jego karygodnym zaniechaniom jako parlamentarzysty kultura znalazła się we wręcz katastrofalnej sytuacji, Szczypiorski nagle „obudził się" i zaczął głosić hasło powołania partii inteligencji. Rychło w czas!

Cywińska — patronka kiczu

Na sytuacji kultury po 1989 roku szczególnie negatywnie odbił się również wyjątkowo fatalny personalny dobór ministra kultury. Izabella Cywińska okazała się jednym z najgorszych ministrów w rządzie Mazowieckiego, zachowując skrajną obojętność na zagrożenia dla kultury i poświęcając maksymalnie jej interesy technokratycznemu lobby balcerowiczowskiemu. Beztrosko popierała błyskawiczne wprowadzenie nieograniczonego wolnego rynku w sferze kultury. W sytuacji, gdy upadł mecenat państwowy, a nie było jeszcze mecenatu społecznego i prywatnego, oznaczało to ułatwienie skrajnej komercjalizacji, inwazji kiczu i bezwartościowej tandety artystycznej. Skądinąd trudno się dziwić skrajnej tolerancji minister Cywińskiej wobec zalewu komercyjnej szmiry. Znana była ona bowiem z dość szczególnych osobistych upodobań do wytworów kultury niskiego lotu, z kręgu tzw. komercji i kiczu. Wyznawała kiedyś w „Polityce", że bardzo lubiła odpoczywać *Przy kamiennym kręgu: ciekawa byłam, co będzie dalej, czy on ją kocha, czy ona go nie kocha* (cyt. za „Polityką" z 29 kwietnia 1989).

Kultura pod buciorami technokratów

Z perspektywy lat wręcz szokująca wydaje się karygodna ślepota technokratów z rządu Mazowieckiego–Balcerowicza na zagrożenia dla kultury, doprowadzone do krańcowych granic lekceważenie jej interesów i potrzeb. Przy równie karygodnej obojętności minister kultury Cywińskiej i parlamentarzystów ze środowisk kulturalnych. Wystarczy przypomnieć choćby niektóre jakże kompromitujące, wręcz żenujące swym zmaterializowanym prymitywizmem wypowiedzi czołowych oficjeli z owych dni. Począwszy od haniebnej wręcz wypowiedzi pierwszego zastępcy Balcerowicza w resorcie finansów Marka Dąbrowskiego (dziś członka Rady Polityki Pieniężnej), który publicznie stwierdził, że książki należy traktować pod względem podatkowym tak jak gwoździe. (!) Czy można było niżej upaść w barbarzyńskim stosunku do wartości kulturowych, narodowej roli kultury? Gdyby Polacy z XIX wieku mieli miliony ton gwoździ, za to ani jednej książki, to pan Marek Dąbrowski nigdy nie byłby polskim wiceministrem, a my bylibyśmy dziś zrusyfikowani albo zgermanizowani. Inny mędrzec z ekipy Mazowieckiego wyraził się, że produkcja filmowa jest dokładnie tym samym, co produkcja butów, wobec czego podlega identycznym prawom rynkowym (cyt. za wypowiedzią reżysera Jerzego Hoffmana, krytykującego tego typu poglądy, wypowiadane publicznie, w wywiadzie dla „Życia Warszawy" z 9 maja 1990). Podobny typ lekceważenia roli i potrzeb kultury okazał inny dzisiejszy „filar" Unii Wolności, a w 1990 roku minister przekształceń własnościowych w rządzie Mazowieckiego, Waldemar Kuczyński. Wiosną 1990 roku Kuczyński występując w „Studiu Foksal" wypowiedział się przeciw obcinaniu nakładów na MSW, „bo jest to tkanka szczególnie delikatna", po czym śmiechem zbył twierdzenie, że „tkanką szczególnie wrażliwą" jest kultura (por. *Z notatnika Dawida W.*, „Po Prostu", 24 maja 1990).

Zdrada narodowego interesu

Na tle cytowanych tu, tak samokompromitujących wypowiedzi ludzi z ekipy Mazowieckiego–Balcerowicza, jakże groteskowo brzmią wygłaszane poniewczasie – w 1997 roku (!), gromkie zapewnienia liderów Unii Wolności, w tym Leszka Balcerowicza, o potrzebie zagwarantowania szczególnego wsparcia tak zagrożonej dziś kulturze. A gdzie szczere bicie serca we własne piersi Balcerowicza *et consortes*, którzy kulturze zgotowali ten smętny los, gorliwie spychając ją ku zapaści? Nie mogą nawet się tłumaczyć kompletnym brakiem wyobraźni na temat zagrożeń, jakie czyhały na kulturę. Bo przecież już w latach 1989–1990 słyszeli głośne publiczne ostrzeżenia na ten temat. By przypomnieć choćby dramatyczne wypowiedzi kilku pisarzy, a w szczególności Władysława Terleckiego. Po kilku latach Terlecki wspominał: *Wszelkie próby sygnalizowania niebezpieczeństwa zbywano po prostu milczeniem. I tak na przykład sprawujący w owym czasie urząd wiceministra finansów jeden z twórców monetarystycznej strategii, którego i dziś jeszcze w mediach nazywa się politykiem, oświadczył bez najmniejszego, dodajmy, wstydu, że sprawy upowszechniania kultury, czyli opieki nad duchowym rozwojem społeczeństwa polskiego, mają dla niego to samo znaczenie, co produkcja gwoździ. (...) Przypomnijmy, że owi zwolennicy wolnego wyboru wartości – bez zapewnienia powszechnego dostępu do wiedzy umożliwiającej podobne wybory – uważają, że 10 procent wykształconych obywateli w państwie europejskim pod koniec naszego wieku, to całkiem wystarczająca grupa, odpowiadająca za rozwój państwa. Pozostała więc część polskiego społeczeństwa powinna w myśl zasad tak pojętej liberalnej wolności, spełniać rolę siły roboczej, której wymagania sprowadzać można do zaspokajania najprymitywniejszych jej potrzeb. (...)*

W ostatnich przedwyborczych miesiącach ujawniła się jedna jeszcze, zdumiewająca cecha elit politycznych. Wszystko, co stanowi w naszej kulturze o tożsamości narodowej, pozostaje w gruncie rzeczy poza sferą ich zainteresowania. Spytajmy więc czy 10 procent wykształconego społeczeństwa stanowi dla tych wizjonerów zbyt wysoką miarę? Gdyby się to miało sprawdzić, można owym elitom postawić zarzut zdrady interesu narodowego (cyt. za: W. Terlecki: *Zdrada narodowego interesu*, „Polska Dzisiaj", grudzień 1995).

Od technokratów–monetarystów: Balcerowicza i Dąbrowskiego, zarządzających budżetem RP z tak skrajnym lekceważeniem potrzeb kultury, właściwie trudno było oczekiwać zrozumienia dla roli kultury w życiu narodu. Obaj panowie już w młodości pokazali, że prawdziwe wartości duchowe ich niewiele obchodzą, wchodząc do partii komunistycznej w jej najgorszym okresie, po brutalnym stłumieniu marcowych manifestacji studenckich w 1968 roku i udziale PRL-u w inwazji tłumiącej wolnościowe dążenia Czechosłowacji. Przypomnijmy, że Balcerowicz wstąpił do PZPR w 1969 roku, z zaciągu kandydackiego 1968 roku. Miał wówczas 22 lata, i trudno tłumaczyć niedojrzałością decyzję wstąpienia wówczas do partii komunistycznej, którą podejmowali wówczas tylko najgorsi karierowicze. Zastępca Balcerowicza, pierwszy wiceminister finansów Marek Dąbrowski, wstąpił do PZPR w 1970 roku, w okresie największej degrengolady i kompromitacji reżimu Gomułki, roku masakry robotników Wybrzeża. Miał wówczas 19 lat. Studia i praca Balcerowicza przebiegały najpierw w odpowiednim komunistyczno-internacjonalistycznym otoczeniu na SGPiS-ie, zasłużenie nazywanej „Czerwoną Oberżą", później zaś przez całe lata w Instytucie Podstawowych Problemów Marksizmu-Leninizmu przy KC PZPR. Nie była to, jak wiadomo, najlepsza szkoła polskości i patriotyzmu. Balcerowicz, były PZPR-owski „internacjonalista", zostawszy w 1989 roku osobą Numer Jeden w polskiej gospodarce, myślał głównie o tym, jak stać się prymusem w realizowaniu dyrektyw Międzynarodowego Funduszu Walutowego i Banku Światowego. I konsekwentnie lekceważył takie „drobiazgi" jak interesy polskiej narodowej kultury, oświaty i nauki. Tak kontynuowano popychanie tych dziedzin ku dalszej zapaści.

Niepokoje „raczkującego Europejczyka"

Motywy działania rządzących technokratów były dość widoczne. Jak wytłumaczyć jednak postępowanie ludzi ze sfery kultury, z minister kultury i sztuki Izabellą Cywińską na czele, jej współpracowników czy parlamentarzystów OKP za środowisk kulturalnych, którzy dosłownie nic nie robili dla obrony kultury przed skrajnym „oszczędzaniem" jej kosztem – na szkodę przyszłości narodu. Ludzi, którzy panegirycznie padali plackiem przed poleceniami Balcerowicza, mówiąc tak jak Cywińska w wywiadach: *Modlę się o sukces Balcerowicza*. Ludzi, którzy nie słuchali żadnych ostrzeżeń, nawet z najbliższych ich kręgów ze strony dostrzegających niektóre zagrożenia osób z ich lewicowego grona. Przecież nawet na łamach tygodnika „Po Prostu", reprezentującego skrajnie lewicowy i kosmopolityczny odłam „warszawki", ukazał się bardzo wymowny, ostrzegawczy tekst Andrzeja Rosnera (później znanego z licznych kontrowersyjnych decyzji jako dyrektora Departamentu Książki w Ministerstwie Kultury i Sztuki). Rosner, wówczas „raczkujący Europejczyk" – jak sam o sobie pisał – zauważył już w 1990 roku, że w Brukseli rozwijającej przygotowania do wspólnej Europy *można też zauważyć niebezpieczne tendencje do traktowania kultury identycznie jak gospodarki: celem miałoby być stworzenie Europejczyka roku 1993 (lub, powiedzmy 2010) – obywatela kontynentu o ograniczonej świadomości narodowej i słabym poczuciu odrębności kulturowej. (...) O tym, że takie niebezpieczeństwo jednak istnieje, świadczy przykład telewizji w zachodniej Europie. Otóż Bruksela posiada znakomity system rozsyłania programów telewizyjnych drogą kablową. Przeciętny mieszkaniec miasta ma do wyboru osiemnaście kanałów – belgijskich, francuskich, holenderskich, niemieckich i angielskich. Wszystkie (poza BBC – tu odrębność brytyjska okazała się chwalebna) podobne są do siebie jak krople wody. Tutaj unifikacja poczyniła niestety zastraszające postępy* (por. A. Rosner: *Oczami raczkującego Europejczyka*, „Po Prostu", 1990, nr 14, s. 11).

Warto przypomnieć te nadspodziewanie szczere uwagi „raczkującego Europejczyka" – Andrzeja Rosnera, tym wszystkim, którzy starają się dziś wykpić jako niczym nieuzasadnione wszelkie obawy przed zatracaniem narodowej tożsamości kulturowej pod egidą biurokratów z Maastricht czy Brukseli.

Pogłębianie zapaści kultury

Za rządów Jana Krzysztofa Bieleckiego i Hanny Suchockiej dalej dominował wąsko technokratyczny punkt widzenia, prowadzący do ciągłego spychania kultury na szary koniec budżetu. Była to swoista odmiana Ciemnogrodu – Ciemnogród urynkowiony. Trzeba przyznać, że znalazł on szczególnie zdecydowanych rzeczników w kręgu liberałów Bieleckiego. Jeden z czołowych liberałów „wsławił się" powiedzeniem, że „teraz czas na weksle, nie na książki". Tego typu podejście musiało prowadzić do ciągłych cięć wydatków na kulturę, oświatę i naukę, a zarazem do obniżania aspiracji edukacyjnych i kulturalnych, drastycznie malała liczba widzów na przedstawieniach teatralnych i koncertach. W 1990 roku liczba widzów w teatrach zmalała o 2 miliony w porównaniu z rokiem 1988. Coraz bardziej opłakany stawał się stan kultury muzycznej. Już 31 maja 1990 roku pisano w „Rzeczpospolitej" (w tekście *Elitka i pariasi*), że pod względem kultury muzycznej Polska lokuje się na ostatnim miejscu w Europie. Pogłębiała się katastrofa książki polskiej, w dużej mierze jako konsekwencja karygodnej pasywności minister kultury Cywińskiej wobec zalewu książkowej szmiry i braku wsparcia dla dobrej książki. Znany pisarz emigracyjny, redaktor działu kulturalno-literackiego „Wolnej Europy", Włodzimierz Odojewski ostrzegał solidarnościową elitę władzy w dramatycznym wywiadzie z lipca 1991 roku. Krytykując kolejne budżetowe cięcia funduszy na kulturę i oświatę, Odojewski konstatował: *Jakby rząd nie wiedział, że szkolnictwo jest kluczem do przyszłości kraju, że dziś nie pięść i nie ręka, ale umysł decyduje w wyścigu do lepszej Europy. (...) Jeśli kultura polska zostanie dziś przydeptana, to może za dwadzieścia lat mieć kłopoty z nowym odrodzeniem się* (cyt. za rozmową A. Krzemińskiego z W. Odojewskim: *Rozdrapana rana lepiej się goi*, „Polityka", 20 lipca 1991).

W jeszcze dramatyczniejszym tonie pisał o zagrożeniach życia umysłowego Marek Adamiec na łamach paryskiej „Kultury", stwierdzając wręcz: *Praca umysłowa, inteligencja, oświata, nauka, kultura są dzisiaj w Polsce przedmiotem wyjątkowego lekceważenia, chyba nawet pogardy (...) po prostu splugawiona została sama istota pracy umysłowej (...) inteligencja polska znalazła się obecnie w sytuacji szczególnego upodlenia, także materialnego* (M. Adamiec: *O jednym aspekcie zdziczenia obyczajów intelektualnych*, paryska „Kultura", 1992, nr 9, s. 75–76).

Uchwalona w 1993 roku kwota na kulturę, stanowiła zaledwie 0,7 proc. budżetu przy średniej europejskiej 2–2,5 proc. (w 1980 roku „Solidarność" postulowała zwiększenie wydatków budżetowych na kulturę z 1,4 dochodu narodowego do 2, a co najmniej 1,8 proc.). Była to kwota niższa od kwoty, którą kilkakrotnie mniejsze od Polski Węgry wydawały na subsydiowanie swojej kultury (wg W Odojewski: *Czarna dziura*, „Tygodnik Powszechny" z 31 stycznia 1993). Emigracyjny pisarz Włodzimierz Odojewski pisał z goryczą o skrajnej obojętności kolejnych rządów i elit intelektualnych po 1989 roku na postępującą zapaść kultury, stwierdzając: *Słowa kultura, oświata, nauka, literatura, sztuka, nie pojawiły się w kolejnych exposé zmieniających się premierów, a przecież ci premierzy mieli niejednokrotnie za dorad-*

ców ludzi zaliczanych do intelektualistów, którzy – nie sądzę, aby nie dostrzegali, że w wyliczonych przeze mnie dziedzinach kraj zapada się – pozwolę tu sobie sięgnąć po porównanie z astronomii – w czarną dziurę. Przerażająca krótkowzroczność (W. Odojewski, *op. cit.*).

Dogorywanie bibliotek

Największym problemem stawał się fakt, że wraz z pogłębianiem się zróżnicowania materialnego społeczeństwa, pogłębiała się nierówność w dostępie do skarbca wartości kulturalnych. Dla wielkiej części narodu coraz trudniejszy stawał się dostęp do dóbr kulturalnych przy ich stopie życiowej. Widać to było z licznych badań opinii publicznej. Sondaże wskazywały, że 70 proc. rodzin zagrożonych finansowo w pierwszej kolejności zrezygnowałaby z wydatków na kino i teatr, 55 proc. przestałoby kupować książki, a 29 proc. poniechałoby wydatków na prasę (wg tekstu *Obrazki dla dorosłych*, „Wprost" z 11 września 1994). Faktycznie, bardzo duża część społeczeństwa już zaakceptowała rezygnację z dostępu do dóbr kultury na masową skalę. Według badań OBOP w 1993 roku, aż 56 proc. Polaków nie przeczytało ani jednej książki. Ponad połowa narodu! Na wsi w ciągu trzech lat liczba punktów bibliotecznych zmalała o połowę (z 18 918 w 1989 roku do 8 487 w 1991 roku) (R. Teyszerski: *Z kulturą czy bez kultury*, „Słowo – Dziennik Katolicki", 12 marca 1993). Zdarzały się i takie przypadki, jak ten z Pacanowa, gdzie radni postanowili zamknąć wiejskie biblioteki, bo na wsi i tak jakoby nikt książek nie czyta. Wśród radnych pacanowskich, wśród których przeszedł ten kuriozalny wniosek, jedną czwartą stanowili nauczyciele (por. tekst I. Bednarz: *W Pacanowie ksiąg żałują*, „Gazeta Wyborcza", z 8 marca 1995).

Pełnomocnik ministra kultury i sztuki ds. książki i bibliotek Andrzej Rosner przyznał w artykule z grudnia 1993 roku, że: *Dystrybucja dobrych książek ograniczona jest do dużych miast; inteligencji w małych miasteczkach pozostało oglądanie telewizji lub zmiana zainteresowań, tzn. pochłanianie najtańszych komercyjnych czytadeł. Biblioteki publiczne, zwłaszcza te prowincjonalne, nie mają pieniędzy na kupowanie nowych tytułów; dobrze, jeżeli starcza na czynsz i płace dla bibliotekarzy. 75 proc. bibliotek publicznych ma zasadnicze kłopoty z kupowaniem jakichkolwiek nowości. (...) Pa-*

dają za to masowo punkty biblioteczne, słabe filie bibliotek gminnych na wsi – i to jest prawdziwy dramat. Warto bowiem wiedzieć, że w warunkach wiejskich 80 proc. czytelników rekrutuje się z obszaru w promieniu 1 km od biblioteki. Jest czystą iluzją sądzić, że można scalić kilka słabych filii i utworzyć jedną silniejszą bibliotekę bez straty czytelników. I tutaj rzeczywiście cztery ostatnie lata wywołały spustoszenie (por. A. Rosner: *Ani czarne, ani białe*, „Rzeczpospolita", 24 grudnia 1993).

W „Życiu Warszawy" z czerwca 1996 roku pisano, że sieć bibliotek publicznych przestała funkcjonować, a zakupy książek dla wiejskich bibliotek zmniejszyły się o 70 proc. Wiejskie bibliotekarstwo zostało doprowadzone faktycznie do upadku. Zatrudnienie w bibliotekach zmniejszyło się w ciągu kilku lat o ponad cztery tysiące etatów. O ponad milion spadła liczba czytelników wiejskich – z trzech milionów trzystu tysięcy do dwóch milionów stu tysięcy – czyli o 36,5 proc. (wszystkie dane za tekstem M. Mońko: *W cieniu kaganka...*, „Życie Warszawy", 22–23 czerwca 1996).

Płaciliśmy ogromnie wysoką cenę za brak wyobraźni i poczucia interesów narodowej kultury u rządzących pseudonowoczesnych technokratów. Ci nasi nadgorliwi „Europejczycy" – rzecznicy urynkowienia kultury za wszelką cenę, nie potrafili zauważyć nawet tego, co robiła dla ochrony kultury tak fetyszyzowana przez nich Europa Zachodnia. Choćby uchwały Parlamentu Europejskiego z 1981 roku stwierdzającej, że *nie powinny być stosowane kryteria ekonomiczne do tego tak zasadniczego w rozwoju społeczeństwa dobra, jakim jest książka.*

Niezwykłą ślepotę naszych oficjeli w sprawach potrzeb kultury dobrze zilustrowała pokazana kiedyś w telewizji rozmowa aktora Wojciecha Pszoniaka z jakimiś wysokimi urzędnikami z polskiego ministerstwa kultury. Usiłowali oni przekonać Pszoniaka, od wielu lat mieszkającego we Francji, że francuska kultura – od muzyki i filmu po teatr, musi rzekomo w całości na siebie zarabiać bez żadnych dofinansowywań. Pszoniak musiał dopiero wyjaśniać fanatycznym technokratom z ministerstwa kultury, że na przykład Opera Paryska jest w 80 proc. dotowana przez państwo i wcale nie jest jedyną placówką kulturalną wspieraną przez rząd francuski. Najlepsza była jednak pointa wypowiedzi Pszoniaka. Powiedział on, że Leonardo da Vinci pozostawiłby po sobie co najwyżej szkice, *bo nie miałby nawet na farby, gdyby nie mecenasi* (por. *Komedianci*, opr. A. Roman, Warszawa 1995, s. 201).

Barbaria w muzyce – Fryderyki sięgnęły bruku

Podlaskiej Wytwórni Wódek „Polmos" w Siedlcach udało się załatwić zgodę na zarejestrowanie znaków graficznych wykorzystujących nazwisko i podobiznę Chopina do oznaczania wyrobów alkoholowych po uznaniu przez Urząd Patentowy, że rejestracja nie narusza zasad współżycia społecznego. W rejestracji pomogła pozytywna opinia Towarzystwa im. Fryderyka Chopina. Zdaniem ministra kultury Zdzisława Podkańskiego, stanowisko Towarzystwa było *wyrazem jedynie partykularnych interesów majątkowych oraz złożone zostało bez jakiegokolwiek tytułu prawnego* (wg „Gazety Wyborczej" z 10 września 1996). Towarzystwo im. Chopina korzysta z tantiem od każdej butelki wódki „Chopin". Na próżno całe środowisko muzyczne protestowało przeciw wykorzystywaniu nazwiska i wizerunku Chopina do oznaczania wyrobów alkoholowych. Nie pomogły protestacyjne listy Związku Kompozytorów Polskiej, Międzynarodowej Federacji Towarzystw Chopinowskich, Polskiej Akademii Chopinowskiej, warszawskiej Akademii Muzycznej, Stowarzyszenia Polskich Artystów Muzyków. Nie pomógł również protest praprawnuczki siostry Fryderyka Chopina Ludwiki Jędrzejewiczowej, piszącej między innymi w liście do rzecznika praw obywatelskich: *Fryderyk Chopin jest jednym z największych przedstawicieli narodu polskiego i myślę, że państwo polskie stać na utrzymanie jego pamięci bez szukania pomocy finansowej w tak niski sposób.*

Brak troski o ochronę imienia wielkiego polskiego kompozytora „owocował" kolejnymi pomysłami. W Katowicach nazwę Chopina nadano miejscowemu domowi pogrzebowemu, w Warszawie – pralni (por. „Polityka", 7 grudnia 1996, s. 106).

W związku z merkantylnym wykorzystywaniem nazwiska Fryderyka Chopina dla celów handlowo-wódczanych warto przypomnieć pewną anegdotę z życia wielkiego kompozytora. Na jakimś przyjęciu podszedł do Chopina ktoś z Francuzów i wyraził zdziwienie, że polski kompozytor nie pije, mówiąc: *Słyszałem, że żaden z Polaków nie stroni od trunków. – A ja słyszałem, że wszyscy Francuzi są dżentelmenami* – zripostował Chopin.

Fatalne skutki przyniosło zawłaszczenie imienia Chopina dla dawania dorocznych nagród muzycznych za muzykę rozrywkową, głównie pop muzykę. Na próżno zaprotestował przeciwko temu natychmiast Związek Kompozytorów Polskich, głosząc w oświadczeniu z marca 1995: *Zawłaszczenie imie-*

nia Chopina – jednego z największych geniuszy w historii – w celu lansowania muzyki pop stanowi moralne nadużycie. Kojarzenie Fryderyka z działalnością autorów i wykonawców wspomnianej muzyki deprecjonuje zawód kompozytora i przynosi niepowetowane szkody (cyt. za D. Szwarcman: *Chopin dobry na wszystko*, „Gazeta Wyborcza", 17 marca 1995).

Z podobnym w tonie protestem wystąpiła Polska Akademia Chopinowska w liście do prezesów Telewizji Polskiej i Polskiego Radia. Zarząd Polskiej Akademii Chopinowskiej, skupiającej w swym gronie czołowe nazwiska muzyczne, stwierdzał w liście między innymi: *Jest to komercyjny akt promocji. (...) Prosimy (...) o rozwagę, o przeciwstawienie się degradacji autorytetów i symboli narodowych i o zaprzestanie przedsięwzięcia promowania Fryderykami komercyjnej produkcji rozrywkowej.*

Obawy luminarzy polskiej muzyki okazały się aż nadto uzasadnione. Najlepiej świadczył o tym incydent, jaki wydarzył się w bieżącym roku w związku z przyznaniem jednego z Fryderyków solistce zespołu O.N.A. Agnieszce Chylińskiej, znanej ze skrajnego prymitywizmu i wulgarności. Odbierając Fryderyka usatysfakcjonowana Chylińska wykrzyknęła pod adresem swoich dawnych nauczycieli szkolnych: *Fuck off* (odpier... się). *Nienawidzę Was!* Myliłby się ktoś, kto sądziłby, że wulgarne zachowanie dziewoi z O.N.A. spotkało się z powszechnym potępieniem. Nikt nie pomyślał o zareagowaniu na taką kompromitację nagrody, bądź co bądź wiążącej się z nazwiskiem wielkiego subtelnego kompozytora, notabene syna nauczyciela! Za to zaraz znaleźli się dziennikarze gotowi do zrozumienia postępku Chylińskiej (np. Tomasz Raczek we „Wprost"). A program I TVP zafundował prymitywnej i niedouczonej piosenkarce (sama wyznała, że nigdy nie przeczytała ani jednej lektury szkolnej) specjalny, prawie godzinny program. W którym wraz z resztą zespołu mogła wypowiadać swe raczej mało przemyślane sądy o Kościele, bezrobociu, samobójstwach, narkotykach, etc. Nowy „autorytet"!

Niszczenie polskiego kina przez amerykanizację

Beztroska rządców polityki kulturalnej, począwszy od minister Cywińskiej, stała się źródłem stopniowego zalania polskich kin przez amerykańską tandetę. Dziś doszło do tak katastrofalnej sytuacji, że 90 proc. repertuaru polskich kin stanowią drugorzędne sensacyjne, krwawe filmy amerykańskie. „Dzieła" te przynoszą również coraz gorsze „efekty" wychowawcze. Reporterka „Sztandaru Młodych" zapytała młodego widza, po seansie *Elektronicznego mordercy*, jaki film miałby ochotę nakręcić. Zapytany odpowiedział z werwą, że zrobiłby film: *O facecie, który jest niepokonany. Jak by go zabili, to odradzałby się na nowo i mścił. Też by ich zabijał, obcinał ręce i głowy, oblewał benzyną i podpalał (kiedyś widziałem taki film w telewizji). W ogóle w moim filmie dużo by się działo.*

Patrząc na kolejne etapy niszczenia polskiego kina w okresie po 1989 roku, i jego żałosny stan obecny, wypada zapytać, czy rzeczywiście nieunikniony był upadek polskiej kinematografii, czy nie można było wybrać rozwiązań, które by mu zapobiegły? Lektura wypowiedzi czołowych twórców polskiego kina dowodzi, że można było uniknąć najgorszego, że nie trzeba było dopuszczać do niekontrolowanego żywiołowego zdominowania kina przez rynek, bez żadnej ochrony krajowej kinematografii. Zabrakło do tego jednak serca i woli działania ze strony czołowych prominentów Ministerstwa Kultury na czele z osławioną minister Izabellą Cywińską. Bardzo surowy werdykt na temat tych zaniechań wypowiedział reżyser Krzysztof Zanussi w wywiadzie dla „Rzeczpospolitej" z 12–13 stycznia 1991 roku, tak mówiąc o „mizernych" efektach działań Ministerstwa Kultury i Sztuki w sferze sponsorowania rodzimej kinematografii: *Naiwna wiara, że rynek jest zawsze najbardziej sprawiedliwym sędzią, sprawia, że przeprowadzając nieszczęsną reformę dystrybucji, oddano nasze kina w ręce najbardziej niepowołanych ludzi. Wszystko puszczono na żywioł, nie stwarzając żadnych zabezpieczeń dla rodzimej produkcji. Dzisiaj konieczne jest odzyskanie miejsca, gdzie można byłoby pokazywać polskie filmy, bo tylko wtedy będzie istniał bodziec, aby je robić. Polskiemu filmowi w Polsce jest dlatego trudniej niż francuskiemu we Francji czy włoskiemu we Włoszech, bo tam są one prawnie chronione* (por. rozmowę J. Wołoszańskiej z K. Zanussim: *Między Polską a Europą*, „Rzeczpospolita", 12–13 stycznia 1991).

Nie trzeba było zresztą sięgać po zagraniczne wzorce w obronie kultury rodzimej. Mieliśmy w tej dziedzinie bardzo dobre rozwiązania z czasów Drugiej Rzeczypospolitej, jeśli chodzi o obronę interesów rodzimej kinematografii. Na próżno przypominali jednak o tym polscy reżyserzy filmowi – ich wypowiedzi w tej sprawie były swego rodzaju głosem wołającego na puszczy. Reżyser Krzysztof Gradowski, autor licznych filmów dokumentalnych, animowanych i fabularnych (między innymi słynnej trylogii dla młodych widzów o Panu Kleksie), przewodniczący korporacji Polskich Reżyserów Filmowych i Telewizyjnych, mówił w wywiadzie dla „Życia Warszawy" już w grudniu 1990 roku (!): *Zniknęły z repertuaru filmu polskie. Kina mimo to wpadły w głęboki deficyt, więc zostały dofinansowane, tym samym została dofinansowana amerykańska produkcja komercyjna, przecież to nonsens. Żeby przywrócić właściwe proporcje repertuarowe, wystarczy wziąć za wzór stosowane przed wojną przepisy podatkowe: powiedzmy – 20 proc. ulgi przy wyświetlaniu filmów europejskich i 40 proc. przy wyświetlaniu filmów polskich* (por. rozmowę B. Drozdowskiego z K. Gradowskim: *Nie można grać ze świadomością klęski*, „Życie Warszawy", 3 grudnia 1990).

Na próżno powoływał się na mądre rozwiązania Drugiej Rzeczypospolitej reżyser Wojciech Marczewski (twórca słynnych *Dreszczy*), mówiąc w styczniu 1991 roku: *Weszliśmy w okres brutalnego kapitalizmu. Tylko że w krajach bardziej cywilizowanych, gdzie pieniądze są tak samo ważne jak u nas, stosowane są pewne zabezpieczenia, których w Polsce jeszcze się nie dorobiliśmy. To znaczy kinematografia francuska broni się w ten sposób, że daje specjalne subsydia na rozpowszechnianie francuskiej produkcji – dystrybutor dostaje po prostu dodatkowe pieniądze. Nie jest to system nowy. Przed wojną był taki sam u nas. Dystrybutor rozpowszechniający polski film był zwolniony z podatku. I taki system musi obecnie powstać w Polsce, choćby dlatego, że funkcjonuje on prawie we wszystkich krajach Europy* (por. rozmowa G. Kozyry z W. Marczewskim: *Ucieczka ze składu makulatury*, „Przegląd Tygodniowy" z 20 stycznia 1991).

I cóż powiedzieć o czołowych notablach z Ministerstwa Kultury, którzy nie zrobili nic dla podjęcia i zrealizowania tak ważnych postulatów wysuwanych przez czołowych przedstawicieli polskiego środowiska filmowego? I kto ich rozliczy za straty poniesione przez polskie kino, za pieniądze, których zabrakło dla jego rozwoju?

Ze szczególnie gwałtownym protestem przeciw niszczeniu polskiego kina przez „amerykanizację" wystąpił reżyser Krzysztof Tchórzewski, niegdyś członek kierowanego przez Wajdę zespołu filmowego „X", później między innymi twórca *Stanu wewnętrznego*, pierwszego polskiego filmu o stanie wojennym, nagrodzonego na festiwalach w Gdańsku i Łagowie. W wywiadzie dla „Tygodnika Solidarność" z 16 października 1992 Tchórzewski ostro zaatakował brak troski o interesy rodzimej kultury, a zwłaszcza filmu. Powiedział: *Brak ochrony rynku krajowego i zalew produkcji wideo, wszystko to doprowadziło do tego, że dosłownie w ciągu paru tygodni film amerykański wymiótł z kin nie tylko kino polskie, ale również całe kino światowe. Zaowocował kilkuletni proces antypromocji i pustki edukacyjnej. Okazało się, że bohaterem naszych czasów nie jest Korczak, lecz Schwarzenegger (...) Przez ostatnie dwa lata polskie filmy – z niewielkimi wyjątkami – zdejmowane są z ekranów zaraz po premierze, żeby nie zajmować miejsca produkcjom amerykańskim. (...) Moje pokolenie, dziś ludzi po czterdziestce, chodziło na Bergmana, Hasa, Felliniego, Wajdę, Antonioniego. Szło do kina bardziej, aby poznać świat, i jego problemy niż zagłuszyć otaczającą rzeczywistość. Chodzenie do kina było sposobem bycia. Dziś stało się jedną z form pseudokonsumpcji w rodzaju „Dynastii" lub „Metra", z porcją hamburgera od McDonalda. Delektujemy się pozorami amerykańskiego luksusu.*

Jak bronić interesów rodzimego kina? (Dlaczego nie uczymy się od Francji?)

Reżyser Krzysztof Tchórzewski napiętnował skrajną pasywność polskich władz po 1989 roku, brak troski oficjalnych instancji w resorcie kultury o obronę kinematografii rodzimej, stwierdzając: *Nieprawdą jest, że kultura może istnieć bez mecenasa. Znam nieco kulturę francuską. Z podziwem zawsze patrzyłem, jak we Francji popiera się każdy przejaw rodzimej aktywności twórczej. Telewizja nigdy nie zapomni o odnotowaniu spektaklu nawet peryferyjnego teatru. Może pominąć milczeniem pojawienie się filmu zagranicznego, ale nigdy francuskiego. Każde kino, nawet w najmniejszej miejscowości, jeśli ma małą widownię, otrzymuje państwową dotację, aby mogło tu funkcjonować. Ktoś chce wyświetlać film amerykański. Proszę bardzo, tylko za amerykański film trzeba zapłacić wysoki podatek, a za francuski nie. Przyjęto tam rygorystyczną zasadę, obowiązującą zarówno telewizyjne stacje państwowe, jak prywatne, że 55 proc. programów musi być w rodzimym języku (...) Dzięki takiemu systemowi kultura francuska może być lepsza lub gorsza, ale nigdy nie poczuje się zagrożona. A u nas wszystko puszczono na żywioł. Powiedziano: jest wolność, radźcie sobie sami. Jak kultura może sama na siebie zarobić? Chyba, że tak: powstają filmy, tzw. koprodukcje, finansowane w 70 proc. przez stronę polską, w 30 proc. – partnera zagranicznego. A potem jakimś dziwnym trafem ów partner przejmuje zarówno kontrolę finansową nad filmem, jak i decyduje o dalszych jego losach. W ten sposób film wypada poza nasz krąg kulturowy. Jeśli chronimy polskie samochody i polski monopol spirytusowy, to dlaczego nie chcemy chronić polskiej kultury? (...) We Francji na przykład stacje telewizyjne są opodatkowane na rzecz kinematografii. Wpływy z tego tytułu stanowią 80 proc. funduszów Centre National Cinematografique (Narodowego Centrum Kinematografii). Dystrybutorzy filmów amerykańskich także powinni część zysków odprowadzać na Fundusz Kinematografii. Jest wręcz przeciwnie. Oni sam są dotowani, gdyż na zakupy filmów zagranicznych wielu otrzymuje pieniądze z Komitetu Kinematografii. Jeśli państwo polskie ma kogoś dotować, to powinno dotować upadające nasze kina, a nie producentów i dystrybutorów filmów amerykańskich.*

Narodowe kino polskie czy „przyczółek Hollywood"

W sporach wokół polskiej kinematografii i form jej poparcia przez państwo (subwencjonowanie, odpowiedni system podatkowy, etc.) chodzi o coś bardzo zasadniczego. Czy polska twórczość filmowa ma całkowicie zginąć pod naporem zmasowanego importu produkcji koncernów hollywodzkich, czy zostanie ochroniona, zgodnie z naszymi interesami narodowymi. Przypomnę tu, że nawet tak trudna do oskarżenia o jakąkolwiek skłonność do polskiego „nacjonalizmu" reżyser Agnieszka Holland ostrzegała, iż *presja amerykańskiego filmu jest dziś tak silna, że reszta światowej produkcji bez subwencjonowania zostałaby wypchnięta z rynku. Mimo, że filmy amerykańskie stają się coraz głupsze, coraz bardziej cyniczne w zdobywaniu widzów, a prawdziwe dzieła pojawią się coraz rzadziej* (wg T. Kuczyńska: *Wojna o filmy*, „Tygodnik Solidarność" z 15 kwietnia 1994).

Na tle dramatycznej sytuacji polskiego kina pod naporem amerykanizacji, tym bardziej godne uwagi są informacje o tym, jak Europa Zachodnia pod przywództwem francuskim zmobilizowała się przeciw ciągłemu zwiększaniu napływu filmów amerykańskich do Europy. Chodziło o przeciwstawienie się wzmożonym pod koniec 1993 roku naciskom Amerykanów na rzecz włączenia kultury, w tym filmu kinowego i telewizyjnego, do układu GATT (Ogólnego Porozumienia o Cłach i Handlu) i poddaniu dóbr kultury w pełni zasadom wolnego rynku, na równi z każdym innym towarem. Przeważająca część zachodnioeuropejskich środowisk kulturalnych stanowczo przeciwstawiła się potraktowaniu filmu jako towaru, akcentując jego rolę jako *sztuki, duchowej wartości, wyrazu narodowej tożsamości* (T. Kuczyńska: *op. cit.*). Pod koniec 1993 na ulicach Paryża doszło do manifestacji środowisk artystycznych przeciw włączaniu kultury do GATT. Szereg wybitnych postaci filmu, takich jak Eric Rohmer, Gerard Depardieu i inni, podpisało protesty przeciw groźbie uśmiercenia europejskiej kinematografii w przypadku zniesienia tzw. kwot, czyli limitów udziału filmów amerykańskich na krajowych ekranach. Akcentowano konieczność tworzenia w Europie barier wobec inwazji Hollywoodu, przede wszystkim poprzez odpowiedni system podatkowy, faworyzujący dystrybucję ambitnych filmów europejskich. Protesty zachodnioeuropejskich środowisk artystycznych, przewodzonych przez Francuzów, doprowadziły do zwycięstwa europejskiej opcji kultury filmowej. Z układu GATT ku skrajnej irytacji Amerykanów – musiano wyłączyć dobra kultury, w tym i filmy. To zwycięstwo zachodnioeuropejskich środowisk artystycznych w obronie rodzimych wartości kulturalnych i w obronie narodowej tożsamości zostało oczywiście gruntownie przemilczane przez różnych polskich pseudo-Europejczyków (czytaj kosmopolitów). W ich oczach tego typu obrona narodowych kinematografii przed ofensywą Hollywood to oczywiste „zaściankowe wstecznictwo". Przecież dobrany przez naszą ministerialną arcysnobkę na szefa kinematografii Waldemar Dąbrowski publicznie wyrażał nadzieję na to, że Polska stanie się „przyczółkiem Hollywood" przy okazji współpracy ze Spielbergiem przy realizacji „Listy Schindlera". Współpracy, na której polska kinematografia wyszła jak przysłowiowy Zabłocki na mydle.

Minęły kolejne lata. I dalej nic nie zrobiono dla osłabienia skrajnej dominacji polskich kin przez filmy amerykańskie i odpowiedniego promowania rodzimej kinematografii. Kolejne analizy z 1996 roku stwierdzały, że zaledwie dziesiąta część repertuaru to filmy produkcji polskiej i krajów europejskich, całą resztę stanowiły filmy amerykańskie. Andrzej Wajda konstatował podczas posiedzenia Sejmowej Komisji Kultury: *Polskie kino opanowała produkcja amerykańska. Polacy nie słyszą w kinach polskiego języka. W innych krajach istnieją odpowiednie systemy podatkowe, umożliwiające finansowanie produkcji filmowej. U nas ciągle mamy do czynienia z kinem amatorskim, a nie z przemysłem filmowym* (cyt. za J. Pawlas: *Filmowy biznes*, „Tygodnik Solidarność" z 26 lipca 1996). Alarmujące wypowiedzi twórców filmowych miały jednak nadal tyle efektu, co rzucanie grochem o ścianę.

Fałszywe wzory z USA

Amerykanizacja w filmie i telewizji oznacza również masowe upowszechnianie pewnych wzorców czy raczej antywzorców lansowanych przez amerykańskich reżyserów. Spójrzmy na fakty. Od pewnego czasu w Stanach Zjednoczonych pojawiły się publikacje bijące na alarm z powodu zalewającego produkcje hollywoodzkie ciągłego ataku na tradycyjne wartości: religię, Ojczyznę, rodzinę. Prawdziwą burzę wywołała wydana w 1992 roku książka Michaela Medveda: *Hollywood przeciwko Ameryce*. Autor, krytyk filmowy, mieszkający w Nowym Jorku, z pochodzenia rosyjski Żyd, zna od podszewki środowiska hollywoodzkiej „fabryki snów", i dlatego z tym większą pasją atakuje ich dekadentyzm, chorobliwe *moral insanity*. Cynicznym, pozbawionym ideałów hollywoodzkim twórcom zarzuca narzucanie dyktatu wyznawanych przez nich „antywartości" całemu społeczeństwu. Opisuje rozwijany w hollywoodzkich produkcjach atak na rodzinę przedstawianą głównie jako źródło koszmarnych wzajemnych szamotań i maltretowań pomiędzy małżonkami lub pomiędzy rodzicami i dziećmi. Pokazuje, do jakiego stopnia modny jest atak na religię i wiarę, ośmieszanie głównych prawd wiary, czy wręcz bluźnierstwa. W parze z tym idzie to, co Medved wyraził już w tytule swej książki *Hollywood przeciw Ameryce*, bezustanny atak na tradycyjny patriotyzm i Ojczyznę pod pretekstem „nowego spojrzenia na amerykańską historię". Rzecz znamienna, że ten atak na patriotyzm i narodową historię w Stanach Zjednoczonych bardzo mocno, wręcz do złudzenia przypomina znane nam już w Polsce z lat sześćdziesiątych czy siedemdziesiątych ataki na polską tradycję i historię. Rafał A. Ziemkiewcz, referując istotę krytykowanego w książce Michaela Medveda tzw. „nowego spojrzenia" na historię pisał, że polega ono na deprecjonowaniu w s z y s t k i c h i w s z y s t k i e g o, fałszowaniu faktów i dowodzenia choćby nawet wbrew zdrowemu rozsądkowi, że wszystko w dziejach Ameryki było tylko i wyłącznie zbrodnią, podłością, w najlepszym wypadku chorobą psychiczną. Rzekome „odkłamywanie" historii polega w istocie na wtłaczaniu jej w prymitywny czarno-biały schemat, w którym amerykańska tradycja zawsze musi być jednoznacznie zła; rzekome „odbrązowianie" polega na opluwaniu postaci historycznych i przypisywaniu im najbardziej absurdalnych podłości" (cyt. za R.A. Ziemkiewicz: *Trucizna za miliony dolarów*, „Gazeta Polska" z 13 lipca 1995).

Amerykańskie kino polskie

Coraz większe rozmiary przybiera wśród młodych reżyserów skłonność do maksymalnego kopiowania filmu amerykańskiego, tak, żeby ich filmy były możliwie jak najmocniej amerykańskie w formie mimo krajowych treści. Zdzisław Pietrasik opisał na łamach „Polityki" ten coraz częstszy typ „amerykańskiego kina polskiego", tworzącego „zamiast dzieł oryginalnych – filmy na licencji obcej". Pisząc o trzech najpopularniejszych filmach polskich ostatnich lat, Pietrasik akcentował, że wszystko to są filmy sensacyjno-obyczajowe, korzystające bez żenady ze sprawdzonych wzorców amerykańskiego kina popularnego. Jego zdaniem: *Widać, że scenarzyści czytali dokładnie popularne amerykańskie podręczniki, gdzie się szczegółowo instruuje, jak powinien być przedstawiony bohater, w której minucie filmu ma nastąpić pierwszy zwrot akcji, w której drugi, itp. W tych samouczkach nie pisze się o obowiązkach artysty – że ma wymierzać sprawiedliwość widzialnemu światu, stawać po stronie wartości zagrożonych. (...) Nowy Świat, pełen blichtru i pozłoty, nęci i pozwala zapominać, że każdy miał kiedyś jakieś ideały (...) tylko cynizm i przebojowość zapewniają powodzenie. Cnota to zaleta nieudaczników* (Z. Pietrasik: *Broń się*, „Polityka" z 12 kwietnia 1997). Rzecz zdumiewająca, na łamach „Polityki", zdominowanej przez takich niszczycieli wartości jak Kałużyński, Stomma, Koźniewski czy Groński, nagle odezwał się nostalgiczny głos Pietrasika, ubolewający z powodu zniknięcia ideałów i wartości ze współczesnego polskiego kina!

W polskim kinie coraz częściej pojawiają się różne dzieła kręcone w duchu nowej, dość szczególnej „poprawności politycznej". Na czym ona polega, można było się przekonać choćby w przypadku jednego z jej wzorcowych okazów – filmu *Uprowadzenie Agaty* Marka Piwowskiego. Sympatie w filmie Piwowskiego były rozłożone aż nadto czytelnie. Jak komentował w swej recenzji z *Uprowadzenia Agaty* Mirosław Winiarczyk: *Źli i obrzydliwi są rodzice Agaty, szczególnie ojciec–poseł i jego kumpel, wiceszef MSW. Są w pewnym sensie gorsi od swych komunistycznych poprzedników, wyglądają na bigotów i aroganckich chamów. Dobrzy natomiast są Cyganie, przestępcy, siedzący w więzieniu, lumpy, pederaści, milicjanci, oraz – oczywiście – córeczka posła (...) Świat lumpowski i kontestacyjny został więc dowartościowany* (M. Winiarczyk: *Wyborcza kontestacja*, „Najwyższy Czas", 4 września 1993). Dodajmy, że autorzy filmu, akcentując, że związek scenariusza z faktami jest luźny, nie zapomnieli – dla tym lepszej reklamy – o zaproszeniu na premierę Moniki Kern z jej świeżo poślubionym mężem.

Jeden z popularnych nowych schematów polega na szczególnym preferowaniu różnego typu mniejszości społecznych, obyczajowych, seksualnych, etc. Oto parę dość wzorcowych przykładów tego typu. Wiosną 1994 roku wszedł na ekrany film *Pora na czarownice* Piotra Łazarkiewicza, swoista „ballada filmowa" o AIDS. Nawet w tak bardzo starającej się o dowartościowanie homoseksualistów „Gazecie Wyborczej" uznano film za „zbyt daleko posuniętą idealizację" chorych na AIDS, przeciwstawianych „winnemu" nietolerancji społeczeństwu. Tadeusz Sobolewski pisał: *powstała prościutka w pomyśle ballada o pełnej poświęcenia miłości prostytutki–narkomanki do dworcowego „pedałka". Dwoje „pozytywnych hifowców" tworzy parę niewinnych grzeszników (...) Łazarkiewiczowi nie udało się wyjść poza czarno-biały schemat – w sposób prowokacyjny odwrócił jedynie znaki. Ci z „hifem są nasi" – obcy natomiast jest cały świat otaczający* (T. Sobolewski: *Ballada o AIDS*, „Gazeta Wyborcza", 28 marca 1994).

Nieprawdziwy obraz Polski

Coraz więcej krytyków zarzuca polskiemu kinu staczanie się w dół po równi pochyłej i tracenie tożsamości. Piszą wręcz o skrajnie nieprawdziwym, oderwanym od realiów obrazie Polski prezentowanym w większości polskich filmów. Barbara Hollender pisała na przykład na łamach „Rzeczpospolitej" z 24 października 1996: *U progu swego drugiego stulecia kino zdominowane jest przez komercyjne filmy amerykańskie. Ale na międzynarodowych festiwalach filmów widać, jak bardzo bronią się przed tym zalewem twórcy w różnych zakątkach świata. Starają się obserwować swój czas, rejestrować przemiany obyczajowe, zaglądać do ludzkiej duszy. Pokazują niepokoje, jakie wstrząsają ich krajami, tropią społeczne niesprawiedliwości. (...) W Polsce w ciągu ostatnich ośmiu lat zaszły ogromne zmiany: runął jeden świat, w mozole tworzy się następny. Z jednej strony są krzywdy i niesprawiedliwości, z drugiej – zawrotne kariery i majątki zbijane w kilka sezonów. Dużo wokół nadziei spełnionych i nie spełnionych, nowych możliwości i starych zakłamań. Kto, jeśli nie artysta, który ponoć jest sumieniem narodu, miałby mówić o zmianie hierarchii wartości, o przemianach obyczajowych, jakie nastąpiły w naszym kraju, o meandrach władzy? (...) Tymczasem twórcy pokazują nam Polskę absolutnie nieprawdziwą. Postacie filmów chodzą po znajomych ulicach, podróżują w znane nam miejsca, mieszkają w podobnych jak my domach. A przecież nikt na sali kinowej nie jest w stanie się z nimi zidentyfikować, wzruszyć ich losem. Bo filmowi bohaterowie żyją w zupełnie innym tempie i w zupełnie innym świecie niż większość Polaków. Na ogół są wyrwani z jakiegokolwiek kontekstu społecznego, nie bardzo daje się określić, skąd przyszli i o co im chodzi. Nie wiadomo, jacy naprawdę są* (por. B. Hollender: *Czas na kurację wstrząsową*, „Rzeczpospolita", 24 października 1996).

Skrajna imitacja obcych wzorów i brak związków młodych reżyserów z krajową rzeczywistością jest pochodną czegoś szerszego – braku prawdziwie silnego patriotyzmu i związku z polskością. A na takiej postawie młodych reżyserów niemało zaważył odpowiedni antywychowawczy wpływ całej plejady znanych reżyserów starszego pokolenia, skłonnych do modnego odbrązowiania historii Polski za wszelką cenę lub wręcz odrzucających patriotyzm.

Przez dziesięciolecia polscy reżyserowie filmowi przywykli do tego, że odpowiednie przyczernienie obrazu narodowej historii spotka się z niezawodnymi zachwytami „internacjonalistycznej" krytyki filmowej i zyska odpowiedni poklask w towarzystwie tzw. elitki warszawskiej. Tym większa więc i tym trwalsza u nich chęć odpowiedniego skandalizowania, „obrazoburczego" pokazywania polskiej przeszłości wbrew przekazom polskich pokoleń, które walczyły za Ojczyznę. Przez całe dziesięciolecia nie można było nakręcić uczciwego filmu polskiego o jakimkolwiek powstaniu narodowym, bo z góry odrzucano samą myśl tego typu jako przejaw antyrosyjskości. Natychmiast ustawiano wtedy odpowiedni szlaban cenzury. Przyszła suwerenność po 1989, a więc i możliwość sięgnięcia po tak długo zakazane narodowe tematy tabu. I cóż widzimy. Młody, zdolny reżyser Juliusz Machulski sięgnął po tematykę Powstania Styczniowego w filmie *Szwadron*. Wcale jednak nie po to, by wreszcie pokazać piękne, przemilczane tradycje powstańcze. Wręcz przeciwnie, uznał, że dla rozgłosu filmu najlepsze będzie inne prowokacyjne pokazanie obrazu Powstania Styczniowego, tak jak je widział walczący z tym powstaniem rosyjski oficer. Rosyjskie spojrzenie na naszą historię za polskie pieniądze! Strasznie się, niestety, rozczarował. Okazało się, że po długotrwałym zwalczaniu tradycji narodowych historia Polski w ogóle już nikogo nie obchodzi. Rozczarowany wyznawał na łamach „Polityki": *Robiąc film o Powstaniu Styczniowym, które było opowiadane inaczej niż dotychczas, z punktu widzenia młodego rosyjskiego oficera, a więc z drugiej strony, spodziewałem się dyskusji, takiej jaka kiedyś rozgorzała po „Popiołach" Andrzeja Wajdy. Pomyliłem się. Czasy się zmieniły, historia nikogo nie obchodzi, zwłaszcza ludzi młodych, którzy jeszcze chodzą do kina. Było, minęło* (por. *Klasa i kasa.* Rozmowa z Juliuszem Machulskim, reżyserem filmu *Girl Guide*, „Polityka" z 24 lutego 1996).

Bezdroża polskiej sztuki

Coraz skrajniejsze rozmiary przybiera rozziew pomiędzy maksymalnie popieraną przez niektóre czynniki oficjalne z kręgu „Europejczyków" a nagłaśnianą przez wpływowe media pseudoawangardą w sztuce. Opanowała ona największe publiczne galerie typu „Zachęty" czy Zamku Ujazdowskiego, ma niezwykle przebojowych orędowników typu Andy Rottenberg i patronuje rozlicznym, najczęściej bardzo niemądrym „incydentom artystycznym". Takim jak pokazany na video w Zachęcie, w lipcu 1997, dość szczególny performance Zbigniewa Warpechowskiego, po raz pierwszy zademonstrowany w Warszawie w Centrum Sztuki Współczesnej w maju 1997. Półnagi siwy mężczyzna, wysławiany jako guru performerów, wcielał się w postać Mojżesza i dwukrotnie rozbijał o podłogę kamienne tablice z dekalogu. Swoje performance urozmaicał również wyrywaniem kartek z Biblii i wpychaniem ich do prezerwatyw, z których ułożył potem napis „New Age" (por. A. Bernat: *Sztuka bezecnnych niespodzianek*, „Życie" z 31 lipca 1997). Muzeum Narodowe, które powinno być świątynią sztuki, popisało się w 1994 roku dość szczególną wystawą „Ars Erotica" z urażającymi uczucia wiernych „eksponatami" w stylu „Krzyż Duży" (pod tą nazwą krył się „odpowiednio" umieszczony zestaw fotografii aktów kobiecych. Wystawę „wzbogacono" swoistym performance. Po wystawie, zwłaszcza w czwartek, gdy wstęp jest bezpłatny, biegał nagi mężczyzna (por. J. Kubalska: *Ars erotica znika*, „Życie Warszawy" z 30 marca 1994).

Część krytyki fetuje pozbawione choćby krzty gustu pomysły „artystyczne" typu dość szczególnego „dzieła" Zbigniewa Libero, który z zabawowych klocków lego zbudował obóz koncentracyjny z obozowymi kapo, trupami więźniów, etc.

„Sztuka” zabijania dla dekoracji

Jednym z najskrajniejszych „dzieł” wyrażających dość szczególne drogi poszukiwań „nowej” sztuki w Polsce była praca absolwentki warszawskiej Akademii Sztuk Pięknych, Katarzyny Kozyry. Jak opisywano na łamach „Wprost” w sierpniu 1993: *Katarzyna Kozyra unicestwiła cztery byty: konia, psa, kota i koguta. Wybrała zdrowe i piękne okazy, kazała je zabić, wypchać i z tak spreparowanych stworzyła „dzieło sztuki” w postaci pomnika, dające jej tytuł magistra i prawo wykonywania twórczego zawodu* (por. A. Jakubowska: *Po cholerę toto żyje?*, „Wprost”, 29 sierpnia 1993). Protestował przeciwko zaakceptowaniu tak okrutnego pomysłu przez promotora pracy na ASP Maciej Iłowiecki, pisząc w „Życiu Warszawy”: *Jeżeli nauczyciele akademiccy nie widzą nic niemoralnego w zabijaniu zwierząt dla zabawy – to w istocie coś bardzo złego dzieje się w Polsce* (cyt. tamże). Protestowała na łamach „Gazety Wyborczej” Xymena Zaniewska: *Zastąpienie indolencji warsztatowej dreszczykiem, że oto oglądamy trupy prawdziwych zwierząt, wydaje mi się wyjątkowo parszywe. Protestuję przeciwko zabijaniu dla dekoracji i zrobię wszystko co mogę, aby takie rzeczy się nie zdarzały* (cyt. tamże).

Szybko okazało się, że znaleźli się tacy amatorzy „nowej” sztuki, dla których postępek Kozyry nie był wcale „wyjątkowo parszywy”, a wręcz przeciwnie. „Dzieło” Kozyry zaczęto reklamować za granicą, wysłano na wystawę w Budapeszcie. A sama Kozyra szybko postarała się – właśnie w Budapeszcie – o powstanie nowego wytworu jej dość szczególnej formy „odczuwania artystycznego”. Jej kolejny „przedni” pomysł polegał na nakręceniu zdjęć w damskiej łaźni w Budapeszcie. W 1997 roku można je było obejrzeć na wystawie w Zachęcie pt. *Łaźnia*, autorstwa Kozyry. „Twórczy” pomysł Kozyry sprowokował protest nawet na łamach tak skłonnej do liberalizmu „Gazety Wyborczej”, gdzie stwierdzono: *Oglądało się więc, bez ich wiedzy, nagie kobiety o ciałach starych i obwisłych, jak się poruszają niezdarnie, myją, czymś smarują, sapią. Byłby to problem dla prawnika, jako że dokonano naruszenia prywatności wspomnianych pań. Wykroczenie miało miejsce jednak w Budapeszcie, w Warszawie poruszaliśmy się już tylko w kręgu mody artystycznej – mody na widzianą z bliska nieprzyjemną fizyczność i fizjologię ludzkiego ciała. Jak zawsze w takich sprawach bywa, krytycy pisali o odwadze i nowatorstwie artystki. Dla mnie była to po prostu bezmyślność* (A. Osęka: *Bezmyślność o starości*, „Gazeta Wyborcza”, 15–16 listopada 1997).

Specyficzny typ malarstwa, nastawionego na pokazywanie wszystkiego w możliwie jak najbardziej odrażający sposób reprezentują obrazy Dudy-Gracza – malarza, kiedyś bardzo mocno fetowanego przez czynniki oficjalne w dobie jaruzelszczyzny. Recenzująca wystawę jego obrazów Dorota Jarecka z „Gazety Wyborczej" tak pisała o obrazie *Pamiątka z Berlinka – Anioł Śmierci*: *Przesłanie tego obrazu jest niestety jedno: wszyscyśmy świnie, wszystko unurzane jest w tym samym błocie. Nawet do nieba nie ma odwołania, bo też pełne pijaków* (D. Jarecka: *Słodkie, odrażające*, „Gazeta Wyborcza" z 24 października 1996). Zdaniem Jareckiej: *Największą wątpliwość budzą obrazy religijne Dudy-Gracza z cyklu „Najnowszy testament". Artysta maluje tam Chrystusa Frasobliwego lub niosącego krzyż, ale z przyzwyczajenia chyba daje mu twarz pijaka, degenerata. Chcąc, nie chcąc robi jego karykaturę (...) Pewnie chce pokazać niskość, zwykłość Chrystusa* (tamże).

Na tle tak eksponowanych w „Zachęcie" i innych centralnych galeriach publicznych „dzieł" w stylu eksponatów pani Kozyry można się chyba w pełni zgodzić z pełnym alarmu wystąpieniem znanego marszanda i właściciela galerii Leszka Juriewicza. W publikowanym na łamach „Życia" w dniu 30 maja 1997 tekście Juriewicz niezwykle ostro napiętnował marnowanie ogromnych społecznych środków na pseudoawangardę, która „zawłaszczyła największe publiczne galerie" przy braku jakiegokolwiek nadzoru ze strony Ministerstwa Kultury i Sztuki. W ocenie marszanda, na Zachodzie taki typ sztuki awangardowej istnieje na obrzeżach sztuki oficjalnej i uprawiany jest najczęściej za własne pieniądze. U nas natomiast nader szczodrze go się dofinansowuje z budżetu i jest fetowany przez część krytyki. Jak pisał Juriewicz: *Jest jeszcze grupa krytyków sztuki bez cienia odwagi cywilnej, która z aplauzem powita każdą bzdurę prezentowaną w tych galeriach, aby nie narażać się na zarzut wstecznictwa lub nienowoczesności. W takiej postawie przodują ludzie piszący o sztuce w „Gazecie Wyborczej"* (L. Juriewicz: *Uwaga, krytyk!*, „Życie" z 30 maja 1997).

Amerykanizacja przeciw estetyce miast

Fala amerykanizacji, bezkrytycznej adaptacji do odmiennych kręgów kulturowych coraz fatalniej odbija się na estetyce polskich miast. Ulice tych miast zamiast przyciągać turystów swym polskim charakterem, swoistym kolorytem, zmieniają się w kolejne rozsadniki najgorszego typu amerykanizacji. Począwszy od zalewu obcojęzycznych szyldów, często pisanych w pełnej błędów angielszczyźnie. Nadają one naszym miastom, łącznie z Warszawą, wygląd w stylu amerykańskich kolonii, jakichś nadwiślańskich czy nadodrzańskich odmian Puerto Rico. W najpiękniejszych turystycznie miastach polskich częstokroć trzeba mocno się natrudzić, by znaleźć w końcu jakąś restaurację z typowymi potrawami polskimi. Tym więcej za to McDonaldów, Burgerów, etc. Ofiarą tego typu inwazji najgorszego typu amerykanizacji padło między innymi centrum starego Krakowa, a zwłaszcza ulica Floriańska. Ta jedna z najpiękniejszych, historycznych ulic Krakowa, zmieniła się w swoisty jarmark, zeszpecony zalewem różnej zagranicznej tandety. Przy ogromnej bierności i bezradności miejskiego konserwatora i magistratu. Trudno zrozumieć, jak można było dopuścić do takiego naruszenia staromiejskich stref chronionych.

Najdrastyczniejszym chyba przejawem oszpecenia starego Krakowa stało się lokowanie różnego typu firm gastronomicznych typu McDonalda w bardzo zabytkowych miejscach, grożące zatraceniem ich kształtowanego przez stulecia historycznego charakteru. W miejsce starego powiedzenia „pasuje jak wół do karety" pojawiła się dziś jego swoista wersja „pasuje jak McDonald do starego centrum Krakowa". W lutym 1997 roku doszło nawet do symptomatycznego protestu kilkudziesięciu obywateli w związku z tą sprawą.

Zaśmiecanie polszczyzny

Ulice zostały zalane obcojęzycznymi nazwami: Salad bary, snack bary, quick bary, drugstory, music shopy, sex shopy, erotic movies, erotic show. Reporterka „Życia" Anna Głowacka opisywała zalew obcojęzycznych nazw w różnych sklepach. W markecie „Perfumers" kupiła *eye make – up remover*, *antyprespirant* i *cleaning milk*. U dealera zaproponowano jej nabycie w leasingu nowego samochodu w dwóch wersjach: hatchbank i sedan. Wszędzie wdziera się triumfująca snobistyczna cudzoziemszczyzna – właściciele nie chcą nazywać swoich firm po polsku. Kawiarni już nie ma, jest niemodna, nie chodzi się do niej – twierdziła właścicielka café (A. Głowacka: *Droga lekcja włoskiego*, „Życie", 9–11 listopada 1996. Por. również tejże: *Hot dog w fast food best before*, „Życie" z 11 listopada 1996).

Zaśmiecanie cudzoziemszczyzną doprowadzało do takich „osobliwości" jak rozpoczęcie wydawania gazety o odpowiedniej zagranicznej nazwie „Cash" (należała ona do szwajcarskiego wydawnictwa Ringier AG). Na czele „Cash" postawiono też „odpowiedniego" dziennikarza, Mariusza Ziomeckiego, jednego z tropicieli „polskiego nacjonalizmu". W 1981 roku Ziomecki wsławił się skrajnym atakiem na pieśń Jana Pietrzaka *Żeby Polska była Polską*, oskarżając tekst o niebezpieczny „nacjonalizm"!

Niszcząc kulturę niszczy się naród

Ze szczególnie dramatyczną krytyką zagrożeń amerykanizacją kultury wystąpił jeden z najwybitniejszych polskich artystów fotografii, osobisty fotografik papieża Jana Pawła II – Adam Bujak. W wywiadzie z maja 1995 roku stwierdził on między innymi: *Strach pomyśleć, co może być dalej, jeśli się Polacy nie obudzą. Nasza kultura, oparta na tradycji chrześcijańskiej, zepchnięta zostanie na margines, jak to się stało z wieloma kulturami europejskimi, które nie potrafiły się obronić (...) przed inwazją amerykanizacji, przed tą najniższą popkulturą gloryfikującą przemoc, morderstwo, homoseksualizm, wszelkie zło, kultura, w której nie ma miejsca na wartości wyższe. Broniliśmy się przed sowietyzacją i broniliśmy się skutecznie, natomiast amerykanizacja nie napotyka żadnych przeszkód i zalewa kraj. To przerażające, bo przecież kraj z tysiącletnią kulturą nie może ulegać takiemu schamieniu – tak to trzeba nazwać. Mnie to przeraża, przeraża też chyba innych myślących ludzi, jak zanika kultura, którą się tak szczyciliśmy. No, ale naród niszczy się od jego kultury (...) Ja patrząc na Polskę, na to, co się w niej dzieje, odnoszę wrażenie, że to działalność sterowana. Wiadomo komu zależy na tym, żeby nas sprowadzić na sam dół. Robi się to tak, że człowiek goniący za pieniędzmi na życie (...) otrzymuje na pociechę mrzonki o życiu amerykańskich miliarderów, big maca na obiad i kryminał o morderstwach i przemocy na kolację. Taki bezmózgowiec, któremu niepotrzebna własna kultura, świadomość korzeni i tradycji. To jest totalna amerykanizacja, którą objęte jest nawet najmłodsze pokolenie. Zaczyna się niewinnie, bo niby co komu może szkodzić lalka Barbie, „Walentynka", czy bajka, w której przemoc dominuje, oczywiście przemoc w mniejszej dawce niż dla dorosłych. Kształtuje się złe gusty. Dziecko wykształcone na tej najniższej popkulturze będzie miało takie potrze-*

by: popcorn, big mac, pieniądze, potem nie daj Boże narkotyki, a jeśli nie, to po trupach do jak najszybszego osiągnięcia celu. Zanika dobro i piękno, wstydzimy się tych rzeczy. Dochodzi do tego, że kolega zabija szkolnego kolegę, bo tak widział na filmie (...) przecież ta najniższa amerykańska kultura nie może być wzorem do naśladowania. To paradoksalne, że właśnie ona narzuca światu dominację nad tym co wartościowe w kulturze narodowej. To jest celowa strategia, chłam rozrywkowy, morderstwa, schamienia (por. rozmowa U. Orman z A. Bujakiem pt. *Czy to już zmierzch kultury narodowej?*, „Dziś i Jutro", 17 maja 1995).

Już we wrześniu 1992 roku ostrzegano na łamach paryskiej „Kultury" przed fatalnymi skutkami zrywania w Polsce z tradycjami kulturowymi. Jak pisał Marek Adamiec w pełnym niepokoju artykule o „zdziczeniu obyczajów intelektualnych": *Cywilizacja, która wszelkimi możliwymi sposobami chce się, pozbyć swej tradycji kulturowej – to chyba jednak osobliwy fenomen – przynajmniej na kontynencie europejskim pod koniec XX wieku (...) Nie nadążam za przemianami zachodzącymi w tym kraju, który uznał za słuszne wyrzec się swojej tradycji* (M. Adamiec: *O jednym aspekcie zdziczenia obyczajów intelektualnych*, paryska „Kultura", 1992, nr 9, s. 77).

Czy grozi nam Nadwiślańska Barbaria

Pisarz Jerzy Piechowski pisał wprost w styczniu 1995 roku o groźbie utrwalenia się w Polsce duchowej zapaści i ukształtowania Nadwiślańskiej Barberii. I konstatował z goryczą: *Nadeszła nowa epoka „agresywnych ciemniaków", dla których dobra kultury, a więc wytwory myśli oraz pióra, są cytując znaną wypowiedź – „takim samym towarem, jak gwoździe". Jeśli jednak przyjąć, że książka jest tylko towarem, to w każdym normalnym kraju chroni się własną produkcję przed obcym zalewem (...) Kolonią można stać się nie tylko na skutek cudzej przewagi wojskowej i gospodarczej, ale także własnej bezradności w polityce wobec obcych dyktatów. W kolonię kraj zmienia się przede wszystkim wtedy, gdy zniszczona zostaje jego tkanka twórcza oraz własny sposób postrzegania, z którego pomocą opisuje się świat i jego mechanizmy.*

Tylko takie kraje się ceni, które potrafią wnieść własny wkład w dorobek rodziny narodów. Stan własnej kultury, stan jej posiadania wyznacza też pozycję w owym wspólnym domu. I oby Polsce nie przypadła rola obszaru Euro-

py, który daje surowiec i siłę roboczą, w zamian karmiąc się strawą duchowych „MacDonaldów” (J. Piechowski: *Norwid na hydraulika*, „Tygodnik Solidarność”, 6 stycznia 1995).

Z jakąż goryczą komentowała rozwój sytuacji po 1989 roku aktorka Maria Chwalibóg: *Najbardziej w dzisiejszej rzeczywistości boli mnie to, że wszystko zrobiło się jakieś cherlawe, pozbawione znamion wielkości (...) Kto dziś uwierzy kombatantom naiwnej wiary w solidarność, przyjaźń, bezinteresowność. Dziś, gdy słowa, fakty i osoby uległy dewaluacji, a często ośmieszeniu (...) Teraz dewaluuje się to, co robiliśmy, a jednocześnie podobno pędzimy wszyscy w kierunku Europy. Chcemy być w Europie. A ja się pytam, gdzie byliśmy dotychczas? Polska sztuka była zawsze w Europie. Mamy ogromne osiągnięcia i nazwiska. Te największe jeszcze się bronią, ale wielu już poległo. Niedocenianie naszej kultury w nowej państwowości jest błędne i krótkowzroczne* (cyt. za: *Komedianci* (II), Warszawa 1995, s. 9–11).

Bardzo wymowne stwierdzenia na temat intencji niektórych wpływowych „likwidatorów kultury” padły z ust aktorki Ewy Dałkowskiej w 1995 roku: *Jestem wręcz oburzona na to, co się dzieje i wyrabia z kulturą. Kulturą, dzięki której trwają narody (...) Niechęć do kultury zademonstrowały wszystkie ugrupowania, jakie doszły do władzy przez ostatnie cztery lata. W tym i „nasi” ministrowie, którzy mają ściśle artystyczny, teatralny rodowód* (czytaj: Cywińska – J.R.N.). *To jest niewytłumaczalne. Szukam więc wroga nie tylko w personalnym składzie władzy, która zmienia się jak w kalejdoskopie, ale i w naciskach jakiegoś niewidocznego lobby, któremu wartości niematerialne nie są potrzebne, może nawet mu przeszkadzają (...) Odebrano nam kina; z wiadomym skutkiem dla polskiego filmu. Teatry się jeszcze nie dały, a to jest wielki majątek, który można postawić w stan likwidacji i przejąć za bezcen. Jest więc być może jakiś interes w rugowaniu kultury z listy priorytetowych zadań państwa i narodu* (cyt. za: *Komedianci* (II), Warszawa 1995, s. 34–35). Wszystko to prowadzi do wyraźnego pogarszania się szans cywilizacyjnych naszego kraju.

Można w pełni podpisać się pod konstatacją jednego z najbardziej znanych krakowskich literatów, Jana Pieszczachowicza: *Nie widzę też sensu przemilczania smutnego faktu, że w III Rzeczpospolitej o kulturę należycie się nie dba, a nawet wręcz się ją lekceważy. Czas, by wszyscy za nią odpowiedzialni opamiętali się, dopóki nie będzie za późno. Kultura to przecież istotna część naszego narodowego losu. Jest wspólną własnością w czasie teraźniejszym, przeszłym i przyszłym, nikt nie ma zatem prawa tego trwonić* (J. Pieszczachowicz: *Losy kultury*, „Przekrój", 10 października 1993).

Zaniepokojenie skutkami bezkrytycznego padania plackiem przed wszystkim co obce jest coraz częściej wyrażane przez liczące się postaci polskiej kultury. I to wcale nie przez jakichś „zaściankowych" prowincjuszy – jak chętnie sugerowałyby media „Europejczyków", lecz przez ludzi doskonale znających Europę Zachodnią z autopsji. By przywołać tu choćby wypowiedź Wojciecha Pszoniaka, od wielu lat mieszkającego we Francji. W wywiadzie dla książki *Komedianci* ostrzega przed spustoszeniami, jakie przyniesie dla kultury zachłyśnięcie się konsumpcją. Pszoniak powiedział między innymi: *Polska przypomina teraz pociąg, który jedzie z New Delhi do Nowego Jorku, zabierając po drodze towary hinduskie, arabskie i amerykańskie. Rozglądam się wokół, czy to jest Polska. Ten kraj jest żaden. Nie ma pomysłu na siebie. Jeżdżąc przez kraj widzi się pseudowłoską architekturę. Dlaczego takie domki mają stać na Mazowszu. Idźmy dalej! Kuchnia. Chciałbym tu, w Polsce, zjeść dobry kotlet schabowy z kartoflami. Ale to już jest démodé. Nie ma kapusty, jest ananas. To przeskok kulturowy, który nie ma żadnego sensu, kompletna bzdura* (cyt. za: *Komedianci* (II), Warszawa 1995, s. 175).

Rozdział XIV

Czy grozi nam depolonizacja teatru i literatury?

Gdzie jest nowa sztuka polska,
sztuka siły, sztuka męstwa,
sztuka dźwigania ojczyzny od fundamentu i przyciesi,
sztuka wiary mocniejszej nad śmierć (...)
Podpatrujesz, gryzipiórze, przez dziurę od klucza,
co w Europie filister dla rozrywki filistra z nicości wydłubał,
i przywozisz na te bajora, piachy i wydmy,
żeby tutejszych filistrów i najgłupszych w Europie snobów
ekscytować i bawić.

Stefan Żeromski: *Z odczytem*

Postawione tak ostro w tytule rozdziału pytanie wcale nie jest przesadzone, a tym bardziej bezprzedmiotowe. Mamy dziś cały legion „odbrązowiaczy", którzy ze szczególną werwą atakują to, co jest najbardziej polskie i narodowe w literaturze i teatrze. W cytowanej wcześniej wypowiedzi z września 1990 roku Bogusław Drozdowski przestrzegał na łamach „Życia Warszawy" przed nieodpowiedzialnymi zakusami swego rodzaju weryfikatorów kultury narodowej, którzy grożą jej tak szczegółową weryfikacją, iż mogą po niej zostać tylko szczątki. Otóż, prawdziwe szaleńcze harce tego typu „weryfikatorów" obserwujemy w odniesieniu do polskiej klasyki literackiej. Coraz więcej wybitnych, a nawet wielkich postaci polskiej literatury, pada ofiarą fobii i uprzedzeń współczesnych „odbrązowiaczy", którzy najchętniej wyrzuciliby ich do lamusa niepotrzebnych starych rupieci.

Nagonka antysienkiewiczowska

Rzecz znamienna i znów bardzo typowa dla dzisiejszej atmosfery w Polsce. Główny kierunek ataku pomniejszycieli polskiej klasyki narodowej kieruje się przeciwko twórcom wyrażającym szczególnie gorący patriotyzm, tym, którzy dodawali najwięcej otuchy dla przetrwania Polaków jako narodu. I znowu lwia część ataków kieruje się przeciw twórczości Henryka Sienkiewicza, jako prawdziwej kwintesencji polskości. Przeciw twórczości pisarza, o którym pisał niegdyś słynny historyk literatury Ignacy Chrzanowski, iż: *niejedna dusza polska, która już niemal zatraciła swoją polskość, odzyskiwała ją w całej postaci – po przeczytaniu „Trylogii" (...) jeden tylko Bóg zliczyć może, ile dusz przysporzyła Polsce „Trylogia", ile ich dla polskości ocaliła, ile ich wyratowała z martwego morza niewiary i obojętności, w którym tonęły nasze dusze polskie po roku 1863, ile ich wyciągnęła z kałuży kosmopolityzmu, w którą je wpychała propaganda międzynarodowa (...) Żaden inny utwór literatury naszej (...) nie odegrał – pod względem szerokości wpływu – tak wielkiej roli w procesie uświadomienia narodowego, bez którego byśmy nigdy nie odzyskali niepodległości, jak „Trylogia" Sienkiewicza* (cyt. za: *„Trylogia" Henryka Sienkiewicza. Studia, szkice, polemiki*, wybór T. Jodełki, Warszawa 1962, s. 366–367). Nieprzypadkowo twórczość Sienkiewicza „darzona" była zawsze szczególną niechęcią wszystkich fanatycznych przeciwników polskiego patriotyzmu. Nieprzypadkowo była tak pomniejszana i spychana na margines w czasach stalinowskich. I nieprzypadkowo z taką wrogością pisał o Sienkiewiczu Jerzy Urban, nazywając go „infantylnym wieszczem" (J. Urban: *Pejsy w lustrze*, „Szpilki" z 22 marca 1981). Współcześni odbrązowiacze wyraźnie nie mogą darować Sienkiewiczowi roli odegranej „dla pokrzepienia serc" i bardzo ich irytuje możliwość dalszego oddziaływania wielkiego budziciela polskości i patriotyzmu. Aby więc zniweczyć jego promieniowanie na współczesnych czytelników, sięgają do najskrajniejszych chwytów i epitetów na zasadzie „catch as you catch can". Dziś można mówić wręcz o prawdziwej kampanii antysienkiewiczowskiej, dążącej do ukształtowania możliwie jak najbardziej negatywnego jego obrazu jako pisarza „anachronicznego", „krwiożerczego", „szowinistycznego", „wstecznika", etc.

Jak zwykle w atakach na Sienkiewicza „przoduje" stary „gromiciel" polskiego patriotyzmu Zygmunt Kałużyński, który niejednokrotnie obrzucał autora *Trylogii* gradem inwektyw, z kardynalnym oskarżeniem o antyukraiński „szowinizm" (por. np. Z. Kałużyński: *Kozacy i aniołowie*, „Polityka" 1995, nr 52). W działaniach dla pomniejszania Sienkiewicza nie zabrakło i tak osławionego oszczerstwami na Powstanie Warszawskie Michała Cichego, kierownika działu kulturalnego w „Gazecie Wyborczej". Z przejęciem wyrokował: *Patriotyzm Sienkiewicza, typowy dla końca XIX wieku, niebezpiecznie bliski jest nacjonalizmowi. Opiera się na kryterium krwi (...) W wieku XX taki patriotyzm może być zagrożeniem* (M. Cichy: *Polska jest Oleńką*, „Gazeta Wyborcza", 14 marca 1997). Zaatakował sienkiewiczowskie wizje znany tropiciel polskiego „nacjonalizmu" i „antysemityzmu" Jacek Kaczmarski. W cyklu *Sarmacja* uczynił z Kmicica okrutnego kata Wołmontowicz, świadomie przemilczając tak znaczący w książce Sienkiewicza obraz duchowej przemiany Kmicica, jego kajania i naprawy. Całkowicie zrównała z ziemią Sienkiewicza Anna Bojarska, przedstawiając go jako okrutnego, sadystycznego ksenofoba i „klasyka polskiej ciemnoty", „świętoszkowatego szowinizmu", „gloryfikacji duchowego lokajstwa".

Dołączył do ataków na Sienkiewicza, na łamach SDRP-owskiej „Trybuny", rysownik Andrzej Mleczko, twierdząc między innymi: *kilka pokoleń Polaków wychowało się na koszmarnym okrucieństwie i głupim bogoojczyźnianym nacjonalizmie, którym przesycona jest „Trylogia" (...) książka jest zaludniona przez prymitywnych szlachciurów, przeważnie psychopatów i sadystów, którzy wyrzynają całe wsie w imię chrześcijańskich wartości* (cyt. za działem *Rozmaitości*, „Niedziela", 13 kwietnia 1997).

Na tle licznych, częstokroć fanatycznie wprost skrajnych ataków na Sienkiewicza za rzekomy „nacjonalizm" jego *Trylogii*, a zwłaszcza *Ogniem i mieczem*, tym bardziej odbijał się troską o obiektywizm faktograficzny artykuł Jana Widackiego, krytykujący uproszczenia antysienkiewiczowskie (Widacki, skądinąd bardzo nieudany wiceminister spraw wewnętrznych w rządach Mazowieckiego i Bieleckiego, i jeszcze gorszy ambasador Polski na Litwie, jest jako historyk, profesor KUL-u dobrym znawcą XVII wieku, autorem książki *Kniaź Jarema*. W swym artykule polemicznym z 17 maja 1997 Widacki stwierdził podając szczegółowe uzasadnienia faktograficzna: *W żadnym miejscu nie wypowiada się Sienkiewicz o Ukraińcach z nienawiścią, pogardą czy choćby tylko niechęcią, Nie próbuje też nigdzie obciążać kozackimi winami całego narodu ukraińskiego. Gdzież tu nacjonalizm?* (por. J. Widacki: *Sienkiewicz nie jest Horpyną*, „Gazeta Wyborcza", 17–18 maja 1997).

Widacki zarzucił również jednemu z najostrzejszych krytyków Sienkiewicza, Michałowi Cichemu, że jest zupełnym ignorantem, nie wie, o czym w ogóle jest *Ogniem i mieczem*. Zarzut swój uzasadnił uwagami: *Czym innym, jak nie nieznajomością powieści można wytłumaczyć twierdzenie, że „u Sienkiewicza nie występuje np. bohater gente Ruthenus natione Polonus"? Albo skąd wzięło się twierdzenie, że u Sienkiewicza „zawsze jest jasne, która sprawa zła, która dobra: dobry Polak-katolik, zły – obcy innowierca (Kozak, Szwed, Turek).*

Otóż lista bohaterów „gente Ruthenus natione Polonus" jest w „Ogniem i mieczem" długa. Zaczyna ją Jeremi Wiśniowiecki (kniaź z ruskiego rodu, który porzucił prawosławie), dalej idzie Halszka Kurcewiczówna i pozostali Kurcewicze (którzy z całą pewnością byli „gente Ruthenus" i można co najwyżej mieć wątpliwości, czy naprawdę byli „natione Polonus"). Za nimi sunie cały korowód szlachty ukrainnej, oficerów Jaremy...

Zupełną nieprawdą jest, że w „Ogniem i mieczem" pozytywnymi bohaterami są tylko Polacy-katolicy, a negatywnymi obcy-innowiercy. Czy w powieści tej nie ma całej plejady szlachetnych, budzących sympatię prawosławnych Rusinów (czy jak kto woli Ukraińców)? (tamże).

Atakującym Sienkiewicza wcale nie chodzi o fakty, o prawdziwą ocenę jego książki. Dla przeważającej części z nich Sienkiewicz jest po prostu „polskim nacjonałem", a pokrzepianie serc", to było po prostu tylko podbijanie „narodowego bębenka", zaspokajanie polskiej „próżności", etc. Toteż wątpić należy, czy cokolwiek ocaleje w ogóle z Sienkiewicza, jeśli ster naszej kultury znajdzie się całkowicie w rękach różnych fanatycznych „czyścicieli" polskiej literatury z książek „nacjonalistycznych", „klerykalnych", „obskuranckich", etc. *Trylogię* najchętniej całkowicie odrzuciliby do lamusa, jako „szowinistyczną", „krwiożerczą", „katolicko-klerykalną". *Krzyżaków* jako wyraz „maniakalnych" fobii antyniemieckich (por. uwagi T. Jastruna o „maniakalnych lekturach Sienkiewicza" w: *Moje Niemcy*, „Res Publica", 1990, nr 5, s. 57). *Quo vadis* jest oczywiście odrzucana przez naszych „czyścicieli" jako „propagandowa powieść katolicka" (Z. Kałużyńki: *Bankiet...*, s. 80). Z jakąż lubością Kałużyński powołuje się na jakiegoś podrzędnego francuskiego historyka, który „zrehabilitował" Nerona w *Quo vadis*: *ma to być jedna potwarz, wymyślona przez propagandę chrześcijańską. Rewizja zaiste sensacyjna* (Z. Kałużyński: *Pamiętnik...*, s. 154).

Wcale nie lepszy może okazać się los sienkiewiczowskiej nowelistyki. Profesor Instytutu Badań Literackich PAN Alina Kowalczyk wyrokowała już w swoim czasie na łamach „Filipinki", postulując zdecydowane wyrzucenie z lektur szkolnych „wszystkich koszmarnych opowiadanek" o Janku Muzykancie, etc., jako przykładów „literatury tendencyjnej" (por. rozmowa W. Grudzień z A. Kowalczykową: *Lektury*, „Filipinka", 8 stycznia 1995).

Niektórzy pomniejszyciele Sienkiewicza nie zadowalają się już atakami na treść jego dzieł, rzekome „wstecznictwo" czy „szowinizm". Próbuje się zdegradować jego pisarstwo pod względem artystycznym. Różni mali ludkowie, nie mogący sami się pochlubić żadnym dorobkiem twórczym (poza szkalowaniem polskiej historii!), z upodobaniem powtarzają twierdzenia o tym, że Sienkiewicz był pisarzem „trzeciorzędnym".

Przypomnijmy, co napisał o Sienkiewiczu dziś nazywanym pisarzem „trzeciorzędnym" Bolesław Prus w swej polemice z wymową sienkiewiczowskiego *Ogniem i mieczem*. „Różniąc się pięknie" ze swym wielkim konkurentem o rząd dusz, nie podzielając jego niektórych wizji naszej historii, nigdy nie ukrywał swego ogromnego podziwu dla siły artystycznej pisarstwa Sienkiewicza. Pisał: *Forma tego* (*Ogniem i mieczem* – J.R.N.) *i wszystkich innych utworów Sienkiewicza wydaje mi się tak piękna, że my literaci, moglibyśmy uczyć się na niej sztuki pisania (...) Dzięki tym prześlicznym zdolnościom, zarzuca on na duszę czytelnika tyle haczyków, że wywikłać się z nich nie można. Widzisz, słyszysz, dotykasz, czujesz, a w końcu wierzysz. A jest tych wrażeń takie mnóstwo, że wydaje ci się, że on nie pisze, ale że gra pełnymi akordami, całą orkiestrą, albo że maluje wszystkimi barwami tęczy* (cyt. za „*Trylogia*"..., s. 195–196). Przypomnijmy słowa tak wyrafinowanego estety jak Jarosław Iwaszkiewicz, który opisywał swe zauroczenie sienkiewiczowską prozą w słowach: *I jeszcze, jeszcze jeden świat, największy ze wszystkich, odkrywa się za tymi wrotami. Olbrzymia rzeczpospolita sztuki (...) Cudowne polskie bogactwo, jedyne polskie bogactwo polśniewa, pobłyska, grzmi, huczy, szepcze, modli się. I oto w szary prąd życia, w wodę wiselczaną małego domku, zagubionego w polach wiejskich, wlewa się prąd najszerszy, najbarwniejszy. Wielki oddech sztuki, ten najprawdziwszy wiatr od stepów, gorący i zimny, przelatuje przez wrota, otwarte sienkiewiczowską prozą: otwiera on nas wszystkich chłodem zaświatów i żarem poezji, a mnie – że to byłem jeszcze bardzo malutki, najmniejszy, najlżejszy – porwał i uniósł, i dotąd jeszcze mną miota, i dotąd upaja najwyższą swą słodyczą, najwyższą potęgą słowa* (tamże, s. 578).

Przypomnijmy, że wśród admiratorów „trzeciorzędnego" Sienkiewicza był jeden z największych twórców nowoczesnej prozy, amerykański pisarz

William Faulkner, i że *Quo vadis* Sienkiewicza była przez całe lata bestsellerem w licznych krajach świata. *Trylogia* Sienkiewicza jako adaptacja teatralna było w swoim czasie największym sukcesem paryskim (wykazały to badania prof. Sieverta). Zaledwie kilka lat temu, w ankiecie ogromnie wpływowego we francuskim świecie wydawniczym czasopisma „Lire", Henryka Sienkiewicza umieszczono wśród 50 największych autorów ludzkości – obok Homera i Szekspira. Nasi rodzimi mali ludkowie, różni Pigmeje krytyki i publicystyki wiedzą lepiej. Dla nich Sienkiewicz był „trzeciorzędny". Bo nade wszystko kochał Polskę, ją budził i promował!

„Odbrązowianie" Mickiewicza

Modne stało się posunięte do skrajnej postaci „odbrązowianie" wielkich naszej literatury, nierzadko połączone z przypisywaniem im jak najgorszych intencji. Tak jak stało się z postacią największego polskiego poety Adama Mickiewicza, który padł ofiarą arcymanipulatorskiej książki Jana Walca *Architekt arki*, wydanej w 1991 roku. Walc potraktował Mickiewicza jako negatywnego bohatera swojej książki, typ pokrętnego gracza, ucznia Machiavellego, który z premedytacją ukrył czysto polityczną intrygę za parawanem twórczości literackiej. Jako skrajny i moralny mitotwórca, Mickiewicz – według Walca – dążył wyłącznie do tego, aby cynicznie wmówić rodakom patriotyzm, ambicje polityczne i solidaryzm narodowy (por. polemiki z tego typu twierdzeniami Walca w tekstach J. Gondowicza: *Prawda o Mickiewiczu*, „Gazeta Wyborcza" z 30 października 1991 i A. Waśki: *Coś ty Walcowi zrobił Mickiewiczu?*, „Arka" 1991, nr 36).

Najbardziej dostało się Mickiewiczowi od Walca za rzekomy niedostatek europejskości i prowincjonalny konserwatyzm. Walc z werwą obsmarował kolejne utwory Mickiewicza. II część *Dziadów* uznał za przejaw „intelektualnego bolszewizmu" (J. Walc: *Architekt arki*, Chotomów 1991, s. 165). *Dziady* drezdeńskie określił jako wyraz „zakłóceń samooceny" u Mickiewicza. *Pan Tadeusz* w odczuciu Walca, to „efekt rozczarowań poety kulturą śródziemnomorską" (tamże, s. 185). Najostrzej napiętnował Walc *Księgi Narodu Polskiego i Pielgrzymstwa Polskiego*, twierdząc, że są one „manifestem lekceważenia dla jednostki, dla osoby ludzkiej" (tamże, s. 218), że są nacechowane „ostentacyjnym prymitywizmem intelektualnym", „pychą zbiorową, pogardą dla obcych", „zamknięciem w narodowym partykularzu" (tamże, s. 212–213).

Przypomnijmy, że osądzone z taką pogardą przez „Europejczyka" Walca jako wyraz rzekomej „pogardy dla obcych" i „narodowego partykularza" *Księgi Narodu* zdobyły poecie europejską sławę „jako najszerzej wśród obcych znany utwór Mickiewicza" (por. uwagi Z. Stefanowskiej w *Literatura Polska. Przewodnik encyklopedyczny*, Warszawa 1988, t. 2, s. 532). Ta książka, stanowiąca rzekomo wyraz ksenofobii i zaścianka, była tłumaczona na wiele języków, w tym francuski, wywierając wpływ na słynne dzieło F.R. de Lamennais *Paroles d'un croyant*. Kazimierz Wyka pisał, że *Księgi* stały się czymś „w rodzaju katechizmu wolności, szczególnie dla narodowości zamieszkujących monarchię habsburską". Czyż nie zadziwia taki międzynarodowy sukces dzieła rzekomo „zamkniętego w narodowym partykularzu"?

Walc szedł dosłownie na całość w „nowatorskim" pomniejszaniu rangi twórczości Mickiewicza. O całej jego publicystyce np. zawyrokował, że „jest naprawdę nic nie warta" (tamże, s. 179). Przypomnijmy, że były w tej „nic nie wartej publicystyce" teksty do dziś uważane za jedne z najświetniejszych tekstów z historii polskiej publicystyki, jak artykuł *O ludziach rozsądnych i ludziach szalonych* (1833), stanowcze potępienie pseudorealizmu politycznego. Że artykuły publikowane przez Mickiewicza w 1849 roku w redagowanym przez niego międzynarodowym dzienniku „La Tribune des Peuples" zyskiwały szeroki rezonans.

Andrzej Waśko w świetnym szkicu o książce Walca, tak pisał o „swoistym obrazie" poety, zaprezentowanym czytelnikom przez Walca: *Autor „Pana Tadeusza" to dla Walca (...) wróg prawa (s. 246), przeciwnik miłości i emancypacji kobiet (s. 256), kulturalny prowincjusz (nie czytał, a co gorsza nie naśladował Balzaka, Stendhala i Heinego (s. 244), plebejusz o zaściankowym rodowodzie, co ma tłumaczyć jego głupotę (s. 238–239), w końcu impotent artystyczny, który sam zabił swój talent* (A. Waśko: *Coś ty Walcowi zrobił Mickiewiczu?...*, s. 124). Waśko długo wyliczał liczne inne przypadki skrajnego pomniejszania postaci Mickiewicza, oskarżanego przez Walca o „przerażający konserwatyzm", „snobizm", kapitulanckie stanowisko wobec zaborców" (!).

Polemizujący z brechtami Jana Walca znany historyk literatury i eseista Ryszard Przybylski nazwał go „Stanem Tymińskim polonistyki" i jednym z twórców subkultury dzikiego barbarzyństwa, polegającego głównie na przykrawaniu tradycji narodowej (R. Przybylski: *Degrengolada*, „Gazeta Wyborcza", 30 października 1991). Nawet w miesięczniku liberałów „Res Publica", bardzo skłonnym do popierania „odbrązowiań" historii i literatury, ukazał się nader krytyczny w tonie wobec Walca szkic historyka literatury Marii Dernałowicz: *Sztubacka książka.* Jego autorka zarzuciła Walcowi wręcz „głuchotę na poezję" i stwierdziła, że *dziewicza wprost niewiedza Walca nie dodaje jego książce uroku, a parę słusznych spostrzeżeń (...) tonie w powodzi hucpy, która na początku bawi, a później męczy i nudzi* (M. Dernałowicz: *Sztubacka książka*, „Res Publica", 1991, nr 11–12, s. 95). Nawet hucpiarskie hochsztaplerstwo Walca w fałszowaniu dorobku największego poety polskiego znalazło swoich rzeczników, i to akurat na łamach „Gazety Wyborczej". Z pochwałą Walca za „obalanie mitów" wystąpił Stefan Bratkowski. Z gorącą obroną przed zarzutami prof. Przybylskiego, choć pozbawioną merytorycznych konkretów, wystąpił Wiktor Woroszylski. Jak widać, najżałośniejsze nawet absurdy znajdują natychmiast obrońców i wielkonakładowe forum. Byle tylko godziły w jakąś część narodowej tradycji!

W roli skrajnego „odbrązowiacza" postaci Mickiewicza „zabłysnął" również fanatyk antypolonizmu Zygmunt Kałużyński. Z przekąsem pisał, że wallenrodyzm jako program przewija się przez całą twórczość poety, który przecież uchodzi za naczelny moralny autorytet narodowy. Zalecał on: „postać mieć skromną jak wąż", ale jednocześnie „mową truć z cicha, jak zgniłym wyziewem" („Do Matki Polski") (...) Mickiewicz, gorący katolik, modlił się: „O wojnę powszechną ludów prosimy Cię, Panie". Słowacki po spotkaniu z nim, był przerażony: „Ileż w tym człowieku jest nienawiści, ile gniewu, jakżeż cieszy się z każdego nieszczęścia" (Z. Kałużyński: *Bankiet...*, s. 133). Oto typowa próbka metod Kałużyńskiego – zlepić parę wyrwanych cytatów i opinii, by uformować „czarny" zohydzający portret.

Depolonizacja Mickiewicza

Inni starają się na siłę zdepolonizować Mickiewicza. Bez jakichkolwiek podstaw faktograficznych, wbrew efektom badań największych mickiewiczologów, głosi się, że Mickiewicz był pochodzenia żydowskiego po matce. Jeśli zaś ktoś odmawia przyjęcia takiej tezy, powołując się na ustalenia między innymi takiej sławy mickiewiczologii jak profesor Stanisław Pigoń, to od razu pada ofiarą oskarżeń o antysemityzm. Typowa pod tym względem była postawa fanatycznej rzeczniczki tezy o żydwoskim pochodzeniu Mickiewicza – pani Jadwigi Maurer. Jak komentował w wywiadzie dla „Rzeczpospolitej" z 13–14 lipca 1996 dyrektor Muzeum Literatury w Warszawie Janusz Odrowąż-Pieniążek: Maurer *naszym wielkim mickiewiczologom zarzuca (...) generalnie antysemityzm, notabene nie zawsze dokładnie ich cytując.*

Z równie skrajnym jak Maurer atakiem na czołowych polskich mickiewiczologów za odrzucenie domniemań o rzekomym żydowskim pochodzeniu matki Mickiewicza wystąpił domorosły mickiewiczolog, pisarz Henryk Grynberg, znany skądinąd z zapiekłego antypolonizmu. W opublikowanym we „Wprost" z 31 maja 1992 tekście Grynberg posunął się do stwierdzenia, że negowanie żydowskiego pochodzenia matki Mickiewicza dowodzi *niezbicie, że głębokie są korzenie antysemityzmu w polskiej filologii* (!)

Szczególnie hucpiarskim tupetem w akcentowaniu rzekomego żydowskiego pochodzenia Mickiewicza wyróżnił się reżyser filmowy Andrzej Żuławski, znany głównie z tworzonych na Zachodzie filmów pełnych szaleństw i histerii dla epatowania widzów. W telewizyjnym programie *Po co nam... Żydzi* (wiosną 1996) Żuławski napiętnował jako mniemany przejaw polskiego „antysemityzmu" niedocenienie pseudoodkryć żydowskiej autorki Jadwigi Maurer na temat rzekomego żydowskiego pochodzenia Mickiewicza. Niedługo później w tekście na łamach „Sztandaru Młodych" Żuławski popisał się kolejnym uogólnieniem: *Nieprzetłumaczalny Mickiewicz, jeden z najlepszych poetów w ogóle. Mistyk. Żyd.* Dyrektor Muzeum Literatury w Warszawie, Janusz Odrowąż-Pieniążek wyśmiał na łamach „Rzeczpospolitej" z 13–14 lipca 1996 dywagacje Żuławskiego jako skrajne nadużycie i przykład *koniunkturalnego filosemityzmu, równie odrażającego jak prymitywny antysemityzm.* I przypomniał, że wbrew Żuławskiemu i Maurer nie ma żadnego, dosłownie żadnego dowodu żydowskiego pochodzenia Adama Mickiewicza. Były natomiast w jego twórczości teksty o bardzo antyżydowskim tonie (*Pchła i rabin* z 1825, *Wiersze Franciszka Grzymały* i *Do Franciszka Grzymały* z 1832, zdanie o „dziecku od Żydów kłutym igiełkami" w *Panu Tadeuszu*, czy parę bardzo przykrych dla Żydów przypowieści w *Księgach Pielgrzymstwa*).

Do fanatycznych rzeczników teorii o żydowskim pochodzeniu Mickiewicza nie trafiają jednak żadne argumenty. Nawet takie fakty jak bardzo krytyczne wobec Żydów uogólnienia we fragmentach mickiewiczowskich *Ksiąg Narodu Polskiego i Pielgrzymstwa Polskiego*. Maurer uznała je tylko jako dowód tego, że poeta przeląkł się, że na emigracji polskiej trafią na ślad jego żydowskości i szukał antysemickiego alibi. Grynberg zaś uznał *Księgi Narodu i Pielgrzymstwa* za dowód, że sam Mickiewicz „uległ przejściowo presji antysemickiej" i dodawał: *Świadczyłoby to tylko, jak przemożna była presja antysemityzmu i do jakiego stopnia skażał on umysły najwyższych sfer* (H. Grynberg: *Zagadka Mickiewicza*, „Wprost", 31 maja 1992).

Inni próbują depolonizować Mickiewicza na rzecz Białorusi. Dość żałośnie w tym kontekście wypadła wypowiedź byłej przewodniczącej OPZZ Ewy Spychalskiej, od wiosny 1997 do lutego 1998 roku urzędującej jako ambasador RP na Białorusi. W wywiadzie wydrukowanym w polskojęzycznej wkładce do wydawanego po rosyjsku pisma „Kultura", ambasador Spychalska powiedziała między innymi: *Nowogródek jest na Białorusi i nie będziemy się spierali czy Mickiewicz jest bardziej polski czy bardziej białoruski* (cyt. za M. Gugulski: *Dolce vita towarzysz ambasador*, „Głos", 6 czerwca 1997). Ambasador RP wyraźnie uważa za drobnostkę to, czy największy poeta polski był bardziej polski czy bardziej białoruski (!)

Zafałszowanie postaci Fredry

Dodajmy do tego, skrajnie bezczelną, próbę zafałszowania postaci największego polskiego komediopisarza Aleksandra Fredry. Człowieka zawsze wiernego polskiemu patriotyzmowi postarano się przedstawić jako z gruntu wyobcowanego od jakiejś tam polskiej państwowości i w ogóle polskiej sprawy. Dokonał tego wyspecjalizowany od dziesięcioleci w antynarodowych brechtach redaktor „Polityki" Zygmunt Kałużyński. W *Pamiętniku rozbitka* (Warszawa 1991, s. 117) Kałużyński twierdził: *przypuszczam, że Fredro był wobec państwowości podobnie obojętny, jak są dzisiaj młodzi kontestatorzy, o których wspomniałem na początku.* Chodziło o młodych uczestników ankiety Instytutu Problemów Młodzieży, z których tylko zaledwie 11 proc. odpowiedziało tak na pytanie: „Czy byłbyś w stanie poświęcić życie dla Ojczyzny?" Analizująca ankietę pracownik wspomnianego Instytutu oświadczyła, że u 22 proc. młodzieży stwierdzono niski stopień więzi z krajem, u 34 proc. brak tego typu więzi. I z takimi to młodymi ludźmi Kałużyński zestawił Aleksandra Fredrę, który w młodości walcząc za ojczyznę stosunkowo szybko dosłużył się stopnia majora, uzyskał za odwagę złoty krzyż Virtuti Militari w 1812 roku i francuską Legię Honorową w 1814 roku. W czasie Powstania Listopadowego zaś gorliwie pracował w tajnym komitecie obywatelskim we Lwowie, dopomagając powstaniu wysyłką broni i pieniędzy. W 1846, w głośnym memoriale *Uwagi nad stanem socjalnym w Galicji*, rozpowszechnionym w licznych odpisach, Fredro stanowczo wystąpił przeciwko wszechwładzy obcojęzycznej biurokracji. W 1848 roku został dowódcą kompanii w I batalionie Gwardii Narodowej. Wybrany na prezesa Rady Narodowej w Rudkach, wystąpił z tak krytycznym przemówieniem politycznym, że wytoczono mu za to później proces o zdradę państwa i obrazę majestatu cesarskiego. Groziło mu wieloletnie więzienie, i tylko po półtora roku starań, dzięki zakulisowym interwencjom, udało się umorzyć sprawę. Jak wygląda na tym tle pisanina Kałużyńskiego o rzekomej obojętności Fredry dla polskiej państwowości?!

Kałużyński posunął się jednak jeszcze dalej, twierdząc (*Pamiętnik...*, s. 117), że w czasie, gdy arcydzieła romantyczne mobilizowały Polaków do walki o ojczyznę, niepodległość i własne państwo, w twórczości Fredry rzekomo „nie ma śladu zainteresowania dla tematu". Pisze tak o twórcy, który był autorem głośnego pamiętnika z walk napoleońskich *Trzy po trzy* i powstałego po Powstaniu Listopadowym *Dziennika wygnańca*, świadectwa uczuciowego i patriotycznego przeżycia Powstania, ujętego w formie wyznań i wspomnień Sybiraka (por. biogram A. Fredry pióra A. Wyki w „PSB", t. VII, s. 107). Rzekomo nie wyrażający nawet „śladu zainteresowania" dla tematyki Ojczyzny Fredro był autorem wiersza: *Ojczyzna nasza*, w którym pisał między innymi:

Na długich górach czarne świerki rosną
Z wiatrem północy szumią pieśń żałosną,
A dołem, dołem, jak wzrok sięgnąć może,
Złocistych kłosów kołysze się morze;
Na morzu wyspy kwiecistej murawy
I rozprószone jak wędrowne nawy
Gdzieniegdzie domki bielą się z poddasza...
To Polska!... Polska!... To Ojczyzna nasza!

Czy można nazwać obojętnym na polskość poetę, który smagając bezwzględnie snobizm na wszystko, co obce, tak pisał w komedii *Cudzoziemszczyzna*:

Niech na nieszczęście do swych gniazd nie wraca,
Kto pamięć o nich na chwilę zatraca (...)
I orzeł dobry, dobry; może jeszcze biały!
O, był to kiedyś orłem ten orzełek mały!
Niejednego on bratka w pokrzywy zagonił,
Darł szponem, lecz też często i skrzydłem osłonił

Jakże przydałoby się i dziś takie zagonienie w pokrzywy niejednego bratka-oszczercy, który nie zna żadnych granic w przerabianiu polskich patriotycznych twórców na postacie pozbawione jakiegokolwiek odczuwania Ojczyzny i polskości! Czy naprawdę nie ma żadnych ograniczeń w fałszowaniu prawdy o różnych wielkich postaciach z polskiej przeszłości? Kolejne pytanie, dlaczego nikt z redaktorów wydawnictwa „BGW", w którym wydano książkę Kałużyńskiego, nie zajął się sprawdzeniem wiarygodności podawanych przez niego informacji faktograficznych i odrzuceniem ewidentnych banialuk? Faktycznie oznaczałoby to bowiem przekreślenie wydania całej książki, wypełnionej po brzegi oszczerczymi brechtami o Polsce i Polakach.

Zanussi atakuje Wyspiańskiego jako „mistyfikatora"

Dzisiejsi luminarze polskiej kultury z dezynwolturą odrzucają po kolei różnych wielkich polskich twórców przeszłości, skrajnie deprecjonując wartość ich dokonań. Odrzucany i potępiany, zakazany w czasach stalinizmu Wyspiański doczekał się ponownego odrzucenia. Tym razem ze strony „Europejczyka" Krzysztofa Zanussiego. W wywiadzie dla „Magazynu Gospodarczego" (1994, nr 3–4) Zanussi powiedział: *Wyspiański na przykład budzi we mnie głęboką irytację i wydaje mi się, że jest on jedną z mistyfikacji kultury polskiej (jako poeta niewiele dla mnie znaczy, może więcej jako malarz). Nigdy nie rozumiałem, dlaczego „Wesele" traktowane jest w szkołach jako sztuka o wielkim znaczeniu narodowym.*

Kreowanie na antysemitów Norwida, Prusa, Dąbrowskiej, etc.

Za polskich wybitnych twórców literackich zabrali się również co gorliwsi krajowi „tropiciele antysemityzmu". Nagle okazało się, że nawet Bolesław Prus, autor jednych z najcieplej nakreślonych sylwetek żydowskich w całej literaturze europejskiej, został oskarżony o uleganie nastawieniu antyżydowskiemu. Oskarżycielką była, skądinąd znana z gołosłownych oskarżeń (w swoim czasie oskarżyła część polskiego duchowieństwa o sprzyjanie faszyzmowi) pracownica Żydowskiego Instytutu Historycznego Alina Cała.

Oskarżenia o antyżydowskość nie oszczędziły nawet tych polskich twórców, którzy najwspanialej zapisali się na drodze do wzajemnego polsko-żydowskiego zrozumienia i pojednania. Tak jak Cyprian Norwid, autor jednego z najpiękniejszych polskich wierszy o Żydach *Żydowie polscy*, w którym zwracał się do nich w pełnych wzruszenia słowach:

> Ty jesteś w Europie, poważny Narodzie
> Żydowski, jak pomnik strzaskany na Wschodzie, (...)
> Poważny narodzie! Cześć tobie w tych, którzy
> Mongolsko-czerkieskiej nie zlękli się burzy –
> I Boga Mojżeszów bronili wraz z nami.

Nawet Norwid został oskarżony jednak o „kompleks antyżydowski" – przez Henryka Grynberga na łamach „Wprost" z 31 maja 1992. Jak wytłumaczyć fakt, że tak oszczerczy atak na „antysemitę" Norwida ukazał się bez komentarza na łamach „polskiego" czasopisma – „Wprost"?!

Swego rodzaju „czarną owcą" w tekstach „internacjonałów" z „warszawki" stała się nagle w wiele lat po śmierci najwybitniejsza polska pisarka okresu międzywojennego i lat powojennych, Maria Dąbrowska. Nie darowano jej wielu szczerych zapisów na temat złożoności stosunków polsko-żydowskich, jakie znalazły się na kartach jej dzienników. I zaczęto z werwą piętnować na rzekomy „antysemityzm", nie zważając na rolę, jaką pisarka odegrała pod koniec lat trzydziestych w protestach przeciwko akcjom antyżydowskim na wyższych uczelniach oraz „gettu ławkowemu", czy też na jej zaangażowanie w pomoc dla Żydów w czasie okupacji. W roli najostrzejszego sędziego wystąpił jak zwykle Michnik. W rozmowie z Tadeuszem Konwickim („Gazeta Wyborcza" z 7 grudnia 1991) oskarżył Dąbrowską o rzekome „wątki antysemickie" w *Dziennikach*, twierdził, że *miała... reakcję animaliczną, którą zapisała w „Dziennikach"*. Animaliczną, czyli zwierzęcą – prawdziwie „gustowne" oplucie słynnej pisarki w wiele lat po jej śmierci.

Największa fala ataków na Marię Dąbrowską zaczęła się jednak w 1995 roku wraz z opublikowaniem wreszcie w wersji nieokrojonej jej *Dzienników powojennych*. Dąbrowska wypowiadała w nich bardzo wiele szczerych myśli o tępieniu polskości w okresie stalinowskim i o odpowiedzialnych za to osobach, niejednokrotnie przy tym zaznaczając ich żydowskie pochodzenie. Jak na dany znak, natychmiast wystartowała wielka machina potępień. Pierwszy cios zadała dyżurna kosmopolitka z „Ex libris" (dodatku do „Życia Warszawy"), Kinga Dunin. Ta fanatyczna feministka i tropicielka „polskiego antysemityzmu bez Żydów" bez wahania napiętnowała Dąbrowską jako „ksenofobkę", „polską nacjonalistkę i antysemitkę", dla której Żydzi „są przeraźliwie obcy i odpychający" (K. Dunin: *Szczęścia nie będzie*, „Ex libris", 15 maja 1996). Na tle potępieńczych uogólnień Dunin, łagodniejsza wydaje się nawet – o dziwo! – recenzja z *Dzienników*, zamieszczona w „Gazecie Wyborczej". Jej autorka, Helena Zaworska, przyznawała przynajmniej łaskawie, że: *Nie należy uważać Dąbrowskiej za prymitywną antysemitkę*. Winiła ją jednak za zdumiewającą, nienawistną wręcz „zajadłość" w *Dziennikach* i zrzucanie winy za wszystko na Żydów jako „niebezpiecznego i skomunizowanego wroga" (por. H. Zaworska: *Potrójne życie Dąbrowskiej*, „Gazeta Wyborcza", 15 maja 1996).

W miesiąc potem pospieszył z atakiem na Dąbrowską tandetny kabareciarz – nienawistnik z „Polityki", Ryszard Marek Groński, piętnując drzemiące jakoby w duszy Dąbrowskiej „pokłady kołtuństwa" i całą „małość" jej wielkości (por. R.M. Groński: *Nadproducent myśli*, „Polityka" z 15 czerwca 1996). Niebawem wsparł go również inny „internacjonał" z „Polityki", Ludwik Stomma, pisząc o „przykrym przygnębieniu", z jakim czytał *Dzienniki* Dąbrowskiej i nazwał go „wysoce ekshibicjonistycznym manifestem" („Polityka" z 21 września 1996).

Ze szczególnie zajadłym atakiem na Marię Dąbrowską za jej rzekomy „antysemityzm" wystąpił stary politruk literatury w dobie jaruzelszczyzny, Wacław Sadkowski. Oskarżył świetną polską pisarkę o *otchłanie trybalistycz-*

nych uprzedzeń, które wyraziły się w „Dziennikach" Dąbrowskiej po wielokroć, z niejaką konsekwencją (por. W. Sadkowski: *Z mlekiem matki*, „Wiadomości Kulturalne" z 27 kwietnia 1997).

Szydzenie z polskości

Czasami dochodzi do skrajnie nihilistycznego wręcz szydzenia z polskości i jej symboli w literaturze. „Niedościgły" pod tym względem okazał się Stanisław Barańczak w wydanej w 1995 roku, w krakowskim „Znaku" (!) książce: *Bóg, trąba i ojczyzna*. Była to grubiańska parodia słynnych polskich wierszy patriotycznych, częstokroć balansująca na granicy grafomanii. Typowa pod tym względem była pozbawiona choćby krzty dobrego smaku, szydercza przeróbka głośnej zwrotki wiersza Jana Kasprowicza:

Rzadko na moich wargach
Niech dziś to warga ma wyzna
Gości krwią przepojona
Najdroższy wyraz ojczyzna.

U Barańczaka zwrotka ta, poddana odpowiedniej satyrycznej przeróbce brzmiała:

Rzadko na mych wargach
zjawia się święta, jedyna
w dymie pożarów wędzona
Najdroższa nazwa słonina.

Przejmujący wiersz Mickiewicza *Śmierć pułkownika* został przerobiony u Barańczaka na *Kieł Pułkownika* ze *Słonicą Bohater Trąbonosą Emiliją Plater*. Szczególnie oburzające były „dowcipy" Barańczaka z przepowiedni Juliusza Słowackiego na temat Papieża–Polaka z odpowiednim „komentarzem" do pontyfikatu Jana Pawła II – ilustracją papieża ze słoniową trąbą zamiast twarzy. Partacka parodia Barańczaka wzbudziła powszechne oburzenie wśród ludzi myślących i czujących po polsku. Na przykład Elżbieta Morawiec napisała bez ogródek o książce Barańczaka: *Zawartość tomiku, który udało mi się zdobyć w 15 rocznicę polskiego Sierpnia sprawia, że człowiek czuje się jakby wdepnął w coś paskudnego, cuchnącego* (E. Morawiec: *Paskudna książka Barańczaka*, „Tygodnik Solidarność", 1995, nr 37).

W dalekim Melbourne Wojciech Wrzesiński tak scharakteryzował przedziwne metody konstruowania tomu barańczakowych parodii: *Przy pomocy słów wytrychów, którymi są słoń, słonina, trąba słoniowa, kły słoniowe i inne od słonia pochodne, autor wykpiwa strofy, które umacniały w Polakach patriotyzm i wiarę, dodawały im ducha w chwilach najtrudniejszych, były motorem najwyższych poświęceń, często, bardzo często okupywanych śmiercią. Zastępuje on tymi dowcipnymi we własnym mniemaniu słowami takie między innymi, jak Polska, ojczyzna, honor, broń... Ot, i cały „genialny" pomysł. Tym razem pan profesor (Harvardu) za bardzo się wysilił* (W. Wrzesiński: *Uwaga: zatkać nos*, „Tygodnik Polski" z 14 października 1995, Melbourne, Australia).

Pogarda dla rodzimej literatury polskiej

Wielbienie wszystkiego, co światowe i pogarda dla narodowej kultury, znalazły szczególnie skandaliczne odbicie w tekście dziennikarki „Ex Libris" (dodatku do „Życia Warszawy") Kingi Dunin. Pobiła ona wszystkie rekordy bzdur i arogancji swymi nihilistycznymi uogólnieniami na temat literatury polskiej – drukowanymi na łamach 48 numeru „Ex Libris" z 1994 roku. Dunin wystąpiła tam za odrzuceniem całej literatury polskiej jako niepotrzebnego, bezużytecznego balastu, pisząc *expressis verbis*: *Przestańmy uważać, że literatura polska musi istnieć. Nie musi. Nawet, jeżeli zniknie – i tak będzie w Polsce istniała jakaś literatura. Każdy będzie mógł coś wybrać z ogromnej światowej oferty*. Zdaniem Dunin „literatura polska, to patos, nuda i troska" bez żadnego rezonansu społecznego, i trzeba przestać się nią zajmować, a zamiast tego należy zanurzyć się bez reszty w „bogactwie literatury światowej". Co zaś dla Kingi Dunin oznacza „bogactwo światowej oferty", można było się domyśleć czytając licznie reklamowane na łamach „Ex Libris" różne Harlequiny.

Poglądy obrazoburczej kosmopolitki z „Ex Libris" na temat „niepotrzebnej" literatury rodzimej spotkały się z bardzo ostrą reakcją Włodzimierza

Odojewskiego, znakomitego polskiego pisarza, od wielu lat żyjącego na emigracji w Berlinie. W tekście *Czy literatura polska jest niepotrzebna* („Tygodnik Powszechny" z 3 kwietnia 1994), Odojewski polemizował ze stanowiskiem tych, którzy w ogóle nie rozumieją znaczenia własnej literatury dla przetrwania narodu, i za wszelką cenę reklamują „światowy chłam". Jego zdaniem *są oni tak jak exlibrisowa autorka – nie wiem, czy świadomie – koordynatorami poglądów i haseł internacjonalistycznych, lansowanych w niedalekiej przeszłości przez komunistyczne partie; zmienili oni tylko barwę swych sztandarów i kierunek ze wschodniej na zachodnią adorację. Być może nie zdają sobie sprawy, że maszerując pod tym sztandarem do Wspólnoty Europejskiej – sztandarami upodobnienia, ujednolicenia, stopienia się z resztą Europy, robią fatalną przysługę naszemu społeczeństwu, nie wprowadzają tam bowiem nacji, bo nacja musi mieć swoją odrębną kulturę, swoje zakorzenienie, swoją duchowość, ale grupę regionalną, a jako grupa regionalna tak naprawdę nikogo we Wspólnocie Europejskiej nie interesujemy, interesująca jest osobność, nadająca narodowi osobowość, odrębność, specyficzność, które mogą być owymi cennymi kamykami dorzuconymi do mozaiki Europy Ojczyzn.*

Warto przypomnieć, że Włodzimierz Odojewski, pisarz ciągle niedostatecznie doceniony w kręgach tzw. elitki, w stosunku do jego rangi literackiej, niejednokrotnie wstępował w szranki przeciwko snobowaniu się na wszystko, co obce, i lekceważeniu rodzimej polskiej tematyki. Przebywając z górą ćwierć wieku na Zachodzie (wyjechał z Polski w 1971 roku) jak mało kto wiedział, że właśnie pisanie o tym, co jest kwintesencją polskości, *das ewige polnische*, jest największą szansą dla polskiej literatury w jej próbach przebicia się na szersze wody w świecie. W czasie spotkania w warszawskiej kawiarni Czytelnika w 1991 roku Odojewski powiedział między innymi: *To nie jest tak, że trzeba pisać o Europie, żeby w tej Europie być. Trzeba pisać o swojej małej ojczyźnie, drążyć własną glebę i to powinno być zrozumiane przez inne nacje. Np. literatura iberoamerykańska prezentuje rzeczy z pozoru kompletnie obce – to są często powieści jednego powiatu i to bardzo specyficznego – a jednak jest czytana w świecie.*

Wątpię, by bez Polski, jej specyfiki i realiów, można było zyskać czytelnika na Zachodzie. Jeśli będziemy zabiegać o Europę i naśladować to, co europejskie, będziemy pisać o wszystkim i o niczym (cyt. za: *Odojewski w Polsce*, oprac. A. Dajbor, „Gazeta Wyborcza" z 11 marca 1991).

Upadek polskiego teatru narodowego

Upadkowi kina i telewizji, zduszonych przez amerykanizację, towarzyszy równoczesne przymieranie teatru, który dawno przestał odgrywać rolę narodowej sceny, trafiającej do wyobraźni i ideałów Polaków. Bardzo wymowne pod tym względem były wyznania jednego z najwybitniejszych ludzi teatru, prezesa Związku Artystów Scen Polskich Andrzeja Łapickiego, w wywiadzie z listopada 1994 roku. Łapicki przyznał w nim wręcz, że *Teatr strasznie spadł w hierarchii potrzeb ludzi, również dlatego, że jest słaby, bardzo słaby*. I szczegółowo uzasadnił swój tak surowy werdykt w słowach: *Bardzo nisko spadliśmy w hierarchii społecznej. Teatr nie jest atrakcyjny, nie przyciąga widzów jak dawniej, kiedy był rodzajem świątyni, do której się chodziło, aby nasycić się patriotycznie. Dziś jest miejscem rozrywki, przeważnie źle wykonywanej i często mało atrakcyjnej. Boleję nad tym, że teatr teraz zajmuje się bulwarem, że przeżywa inwazję tych amerykańskich sztuczydeł na najniższym poziomie, które mają jakoby przyciągnąć widza. Jeśli się nie weźmiemy znowu w garść i nie zaczniemy grać tego, co nam przynależy, to znaczy wielkiego polskiego repertuaru, to teatr polski zginie. Krzyczę wielkim głosem: nie może istnieć teatr polski bez polskiej klasyki, zginiemy, stracimy tożsamość, nie tylko tę teatralną, ale tożsamość narodową. Trzeba przestrzegać kanonu klasyki w szkołach teatralnych, gdzie również jest inwazja byle jakiego repertuaru. Walczę z tym, jak mogę, ale nie zawsze skutecznie* (z rozmowy R. Pawłowskiego z A. Łapickim: B*ojkotuję szmirę*, „Gazeta Wyborcza", 10 listopada 1994).

Dobijanie głównej sceny narodowej

Skrajne lekceważenie narodowych tradycji w parze z ogromnym snobizmem na „cudzoziemszczyznę" doprowadziło do wyraźnego przymierania Teatru Narodowego w Warszawie. Dzięki różnym pomysłom ministra Kazimierza Dejmka Teatr Narodowy zatracił cechujący go do końca XVIII wieku charakter wielkiej sceny narodowej, mającej ogromne znaczenie dla umacniania kulturalnej tożsamości narodowej. Przypomnijmy, że premiera *Cudu mniemanego czyli Krakowiaków i Górali* 1 marca 1794, na sześć tygodni przed insurekcją kościuszkowską, stała się prawdziwą manifestacją narodową pędu do wolności. Sam wielki Bogusławski śpiewał:

Niemądry, kto wśród drogi
Z przestrachu traci męstwo,
Im sroższe ciernie, głogi,
Tym milsze jest zwycięstwo (...)
Im sroższy los nas nęka,
Tym mocniej stać mu trzeba,
Kto podle przed kim klęka,
Ten próżno wzywa nieba.

Narodowe przesłanie, dodawanie otuchy Polakom w najtrudniejszych chwilach pozostało odtąd przez cały czas zaborów jedną z głównych cech Teatru Narodowego. Pomimo cenzury i polityki rusyfikacyjnej, która doprowadziła do przemianowania Teatru Narodowego na Teatr Rozmaitości, i zmuszała go do przemycania różnych treści w formie bardzo zawoalowanej. Po krótkim okresie odrodzenia narodowej sceny w czasie Drugiej RP, po 1945 roku znowu nadeszły dla niej chude lata, blokowanie wszystkiego, co najcenniejsze w narodowym dramacie. Komuniści nigdy nie polubili narodowej sceny, i właśnie za ich rządów rozpoczęło się jej przymieranie. Warto przypomnieć w tym kontekście uwagi znakomitego reżysera teatralnego, pisarza i profesora Kazimierza Brauna (wyreżyserował ponad 130 przedstawień teatralnych, w kraju i za granicą, wykładał na uczelniach polskich i kilku uczelniach amerykańskich). Pracujący od 1985 roku w Stanach Zjednoczonych Kazimierz Braun w bulwersującym artykule na łamach „Rzeczpospolitej" z 22–23 marca 1997 przedstawił kolejne etapy likwidowania Teatru Narodowego w ostatnich latach. Pisał: *Sama idea polskiego Teatru Narodowego była niewygodna dla komunistycznej polityki kulturalnej. Toteż gdy Teatr Narodowy spłonął w 1985 r., władzom nie zależało za pilnej restytucji tego ogniska i symbolu narodowej kultury; odbudowę podjęto ślamazarnie. Owo zaniechanie przez komunistów energicznej odbudowy Teatru Polskiego w drugiej połowie lat osiemdziesiątych było, jak się okazało, pierwszym etapem jego likwidacji jako niezależnej instytucji. Drugim etapem była decyzja Izabelli Cywińskiej (ministra kultury w rządzie Tadeusza Mazowieckiego) o przekształceniu instytucji Teatru Narodowego w instytut Teatru Narodowego – o enigmatycznym statusie i celach.*

Trzecim etapem likwidacji stało się – według Brauna – pozbawienie Teatru Narodowego charakteru wielkiej sceny narodowej, jaką posiadał w XVIII wieku i równoczesne zlikwidowanie mającego świetną tradycję Teatru Wielkiego, teatru, opery i baletu. Dawny samodzielny Teatr Narodowy zmienił się teraz w część hybrydy – z dwoma działami: muzycznym i dramatycznym, mającymi spełniać rolę dawnego Teatru Wielkiego i Narodowego. Na połączeniu wyraźnie straciła scena dramatyczna umieszczona w Sali im. Bogusławskiego; dział muzyczny wyraźnie zdominował dramatyczny. Jak pisał Kazimierz Braun: *W rozsyłanych po świecie repertuarach Teatru Narodowego w rubryce „Bogusławski Hall" na styczeń 1997 r. nie miał ani jednej pozycji. Sala stoi pusta, goszcząc „imprezy" – jak zjazd straży pożarnej (...) Za to pod nagłówkiem „Teatr Narodowy" można wyczytać, że gra się „Śpiącą królewnę", „Skrzypka na dachu", „Traviatę", „Romea i Julię", „Turandot", „Święto wiosny" oraz „Der Rosenkavalier" (tak w repertuarze!), nie równoważą tego zestawu dwie pozycje polskie („Halka" i „Krakowiacy i Górale"), dwie tylko wobec siedmiu obcych. Repertuar ten dowodzi jakiegoś bardzo głębokiego rozmijania się obecnego Teatru Narodowego z tym, co powinno być polskim Teatrem Narodowym* (tamże).

Symbolicznym wprost przejawem lekceważenia narodowej kultury był fakt, że nawet otwarcie Teatru Narodowego fetowano muzyką Mahlera. Nikt z dyrekcji Teatru Narodowego nawet nie pomyślał, że inaugurując jego działalność wypadałoby zacząć od polskiego dzieła muzycznego czy polskiej sztuki narodowej. Zaszokowany tą sytuacją, pisał Stanisław Dybowski na łamach „Słowa – Dziennika Katolickiego" z listopada 1996: *Mahler na święto Niepodległości, Mahler na inaugurację działalności Teatru Narodowego, Mahler na okazję nadania sali operowej imienia Moniuszki, tak, z domieszką złośliwości, ale jednocześnie z żalem, można określić uroczystości związane z oficjalnym otwarciem narodowego przybytku sztuki w nowym kształcie. Tylko nad Wisłą mogło się zdarzyć, aby wspomnianą uroczystość fetować muzyką obcą. Tak nie zdarzyło się nawet pod zaborami! A taki pomysł nie przyszedł do głowy szefom kulturalnych placówek narodowych w Czechach, Niemcach, Francji, Anglii czy we Włoszech. Traktowanie twórczości własnej, rodzimej, jak zaprezentowano, z góry ją deprecjonuje i przesuwa do drugiego rzędu, stawiając na pozycji nie równoprawnej względem kultury europejskiej. A przecież w naszej narodowej spuściźnie jest sporo dzieł wybitnych, które jakże godnie mogły otwierać sezon Teatru Narodowego. Dowodzi to określonego sposobu myślenia, a także wyraża stosunek do własnego dziedzictwa kulturowego* (S. Dybowski: *Mahler na święto Niepodległości*, „Słowo – Dziennik Katolicki" z 12 listopada 1996).

Dodajmy do tego kolejny dość żałosny symbol – uroczyste otwarcie Sali im. Bogusławskiego w listopadzie 1996 było zdominowane przez różnych postkomunistycznych prominentów przy zbojkotowaniu jej przez większość środowisk artystycznych. Andrzej Wajda napisał w „Tygodniku Powszechnym" z 1 grudnia 1996, że: *z otwarcia Teatru Narodowego robi się manifestację polityczną stanu wojennego.* Na tym tle tym wymowniejsze są refleksje polskiego reżysera zza oceanu, Kazimierza Brauna, który nie może ukryć krańcowego wręcz niepokoju na widok takiego upadania narodowej sceny: *Pod szyldem „Teatru Narodowego" działa obecnie kombinat wzorowany na podobnych kombinatach w prowincjalnych miastach rosyjskich czy niemieckich (opera, balet, dramat, muzeum, kawiarnia i sala bankietowa pod jednym dachem z zarządem), a absolutnie niezgodny z najlepszymi polskimi tradycjami i z aspiracjami Polski, a w tym jej stolicy – jednej z ważniejszych stolic europejskiej kultury (...) W chwili obecnej Polska jest jednak jedynym krajem w Europie, który nie ma samodzielnego i instytucjonalnego, teatru narodowego dramatu (...). Z punktu widzenia międzynarodowego życia kulturalnego brak Teatru Narodowego dramatu jako osobnej instytucji obniża powagę polskiej kultury w ogólności, zubaża ją i pozbawia wyrazistości, zrywa tradycje i niszczy symbolikę, których podtrzymywanie leży w interesie całego społeczeństwa* (K. Braun: *Sprawa Teatru Narodowego*, „Rzeczpospolita", 22–23 marca 1997).

Szczególnie starannie zadbano o to, by Teatr Narodowy stracił rolę reprezentatywnej sceny narodowej. Bardzo przemyślaną w tym kontekście wydaje się decyzja o nominacji na dyrektora odbudowanej po pożarze sceny dramatycznej Teatru Narodowego. Został nim twórca awangardowy Jerzy Grzegorzewski, znany głównie z 14 lat eksperymentowania z nowym językiem teatru w warszawskim Teatrze Studio. Ciekawe, że nawet na łamach „Gazety Wyborczej" pojawił się tekst przyznający całą paradoksalność faktu, że dyrektorem sceny narodowej został zapamiętały eksperymentator, daleki od strzeżenia wierności klasycznej tradycji. Autor tekstu, Ryszard Pawłowski, pisał: *Teatr Narodowy przez dwa wieki dzielił los polskiej inteligencji. Miał bronić narodowej tożsamości, przechowywać tradycję, uczyć patriotyzmu (...) Czy dziś pod dyrekcją Jerzego Grzegorzewskiego zrezygnuje ze swojej misji (...) Nie ma dziś w Europie reprezentacyjnego, wielkiego teatru, którym kierowałby ktoś podobny (...) Na czele teatru z powołania akademickiego stanął twórca awangardowy. (...) Na dodatek arty-*

sta, którego nie interesują pozaartystyczne funkcje teatru. Tymczasem scena, którą dziś kieruje, przez z górą dwa wieki aspirowała do roli zwierciadła i sumienia Polaków (...) Widać (...) wyraźnie, że Narodowy Teatr ma być raczej ośrodkiem sztuki nowoczesnej niż muzeum dawnej literatury i raczej artystycznym laboratorium niż trybuną (...) Na specjalną misję nie ma tu wiele miejsca. Trudno wyobrazić sobie, by teatr Grzegorzewskiego odkrywał taką rolę w życiu publicznym jak teatr Bogusławskiego czy Dejmka. Świadczyły już o tym zagrane w inaugurację 19 listopada zeszłego roku „Dziady – Dwanaście improwizacji" w jego (Grzegorzewskiego – J.R.N.) *reżyserii ze Starego Teatru, spektakl pełen zawikłanej symboliki, z dwoma Konradami i pięcioma Paniami Rollison* (R. Pawłowski: *Comédie-Polonaise*, „Gazeta Wyborcza" z 22–23 lutego 1997).

W kontekście tych *Dziadów* Grzegorzewskiego warto też przypomnieć opinię Jerzego Waldorffa z „Polityki": *Szły bardzo dziwne fragmenty „Dziadów" (podobno) Mickiewicza w kompozycji tekstu i układzie scen Jerzego Grzegorzewskiego. Proszę mi wybaczyć, żem stary konserwatysta i zawsze zdawało mi się, że choćby jedna tylko scena narodowa (na podobieństwo Comédie Française) winna pielęgnować arcydzieła ojczystej dramaturgii przynajmniej w tekście nietknięte. Tu zobaczyliśmy coś, co miało być sceną więzienną z „Dziadów", w której studenci w dziwnych łachmanach fikali koziołki, zaś wstrząsające „opowiadanie Sobolewskiego" mamrotały na zmianę ze trzy Panie Rolisson* (J. Waldorff: *Monstrum*, „Polityka" z 4 stycznia 1997).

„Noc listopadowa" na modłę Grzegorzewskiego

Jak „wielkie" są możliwości Grzegorzewskiego w deformowaniu wymowy polskiej klasyki narodowej można było się przekonać oglądając jego wystawienie *Nocy listopadowej* Stanisława Wyspiańskiego (premiera 19 listopada 1997). To wielkie arcydzieło polskiego dramatu było zawsze przedtem okazją do wielkiej dyskusji o dylematach walki o wolność i niepodległość – sporów o narodowe imponderabilia. Wyspiański także w tym dziele występował z afirmacją heroicznego czynu i potępieniem narodowych zaniechań i niedokonań. Dla Grzegorzewskiego wszystko to było mało istotne. On wolał skupić się na eksperymentach formalnych, nierzadko bardzo wyszukanych i błyskotliwych. Tyle tylko, że eksperymenty te skrajnie przewartościowywały wymowę wielkiego narodowego dramatu Wyspiańskiego, zniechęcały do traktowania serio jego przesłania, wydrwiwały je jako nie mające większego sensu mity. Jak pisał recenzent „Życia" Tomasz Mościcki: *Odzyskaliśmy niepodległość, a wraz z nadejściem wolności motyw walki o nią według niektórych brzmi co najmniej anachronicznie. Rozpoczęto więc branie go w nawias. W przedstawieniu Grzegorzewskiego tym nawiasem (...) jest (...) pomysł teatru w teatrze (...) Gramy więc „Noc listopadową", nie jesteśmy uczestnikami i obserwatorami napadu na Belweder, nieprawdziwe są ludzkie postawy i wybory (...) Cała rzecz jest tylko grą. Całkiem niedawno na łamach „Życia" pozwoliłem sobie zgłosić obiekcje wobec tych zabiegów, które kwestionując zasadność walki o Polskę są zarazem aktem nielojalności wobec autorów, którym wmawia się zeznania nigdy przez nich nie składane* (T. Mościcki, *Gra w Wyspiańskiego*, „Życie" 24 listopada 1997).

Grzegorzewski skrajnie ingerował w treść dramatu Wyspiańskiego, nadając mu nową formę, dość daleką od zamierzeń autora. Wiele scen i wymyślnych w formie dekoracji nie miało w gruncie rzeczy żadnego logicznego uzasadnienia poza pokazaniem wielkich możliwości teatru. Recenzent „Rzeczpospolitej" Janusz R. Kowalczyk złośliwie przypomniał w tym kontekście pewną frazę, którą zwykł powtarzać Eugeniusz Fulde swym studentom w krakowskiej PWST: *Oczywiście, można wystawić „Hamleta" w nocy na strychu. Ino po co?* (J.R. Kowalczyk, Zabawka inscenizatora, „Rzeczpospolita", 21 listopada 1997).

Ciekawe, że nawet recenzent „Gazety Wyborczej" Roman Pawłowski nie ukrywał swego dystansu wobec dezynwoltury, z jaką Grzegorzewski potraktował pierwotną wymowę dzieła Wyspiańskiego. Pisał, że *Grzegorzewski rewiduje poglad Wyspiańskiego. Dla niego czyn jest tylko gestem. Z polskiej historii zostały jedynie mity – mówi Grzegorzewski i gra tylko z mitami (...) jego ironiczna, pozbawiona patosu wersja powstania listopadowego zatrzymuje się na poziomie ośmieszenia symboli* (R. Pawłowski, *Powstanie w teatrze*, „Gazeta Wyborcza", 29–30 listopada 1997).

Nasuwa się tylko pytanie, czy w niepodległej Polsce nawet na głównej narodowej scenie mamy spodziewać się tylko ośmieszania narodowych symboli i kwestionowania zasadności tradycji walki o Polskę? Czy ludzie identyfikujący się z polskimi tradycjami narodowymi muszą być pozbawieni nawet w Teatrze Narodowym szansy przeżycia wielkich dzieł dramatu zgodnie z przesłaniem wyrażonym przez ich twórców?

Dzieła polskiej klasyki narodowej są konsekwentnie spychane w cień nie tylko w teatrach warszawskich, ale i w licznych znaczących teatrach w terenie. Ot, chociażby we wrocławskim Teatrze Polskim. Jego dyrektor Jerzy Weksler zapewniał w wywiadzie dla „Gazety Wyborczej" z lutego 1995, iż repertuar kierowanego przezeń teatru jest budowany według kryteriów Sceny Narodowej Dolnego Śląska. Wszystko to okazało się mitem po zadaniu przez dociekliwego dziennikarza Wekslerowi bardziej konkretnego pytania: *Na afiszach Teatru Polskiego wielkie dramaty: „Platonow" i „Kasia z Heilbronnu" sąsiadują z farsą „Mayday" i „Tomkiem Sawyerem". Czy to jest repertuar sceny narodowej?* Odpowiedź Wekslera: *To pozorna sprzeczność. Z jednej strony musimy budować repertuar oparty na klasyce (Czechow, Kleist), z drugiej – nie możemy utracić widzów, stąd Cooney i Twain* (z rozmowy R. Pawłowskiego z J. Wekslerem: *Schowany za artystę*, „Gazeta Wyborcza", 16 lutego 1995). Znamienne, że zapytany o uzasadnienie nazwy sceny narodowej Weksler nie wymienił ani jednej polskiej sztuki w repertuarze swego Teatru Polskiego!

Dzieła wielkiej klasyki narodowej są albo całkowicie pomijane w repertuarze, albo grane w sposób skrajnie udziwniony (pod pozorem „unowocześniania") z zatraceniem co istotniejszych treści. Za to tym chętniej foruje się różne „dzieła odbrązowiające polską historię i Polaków (jakby nie dość było tych „odbrązowień" w czasie PRL-owskich dziesięcioleci). Wspomniałem już o prawdziwym skandalu, jakim była telewizyjna inscenizacja anty-AK-owskiego paszkwilu Tadeusza Różewicza *Do piachu* w reżyserii Kazimierza Kutza. Gusta luminarzy kultury dobrze ilustruje zapał, z jakim była minister kultury Cywińska zabrała się za wystawienie *Antygony w Nowym Jorku* Janusza Głowackiego. Cywińską, tak zaprawioną w piętnowaniu „tego absurdalnego kraju", od razu urzekła sztuka Głowackiego. Była bowiem napisana wyraźnie według wszelkich prawideł naszych „Europejczyków" – najczarniejszym charakterem jest oczywiście Polak–Pchełka, „antysemita z imieniem Maryi na ustach i flaszką wódki w kieszeni" (wg recenzji P. Gruszczyńskiego: *Z Agory na wolny rynek*, „Gazeta Wyborcza", 15 luty 1993). Recenzent „Wyborczej" naturalnie z werwą wysławiał takie przesłanki sztuki Głowackiego, pisząc: *nie lubimy homelesów i włóczęgów, czarnych i chorych na AIDS, nie lubimy obcych i innych, i może dlatego nowa sztuka Głowackiego jest w Polsce tak bardzo potrzebna* (tamże).

Poparcie dla sztuk miernych i tendencyjnych

Dość znamienna była konstatacja autora „Gazety Wyborczej" Romana Pawłowskiego: o przemianach w kulturze, jakie nastąpiły na przełomie lat osiemdziesiątych i dziewięćdziesiątych: *Inteligencja traciła pozycję przewodnika narodu. Artyści teatru po krótkim epizodzie parlamentarnym odsunęli się od życia publicznego, a na scenie tematy narodowe i polityczne były źle widziane* (R. Pawłowski: *Comédie Polonaise*, „Gazeta Wyborcza", 22–23 lutego 1997). I rzeczywiście tematy narodowe od 1989 roku były i są „źle widziane" przez decydentów z rządzących elit. Ze świecą można by szukać wystawień dzieł wielkiej klasyki narodowej. Jeśli się zaś je nawet wystawia, to na ogół w sposób skrajnie udziwniony lub absolutnie zdeformowany w stosunku do dzieł oryginalnych (*vide:* np. inscenizacje Jerzego Grzegorzewskiego). Tym chętniej za to propaguje się i nagłaśnia różne sztuki przyczerniające obraz Polski i Polaków, atakujące polski „nacjonalizm", „antysemityzm", „polski faszyzm", klerykalizm, „prawicowych oszołomów", etc. Cóż, mecenat finansowy nad teatrem sprawują ludzie z czerwonej i różowej lewicy, którzy dbają o odpowiednie utylitarno-ideologiczne wydawanie swoich pieniędzy. I zyskują odpowiedni oddźwięk wśród autorów niektórych sztuk, zainteresowanych jak najszybszą promocją swych „dzieł", choćby za cenę skrajnej tendencyjności *ad usum Delphini* lewicowego chowu.

Ciężka sytuacja finansowa teatrów umacnia ich uzależnienie od decydentów kultury, którzy mogą w razie potrzeby wymownie potrząsnąć kiesą, nadając odpowiedni kierunek „poszukiwaniom twórczym". A kiedy decydenci bywają ludźmi lewicy... od razu widać to po repertuarze teatrów sięgających po tematykę współczesną. Choćby po wystawionej w lutym 1997 w warszawskim Teatrze Powszechnym sztuce Marka Bukowskiego *Całopalenie*. Zdaniem recenzenta „Życia", Rafała Węgrzyniaka, sztuka ta powstała „chyba na zamówienie SLD", przestrzegając przed groźbą faszyzmu, jaką niesie za sobą dojście prawicy do władzy (R. Wegrzyniak: *Widmo faszyzmu*, „Życie" z 18 lutego 1997). Akcja dramatu rozgrywa się w Polsce rządzonej przez kler, czyli czarnych (Kościół katolicki), porozumienie międzyparafialne (ZChN) i związek zawodowy („Solidarność"). Rada miejska jest zdominowana przez prawicę, czyli faszystów, jak sugeruje autor sztuki. Temu wszystkiemu towarzyszy skrajna psychoza antysemicka. Oddziaływuje ona na odpowiedni kształt lustracji i dekomunizacji, której ofiarą padają Żydzi. Ofiarą rozpasanego „ludowego antysemityzmu" staje się główna bohaterka sztuki Bukowskiego, Żydówka, którą szantażował żołnierz AK i szmalcownik (!) Woźniak. Zdaniem recenzenta „Życia" – poprzez *Całopalenie* Teatr Powszechny udzielił *zdecydowanego poparcia siłom lewicowo-liberalnym w nadchodzących wyborach parlamentarnych* (tamże).

Szczególnie negatywnie przedstawiał Bukowski w swej sztuce Kościół katolicki. Oto charakterystyczny dialog z *Całopalenia*:

Adam: – Nigdy nie byłeś zbyt religijny... Nawet na jedno nabożeństwo nie przyszedłeś. Chciałeś tylko mieć stołek u nich.

Jacek: – A co w tym złego? Czy tam u nich jest choć jeden, co naprawdę w Boga wierzy? Kasa to podstawa (cyt. za Z. Pietrasik: *Ten kraj*, „Polityka", 5 kwietnia 1997).

Tendencyjna sztuka Bukowskiego, tropiąca polski „faszyzm", „antysemityzm" i „ksenofobię", jest swego rodzaju kontynuatorką tradycji dzieł socrealizmu, demaskujących polską „reakcję" i „wstecznictwo". Cała tendencyjność i fałsze przedstawienia, granego z histeryczną manierą, nie przeszkodziły oczywiście w chwaleniu tego teatralnego knota w „Gazecie Wyborczej" (w tekstach Marcina Piaseckiego i Romana Pawłowskiego. Pozbawieni większego talentu autorzy wiedzą, że zawsze mogą liczyć na wsparcie decydentów i szeregu wpływowych recenzentów, jeśli tylko napiszą odpowiednie „dziełko" z tezą np. o „polskim faszyzmie" czy „antysemityzmie". By przypomnieć choćby wystawioną w Kielcach, mimo żałosnego wręcz poziomu, „sztukę" Andrzeja Lenartowskiego o antyżydowskich zajściach 1946 roku *Spotkajmy się w Jerozolimie*. Dziennikarz „Myśli Polskiej" tak pisał o wymowie sztuczydła Lenartowskiego, dążącego do maksymalnego wykorzystania mody na tropienie „polskiego antysemityzmu": *W jego* (Lenartowskiego – J.R.N.) *utworze pojawiła się modna bardzo opinia, że Polacy to notoryczni antysemici. O nic im nigdy nie chodzi, jak tylko o znęcanie się nad społecznością żydowską. Robili to w czasie okupacji, przed wojną i w dawnych czasach, najlepszej koniunktury starozakonnych w Polsce.*

Aby sztuka stała się bardziej sugestywna, obmyślił, żeby w czasie spektaklu zdania w rodzaju: „Bij Żyda! Bij parcha! Za krew chrześcijańską! Za Pana Jezusa! Polska dla Polaków" padały z różnych stron widowni, aby tym sposobem zasugerować, że nawet ci, co przyszli na spektakl, są fanatykami antysemityzmu (J. Skrut: *Pamięci „programu kieleckiego"*, „Myśl Polska", 28 kwietnia 1996).

Podczas Łódzkich Spotkań Teatralnych główną nagrodę dano sztuce skrajnie nihilistycznej z łódzkiego teatru Słup, zatytułowanej *Siedem dni Polska – Tytółmylońcy*. Co było tematem sztuki według omawiającego ją Zdzisława Pietrasika z „Polityki"?: *Kpina ze wszystkiego, z autorytetów, symboli, znaków. Wszystkie wielkie słowa zostały zużyte, pieśni zafałszowane, autorytety podważone. Każdy mit został obalony (...) Cała tradycja romantyczna jest dla tych młodych ludzi zbytecznym balastem* (Z. Pietrasik: *Ten kraj*, „Polityka", 5 kwietnia 1997).

Gorliwie podsyca się modę na wszelkie sztuki antyreligijne czy bluźniercze. Ich autorzy zawsze mogą liczyć na odpowiednie poparcie wpływowej krytyki, co sprzyjało kolejnym antyreligijnym gniotom. Typu drukowanego w 1994 roku w „Twórczości" dramatu Mariana Pankowskiego *Biwak pod gołym niebem*. Znalazła się tam między innymi scena sugerująca, że to Święta Rodzina była odpowiedzialna za krwawą rzeź Heroda. Według tej sceny Józefowi ukazał się Anioł polecający mu ucieczkę do Egiptu. Gdy św. Józef chciał uprzedzić innych, przeszkodziła mu w tym Maryja, mówiąc, że Bóg wie, co robi (por. omówienie sztuki Pankowskiego w tekście M.A. Kowalskiego: *Spojrzenie na podziemie*, „Myśl Polska", 9 października 1994).

Jeden z najwybitniejszych polskich socjologów kultury, profesor Antonina Kłoskowska niejednokrotnie wskazywała na niebezpieczne zachwianie tradycyjnego kanonu polskiej kultury. Przypominała, że dawne świadome zabiegi stalinowskie, zmierzające do zmiany tego kanonu, zostały później zastąpione przez kulturę masową, wypierającą tradycyjne treści i przez koncepcje postmodernizmu czy postnowoczesności programowo zwrócone przeciwko uznawaniu kanonu kultury polskiej, i w ogóle przyznawaniu szczególnej rangi pewnym dziełom i twórcom. W ocenie profesor Kłoskowskiej tradycyjny kanon kultury polskiej – *zespół treści wzorcowych i niezmiernie ważnych w doświadczeniu narodu – został istotnie zachwiany. I jest to kryzys silniejszy niż jakikolwiek inny w historii Polski od XIX wieku* (por. rozmowę R. Pietrzaka z prof. A. Kłoskowską: *Opery mydlane i kanon kultury*, „Życie Warszawy", 31 marca 1993).

Prof. Kłoskowska zwróciła przy tym uwagę na cenę, jaką zapłaciliśmy w literaturze i sztuce na skutek nacisków i ograniczeń doby PRL-u, prawdopodobnie na zawsze zablokowanie prawdziwego podjęcia pewnych tematów. W jej opinii: *Naciski polityczne okresu socjalizmu spowodowały, iż dokonała się rzecz może już nieodwracalna: heroiczne i tragiczne doświadczenia oku-*

pacji nie znalazły takiego odzwierciedlenia w sztuce, jak przeżycia 1830–31 roku w literaturze romantycznej. Epos Armii Krajowej nie został dotąd napisany. To, co powstało, to są rzeczy mierne lub poddane autocenzurze. Odnosi się to zarówno do Jerzego Andrzejewskiego, jak i do pomniejszych epigonów tego tematu (tamże).

Niektórzy lubią tropić nacjonalizm w każdym ostrzeżeniu przed zagrożeniami dla narodowej kultury. Przypomnijmy więc, że z publicznym ostrzeżeniem przed groźbą depolonizacji wystąpił w 1995 roku aktor Andrzej Szczepkowski, a więc nie jakiś prawicowy radykał, lecz były senator OKP z kręgu parlamentarzystów popieranych przez Bronisława Geremka. W wywiadzie do książki *Komedianci* (II) Szczepkowski zwrócił uwagę na niebezpieczeństwa wynikające z coraz potężniejszego importu amerykańskiej subkultury do Polski, nie dostrzegane przez tych, którzy uważają, że *pełnej desowietyzacji można dokonać jedynie poddając się bezkrytycznie czarom pełnej sowietyzacji (...) Myślę więc, że zamiast „amerykanizowania desowietyzacji", należałoby wejść na ścieżkę mądrze i subtelnie rozumianej „repolonizacji"* (por. *Komedianci* (II), oprac. A. Roman, Warszawa 1995, s. 197).

Rozdział XV

Agonia nauki

Złote ma insygnia cna Akademija,
Ale ma ołowiane ponoć salarija.
Kto złotych nauk uczy, słusznie brać powinien
Złote myto, a nie tych kilka błahych grzywien.
Darmo mieć złoto w herbie, darmo i w tytule,
Kiedy za ciężkie prace wiatr tylko w szkatule

z utworu *Złote berła* Wespazjana Kochowskiego,
XVII-wiecznego poety i historyka,
który kształcił się w szkole
podległej zubożałej Akademii Krakowskiej

Dowiedziałem się, że Polacy przeznaczają 0,5 proc.
swego dochodu narodowego na badania naukowe
i pomyślałem sobie, że musicie być chyba niespełna rozumu (...)
Wasze 0,5 proc. to dywersja. Przeciw Polsce i jej talentom.
To zbrodnia

z wypowiedzi francuskiego fizyka, laureata nagrody Nobla,
Georgesa Charpaka, 1997

Dalej trwa proces degradacji nauki, rozpoczęty już w czasach rządów komunistycznych. Przypomnijmy, że począwszy od stanu wojennego przez całe lata osiemdziesiąte wyraźnie malały wciąż wydatki budżetowe na naukę, podobnie zresztą jak i na kulturę. Według wypowiedzi wybitnego ekonomisty prof. Wiktora Bonieckiego z 1988 roku wydatki te *zajmowały ostatnią pozycję w budżecie narodowym i ostatnie miejsce pod tym względem wśród krajów obozu socjalistycznego* (cyt. za rozmową K. Kani z prof. W. Bonieckim: *Nagradzać, nie karać*, „Odra", 1988, nr 12, s. 13). Po 1989 nic nie zrealizowano z tak mocno akcentowanych, począwszy od powstania „Solidarności" w 1981 roku, postulatów znaczącego zwiększenia wydatków budżetowych na tę tak ważną dla kraju sferę życia. Po 1989 roku nastąpiło skrajne wręcz cofnięcie w stosunku do zapisu „okrągłego stołu", przewidującego, że w latach dziewięćdziesiątych na badania będzie się przeznaczać 3–4 proc. dochodu narodowego. W okresie po 1989 wciąż spadały i to w zastraszającym tempie, nakłady na naukę. W 1990 roku wynosiły one 1,2 proc. dochodu narodowego podzielonego (DNP), w r. 1991 – 0,8 proc. DNP, a w prowizorium na I kwartał 1992 r. – zaledwie 0,4 proc. Wszystko to w sytuacji, gdy rozwinięte kraje europejskie przeznaczały na badania i rozwój 2,5–3,3% proc. DNP (por. *Naukowcy ostrzegają*, „Życie Warszawy", 5 marca 1992).

Jerzy Jastrzębowski przypomniał na łamach paryskiej „Kultury" z września 1992 szokujące dane: w 1987 roku ówczesna RFN wydawała na naukę, w przeliczeniu na jednego mieszkańca, równowartość 573 dolarów, Francja – 395 dolarów, Polska w 1991 roku – 15 dolarów, tyleż w budżecie na rok 1992. Różnice były więc znacznie większe, niż mogłyby wynikać z różnic PKB między tymi krajami a Polską. Na tym tle tym wymowniej zabrzmiało wypowiadane przez Jastrzębowskiego ostrzeżenie: *Jeśli Polska nie włączy się w trwającą od kilkunastu lat rewolucję naukową Zachodu, pozostaniemy krajem zacofanym na pokolenia. Będziemy w nieskończoność importować wytwory pracy mózgów i maszyn zagranicznych, eksportować surowce i pracę rąk na warunkach dyktowanych przez rynek światowy, czyli w praktyce przez bogate kraje Zachodu* (J. Jastrzębowski: *No win*, paryska „Kultura", 1992, nr 9, s. 84). Kolejne ekipy rządzące po 1989 nie tylko, że nie zdobyły się na nadrabianie skutków długotrwałego spychania nauki na szary koniec wydatków budżetowych, lecz nadal kontynuowały lekceważenie jej problemów. Być może dlatego, że przeważającą część oficjeli balcerowiczowskiego Ministerstwa Finansów stanowili starzy komunistyczni urzędnicy, od lat wyćwiczeni w „oszczędzaniu" na takich „nieprodukcyjnych" w państwie dyktatury proletariatu dziedzinach jak nauka, kultura czy oświata. Dodatkowe fatalne skutki przyniósł fakt, że zamiast tak postulowanej od lat przez „Solidarność" decentralizacji nauki nastąpiło jej znaczące scentralizowanie. Zadecydowało o tym utworzenie wielkiej centralnej „czapki" nad nauką w postaci Komitetu Badań Naukowych (KBN), który szybko stał się dogodnym miejscem dla arbitralnych odgórnych decyzji w sprawie grantów promujących różnych „krewnych i znajomych królika". Wystarczy zaś uważnie przyjrzeć się składowi głównych gremiów KBN, by zobaczyć, jak silnie od początku zadbano o „nadreprezentację" w nim ludzi związanych z elitką „różowych" ze środowiska Unii Demokratycznej vel Unii Wolności. W 1995 roku Zdzisław Najder pisał z przekąsem na łamach „Rzeczpospolitej", iż: *rozkład i schyłek autorytetu dawnej elity dokonały się w Polsce w ciągu ostatnich paru lat równocześnie z katastrofalnym spadkiem nakładów na oświatę i naukę (przedziwny paradoks: działo się to za rządów, zdominowanych przez partię, która głosi się reprezentantką polskiej inteligencji* (Z. Najder: *Wielkość i upadek polskiej elity*, „Rzeczpospolita", 17–18 czerwca 1995).

Kryzys nauki — zagrożeniem dla suwerenności RP

Dojście do władzy postkomunistów jeszcze bardziej pogłębiło stan agonalny nauki i oświaty. Wbrew hojnie rzucanym przedwyborczym opiniom SLD, sprawy wydatków na oświatę i naukę spychano nadal przykładnie na szary koniec. Z tym większym zapałem i wprawą zabrano się za to do upolityczniania tych sfer życia, gorąco wspierając „swoich" na uczelniach, wymieniając „niebłagonadiożnych" kuratorów, etc. O rozmiarze kryzysu nauki najlepiej świadczą rozmiary spadku nakładów na nią w budżecie państwa. Skurczyły się one z 0,79 proc. PKB w 1991 roku do 0,53 proc. PKB w 1995 roku. Przypomnijmy, że w Japonii na finansowanie nauki wydawano 2,98 proc. PKB, w Niemczech 2,88 proc., W Stanach Zjednoczonych 2,80 proc., we Francji 2,34 proc. PKB (dane z 1989 roku wg W. Lewandowska: *Nauka po polsku*, „Życie", 18 października 1996). Znany naukowiec, profesor historii PAN – Maria Bogucka stwierdziła, że spadek wydatków na naukę *zepchnął pod tym względem Polskę do najbardziej zacofanych krajów Trzeciego Świata* (por. M. Bogucka: *Nauka, demokracja, wolny rynek*, „Rzeczpospolita" z 23 października 1995 roku). Były rektor Uniwersytetu Warszawskiego, przewodniczący Rady Nauki przy Prezydencie RP prof. Andrzej Kajetan Wróblewski oskarżył postkomunistycznego ministra finansów Grzegorza Kołodkę o dobijanie nauki. W wywiadzie z 13 marca 1995 prof. Wróblewski stwierdził: *Będę to powtarzał: minister działa na szkodę Polski – duże słowo – dlatego, że to, co obecnie się dzieje w szkolnictwie wyższym rzutuje na przyszłość kraju za lat pięć, dziesięć i dalej* (por. rozmowa P. Kieracińskiego z A.K. Wróblewskim, „Forum Akademickie", 13 marca 1995). Podobną wymowę miało wcześniejsze o parę miesięcy oświadczenie kolegium Rektorów Wyższych Szkół Wrocławia, zebranego na wspólnym posiedzeniu z senatorami i posłami Rzeczypospolitej z województw dolnośląskich 5 listopada 1994 roku. Stwierdzono w nim między innymi: *Informacje o założeniach budżetu państwa na rok 1995 wskazują, że wbrew rządowemu programowi „Strategia dla Polski", przyjętemu przez parlament sytuacja taka* (tj. pauperyzacja nauki – J.R.N.) *utrwala się. Oznacza to pogłębienie regresu nauki i szkolnictwa wyższego, wejście jej w stan głębokiej zapaści, naruszającej podstawowe interesy bezpieczeństwa narodu i państwa. W tej sytuacji zostaje postawiona pod znakiem zapytania możliwość przeprowadzenia reform niezbędnych dla rozwoju i niezależności Rzeczpospolitej, dla tworzenia godnych warunków życia jej obywateli. Kryzys nauki i szkolnictwa utrwala i pogłębia degradację wielu innych dziedzin życia naszego państwa. Kontynuowanie wobec uczelni polityki tylko przetrwania tworzy zagrożenia niebezpieczne dla suwerenności i obecności Rzeczypospolitej w strukturach europejskich, wydaje nasz kraj na zależność od innych.*

„Drenaż mózgów" z Polski

Coraz większe rozmiary przybiera exodus naukowców z Polski. W „Życiu Warszawy" z 26 lipca 1994 pisano, że tylko w latach 1981–1991 wyjechało z Polski 10 tys. naukowców. I konstatowano: *Polska nauka zajmuje szesnastą pozycję na świecie, ale polscy naukowcy są jednymi z najgorzej opłacanych.* Tylko w latach 1981–1991 wyjechało z Polski ok. 10 proc. uczonych, a 15 proc. zdecydowało się na pracę pozanaukową w kraju. Razem straciliśmy około jednej czwartej naukowców – stwierdzono we wstępnych wynikach raportu o „drenażu mózgów", przygotowanego w 1992 roku. Szczególnie wzrastała ilość wyjazdów polskich naukowców do Stanów Zjednoczonych (32,3 proc. ogółu wyjazdów polskich pracowników naukowych w latach 1985–1988 do 36,6 proc. ogółu wyjazdów w latach 1989–1991). Nasileniu emigracji polskich naukowców do Stanów Zjednoczonych sprzyjają stosowane przez Amerykanów preferencje emigracyjne, ułatwienia w otrzymaniu tzw. zielonej karty, prawa pobytu dla ludzi wysoko kwalifikowanych. Amerykanie wyliczyli, że na każdym przyjeżdżającym do nich uczonym zaoszczędzają 180 milionów dolarów. Dzięki temu nie inwestując w jego wykształcenie otrzymują „produkt" wysokiej jakości (por. uwagi prof. Bohdana Jałowieckiego w „Rzeczpospolitej" z 24 września 1992 pt. *Trwa exodus polskich informatyków, fizyków, chemików i biologów*). Zdaniem prof. Jałowieckiego o podjęciu decyzji emigracji naukowców decydują zarówno wyższe w krajach Zachodu zarobki i lepsze warunki pracy, lepsze wyposażenie tamtejszych laboratoriów jak i generalne przekonanie, że nauka jest niedoceniana w społeczeństwie polskim. Skutki tak wielkiego odpływu kadr naukowych za granicę mogą być dla Polski szczególnie dotkliwe w sytuacji, gdy za 15–20 lat zaczniemy wchodzić w cywilizację postindustrialną, w której podobnie jak na Zachodzie poziom rozwoju nauki i badań naukowych będzie miał decydujące znaczenie dla stopnia rozwoju w gospodarce.

Grozi wam „intelektualna pustynia"

Z szokującymi ostrzeżeniami na temat fatalnych skutków „drenażu mózgów" dla Polski wystąpił dyrektor programu „Iris Poland" Roland Dwight. W wywiadzie dla „Expressu Wieczornego" pt. *Drenaż mózgów* z 21 maja 1993, Dwight stwierdził, mówiąc o kwalifikacjach polskich techników, inżynierów, naukowców: *Macie ogromny potencjał intelektualny, sądzę, że jest to wasz największy kapitał. W Polsce jest cała armia znakomitych fachowców, naukowców, ale z przerażeniem obserwuję, w jakim tempie ich ubywa. Mimo zmian politycznych, jakie zaszły w Polsce, emigracja wcale się nie skończyła. Jeśli w takim tempie wyjeżdżać będą za granicę fachowcy, to za dziesięć lat będziecie intelektualną pustynią. Polska pod tym względem przypominać będzie np. Peru. Niewielka grupa bogatych i miliony biednych. Największym bogactwem każdego kraju jest wykształcone społeczeństwo. Polska na kształcenie wyłożyła w przeszłości ogromne pieniądze, dziwię się, że teraz nie chce wydać paru milionów dolarów, by powstrzymać drenaż mózgów. (...) Polski przemysł wykorzystuje zaledwie parę procent nowych technologii, jakie powstają w pracowniach waszych inżynierów i naukowców. Bardzo mało, więc młodzi naukowcy stąd uciekają. Aby temu zapobiec, rząd powinien interweniować, stworzyć takie rozwiązania formalnoprawne, które sprawią, że przemysł będzie częściej zaglądał do naukowych laboratoriów (...).* Profesor Jerzy Bo-

rejsza powiedział w wywiadzie dla „Magazynu Gazety Wyborczej" z 29 grudnia 1995, że rozgrzesza najlepszą polską młodzież naukową wyjeżdżającą z Polski, gdyż w Polsce w znacznej części eksperymentalnych gałęzi nauki nastąpił regres: brak aparatury, brak rozwoju, brak perspektyw (...) Przy mnie jeden z najsławniejszych profesorów w dziedzinach eksperymentalnej nauki mówił młodym, bardzo młodym ludziom, że jeśli chcą uczestniczyć w rozwoju nauki, to w tej chwili nie w Polsce. Prawdziwie smętne są statystyki pokazujące zarówno to, że liczba osób posiadających średnie i wyższe wykształcenie w Polsce należy do najniższych w Europie, jak i to, że znajdujemy się na dolnych miejscach europejskich tabeli pod względem liczby osób aktualnie pobierających nauki w szkołach średnich oraz studiujących w szkołach wyższych. Dla porównania: liczba studentów na 1000 mieszkańców w Polsce – 11, w Niemczech – 28, w Kanadzie – 36, W Norwegii – 27, w Holandii – 25, w Hiszpanii – 31, w Austrii – 31, w Portugalii – 18, w Japonii – 26. Tylko 7 proc. Polaków posiada wyższe wykształcenie (w krajach Unii – 20 proc.) (wszystkie dane za W. Lewandowska: *Nauka po Polsku*, „Życie" z 18 października 1996). Stopniowo coraz częstsze stawały się teksty alarmujące na temat sytuacji polskiej nauki. Marek Kosewski, pracownik naukowy Instytutu Stosowanych Nauk Społecznych Uniwersytetu Warszawskiego, ostrzegał pod koniec 1996 w artykule pod wymownym tytułem *Polak: parias Europy*: *Mamy przed sobą następującą alternatywę: albo zapewnimy nadchodzącym rocznikom maturzystów wykształcenie wyższe według standardów umożliwiających im konkurowanie z ich rówieśnikami na otwartym, europejskim rynku pracy, albo będą oni – także w swym kraju – drugorzędnymi pracownikami firm, korporacji gospodarczych i instytucji kierowanych przez ich lepiej przygotowanych, europejskich kolegów, ściąganych do Polski dla włączenia naszego kraju w system zjednoczonej Europy. Trzeciego wyjścia nie ma, bo żelazną kurtynę nie sposób już ponownie opuścić. Stawką jest więc nasza ekonomiczna suwerenność i status w zjednoczonej Europie* (M. Kosewski: *Polak: parias Europy*, „Gazeta Wyborcza", 16 listopada 1996).

Czy historia rozliczy nas z zaniedbania nauki?

W sierpniu 1996 roku z publiczna krytyką ciągłego zmniejszania wydatków budżetowych na naukę wystąpił dyrektor Instytutu Podstawowych Problemów Techniki PAN – profesor Michał Kleiber, stwierdzając między innymi: *informuję zainteresowanych czytelników, że rząd RP przeszedł do kolejnego etapu ograniczania prowadzonych w kraju podstawowych badań naukowych. Komitet Badań Naukowych podał do wiadomości w 1993r.*, *iż zamierzeniem władz jest stopniowe zwiększanie nakładów budżetowych na naukę – od 0,66% PKB w 1992 r. do 1,1% w 1995 r. – i utrzymanie tego poziomu w latach następnych. Plany te nie zostały zrealizowane – w kolejnych latach nakłady nigdy nie przekroczyły 0,58% PKB. W tym roku przeznaczono na naukę 0,54% PKB, zaś projekt budżetu na rok przyszły przewiduje 0,50% PKB. Trend jest więc wyraźny (...) Apeluję (...) o szczerość – jeśli sytuacja kraju nie pozwala na prowadzenie badań (i tak już w okrojonym zakresie), nic prostszego jak tylko podać to do publicznej wiadomości. Ludzie nauki poszukają sobie innego zajęcia lub dołączą do tysięcy swoich kolegów, którzy w ostatnim 15-leciu już z kraju wyemigrowali. I dopiero historia nas wszystkich z tego rozliczy* (cyt. za „Gazetą Wyborczą" z 20 sierpnia 1996).

Humorystyczny budżet nauki

21 października 1996 doszło do szczególnie alarmującego wystąpienia grupy znanych naukowców, przedstawicieli Grupy Kontaktowej 3 Struktur Nauki, między innymi prof. Henryka Szymczaka, Prezesa Polskiego Towarzystwa Fizycznego, prof. Wojciecha Szczepińskiego z Prezydium Polskiej Akademii Nauk, prof. Andrzeja Czachora z Instytutu Energii Atomowej. W liście otwartym do premiera RP Włodzimierza Cimoszewicza bardzo ostro napiętnowali oni systematyczne zmniejszanie budżetu nauki, stwierdzając, że prowadzi to do upadku nauki i techniki w Polsce, do zaniku polskiej myśli technicznej, nowoczesności polskiego produktu, szans na partnerstwo na międzynarodowym rynku towarów i kompetencji. Sygnatariusze listu otwartego zapytywali: *Czy zatraciliśmy poczucie rzeczywistości? Czy sądzimy że w Unii Europejskiej będą się liczyć z intelektualną miernotą? Czy nie widzimy, że zadłużenie Polski rośnie, a eksport spada? Czy nie jest znamienne, że zagraniczne firmy, przejmując nasz przemysł, w pierwszej kolejności eliminują zaplecze badawcze? Czy brak własnych, unowocześnianych wciąż konstrukcji nie oznacza w dalszej perspektywie upadku produkcji, a więc wzrostu bezrobocia? (...) Być może taki scenariusz „rozwoju" – Polska jako kolonia krajów*

rozwiniętych, eksportująca tanią siłę roboczą, ograniczająca własną produkcję do 30%, zajęta obsługą autostrad i turystyki z Zachodu, będąca montownią przedmiotów wytworzonych na Zachodzie, importująca stamtąd, co się tylko da – jest najwygodniejszy dla Europy. My jednak nie możemy go akceptować (cyt. za *Budżet nauki nie może być humorystyczny*, „Gazeta Wyborcza", 31 października 1996). Krytykując notoryczne niedoinwestowanie nauki i techniki, naukowcy stwierdzili, że proponowany przez Ministerstwo Finansów budżet nauki i techniki – 0,5 proc. PKB – należy uznać za „budżet rezygnacji z ambicji rozwojowych Polski", „budżet upadku" (tamże). I stanowczo akcentowali: *Jeżeli jednak chcemy uniknąć zapaści cywilizacyjnej i osłabienia państwa, masowej emigracji i bezrobocia – to budżet nauki i techniki nie może być humorystyczny. Powinien w roku 1997 wynosić co najmniej 1% PKB i wzrastać w latach następnych* (tamże).

Na drodze do wasalizacji

W grudniu 1996 znani uczeni – fizycy Jerzy Langer i Józef Werle, ostrzegali na łamach „Rzeczpospolitej" przed postępującą zapaścią cywilizacyjną i „niestety, bardzo realnym zagrożeniem ponowną wasalizacją naszego kraju". Ostrzegali, że *może nas czekać w całkiem nieodległej przyszłości upokarzająca powtórka „brygad Mariotta" i to w znacznie bardziej cynicznym wymiarze niż miało to miejsce na początku lat 90* (J. Langer, J. Werle: *Jak zapobiec grożącej Polsce zapaści cywilizacyjnej*, „Rzeczpospolita", 27 grudnia 1996). Bardzo dramatycznie zabrzmiał kolejny list otwarty grupy 20 znanych naukowców, w tym b. rektora Uniwersytetu Warszawskiego A.K. Wróblewskiego, do partii politycznych RP, opublikowany w kwietniu 1997 roku. Autorzy listu pisali między innymi: *Z roku na rok zmniejsza się procent Produktu Krajowego Brutto przeznaczany przez państwo na naukę. Elity polityczne przywykły traktować fundusze podtrzymujące naukę jako ukrytą rezerwę budżetową. Efekt jest znany – budżet nauki, z którego finansowane są prace badawcze w szkolnictwie wyższym, w Instytutach PAN i w Jednostkach Badawczo-Rozwojowych, od 2,2% PKB przed r. 1989, poprzez 1,2% PKB w r. 1990 zmalał, już jako budżet KBN, do 0,56% PKB w r. 1996 i 0,51% PKB w r. 1997. Również źle wygląda budżet szkolnictwa wyższego. Dzieje się to w sytuacji, gdy Japonia przymierza się do 8% PKB na rozwój nauki i tech-*

niki, a odpowiedni budżet Korei Południowej przekracza znacznie 10% PKB. Ta strefa naszego życia państwowego jest zaniedbywana w stopniu zagrażającym cywilizacyjnemu bytowi państwa. Środowiska nauki i techniki od lat sygnalizują rządom i społeczeństwu nadciągającą katastrofę. Bez skutku. W swoich decyzjach wyborczych obywatele wezmą pod uwagę stosunek partii politycznych do podtrzymania i rozwoju nauki i techniki. Będą chcieli odróżnić partie, które małodusznie akceptują przemianę Polski w kraj prostej siły roboczej, w rynek zbytu i zaplecze turystyczne Zachodu, od tych partii, które chcą przemienić Polskę w nowoczesny kraj zaawansowanych miejsc pracy, kraj ludzi ambitnych i wykształconych, zdolnych doprowadzić Polskę do standardów życiowych, produkcyjnych i ekologicznych naszych zachodnich sąsiadów (por. list otwarty pracowników polskiej nauki do partii politycznych RP, „Gazeta Wyborcza", 23 kwietnia 1997).

Rozdział XVI

Media polskie czy tylko polskojęzyczne

Można oszukiwać cały naród przez pewien czas,
można oszukiwać niektórych ludzi przez cały czas,
ale nie można oszukiwać całego narodu przez cały czas.

Abraham Lincoln, 1858

Media w Polsce po 1989 roku odegrały niezwykle szkodliwą rolę w zafałszowaniu obrazu autentycznej sytuacji i odwracaniu uwagi od tego, do jakiego stopnia przemiany w Polsce są pozorowane i pozbawione tak koniecznego radykalnego charakteru. Media, zdominowane przez środowiska związane z byłym PRL-owskim systemem, zrobiły wszystko dla zamaskowania faktów o prawdziwej pozycji dawnej nomenklatury na najważniejszych pozycjach polskiego życia po 1989 roku. Rozwinęły – jak to nieraz już akcentowano – nowy swoisty pluralizm fałszu w miejsce dawnego monopolu fałszu. Odegrały przede wszystkim ogromną rolę w walce przeciwko polskiemu patriotyzmowi, Kościołowi i wartościom generalnie, wykorzystując inicjowane przez siebie boje wokół tych spraw jak najdogodniejsze tematy dla odwrócenia uwagi od głównego problemu sytuacji po 1989 roku – zachowania tak wiele decydujących pozycji w różnych sferach życia przez postkomunistów. Przypomnę tu uwagi znanej działaczki „Solidarności" Barbary Niemiec. W artykule *Tolerancyjni inaczej*, opublikowanym na łamach „Tygodnika Solidarność" z 26 lipca 1996, wymownie obnażyła ona rolę mediów w rozkręcaniu kampanii demaskowania rzekomej polskiej nietolerancji i ksenofobii, stwierdzając między innymi: *„Międzynarodówka tolerancyjnych" wszelkimi sposobami próbuje stworzyć pozory, że to oni są ojcami tolerancji. Że bez ich wysiłku byłaby ona ludziom całkiem obca. Odczuwamy to w Polsce od kilku lat. Zużyto tony papieru i kilometry taśmy filmowej, by udowodnić, że Polacy* *są narodem szczególnie grzesznym wobec cnoty tolerancji. Zanegowano nasze doświadczenia historyczne, tradycję tolerancji, którą Polacy szczycili się przez wieki (...) Ta zmasowana akcja wmawiania nam nie popełnionego grzechu miała skutkować obniżeniem poziomu narodowej dumy, zakwestionowaniem poczucia własnej wartości. W jakim stopniu działanie to było skuteczne, każdy z Czytelników łatwo może ocenić.* Inaczej myślących załatwia się krótko i dosadnie. Radio Maryja, to „radio dla motłochu" stwierdziła Olga Lipińska. Wtórował jej Zygmunt Kałużyński, głosząc wszem i wobec: *Protestuję przeciw istnieniu takiego radia, bo nie zgadzam się na publiczne szerzenie ciemnoty* (cyt. za M. Jurek: *Kto się boi Radia Maryja?* „Życie", 8 maja 1997).

Bardzo trafne wydają się uwagi na temat stosunku do polskości i najważniejszych naszych spraw w najpopularniejszych mediach w Polsce, sformułowane na łamach tygodnika „Niedziela" przez ojca Leona Dyczewskiego. Na pierwszych czterech miejscach wśród wymienionych przez niego jedenastu cech polskich mediów znalazły się następujące:

1. Pogoń za obcym kapitałem, obcymi treściami i formami, czyli wyprzedaż i niedorozwój tego, co własne i odmienne.

2. Pozytywna ocena obcych i pochwała tego, co niezgodne z najbardziej wypróbowanymi wartościami i normami wielowiekowej tradycji polskiej.

3. Superkrytycyzm, aż do niechęci wobec wszystkiego, co polskie.

4. Przekonanie o braku sensu dziejów społeczeństwa polskiego wyrażające się w odrzuceniu przeszłości, krytyce teraźniejszości i braku wizji przyszłości. Przyszłość niech sama się kształtuje, bez więzi z przeszłością i teraźniejszością.

(L. Dyczewski OFM Conv.: *Cechy polskich mediów*, „Niedziela", 6 sierpnia 1995).

Biskup Adam Lepa pisał w „Niedzieli" z 17 grudnia 1995 o ukształtowaniu w Polsce swego rodzaju „antyambony", mającej swoje zorganizowane centra i dysponującej bogatymi środkami nagłaśniania w starych i nowych strukturach mass mediów. „Antyambony", która konsekwentnie dąży do ośmieszania wartości chrześcijańskich i dyskredytowania mediów kościelnych, a równocześnie skutecznie wymazała z publikowanych przez siebie treści takie słowa–symbole: ojczyzna, naród, patriotyzm, tożsamość Polski, poczucie godności narodowej itp.

Media kierowane przez ludzi, którzy nie lubią Polski

W 1993 roku kardynał Henryk Gulbinowicz pisał: *Środki masowego przekazu usiłowały zatrzeć znaczenie takich pojęć jak Polska, Ojczyzna, Naród, Patriotyzm... Gorzej, bo mass media antagonizowały naród naśmiewając się z obywateli, którzy chcieli być wierni Ewangelii i Krzyżowi, wierni tradycji ojców i zwyczajów wyrosłych na pożywkach zdrowego patriotyzmu. Antagonizowanie narodu to wielki grzech nieodpowiedzialności za kraj* („Jasna Góra", 1993, nr 12). Nawiązująca do tych słów kardynała Gulbinowicza, Krystyna Czuba stwierdzała: *Autor wypowiedzi używa czasu przeszłego, co wynika z kontekstu. Teraźniejszość ma jeszcze smutniejszą twarz. To media sprawiły, że Bóg, Honor i Ojczyzna – nie są przedmiotem dumy, ale powodem drwin i szyderstwa. Mówi się, że minęła moda na patriotyzm. To dziwne, bo Amerykanin, który kocha swój kraj i wierzy w Boga – jest szanowanym obywatelem. To dziwne, bo Żyd, który kocha swój kraj i modli się pod „Ścianą Płaczu" i chodzi w jarmułce jest szanowanym obywatelem. A jeśli Polak kocha swoją Ojczyznę i wierzy w Boga i po Bożemu chce żyć – to jest z ciemnogrodu, jest zacofany i nie warto go brać pod uwagę, bo nie zrozumie czym jest postęp. Dlaczego? Czy dlatego, że mediami kierują ludzie, którzy nie lubią Polski* (K. Czuba: *Media i władza*, Warszawa 1994, s. 148–149).

Antypatriotyczne fobie wśród dawnej opozycji

Ogromne znaczenie dla zdynamizowania ataku przeciwko tradycjom narodowym i patriotyzmowi miało otwarte wsparcie go po czerwcu 1989 roku przez lewicową część dawnej opozycji. Przede wszystkim poprzez środowiska dawnej tzw. lewicy laickiej i tzw. katolewicę (głównie kręgi osób skupionych wokół „Tygodnika Powszechnego" i „Więzi"). Szczególnie wielką, nierzadko wręcz inicjatywną rolę w ataku na polskość i patriotyzm odegrała „Gazeta Wyborcza" pod redakcją Adama Michnika. Jej kierownictwa doprowadziło do perfekcji współdziałanie z pismami postkomunistycznymi, z „Polityką" na czele, w walce z rzecznikami nurtu patriotycznego, wzajemne nagłaśnianie wystąpień godzących w patriotyzm czy wartości chrześcijańskie. Pierwszym bardzo udanym przejawem tego współdziałania na szeroką skalę było zmasowane uderzenie przeciwko Prymasowi Polski Józefowi Glempowi po stronie antypolskiego i antykatolickiego prowokatora rabina A. Weissa. Zapoczątkowany przez „Gazetę Wyborczą" atak na Prymasa Polski został błyskawicznie podjęty przez redakcję postkomunistycznej „Polityki", a jego najważniejszym przejawem na łamach „Polityki" stał się tekst jednego z czołowych współpracowników „Gazety Wyborczej" – Dawida Warszawskiego (Geberta). „Gazeta Wyborcza" nie cofnęła się przed żadnymi, najnikczemniejszymi nawet chwytami, dla skompromitowania obrazu chrześcijańskiwgo nurtu OKP. W związku z sejmową debatą na temat projektu Godła Narodowego w marcu 1990 roku na łamach „Gazety Wyborczej" opublikowano list podpisany nazwiskiem zabójcy prezydenta Narutowicza, Eligiusza Niewiadomskiego, akcentujący, że widzi polityków chrześcijańskich jako godnych następców tego, co on reprezentował. W liście zatytułowanym jako *Głos z tamtego świata* redakcja „Gazety Wyborczej" wpisała na konto Niewiadomskiego między innymi słowa: *Poseł Marek Jurek jest godnym następcą bojowników o naszą świętą narodową katolicką Polskę (...) odrzucamy orła usranego bolszewickimi gwiazdkami (...) mam nadzieję, że po wolnych wyborach, kiedy nasz dzielny Kościół weźmie kraj twardą ręką – podobnie jak wziął Chomeini Iran – skończą się pomyłki w doborze nowej kadry działaczy narodowo-katolickich.* Ten bezprzykładny akt chamstwa politycznego był tym obrzydliwszy, że godził imiennie w sejmowego kolegę naczelnego redaktora „Wyborczej" – posła Marka Jurka.

Mentalność Kalego

Już w 1989 roku za rządów Tadeusza Mazowieckiego ukształtował się w środowisku „Gazety Wyborczej" trwający do dziś szczególny styl dzielenia ludzi na „naszych" i „obcych", który umożliwiał idealizowanie i popularyzowanie jednych i równocześnie staranne dokładanie drugim, niezależnie od ich zasług i rodowodów politycznych. I tak na przykład, aby zdezawuować „niesfornego" prawicowego Władysława Siła-Nowickiego wciąż przypominano, że był on członkiem Rady Konsultacyjnej przy gen. W. Jaruzelskim. A przecież w tejże Radzie uczestniczył „nasz" minister Krzysztof Skubiszewski i nikt mu tego nie wypomniał. W przypadku Siła-Nowickiego zaś miało to być grzechem śmiertelnym, choć wiadomo, że swój udział w Radzie Konsultacyjnej wykorzystywał on głównie do niezwykle ostrej krytyki politycznych i ustrojowych uwarunkowań PRL. I ściągnął za to na siebie ataki różnych polskich „sierot po Breżniewie". „Obcego", bo prawicowego, patriotyczno-chrześcijańskiego polityka Ryszarda Bendera z uporem próbowano przyczerniać i eliminować z życia politycznego, argumentując, że był posłem PRL w latach 1985–1989, nie bacząc na to jak bardzo krytyczne wobec polityki władz były jego liczne sejmowe wystąpienia. Za to bez przeszkód bardzo szybko zaczęto traktować jako „naszego" niedawnego towarzysza, jeszcze w 1989 roku sekretarza KC PZPR Marcina Święcickiego, od 1991 roku wpływowego działacza Unii Demokratycznej, a potem Unii Wolności, i z jej nadania jednego z najgorszych prezydentów Warszawy w całej jej historii. Powiązani z Unią Wolności politycy i dziennikarze od dawna wyspecjalizowali się w działaniach godnych mentalności Kalego. Z jednej strony reagują krzykami oburzenia na każde przypomnienie niechlubnych wydarzeń z życiorysu „swoich" (*vide:* ataki pod adresem słynnego dominikanina Józefa M. Bocheńskiego, który ośmielił się przypomnieć niesławny atak prasowy Tadeusza Mazowieckiego z 1953 roku na skazanego w sfingowanym PRL-owskim procesie kieleckiego biskupa Czesława Kaczmarka). Równocześnie zaś sami, w razie potrzeby, posuwają się do skrajnych pomówień, bez żadnego udokumentowania, w stylu publicznego ataku senatora Andrzeja Celińskiego na ministra Jerzego Kropiwnickiego odnośnie do jego zachowania się w wydarzeniach marca 1968 roku. Dziwne, jak niektórzy potrafią łączyć najbardziej skrajne, nietolerancyjne wypowiedzi pod adresem ludzi z innego obozu politycznego z równoczesnym domaganiem się tolerancji. Stefan Bratkowski 20 lutego 1993 roku nazwał w „Gazecie Wyborczej" gabinet Jana Olszewskiego „rządem psychicznych", a równocześnie występuje z pomysłem utworzenia Towarzystwa na Rzecz Przyzwoitości w Życiu Publicznym. *Medice, cura te ipsum!* – chciałoby się powiedzieć. „Gazeta Wyborcza" od lat odznacza się szczególnego typu selektywną „otwartością". Niejednokrotnie blokowała możliwości publikacji na jej łamach różnych tekstów o wymowie jednoznacznie patriotycznej, czy wychodzących spod pióra patriotycznych autorów, uniemożliwiała sprostowanie antynarodowych banialuk prezentowanych przez jej publicystów. Mam w swoich zbiorach kopię, krótkiego skądinąd, tekstu pióra znanego polskiego historyka, profesora wyższej uczelni, odrzuconego z powodu braku miejsca przez „Gazetę Wyborczą", bo reprezentował polski punkt widzenia na złożone sprawy stosunków polsko-żydowskich. Nigdy nie zabrakło za to w „Gazecie" miejsca na najgłupsze nawet, wręcz haniebne teksty, które wyrażały nihilizm narodowy i pogardę dla polskiej historii. By przypomnieć choćby publikowany w sierpniu 1996 roku na łamach „Gazety Wyborczej" potworny w swym nihilizmie narodowym i humanistycznym tekst niejakiej Moniki Pecio, studentki Wydziału Iberystyki UW. Pecio otwarcie wyznawała: *Mnie też nie obchodzą górnicy z kopalni Wujek!!! Nie obchodzą mnie tłumione protesty stoczniowców z Wybrzeża! Nie obchodzi mnie Ursus i Radom z 1976 roku! Dokładnie tak samo, jak nie obchodzą mnie zabici wojowie Mieszka I, tortury krzyżackie, śmierć Polaków w czasie potopu szwedzkiego czy II wojny światowej* (M. Pecio: *Nie pasuję do tego obrazu*, „Gazeta Wyborcza", 22 sierpnia 1996). Dodajmy, że M. Pecio przedstawiła się jako zapamiętała czytelniczka „Nie", od logo do stopki, wielbicielka Labudy, Sierakowskiej i Kwaśniewskiego. Szczerze wyznała też, kogo nienawidzi: *O tym... z Gdańska i tym... z Watykanu nie potrafię napisać. Po prostu nerwy nie dają mi panować nad wciskaniem literek* (tamże). „Gazeta Wyborcza" nie tylko wydrukowała cały głupawy tekst M. Pecio, ale wydrukowała grubymi literami, jako swoisty wstęp do tekstu, fragment wypowiedzi studentki, wyrażający całkowitą obojętność zarówno na losy ofiar komunizmu na Wybrzeżu jak i na śmierć Polaków w czasie II wojny światowej.

Hermetyczność i ekskluzywność „elitki" w mediach idzie w parze ze skłonnościami do dziedziczenia pozycji i wpływów, a zarazem zdecydowanego blokowania drogi awansu dla ludzi spoza układów, nie wchodzących do różnych koterii „krewnych i znajomych Królika". Można tylko podziwiać monolityczność poglądów, z jaką całe klany rodzinne staro–nowej elity atakują wszystko, co odbiega od wzorca zachwalanego przez nowych właścicieli rzekomego patentu na słuszność i piętnują „anachronicznych" Polaków, nie nadążających za „Europą". Weźmy na przykład taką oto nową stachanowską trójkę dziennikarzy Wróblewskich. On – redaktor naczelny „Gazety Bankowej" – Andrzej Wróblewski. Przez wiele lat redaktor „Polityki", jeszcze w latach 1980–1981 zdecydowanie występujący w swych tekstach przeciw „Solidarności" i Wałęsie. W 1982 roku Wróblewski przechodzi jednak „cudowne" nawrócenie i odchodzi z „Polityki" Rakowskiego. W latach dziewięćdziesiątych jako naczelny „Gazety Bankowej" konsekwentnie hołduje maksymalnemu bezkrytycznemu zapatrzeniu na Zachód, bez względu na polskie narodowe interesy gospodarcze. To w jego piśmie zrobiono najbardziej panegiryczną reklamę Bagsikowi i Gąsiorowskiemu, i to jeszcze na miesiąc przed ich ucieczką z Polski (por. artykuł I. Chojnackiego i S. Lipińskiego o Art-B: *Genialne dziecko naszych czasów*, „Gazeta Bankowa", 30 czerwca 1991). W artykule cytowano między innymi jakże wymyślną wypowiedź izraelskiego ekonomisty, współpracownika Banku Światowego, Valerego Amiela, o Bagsiku i Gąsiorowskim: *czuję się przy nich czasem jak Salieri przy Mozarcie*. Czyż nie był to najwspanialszy, jakże subtelny komplement dla panów, którzy z wirtuozerią okradli Polskę na wiele milionów dolarów?! Po ucieczce Bagsika i Gąsiorowskiego „Gazeta Bankowa" pod redakcją Wróblewskiego dalej dzielnie występowała przeciw tropieniu afer jako oszołomstwu. Prawdziwą wykrywaczką „oszołomów", którzy jeszcze bronią polskich narodowych interesów gospodarczych i nie chcą bezkrytycznie zawierzyć „Europejczyjom", propagatorem „jedynie słusznej" selektywnej prywatyzacji stała się Ona – żona A.K. Wróblewskiego Agnieszka. „Wyróżniła się" między innymi furią napaści na łamach „Życia Warszawy" na program Elżbiety Jaworowicz *Sprawa dla reportera*. W listopadzie 1994 roku Wróblewska wyróżniła się pełnym przekręceń atakiem na Jacka Kurskiego (oburzony cynicznymi i groteskowymi kłamstwami Wróblewskiej, Kurski pisał w „Życiu Warszawy" z 23 listopada 1994 roku: *Dokonała na mnie linczu*). I wreszcie Synek – Tomasz Wróblewski, który już zdążył wsławić się wielu prasowymi manipulacjami, między innymi skrajnym nagłaśnianiem „rewelacji" niejakiego Bernsteina o rzekomym spisku Papieża Jana Pawła II z Reaganem przeciw Związkowi Sowieckiemu.

Wolność słowa czy wolność przemilczeń

Wciąż mówi się u nas szumnie i wiele o demokracji, a tymczasem media z uporem uprawiają nie tyle wolność słowa, co wolność przemilczeń wciąż nagłaśniając rzekomo jedynie słuszne racje planu Sachsa–Balcerowicza. Milczy się nadal o jakże licznych zagranicznych krytykach tego planu. Nie chce dopuścić się nawet myśli, że mogliśmy pójść w gospodarce inną, alternatywną do wybranej drogą. W telewizji – poza sporadycznymi programami o późnych porach – nie znajdzie się prób przedstawienia np. czeskich rozwiązań politycznych. Bo ich obraz mógłby być „zaraźliwy"... Pokazywałby, że dekomunizacyjna polityka Vaclava Klausa w Czechach była mądrą alternatywą wobec przyjętej w Polsce fatalnej polityki „grubej kreski".

Czerwono-różowe media – zgodnie z utrwalonymi tradycjami swych komunistycznych prekursorów – konsekwentnie manipulują obrazem wydarzeń, przemilczając to, co dla nich wygodne i ponad miarę eksponując mało ważne szczegóły, robiąc z nich nagle uderzeniową wiadomość dnia. Pod tym względem prawdziwym prymusem była i jest telewizja. Konsekwentnie milczano tam o wielu ważnych inicjatywach niepodległościowych z udziałem kilku tysięcy uczestników. Nie pasowało to bowiem do konstruowanego obrazu! Za to tym chętniej wyeksponowano na przykład manifestację dwudziestu (!!!) skinów. Bo mogło to posłużyć za świetną okazję do kolejnych uogólnień o groźbie polskiego „nacjonalizmu" i „antysemityzmu". Michnik umożliwił kiedyś opublikowanie w „Gazecie Wyborczej" wielkiego, prawie na dwie kolumny wywiadu z fanatykiem Tejkowskim, człowiekiem reprezentującym małą, obsesyjną grupkę antyżydowską. Wywiad taki mógłby być bowiem kolejnym dowodem rzekomego strasznego antysemickiego zagrożenia w Polsce. Dla tych ludzi, gdyby Tejkowski nie istniał, należałoby go stworzyć. Już dawno zauważono, jak nasi „Europejczycy" z utęsknieniem poszukują prawdziwych antysemitów; wydobędą ich z najodleglejszych zakamarków, aby potem móc znowu snuć swe ulubione uogólnienia o całym polskim narodzie jako przeżartym przez antysemityzm.

Można przytaczać dziesiątki przykładów dowodzących, jak zakłamana jest „hierarchia wartości", konsekwentnie stosowana w mediach. Celnie obnażył ją Andrzej Zięba w „Najwyższym Czasie" z 7 sierpnia 1995 roku, pisząc: *Jeżeli jakiś antyjudaista albo chuligan, albo bezpieczniacki prowokator napisze na murze „Żydzi do gazu" lub coś innego parszywego w tym sensie – staje na baczność postawiony cały świat. W tym samym czasie rozwalane i plugawione są nagrobki i cmentarze chrześcijańskie w liczbie nieporównanie większej przez satanistów, chuliganów, antychrześcijan, prowokatorów, itp. – lecz opinia światowa wcale tego nie zauważa. Cóż – wszystko jest kwestią wybranej hierarchii ważności.* W atakach na prawicowych „oszołomów", w demaskowaniu rzekomych polskich „nacjonalistów", „antysemitów", „faszystów" bardzo często najbardziej donośnie wyżywają się starzy stalinowcy typu Koźniewskiego, czy różni niegdysiejsi panegiryczni chwalcy PRL-u w stylu Szczypiorskiego czy Małachowskiego. Po czerwcu 1989 roku lawinowo wprost urosła liczba tych, którzy nagle z dawnych entuzjastów komunizmu przekształcili się w równie entuzjastycznych mentorów demokracji i wolności. Wyraźne objawy takiej ewolucji widoczne były już zresztą wraz ze słabnięciem systemu komunistycznego w Polsce w 1988 roku. Kisiel z zadziwieniem odnotowywał w tekście *O zmiennych mózgach i o dziwności* ("Tygodnik Powszechny" z 8 maja 1988): *A w paryskiej „Kulturze" i „Zeszytach historycznych" coraz więcej byłych stalinowców – zresztą piszą doskonale, bo wiedzą dobrze co było i co jest grane, a także, co trzeba ominąć i zatopić w niepamięci (...) Pamięć selektywna i etapowa – swego rodzaju mistrzostwo.* Jakże szczególny jest ten „liberalizm po polsku", reprezentowany przez jakże wielu naszych rodzimych fanatycznych przeciwników patriotyzmu i rzeczników pseudoeuropejskości za wszelką cenę. Patrzący z zewnątrz, z dystansu na polskie spory przebywający od lat w Niemczech Maciej Rybiński skrytykował w „Rzeczpospolitej" *naszych dyplomowanych liberałów*, którzy *po prostu odmawiają swoim przeciwnikom – wbrew najświętszym zasadom liberalizmu – moralnych i intelektualnych kwalifikacji do prowadzenia jakichkolwiek dyskusji (...) W każdym sporze padają głosy głupie, irytujące, demagogiczne – po obu stronach. Nie jest to jeszcze dostateczny powód do ograniczenia swobody dyskusji za pomocą nowego narzędzia zniewolenia – poprawności politycznej. Nie wolno zastępować wolności poglądów i swobody ich wypowiadania – moralnością, której kryteria określa para samozwańców. Jest to zgubne i dla wolności i dla moralności* (M. Rybiński: *Twarzą do Europy*, „Rzeczpospolita", 5–6 kwietnia 1997). Rybiński pisał o parze samozwańców bez nazwiska. Myślę, że nie ma jednak groźniejszego samozwańca od osądów moralnych niż Adam Michnik, który pozwolił sobie kiedyś na osądzanie największego symbolu polskiej uczciwości intelektualnej – Zbigniewa Herberta!

Prasa mało polska

W 1994 roku niemieckie wydawnictwo w Passau przejęło od francuskiego koncernu pakiet ośmiu największych dzienników regionalnych ukazujących się w Polsce. Były wśród nich między innymi: „Dziennik Bałtycki", „Wieczór Wybrzeża", „Dziennik Zachodni" i „Gazeta Krakowska". Szczególnie alarmujący był przy tym fakt, że w ręce niemieckie przeszło szereg gazet szczególnie popularnych na terenach odzyskanych przez Polskę po wojnie. Niemiecki kapitał jest w Polsce właścicielem największej liczby gazet i większości czasopism kolorowych. Niemieckie czasopisma ilustrowane wyraźnie przebiły swoimi nakładami poprzednio dominujące wśród prasy kobiecej takie pisma jak „Przyjaciółka", „Kobieta i Życie" czy „Uroda". Jak pisała Teresa Kuczyńska w „Tygodniku Solidarność", wspomniane polskie pisma kobiece zostały *pobite w niezupełnie czystej konkurencji; bardziej rozrywkowymi bezpruderyjnymi treściami i o wiele niższymi cenami pism stanowiąc kalki już wydanych w Niemczech pism nie ponoszą kosztów redakcyjnych, nie płacą też cła za papier i farbę drukarską, które płacą polscy wydawcy. Cło w Polsce tak zostało ustanowione, że gotowe czasopisma importowane do Polski nie są nim obłożone, natomiast płaci się je za sprowadzany papier i farby, które polscy wydawcy muszą kupić za granicą. Jeżeli chodzi o niskie ceny tych magazynów to właściwie praktyki dumpingowe są w Polsce jak w całym świecie cywilizowanym, zakazane, ale wydawcy niemieccy argumentują, że niskie ceny traktują jako działalność promocyjną* (T. Kuczyńska: *Prasa – coraz mniej polska*, „Tygodnik Solidarność" z 16 czerwca 1995).

Nieograniczony napór zagranicznego kapitału na polski rynek prasowy doprowadził do przejścia w obce ręce ponad 80 proc. gazet. W sytuacji, gdy cała niemal prasa francuska, dzięki odpowiednim ograniczeniom udziału obcego kapitału w prasie – należy do Francuzów, a niemal cała prasa niemiecka – do Niemców! Tak wielki procent polskiej prasy w obcych rękach oznacza bardzo poważne zagrożenie dla polskiej kultury i świadomości narodowej, generalnie dla polskich interesów narodowych. Wymownie przedstawił te zagrożenia redaktor naczelny „Tygodnika Solidarność" Andrzej Gelberg, stwierdzając: *Jeśli maksymalne nakłady mają „Skandale" i mierna prasa kobieca i młodzieżowa – grozi nam zidiocenie narodowe. Zwłaszcza że tytuły sensowne, mądre, z jakimiś ambicjami – upadają. Prasa może być inwestycją dochodową, ale na to potrzeba czasu. Tymczasem nasi kapitaliści chcą rychło zgarniać pieniądze i w krzaki (...) Naiwnością jest myślenie, że kapitalistę, który kupuje tytuł, nie będzie obchodziło to, co się w nim drukuje. Będzie żądał z czasem określonej linii, a dziennikarza, który się przeciwstawi po prostu wyrzuci z pracy. Sytuacja, w której 80% polskich gazet przeszło w ręce obcego kapitału jest niebezpieczna, nie mam złudzeń. Niemiecki wydawca będzie skłonny dopłacać do któregoś z tytułów u siebie, bo to jest potrzebne kulturze niemieckiej, ale dlaczego ma to czynić w Polsce?* (cyt. za: *Czwarta władza. Jak polskie media wpływają na opinię publiczną*, red. W. Nentwig, Poznań 1995, s. 41). Gelberg ostrzegał, że zaznaczające się coraz wyraźniej obniżanie poziomu wielu gazet może stanowić „zagrożenie naszej podmiotowości narodowej".

Cytowana już Teresa Kuczyńska pisała o tym, jak niewyobrażalnie wprost duża jest zależność polskich dziennikarzy od zagranicznych właścicieli pism. Bez trudu wymuszają oni posłuszeństwo dla narzucanej przez siebie opcji pisma dzięki wypłacaniu bardzo wysokich apanaży, niewspółmiernych do zarobków w Polsce. Według Kuczyńskiej: *Kiedy naczelny dostaje parę tysięcy dolarów pensji, przestaje zwracać uwagę na to, czy to co promuje jego gazeta jest dobre dla kraju, zgodne z polską racją stanu. Będzie z całą mocą występował za całkowitą, niczym nie skrępowaną wolnością dla zagranicznego kapitału, za najszerszym otwarciem granic dla bezcłowego importu, będzie ośmieszał nurty niepodległościowe w gazetach znajdujących się jeszcze w rękach polskich, będzie zwalczał z pianą na ustach NSZZ Solidarność, która sieje niepokój i nacjonalizm, będzie walczył z tymi, którzy mówią o przerażającej korupcji w polskiej gospodarce, będzie przeciw lustracji. Albo, jak czynią to gazety wychodzące na Śląsku, należące do Paassauer Neue Presse, będzie ośmieszać prawa Polski do tych ziem* (T. Kuczyńska: *op. cit.*). Były redaktor naczelny „Przeglądu Tygodniowego" Artur Howzan pisał już w 1995 roku o długiej liście przykładów manipulowania czytelnikami, czy też niewłaściwego oddziaływania gazet znajdujących się w obcych rękach na polską opinię publiczną. Tezę swą zilustrował wymownym przykładem z łam „Trybuny Śląskiej", która dostała się w niemieckie ręce, po odkupieniu jej przez Neue Passauer Presse od Hersanta. Tuż po trudnej wizycie wicepremiera Kołodki na Śląsku „Trybuna Śląska" (nr 263 z 12–13 listopada 1994) wydrukowała taki oto list (?) czytelnika: *Czytam relację z wizyty premiera Kołodki w Katowicach i zastanawiam się: Piłsudski nie chciał Śląska, PRL traktowała Śląsk jak Katangę, dzisiejsze władze też go nie lubią. To może niech zostawią sobie Księstwo Warszawskie, a Śląsk, taki niepotrzebny i sprawiający tyle kłopotów, oddadzą Niemców.* Przytaczając ten fragment z „Trybuny Śląskiej" Howzan dodawał: *autorem tego zgrabnie, po dziennikarsku napisanego „listu" jest jak podpisano M. Kasperczyk z Bytomia. Zadałem sobie trud by go odnaleźć. Nie udało się* (cyt. za tekstem A. Howzana w „Polityce" z 4 lutego 1995).

Czy można uznać za normalny fakt, że na łamach wydawanego w Polsce „Głosu Pomorza" można było przeczytać pełną niemieckiej buty wypowiedź straszącą mniejszymi szansami na zdobycie pracy, tych, którzy będą „tylko" Polakami. Jej autorem był prezes powstałego w Słupsku Związku Ludności Pochodzenia Niemieckiego Detlev Rach. Zapewnił on czytelników „Głosu

Pomorza": *Wkrótce zjednoczy się Europa. Znajdzie się w niej Polska i Pomorze. Przyjdą niemieccy pracodawcy, którzy będą chcieli mieć niemieckich pracowników* (cyt. za: Szot: *Na zdrowy rozum*, „Rzeczpospolita" z 11 lutego 1995). Dodajmy, że cytujący tę arogancką wypowiedź w tak wpływowym ogólnokrajowym dzienniku jak „Rzeczpospolita" Szot nie miał do niej żadnych zastrzeżeń. Wręcz przeciwnie, Szot wyszydził polskich działaczy ze Słupska, których słowa Detleva Racha oburzyły. Jak mogli być tak „nieeuropejscy" i protestować przeciwko niemieckiej pogróżce?! Dyrektor Radia Maryja – ojciec Tadeusz Rydzyk mówił w wywiadzie dla „Myśli Polskiej" we wrześniu 1996: *Niestety w tej chwili ci ludzie, którzy komitety zamienili na banki, a książeczki czerwone na czekowe, przebrali się za liberałów. Oni służą tylko swojemu egoizmowi i to jest zdrada narodu, całej naszej historii, tych wszystkich, którzy umierali za Polskę. I oni mają media, telewizję, radio, prasę. Teraz przynajmniej 80% polskojęzycznej prasy jest w rękach obcych, ona jest rozprzedawana Żydom, Włochom, Niemcom, Amerykanom. A przecież pracownik musi być zawsze posłuszny pracodawcy. I to jest bolesne, że media nie służą narodowi, tylko ten naród wykorzystują. Powiedziałbym, że jest teraz inny sposób kolonizowania: kiedyś kolonizowało się zabierając ziemię, a teraz mając środki przekazu. Kolonizuje się przez urobienie świadomości na taki sposób, na jaki się chce* (por. *Dar dla odnowy Rzeczypospolitej*. Rozmowa C. Kamińskiego z O. T. Rydzykiem – dyrektorem Radia Maryja, „Myśl Polska" z 15 września 1996).

Ostrzeżenia przed skutkami zdominowania polskich mediów przez obcy kapitał były jednak podnoszone nie tylko przez postaci tak namiętnie broniące polskiego patrityzmu i polskiej godności narodowej jak o. Tadeusz Rydzyk. Wyrażali swój niepokój w tej sprawie także cudzoziemcy, szczerzy przyjaciele Polski wśród obserwujących to, co się dzieje w Polsce cudzoziemców. Na przykład już w 1991 można było przeczytać wypowiedź jugosłowiańskiego korespondenta w Polsce Ilji Marinkovica: *Nie ma chyba kraju, poza Trzecim Światem, który w tak łatwy sposób pozbywałby się suwerenności (...). Prywatyzacja jest procesem jak najbardziej słusznym, ale kto słyszał, by prywatyzować poprzez wprowadzanie kapitału obcego do tych dziedzin życia, które na całym świecie są zagwarantowane dla kapitału rodzimego. W Polsce jest akurat odwrotnie. Kapitał obcy przejmuje prasę, jeszcze trochę i wejdzie do telewizji. Polskie mass media są dziś zdominowane przez kapitał zagraniczny i jest to zjawisko kuriozalne* (por. wypowiedź I. Marinkovica w książce J. Klechty: *Bliżej świata*, Warszawa 1991, s. 10, 103).

Sprzedajne media

Fatalne skutki z punktu widzenia polskich interesów gospodarczych przynosi sprzedajność bardzo dużej części prasy w Polsce, łapczywość wielu redaktorów polujących na każdy ochłap finansowy, jaki mogą uzyskać w zamian za swe usługi od zagranicznych kontrahentów. Bardzo liczni dziennikarze, wychowani w ciągłej konformistycznej uległości wobec bonzów PRL-u, bez trudu przestawiali się na nowe finansowe zależności od nowych bogatych „sponsorów", najczęściej zagranicznych. Nader typowe pod tym względem było gromkie wystąpienie licznych mass mediów przeciwko uchwaleniu przez Sejm w lutym 1993 roku zakazu reklamy papierosów. Zakaz godził przede wszystkim w interesy bogatych zagranicznych koncernów tytoniowych. Koncernów, które tracąc coraz mocniej rynki w Europie Zachodniej, skoncentrowały się na podbijaniu rynku w Polsce. W licznych gazetach i dziennikach nagle, jak na komendę, zaczęły się gorączkowe protesty przeciwko zakazowi reklamy papierosów, jako „zagrożeniu demokracji", równającemu się „cenzurze prasy". W tygodniku „Spotkania" z 4 marca 1993 roku tak skomentowano zachowanie się tytoniowego lobby w polskich mediach: *Spór o zakaz reklamy papierosów unaocznia stan naszych mass mediów, tak chętnie chlubiących się swym obiektywizmem. Przemilczały one fakt, że większość obywateli RP nie chce reklamy papierosów. Jedynie nieliczne gazety wspomniały półgębkiem, że coraz mniej krajów w Europie toleruje reklamę tytoniu (...) Ktoś mądry powiedział, że kiedy nie wiadomo o co chodzi, na pewno chodzi o grube pieniądze. Wystarczy przejrzeć kolumny ogłoszeniowe, żeby zobaczyć, kto brał te pieniądze i kogo niepokoi zakaz reklamowania papierosów.*

Telewizyjna szkoła dezinformacji

Telewizja – to trojański koń peerelu w murach Rzeczypospolitej – pisał jakże trafnie Michał Mońko w lipcu 1992 roku. Bo faktycznie, telewizja jako najpotężniejszy środek masowego przekazu odegrała bardzo wielką rolę w wyhamowaniu polskich przemian po czerwcu 1989 roku i zablokowaniu upowszechniania prawdy o zbrodniach komunizmu. Nie mówiąc o szkodach, jakie wyrządziła patriotyzmowi i polskości. Po półrocznym zarządzaniu TVP przez jednego z czołowych rzeczników antypolonizmu Jerzego Urbana, we wrześniu 1989 nowym prezesem TVP został, z nadania premiera Tadeusza Mazowieckiego, Andrzej Drawicz. Zrobił on dosłownie wszystko dla zabicia nadziei na oczyszczenie telewizji z ludzi partyjnego betonu i przekształcenia jej w awangardę przemian. Skrajny grubokreskowicz Drawicz konsekwentnie blokował zmiany personalne w telewizji, zachowując w niej gros osób najbardziej skompromitowanych w czasach stanu wojennego. Zarówno w telewizji, jak i w radio dalej dominowały stare kadry „internacjonalistów", wyćwiczonych w zwalczaniu polskich tradycji narodowych i Kościoła katolickiego. Maksymalnie blokowano wszelkie inicjatywy likwidacji białych plam w najnowszej historii. Ulubioną metodą „chronienia" większych rzesz telewidzów przed prawdą o najnowszej historii było za ekipy Drawicza – i później za ekipy Zaorskiego – odsyłanie programów odkłamujących najnowszą historię na „odpowiedni" czas – po północy. Za to tym chętniej udostępniano najlepszy czas telewizyjny na programy szydzące z narodowej historii i tradycji patriotycznych oraz Kościoła w stylu kabaretu Olgi Lipińskiej czy na importowane seriale, nierzadko deformujące obraz Polski, Polaków i naszej historii, między innymi serial *Wszystkich, których kochałem* (wg oszczerczej książki Graya [Grajewskiego]) i *Skrzydła wojny* (wg Hermana Wouka).

Zaorskiego walka z historią Polski i religią

Syn komunistycznego wiceministra kultury w dobie Gomułki Janusz Zaorski okazał się szczególnie dobrze „przygotowany" do zapewnienia jak najszerszej komunistycznej rekonkwisty na terenie telewizji. Działania dla stopniowego i cichego rehabilitowania PRL-u łączył ze skrajną postawą „internacjonalistyczno-ateistyczną", stwarzającą puklerz ochrony dla wszystkich ataków na patriotyzm i Kościół katolicki. Nader celnie określił rolę telewizji pod egidą Zaorskiego Jerzy Mikke w książce *Chwała i zdrada* pisząc, że: *ekipa Zaorskiego stworzyła s y s t e m depolonizacji naszego społeczeństwa; funkcjonujący bez porównania skuteczniej niż w czasach Macieja Szczepańskiego czy Jerzego Urbana, choć ówczesna opozycja intelektualna wobec reżimu mawiała o gmachu na Woronicza jak o „imperium Zła"*. (J. Mikke: *Chwała i zdrada*, Warszawa 1994, s. 140). Dodajmy, że Janusz Zaorski jako prezes telewizji „wzbogacił" program małego ekranu o własny serial starannie deformujący polską historię – *Panny i wdowy* na podstawie scenariusza Marii Nurowskiej. Uznawszy, że oryginał Nurowskiej jest nazbyt „bogoojczyźniany" jak na jego gusty, Zaorski zabrał się do drastycznych poprawiań, aby odpowiednio zmienić cały scenariusz na „ateistyczno-internacjonalistyczny" (por. uwagi M.A. Kowalskiego: *Pisarka i gwałciciel*, „Nowy Świat" z 14 grudnia 1992). Jak wyglądały „twórcze" przeróbki Zaorskiego? Na przykład Karolina z tekstu Nurowskiej, która w 1920 roku poszła na front antybolszewicki jako ochotniczka–sanitariuszka do polskiego wojska, w filmie wdrapuje się na samochód i domaga się całej władzy w ręce Rad, a potem w komisarskiej skórze sprowadza bolszewików do swego pałacu. W tekście Nurowskiej opisane jest, jak kolejne pokolenie bohaterów przeżywa wojnę i Powstanie Warszawskie. Serial Zaorskiego niemal pomija wojnę i okupację, Powstanie Warszawskie zaś całkowicie wyparowuje z niego. Brat Karoliny, który w tekście Nurowskiej został aresztowany przez UB, u Zaorskiego umiera już w dzieciństwie na szkarlatynę. Za to tym chętniej Zaorski dodaje nie występujące w tekście Nurowskiej morderstwo na komunistycznym obrońcy w 1922 roku i liczne inne prześladowania komunistów przez władze Drugiej Rzeczypospolitej (por. wspomniane uwagi M.A. Kowalskiego, *op. cit.*).

Serial Zaorskiego *Panny i wdowy* wywołał liczne głosy protestu z powodu dokonanego w nim skrajnego zdeformowania historii Polski (część z tych głosów publikowano w „Życiu Warszawy"). Szczególnie interesująca była wypowiedź Czesława Pawluczuka: „szkoda, że nie ma u nas partii obrony kultury i historii Polski" („Życie Warszawy" z 3 grudnia 1992). Pawluczuk piętnował wydawanie pieniędzy państwowych na „arcydzieła" tak deformujące prawdę o historii Polski. I dodawał: *Mam tylko cichą nadzieję, że osoby odpowiedzialne za dystrybucję mają odrobinę patriotycznego sumienia i nie pozwolą, by tak splugawiona historia Polski znalazła się na zagranicznych ekranach.* Zdzisław Bielecki atakując serial Zaorskiego za wyszydzanie wartości narodowych drogich dla Polaków pisał w „Polsce Dzisiaj" (nr 5 z marca–kwietnia 1993): *Historia jest strażniczką narodu. Wypaczanie historii jest jak otwieranie granic przed najeźdźcami ducha. Te wartości, dzięki którym przetrwaliśmy jako Polacy lata zaborów, te wartości, które pchały nas do powstańczych zrywów, które pomogły przetrwać hitlerowską okupację i stalinowskie bezprawie, które zrodziły „Solidarność", te wartości ośmiesza film „Panny i wdowy".* Znamienne, że od wymowy serialu Zaorskiego bardzo ostro odcięła się również sama autorka pierwowzoru literackiego Maria

Nurowska, poddając totalnej krytyce przekłamania i deformacje Zaorskiego. W liście do „Gazety Wyborczej" z 17 listopada 1992 roku, Nurowska pisała między innymi: *Pierwszy odcinek „Panien i wdów" w reżyserii Janusza Zaorskiego, obecnego prezesa telewizji, jest parodią, a nawet kpiną z Powstania Styczniowego, ze związku kobiety z mężczyzną, nawet z religii.*

„Europejczyk" Zaorski zawsze szczególnie chętnie sięgał w swych ekranizacjach do różnych prób demaskowania narodowego „zaścianka" i polskości. Bardzo typową pod tym względem była zrealizowana w październiku 1993 przez Zaorskiego inscenizacja na małym ekranie *Jeziora Bodeńskiego* opartego na dwóch utworach Stanisława Dygata: *Jezioro Bodeńskie* i *Karnawał*. Głównym wątkiem inscenizacji stało się skonfrontowanie polskości głównego bohatera z „angielskością" Anglików i „francuskością" Francuzów, tak aby pokazać jak nienormalna jest jego i rodaków „mania polskości", jak bardzo ta polskość stoi na zawadzie „europejskości". Komentując przygotowaną przez Zaorskiego inscenizację noweli Dygata, Marek Arpad Kowalski pisał w „Myśli Polskiej": *Jest dobrym prawem pisarza – każdego artysty – podsuwanie rodakom pod twarz krzywego zwierciadła. Taka jest między innymi rola sztuki: zwracanie uwagi na wady narodowe, wyśmiewanie ich. Istnieje jednak delikatna granica między krytykowaniem a złośliwym uśmiechem i szydzeniem dla samego szydzenia, czynieniem z tego sztuki dla sztuki. A ów film wyraźnie to pokazuje (...) Anglik jest też owładnięty swoją angielskością, a Francuz francuzkością. Lecz oni nie rozdrapują szat z tego powodu i nie czują się przygnieceni bagażem cech narodowych. Nasi zaś intelektualiści drżą ze strachu, gdy słyszą o polskości, narodzie, tradycji (...) po obejrzeniu tego filmu utwierdziłem się w mniemaniu, że zwykły Polak, ten z ulicy, jest człowiekiem normalnym. Jak byle Francuz czy Anglik. „Elita" zaś nasza jest okropnie zacofana i opłotkowa, właśnie ona nie umie wyjść poza stereotypy* (M.A. Kowalski: *Krzywy uśmiech Gombrowicza*, „Myśl Polska" 16 listopada 1993).

Prawdziwym pójściem „na całość" w przyczernianiu Polaków był wprowadzony na ekrany we wrześniu 1997 film Zaorskiego *Szczęśliwego Nowego Jorku*". Już w tytule wywiadu na temat tego filmu w „Gazecie Wyborczej" (z 26 września 1997) zaakcentowano: *My Polacy, mamy mordy i ryje i dobrze, że Redliński to powiedział – mówi Janusz Zaorski.* Nawet recenzent „Wyborczej" Tadeusz Sobolewski przyznawał, że *„antyamerykańską" książkę Redlińskiego (...) Zaorski zamienił w satyrę na Polaczków* („Gazeta Wyborcza" z 26 września 1997). Janusz Wróblewski przeprowadzający wywiad z Zaorskim w „Życiu" wyraził swe osobiste zastrzeżenia przeciwko skrajnie ciemnemu obrazowi Polaków danemu we wspomnianym filmie. Począwszy od portretowania amerykańskiej Polonii w krzywym zwierciadle, odwołującym się do stereotypów, utrwalonych głównie w latach komunizmu po skrajne negatywne uogólnienia na temat Polaków jako takich. Mówił: *Wysłuchując upokarzających tyrad o polskich mordach, odczuwam wstyd. Nie dlatego, że boję się spojrzeć w lustro, tylko z powodu zapiekłej nienawiści i niezrozumiałych kompleksów tych, którzy życzliwie mi przypominają, jacy to jesteśmy paskudni. Sądzi pan, że wizerunek Polaka–katolika: pijanego, mściwego półanalfabety wciąż nas obowiązuje?*. Zaorski odpowiedział: *Tak. Nic się nie zmieniło. A jeśli to na gorsze. Jesteśmy narodem nietolerancyjnym, szczerze się nienawidzącym. Nie przyznajemy się do błędów. O polskiej niemocy mówię nie tylko ja. Na przykład Marek Koterski od lat obserwuje z pozycji demiurga nasz zaścianek. Przygląda się ludzkim insektom, z trudem powstrzymując się przed odruchem wymiotnym* (cyt. za rozmową J. Wróblewskiego z J. Zaorskim: *Krzywe zwierciadło*, „Życie" z 26 września 1997). Te wszystkie pełne zapiekłej nienawiści sądy o Polakach i polskim zaścianku wydaje człowiek szczególnie mocno odpowiedzialny za upadek polskiej telewizji, którą traktował głównie jako dogodne miejsce dla niezwykle opłacalnego eksponowania „talentów" całej swojej familii.

Depolonizacja telewizji

Wśród uczestników ankiety o telewizji, zorganizowanej wiosną 1992 roku przez prawicowy klub polityczny „Ruch Naprawy i Rozwoju", powszechnie dominowało przeświadczenie, że nasza telewizja jest „mało polska", w niewielkim stopniu uwzględnia to, co składa się na polską specyfikę w różnych dziedzinach. Przypisywano to bądź beztrosce telewizyjnych decydentów, bądź też ich świadomej polityce. Akcentowano, że zalewowi zagranicznej, a zwłaszcza amerykańskiej tandety towarzyszą równocześnie ogromne luki w pokazywaniu spraw polskich w różnych dziedzinach, od historii po gospodarkę i kulturę. Powszechnie wyrażano opinię o niczym nie uzasadnionych skrajnych dysproporcjach na niekorzyść autorów polskich w porównaniu z prezentowanymi w TVP autorami zagranicznymi. Ubolewano z powodu słabości programów kulturalnych, bardzo niskiego poziomu „Pegaza" etc. Wskazywano, że telewizja nie uwzględnia podstawowych interesów kultury polskiej, gdyż brak w niej dobrej popularyzacji polskiej muzyki, filmu i teatru narodowego, malarstwa i architektury, polskiej pieśni narodowej i ludowej. Pisano, że jest „niebezpiecznie mało polskich autorów, polskiej literatury". Szczególnie drastycznie zabrzmiała opinia historyka, iż *cudzoziemiec, chcący sobie wyrobić pogląd na polską kulturę na podstawie obserwacji telewizji, doszedłby do wniosku, że pod tym względem Polska jest pustynią. Ciągnące się w nieskończoność przygłupie amerykańskie seriale, ciągnące się w nieskończoność transmisje z imprez, na których śpiewa się wyłącznie po angielsku, jeden styl, jedna sztampa i cały anglosaski chłam. W żadnym innym państwie nie serwuje się tak jednostajnej wizji świata kultury. W TVP niewiele widać z bogactwa kulturowego innych narodów (np. włoskiego, francuskiego) ani regionów (np. latyno-amerykańskiego). Kultura polska w polskiej TVP istnieje tylko w formie szczątkowej i stanowi niewielki ułamek kultury anglosaskiej... Z racji częstych podróży po świecie obserwuję programy telewizyjne różnych krajów i naprawdę nie trafiłem na takie lekceważenie własnego dziedzictwa kulturowego, jak w TVP.* Wskazywano na skrajne dysproporcje serwisu informacyjnego z Polski i ze świata. Jeden z głównych zarzutów wobec telewizji akcentował, że dominuje sieczka informacyjna ze świata nad wiadomościami krajowymi. Częstokroć ważne informacje dotyczące spraw polskich są podawane w środku lub na końcu „Wiadomości" czy też się je zupełnie pomija. *Zdecydowanie za mało mamy informacji o Polsce, o kraju. Czasami odnoszę wrażenie, że redaktorzy telewizyjni jakby się wstydzili, jakby unikali tego, co się dzieje w kraju* (pisał uczestnik debaty, poseł na Sejm). Uczestnicząca w ankiecie dziennikarka pisała, że 5 kwietnia 1992 roku dla wydawcy dziennika o godz. 19.30 M. Subotica informacja o początkach uroczystości katyńskich była mniej ważna od informacji z zagranicy i tego, ile wynoszą łapówki w Moskwie. Informacja ta została podana w 16 minucie dziennika po wszystkich wiadomościach z zagranicy. Czy dlatego, że w uroczystości te zaangażował się Kościół? – zapytywała.

Wskazywano, że w różnych sprawach nagminnie przedstawia się punkt widzenia zagranicy zamiast polskiego. Na przykład w kwietniu 1992 roku „Panorama" martwiła się rzekomo protekcjonistycznymi utrudnieniami ze strony Polski wobec USA. Uczestnik ankiety, komentując wywody „Panoramy" na ten temat, zapytywał, czy nasze dzienniki są tłumaczeniami z CNN?

Stosunek telewizji do programów patriotycznych dobrze wyrażała „zsyłka w głęboką noc" dyskusji z udziałem naukowców i publicystów pt. *Polska, Polacy, patriotyzm*. Emitowano go w nocy z 4 na 5 stycznia od godziny 0.30 do 1.15. Najdziwniejsze było to, że prowadzenie tego typu programu oddano w ręce Andrzeja Jonasa, który – zamiast obiektywizmu – zademonstrował najskrajniejsze podejrzenia pod adresem patriotyzmu, mówiąc: *Z patriotyzmem mamy wiele kłopotów*. Mamy rzeczywiście wiele kłopotów tyle, że nie z patriotyzmem, lecz z jego podważaniem przez takich redaktorów (notabene Jonas był przez lata redaktorem naczelnym ważnego pisma obcojęzycznego „Warsaw Voice").

Oskarżanie telewizji o niechęć do narodowej historii

Nader wymowne były zarzuty pod adresem telewizji zamieszczone w liście pt. *Oskarżam TVP*, drukowanym w „Przeglądzie Tygodniowym" z 16 sierpnia 1995 roku. Autor listu, Feliks Budzisz z Gdańska, przeżył w Wołyniu jako 12-letni chłopiec rzezie ludności polskiej dokonywane przez ukraińskich nacjonalistów z OUN–UPA. Z tym większym oburzeniem zareagował na ciągłe traktowanie jako tabu tematu sprawy eksterminacji ludności polskiej na Wołyniu. Krytykując głuche milczenie polskich mediów na temat zbrodni OUN–UPA, Budzisz pisał między innymi: *Milczy przede wszystkim nasza telewizja, radio i większość prasy, zwłaszcza prasa centralna. Dochodzi tutaj do paradoksu wprost niewyobrażalnego, bo oto na naszych oczach, za nasze polskie pieniądze tv kreuje zbrodniarzy z OUN–UPA, winnych śmierci setek tysięcy Polaków, na bohaterów, a zbrodnie przez nich dokonane – na bohaterską walkę. Natomiast tych, którzy walczyli w obronie swoich rodzin – kobiet, dzieci, starców – nazywa ustami apologetów OUN–UPA – bandytami (!) Co się dzieje z naszą tv? W czyich ona jest rękach? Na te pytanie jest jedna odpowiedź: tv nasza dostała się w niepowołane ręce. Zawładnęli nią ludzie, którzy są niechętnie albo nawet wrogo ustosunkowani do części naszego narodu. Milcząc o ludobójstwie na Kresach przyczynia się do tego, że ukraińscy szowiniści, naziści, nierzadko byli zbrodniarze, coraz butniej oskarżają Polaków o ludobójstwo – przerzucają winę z kata na ofiarę. W ten sposób tv – może i nieświadomie – uczestniczy w realizacji zaciekle antypolskiego programu, zmierzającego do osłabienia i likwidacji państwa polskiego.* Szokujące dane o zastraszającym stopniu braku uwrażliwienia dzieci polskich na sprawy narodu i ojczyzny, braku troski o kształtowanie więzi uczuciowych najmłodszych pokoleń z ojczyzną warto zestawić z równie szokującymi danymi o skrajnych zaniedbaniach telewizji publicznej w tym względzie. Telewizji, przed którą polskie dzieci spędzają do 30 godzin tygodniowo, a więc tyle samo lub nawet więcej niż w szkole. Już wiosną 1995 roku ukazały się znamienne wyniki obserwacji programów dziecięcych w telewizji publicznej pod kątem ich oddziaływania na elementy poznawcze, emocjonalne i behawioralne, czyli dotyczące zewnętrznych zachowań w postawie dziecka. Według prowadzącej te badania profesor Marii Braun-Gałkowskiej z Katolickiego Uniwersytetu Lubelskiego, członkini Rady Programowej Telewizji Polskiej S.A., okazało się – w aż jednej trzeciej programów dziecięcych występowały wyłącznie elementy negatywne, w tym złośliwość i szyderstwo w 35 proc. programów, przemoc i znęcanie się w 28 proc.; 60 proc. programów nie zawierało żadnej zachęty do pozytywnej aktywności, a tylko 40 proc. zawierało tego typu zachętę. Równocześnie zaś o pewnych problemach nie mówiło się w tych programach niemal nic albo zupełnie nic. Na przykład o problemie odwagi cywilnej była mowa tylko w około 5 proc. programów, o wartościach religijnych w mniej niż 1 proc., o ojczyźnie – w 0 proc.! (wg Z. Bradel: *Ojczyzna – zero procent!*, „Ład", 25 czerwca 1995).

Programy patriotyczne w TVP – na zsyłce po północy

Ileż razy, bez efektu, alarmowali czytelnicy z powodu świadomego kierowania ciekawych programów patriotycznych na możliwie najpóźniejszy czas, tak, aby stały się niedostępne dla przeciętnego telewidza. Oto fragmenty z pary jakże typowych listów telewidzów, protestujących przeciwko polityce TVP w tej sprawie. Ewa Kędra z Kraśnika tak pisała w liście do „Tygodnika Solidarność" w lutym 1993 roku: *Co robi telewizja? Spycha najciekawsze audycje i filmy historyczne na późne godziny nocne. Najbardziej jaskrawym przykładem tej praktyki „chronienia" widzów przed czymkolwiek naprawdę wartościowym w porach największej oglądalności – jest emitowany w styczniu niemal o północy film Passendorfera, w którym sam Melchior Wańkowicz przekazuje dokładną relację o bitwie pod Monte Cassino. Przecież to powinna być bomba programu – reklamowana zapowiedziami, prawdziwa sensacja!*

Czy ktoś uwierzy, że to nie jest celowa polityka – z jednej strony prymitywne tłumienie prawdy historycznej, ciągle widać nieznośnej dla postkomunistycznych decydentów, z drugiej zaś pauperyzowanie i ogłupianie społeczeństwa (młodzieży!) idiotycznymi serialami amerykańskimi, czy żałosnym hazardem dla ubogich w rodzaju „Koła fortuny" – takie bowiem programy przeważają w tv po południu! Podobnie postąpiono z arcyciekawym filmem dokumentalnym „Powrót arystokratów", opowiadającym o internowaniu grupy przedstawicieli polskich historycznych rodów (Radziwiłłów, Branickich, Zamojskich i innych) po zakończeniu II wojny, na terenie ZSSR. Przykładów można mnożyć bez liku (por. E. Kędra: *Historia, telewizja i biuro redaktora „TS"*, „Tygodnik Solidarność", z 12 lutego 1993).

A oto uwagi z listu innego protestującego telewidza Bogdana Budźko z Kielc: *Ostatnio dowiedziałem się, że jeden z nielicznych, ważnych programów historycznych „Rewizja nadzwyczajna" będzie nadawany o godz. 13. Program, który powinien być oglądany przez wszystkich nie będzie udostępniony praktycznie nikomu! O tej porze większość jest jeszcze w pracy. Pozostają niemowlęta i staruszki. Brawo TV! Dzieje się to wszystko w sytuacji, kiedy kretyńskie ZOO, kabaret Olgi Lipińskiej czy „Tylko w jedynce" emitowane są w czasie najwyższej oglądalności (ZOO dwukrotnie!). Ciągle słyszę w telewizji, że społeczeństwo domaga się taniej rozrywki, mody itp., natomiast programy historyczne, polityczne i religijne ludzi nudzą i nużą. Uważam, że jest wprost przeciwnie – chyba, że opinie zbiera się pod budką z piwem* (por. B. Budźko, Kielce: *„Rewizja nadzwyczajna" – na drugie śniadanie?*, „Tygodnik Solidarność", 12 marca 1993).

Protesty przeciw dyskryminacji patriotyzmu w telewizji

Telewidzom bezsilnie obserwującym skrajne lekceważenie tematyki patriotycznej w polskiej (!) telewizji pozostało jedynie zamieszczanie od czasu do czasu w różnych dziennikach i tygodnikach listów protestujących przeciwko marginalizacji patriotyzmu, narodowej historii i tradycji w programach TVP. Typowy pod tym względem był list Bogusława Hałacińskiego do „Życia Warszawy" z 20 maja 1993 roku. Autor listu oskarżał telewizję o celowe umieszczanie ważnych programów w późnych godzinach wieczornych i nocnych, tak żeby ich oglądalność była znikoma. Tym, co stało się dla niego przysłowiową „kroplą przelewającą czarę goryczy", było nadanie przez telewizję bardzo ważnego programu o polskich losach w nocy z 13 na 14 kwietnia 1993 roku, o godzinie 23.10 do 0.25. Program zatytułowany „Nie zabijaj" dotyczył wyników prowadzonego śledztwa w sprawie jeńców polskich pomordowanych w ZSSR. Oburzony telewidz pisał: *TVP dyskryminuje programy prezentujące treści narodowe, poznawcze, ideowe czy patriotyczne. A jest to przecież telewizja polsko-państwowa (...) Pytam, kto z pracujących w normalnych godzinach mógł pozwolić sobie na obejrzenie tego programu?* Kolejne kierownictwa polskiej telewizji wyraźnie były jak najdalsze od tego odpowiedzialnego podejścia do roli telewizji publicznej, jakie zostało wypracowane w kręgach opiniotwórczych na Zachodzie. By przypomnieć choćby to, co zostało nakreślone w przyjętej przez grupę zachodnich nadawców publicznej telewizji, tzw. „Magna Carty publicznego radia i telewizji". Otóż pierwszy z głównych postulatów tej „Magna Carty" zaleca: *Odzwierciedlać i wzbogacać kulturalne, gospodarcze i polityczne dziedziny życia narodu, wykorzystując w największym możliwym stopniu rodzime zaplecze intelektualne i artystyczne oraz rodzimą produkcję programową* (cyt. za K. Jakubowicz: *Wizje telewizji. Publiczna, czyli jaka?* „Rzeczpospolita, 8 lutego 1992).

Tropiciel „polskiego antysemityzmu" – Sulik

Od paru lat sprawami polskiej telewizji zarządza postać od lat zahartowana w deformowaniu polskiej historii – Bolesław Sulik. Przebywając całe dziesięciolecia na emigracji w Wielkiej Brytanii Sulik zyskał sobie bardzo złą sławę wśród różnych tamtejszych środowisk patriotycznych. Oto, co faksował na jego temat 25 maja 1993 roku do przewodniczącego Krajowej Rady RTV Ryszarda Bendera, prezes Polskiego Porozumienia w Londynie A.C. Goltz: *Ze zdziwieniem przyjęliśmy wiadomość o objęciu przez pana Bolesława Sulika przewodnictwa zespołu do spraw oceny programów informacyjnych Telewizji Polskiej. Szokuje nas fakt, że człowiek, który dał się poznać w Wielkiej Brytanii jako twórca drastycznie antypolskich programów telewizyjnych, ma nadzorować pracę Polskiej Telewizji. Przypominamy, że emitowany w Wielkiej Brytanii seryjny program pana Bolesława Sulika „The Struggles for Poland" skwitowany został ponad 200 listami protestacyjnymi opubli-*

kowanymi przez „Dziennik Polski" i „Tydzień Polski". Przedstawił on tak zafałszowany obraz historii Polski, że odcięli się nawet występujący w nim świadkowie, oskarżając twórców programu o manipulację (...) Pewnym wytłumaczeniem postawy Bolesława Sulika może być jego deklaracja z 1964 r., że patriotyzm dla niego jest „przywiązaniem do krajobrazu" (cyt. za *Wojna o media. Kulisy Krajowej Rady RTV*. Z Ryszardem Benderem rozmawia Maciej Łętowski, Warszawa 1995, s. 21–22).

Sulik znany jest ze skrajnego wyspecjalizowania w tropieniu rzekomego polskiego „nacjonalizmu" i „antysemityzmu". W 1991 roku wsławił się wypowiedzią: *Jeśli zaś chodzi o antysemityzm polski, to niestety on istnieje (...) Jak ktoś mi mówi, że w Polsce nie ma antysemityzmu to myślę, że to jest antysemita* (por. *Polska nadwrażliwość*. Z Bolesławem Sulikiem, producentem i współreżyserem filmu „W Solidarności" rozmawia w Londynie Marek Ostrowski, „Polityka" 25 maja 1991). Jak widzimy, człowiek mający dziś potężny wpływ na najważniejszy środek masowego przekazu w Polsce wynalazł szczególny patent na „wykrywanie" antysemitów. Przy takiej „twórczej" definicji „antysemity", jaką wymyślił Sulik, podpadłoby sporo Żydów czy osób żydowskiego pochodzenia, którzy ani rusz nie mogli dostrzec domniemanego antysemityzmu. Chociażby taki Oswald Rufeisen z Izraela, Dora Kacnelson z Drohobycza, Krystyna Weintraub, etc.

Telewizyjny triumf tandety

Już za czasu prezesa Drawicza i jego podopiecznych rozpoczęła się tak fatalna w skutkach praktyka skrajnego lekceważenia interesów rodzimej produkcji telewizyjnej w TVP i maksymalny zalew programów różnego typu szmirowatą tandetą zachodnią, głównie amerykańską. Nie zmieniło się to i później mimo ostrzeżeń, nieraz ostrych, wypowiadanych pod adresem autorów tego modelu funkcjonowania TVP, zaniedbującego podstawowe interesy narodowej produkcji telewizyjnej. By przypomnieć choćby słowa reżysera Krzysztofa Zanussiego z wywiadu dla „Rzeczpospolitej" w styczniu 1991 roku. Tak mówił w nim o sytuacji w telewizji jako sztuki mającej szczególnie wielkie znaczenie i będącej zwierciadłem, w którym przegląda się każde społeczeństwo: *zwłaszcza programy fabularne telewizji kształtują uczuciowość i horyzonty myślowe milionów ludzi w każdym kraju. Dlatego potrzeba naro-*

dowej twórczości jest potrzebą podstawową, wyraża się w niej tożsamość każdego społeczeństwa. Nasza telewizja nie poczuwa się jednak dzisiaj i nie jest prawnie zobowiązana do wypełniania tej misji. Wiele telewizji zachodnich ma zapisanych w statucie, iż określony procent programów muszą przeznaczyć na twórczość narodową. My tymczasem kupujemy takie seriale amerykańskie czy brazylijskie przy ograniczaniu własnej produkcji. Zostajemy w ten sposób na najbliższe lata bez żadnego zwierciadła przemian, które społeczeństwo przeżywa (por. rozmowę J. Wołoszańskiej z K. Zanussim: *Między Polską a Europą*, „Rzeczpospolita", 12–13 stycznia 1991).

Podobnych ostrzeżeń padało w prasie polskiej niemało. Na przykład już we wrześniu 1990 roku zwracano uwagę w „Życiu Warszawy" na drastyczne zaniedbania w telewizji w sferze promowania rodzimej polskiej produkcji. Jak pisał Bogumił Drozdowski: *Nie zostały uruchomione mechanizmy obronne, takie jakie działają we wszystkich krajach Europy Zachodniej, gdzie np. przestrzega się wyznaczonych norm udziału własnego w programach TV. Produkcja własna filmów fabularnych, animowanych, seriali i teledysków jest oczywiście droższa od podobnego towaru z amerykańskiego importu, ale stanowi ona jedyną formę ochrony kultur narodowych. Chyba, że my swoją uznamy za zbędny balast i że odetniemy się od jej dorobku albo zweryfikujemy go tak szczegółowo i dokładnie, że zostaną szczątki. Perspektywy rozwoju toną we mgle* (B. Drozdowski: *Amerykanizacja*, „Życie Warszawy" z 13 września 1990). Nie uruchomili tych mechanizmów obronnych następcy Drawicza, łącznie z najdłużej panującym w telewizji Januszem Zaorskim. Ten ostatni za to doskonale potrafił uruchamiać mechanizmy obronne dochodów swej rodziny, szczególnie gorliwie dbając o odpowiednio duże „wykorzystanie" talentów swej żony i brata.

Szefowie polskiej telewizji jakoś nigdy nie zainteresowali się alarmującymi ostrzeżeniami na Zachodzie przed zalewem masowej zuniformizowanej kultury. A przecież nie brakowało ich w ciągu ostatnich kilkunastu lat. Głośne stało się na przykład wystąpienie francuskiego ministra kultury Jacka Langa na II Światowej Konferencji UNESCO w sprawie kultury w Meksyku. 27 lipca 1982 roku Lang powiedział bez ogródek: *Mam przed sobą statystykę dotyczącą aktualnych programów telewizyjnych naszych krajów. Wynika z niej, że większość z nich wypełniają owe standardowe, stereotypowe produkcje, niszczące kulturę narodową i zmierzające do uniformizacji sposobu życia, który chce się narzucić całej planecie Ziemi. W istocie chodzi tu o rodzaj ingeren-*

cji w wewnętrzne sprawy innych państw lub – ściślej mówiąc – o jeszcze bardziej znaczące ingerowanie, a mianowicie w świadomość obywateli tych krajów (...) Dlaczego akceptujemy uniformizację? Czy taki rzeczywiście musi być los ludzkości? Ten sam film, ta sama muzyka, to samo ubranie? Czy długo jeszcze pozostaniemy bierni? Czy jesteśmy skazani na rolę wasali gigantycznego imperium zysków? (cyt. za W. Michal: *Inwazja kulturalna,* „Forum" nr 931, s. 18).

Nie pomogły kolejne apele o obronę rodzimej produkcji w telewizji. Wręcz przeciwnie. W okresie od 1990 do 1994 roku liczba godzin, które poświęcono w telewizji na filmy amerykańskie wzrosła ze 134 na 552 godziny. Liczba godzin przyznanych na wyświetlanie amerykańskich seriali w programie I wzrosła z 52 w 1990 roku do 498 w 1994 roku. Ilość godzin na polskie seriale zmalała z 52 w 1990 roku do 34 w 1994 (wszystkie dane za tekstem P.P. Gacha: *O polskie wartości w polskiej telewizji*, „Niedziela", 21 lipca 1996). Zdominowanie telewizji przez importowaną z USA amerykańską tandetę przynosiło niewymierne szkody wychowawcze. Nieraz zwracano na przykład uwagę, że zalewające coraz silniej TVP w miejsce polskich filmów amerykańskie filmy animowane dla dzieci wyróżniają się niebywałym natężeniem scen przemocy, mordowania, bijatyk. Nawet w tak bezkrytycznie snobistycznej „Gazecie Wyborczej" odezwał się kiedyś w tej sprawie trzeźwiejszy głos. Piotr Bratkowski wystąpił przeciwko głupawemu i snobistycznemu propagowaniu w polskiej telewizji amerykańskiej obrzędowości. I konstatował: *Z moich obserwacji wynika, że dzieci, zwłaszcza małe, którym jeszcze nie zdążono wmówić, że najciekawsze jest to, co szybkie i hałaśliwe, chętniej oglądają bajeczki dające poczucie bezpieczeństwa, eksponujące dobro i przyjaźń (w rodzaju polskich – „Reksia", „Ćwirka" czy „Filemona", angielskich – „Strażaka Sama" czy „Listonosza Pata" lub międzynarodowych „Muminków") niż rysunkowe wersje kowbojsko-gangsterskich filmów akcji* (cyt. za „Gazetą Wyborczą" z 21 listopada 1994).

Sytuacja w telewizji nie ulega żadnej poprawie, mimo podnoszonych co pewien czas pełnych niepokoju głosów różnych środowisk społecznych. By zacytować choćby fragment oświadczenia dziennikarzy z Oddziału Lubelskiego Katolickiego Stowarzyszenia Dziennikarzy po dyskusji na temat amerykanizacji telewizji publicznej w dniu 16 maja 1996 roku. W liście dziennikarzy lubelskich do prezesa Telewizji Polskiej, Krajowej Rady Radiofonii i Telewizji, redakcji „Niedzieli" i „Słowa – Dziennika Katolickiego" stwierdzono: *członkowie Oddziału Lubelskiego Katolickiego Stowarzyszenia Dziennikarzy, po zapoznaniu się z analizą programów w telewizji publicznej w Polsce na przestrzeni ostatnich lat, stwierdzają pogłębianie się niepokojącego zjawiska amerykanizacji telewizji publicznej w naszym kraju. Nastąpił zwłaszcza olbrzymi wzrost ilościowy filmów i programów o wątpliwej wartości. Proces amerykanizacji godzi w kulturę polską, tożsamość narodową, degraduje moralność chrześcijańską. Powoduje też ujemne skutki w postaci brutalizacji życia społecznego, wzrostu agresji i ślepego naśladownictwa w wielu dziedzinach. Jednocześnie obserwujemy znaczący spadek produkcji i emisji programów i filmów polskich. Zwracamy się do Krajowej Rady Radiofonii i Telewizji, aby zapobiegła dalszej amerykanizacji i spowodowała wzrost ilości i jakości filmów i programów polskich w publicznej Telewizji i Radio* (cyt. za P. Gach: *O polskie wartości w polskiej telewizji*, „Niedziela”, 21 lipca 1996).

Rozdział XVII

Niszczenie wartości

Historia uczy, że wolność bez wartości łatwo się przemienia w jawny lub zakamuflowany totalitaryzm

Jan Paweł II

W ostatnich latach wciąż obserwujemy jak łatwo można zniekształcić najszlachetniejsze nawet idee wolności jednostki, doprowadzając je do zupełnego absurdu. Po czerwcu 1989 zamiast tak oczekiwanej wolności, opartej na zrozumieniu swych praw i obowiązków, zyskaliśmy niczym nieograniczony, wszechogarniający „luz" i permisywizm moralny na modłę „róbta co chceta". Z Zachodu, dzięki wszechwładnym lewicowo-liberalnym mediom, konsekwentnie upowszechnia się to, co jest w nim najgorsze – liberalizm wobec najbardziej nawet skrajnych antywartości. I robi się to akurat wtedy, kiedy wiele wybitnych postaci i środowisk na Zachodzie już się ocknęło na widok zagrożeń, jakie powoduje inwazja antywartości dla nowoczesnego społeczeństwa. By przytoczyć choćby opinię słynnego francuskiego intelektualisty Georgesa Duby: *naszą przyszłość widzę raczej w ciemnych barwach. Jedną ze słabości społeczeństw zachodnich – francuskiego, europejskiego czy paraeuropejskiego, jak społeczeństwo amerykańskie – jest załamanie się systemu wychowania, przekazywania wartości. Można to wytłumaczyć ogólną ewolucją społeczeństwa. Ale jest to zło, na które należy zwrócić baczną uwagę* (cyt. za M. Zięba, OP.: *Nie mogę skończyć z drobnomieszczaństwem*, „Tygodnik Powszechny", 2 maja 1993).

Warto przypomnieć również stosunkowo wczesną, bo ze stycznia 1991 roku, wypowiedź reżysera Krzysztofa Zanussiego, ostrzegającą przed groźbą zatracenia różnych ważnych wartości poprzez bezkrytyczne zachłyśnięcie się antywartościami, prącymi ku nas z Zachodu. Jak mówił Zanussi: *Istnieją u nas obszary duchowości, która jest żywsza, prawdziwsza niż gdzie indziej, bo trzymała nas przy życiu wtedy, gdy byliśmy politycznie i ekonomicznie pognębieni. Byliśmy poddani cięższej próbie. Na Zachodzie liczne wartości zagubiły się w dostatnim życiu. Może potrafimy je przypomnieć i ożywić. Mówię jednak bardziej z wyrazem nadziei niż z przekonaniem, bo nasz materializm i nasze pragnienie posiadania są dzisiaj tak gwałtowne, tak prostackie, że może się łatwo okazać, iż podobnie jak Zachód gotowi jesteśmy zatracić to wszystko, co dotąd trzymało nas przy życiu* (por. rozmowa J. Wołoszańskiej z K. Zanussim: *Między Polską a Europą*, „Rzeczpospolita", 12–13 stycznia 1991).

Co najgorsze, u nas dochodzi do skrajnego importu antywartości z Zachodu w czasie, gdy starannie przemilcza się różne środki podejmowane właśnie na Zachodzie do walki z nimi, wszelkiego typu działania restrykcyjne.

Rzecznicy „otwarcia" wobec narkomanii

Bardzo znamienna jest postawa lewicowych i liberalnych polityków i mediów polskich wobec narkomanii. Uderza ona niebywałym wprost liberalizmem akurat wtedy, gdy w licznych krajach Zachodu zwyciężyły tendencje zaostrzenia walki z narkomanią. Niemcy, Francja, Hiszpania, Portugalii i Belgia nasilają naciski na Holandię, jedyny w Europie Zachodniej kraj z liberalnym ustawodawstwem w sprawach narkotyków, by zaostrzył działania w tej kwestii. We francuskim dokumencie (raporcie senatora Massolina) stwierdzono wprost, że liberalizm holenderskiego prawa wobec narkomanii sprzyja utrzymywaniu się struktur mafijnych, a Europy nie stać na luksus „narkopaństwa holenderskiego" (cyt. za M. Alterman, M. Rapacki: *Trawka niezgody*, „Gazeta Wyborcza" z 27 marca 1996).

Tymczasem w Polsce bardzo wpływowe środowiska polityczne i prasowe konsekwentnie opowiadały się za maksymalnym liberalizmem w sprawach narkotyków, sugerując wręcz, jakoby tzw. miękkie narkotyki były całkowicie niegroźne. Prym pod tym względem wiódł seksuolog, prof. Mikołaj Kozakiewicz, były marszałek Sejmu kontraktowego. W wypowiedzi odnotowanej na łamach „Gazety Wyborczej" z 16 listopada 1993, Kozakiewicz – wbrew faktom i medycynie – stwierdził, że *marihuana nie powoduje uzależnienia, jest mniej szkodliwa od palenia* i zapytał: *dlaczego więc ma być karana więzieniem?* W wywiadzie udzielonym w „Gazecie Wyborczej 14 grudnia 1993 Kozakiewicz obsesyjnie powrócił do swych koncepcji legalizacji narkotyków, twierdząc: *Uważam, że marihuana – w uznanych za legalne dawkach – powinna znaleźć się w całkowicie legalnym obiegu, w klubach, kawiarniach (...) Po marihuanie ludzie czują się odprężeni, odświeżeni, mają wyostrzoną wyobraźnię, itd.*

Na całym świecie niemal, posiadanie narkotyków jest karalne. W Polsce nie było i dlatego liczba narkomanów wciąż wzrastała w ostatnich latach. Nawet ultraliberalne „Wprost" przyznawało (w numerze z 11 czerwca 1995): *Polska stała się dla narkogangów jednym z najważniejszych krajów w Europie (...) przez Polskę trafia na rynki zachodnioeuropejskie jedna trzecia dostępnych tam narkotyków* (por. A. Witoszek: *Ofiary karteli*, „Wprost" z 11 czerwca 1995).

Polska stała się dla handlarzy narkotyków pralnią pieniędzy i najlepszym punktem przerzutowym w tranzycie do Europy Zachodniej. Już w 1995 oceniano na 300 tysięcy liczbę narkomanów w Polsce. Jeśli do tego doda się pokrzywdzone rodziny narkomanów, to liczba osób dotkniętych skutkami choroby była oceniana na około miliona osób (por. tamże). Z danych wynikało, że co czwarty nastolatek w Polsce przyznaje się do używania narkotyków (w 1995 roku). Na tym tle znamienna była ewolucja poglądów założyciela MONAR-u Marka Kotańskiego. Niegdyś stanowczo oponował on przeciw możliwości zamykania narkomanów w więzieniach. W latach dziewięćdziesiątych, widząc, co się dzieje w rezultacie skrajnego liberalizmu, uznał, że należałoby wsadzać do więzienia lub kierować na resocjalizację za samo posiadanie narkotyków, bez względu na ich ilość i rodzaj (wg H. Szumińskiej: *Szkoła uzależnienia*, „Wprost" z 6 marca 1994). Podobne stanowisko zostało wyrażone w skierowanych do Sejmu w 1994 roku projektach ustawy antynarkotykowej opracowanych przez Ministerstwo Zdrowia i grupę posłów (tzw. projekt społeczny). Głoszono tam, że należy karać już za posiadanie niewielkiej ilości narkotyków na własny użytek. A jednak przyjęcie skutecznej ustawy antynarkotykowej wciąż się opóźniało. Potwierdzało to jakby słuszność stwierdzeń zawartych we wcześniejszym (z grudnia 1993 roku) wywiadzie dyrektora celnego Interpolu, Macieja Lubika: *Narkotyki, jak już powiedziałem, to wielkie pieniądze i wielkie wpływy. Dlatego zamiast nowej ustawy mamy np. kampanię prasową o słuszności dopuszczenia marihuany do legalnej sprzedaży. W całym świecie handel narkotykami przeplata się ze światem polityki. Czy musimy być wyjątkiem? Ale więcej ode mnie pan nie usłyszy na ten temat* (por. *Tajemnice kontrabandy*. Z wywiadu C. Curyło z M. Lubikiem, „Express Wieczorny", 10 grudnia 1993).

Przeciwnicy zaostrzenia ustawodawstwa w sprawie narkotyków mają bardzo wpływowych protektorów za granicą. Należy do nich między innymi osławiony George Soros. W czerwcu 1996 na zorganizowane pod patronatem wicemarszałek Senatu Zofii Kuratowskiej seminarium „Karać czy nie karać" przyjechał jeden z najbardziej fanatycznych zagranicznych przeciwników karania za posiadanie narkotyków, Ethan A. Nadelman z Nowego Jorku. „Gazeta Wyborcza" z 21 czerwca 1996 roku odpowiednio nagłośniła wywiad z Nadelmanem, skrajnie minimalizującym zagrożenia narkomanią, w myśl zasady, że *Narkotyki towarzyszą ludziom od wieków i nie będzie społeczeństwa wolnego od nich*. A więc spoko, spoko, po co ten alarm, nie niepokójmy się i przyzwyczajmy żyć z narkotykami na co dzień. Bo według Nadelmana marihuana jest mniej groźna niż papierosy czy alkohol. W 1997 roku, na krótko przed przyjęciem ustawy o przeciwdziałaniu narkomanii, grupa 42 osób wystąpiła z listem otwartym do posłanek i posłów na Sejm RP z postulatami maksymalnej liberalizacji projektowanej ustawy. Domagali się przede wszystkim, aby nie ustalano ściśle rodzaju i ilości narkotyków w ramach określenia „niewielkie ilości na własny użytek". Wśród sygnatariuszy listu znaleźli się między innymi Zofia Kuratowska, Zbigniew Bujak, Barbara Labuda, Jan Lityński, Tadeusz Zieliński, Marek Balicki i Krzysztof Dołowy.

Sejm zaakceptował w ostatniej chwili, i to w trakcie obecności w Polsce Jana Pawła II w 1997 roku, poprawkę liberalizującą ustawę. W rezultacie obecna ustawa faktycznie jest doskonałym podarkiem dla handlarzy narkotykami. Jak policja, działając na jej podstawie, będzie mogła dowieść, że przechwycona przez nią ilość narkotyków jest większa niż należy dla skorzystania „na własny użytek"?!

Protektorzy mniejszości seksualnych

Wicemarszałek Senatu, pani Zofia Kuratowska, uznała za jedną z najpilniejszych spraw Polski dzisiaj wprowadzenie do konstytucji zapisu o gwarancjach dla homoseksualistów. Inni, gorliwsi, postulowali generalnie zagwarantowanie w akcie konstytucyjnym praw dla mniejszości seksualnych, bez konkretnego różnicowania, o jakie prawa dla jakich mniejszości seksualnych chodzi. Szkoda, że nie wyjaśnili konkretnie, co za prawa chcieliby przyznać np. ekshibicjonistom, zoofilom, pedofilom, nekrofilom czy sadystom. Radykalni obrońcy praw mniejszości już teraz upominają się o odpowiednie zagwarantowanie ich praw, na przykład przy wyjazdach delegacji za granicę. Ciekawe, jak sobie wyobrażają tę reprezentację; dwóch homoseksualistów, jeden zoofil, trzech ekshibicjonistów, nekrofil, etc. Rafał A. Ziemkiewicz powiedział w czasie gorącej dyskusji w telewizji na temat mniejszości seksualnych (*Pytania o Polskę* w programie II, 25 czerwca 1994): *Jedna mniejszość pociąga za sobą drugą mniejszość. Pedał sadystę. (...) 10 lat temu pederaści byli traktowani jako zboczenie, a teraz już nie. Za 8 lat uzna się, że sodomici to nie jest patologia. Teraz jest zapis, że oddając krew podaje się, że się nie jest pedałem. Jak będzie zapis o mniejszościach, to zażądają, by skreślić te ograniczenia.*

Warto przypomnieć, że opiekunem homoseksualistów w walce o ich legalną organizację był w dobie jaruzelszczyzny prof. Mikołaj Kozakiewicz, od 1985 roku poseł na Sejm. Na prośbę homoseksualistów zgodził się być ich skrzynką pocztową, na którą przysyłano z RFN prezerwatywy i pisma gejowskie (wg tekstu P. Bączka: *Geje pod specjalną opieką*, „Gazeta Polska", 7 czerwca 1995). Kozakiewicz interweniował z poparciem dla homoseksualistów między innymi u gen. Czesława Kiszczaka i u Józefa Czyrka. Homoseksualiści znaleźli oparcie w PRON-ie, założyli sekcję Klubu Młodego PRON-owca. Pomagało im również oficjalne Zrzeszenie Studentów Polskich. W 1995 roku, na wniosek mało znanego posła SLD Marka Rojszyka, zgłoszono w Sejmie projekt zapisu chroniącego homoseksualistów. Nie udało się go jednak przeforsować, gdyż przeciwnicy takiego zapisu dość skutecznie go ośmieszyli, zadając pytanie: „Czy stosunki ze zwierzętami, zwłokami też będą chronione?" (por. P. Zaremba: *Czy gejów wyróżnić*, „Życie Warszawy", 12 kwietnia 1995). Tymczasem trwa reklamowanie homoseksualizmu i miłości lesbijskiej na łamach różnych gazet i czasopism. Szczególnie „wyróżnia się" pod tym względem „Gazeta Wyborcza" (por. np. teksty: *Gej znaczy wesoły*, „Magazyn Gazety Wyborczej" z 11 czerwca 1993, *Zapraszam do życia kobiety*, „Magazyn Gazety Wyborczej" z 27 maja 1994). Można tam przeczytać przeróżne androny na temat szczególnych walorów homoseksualistów – *vide* opinię: *Czy pani nie zastanawia, że najwybitniejsi ludzie na świecie to homoseksualiści? Albo biseksualiści?*

A tymczasem coraz większe rozmiary przybiera prostytucja homoseksualna, zwłaszcza prostytucja młodych. Sprzyja jej ubożenie społeczeństwa i skrajna liberalizacja norm obyczajowych. Według nadkomisarza Andrzeja Kapki, od 20 lat pracującego w Komendzie Policji w Krakowie: *Gejem bardzo rzadko zostaje się z powodów genetycznych. Większość wywodzi się z tych, którzy zostali w młodym wieku uwiedzeni.* Wśród prostytutek homoseksualnych jest grupa nosicieli, zarażających innych AIDS. Osoby zarażone zarażą teraz z kolei innych.

W niektórych mediach jakby robi się wszystko dla podważenia naturalnego stylu miłości między mężczyzną a kobietą. Jak wytłumaczyć, na przykład, zamieszczoną 17 lipca 1993 w „Gazecie Wyborczej, wielką dwukolumnową publikację Mariusza Szczygła *Onanizm polski.* Mamy tam dwunastopunktową wyliczankę „zalet" onanizmu – np. punkt 11: *inni są zadowoleni z tego, że sprawiam sobie przyjemność.* Sobie, a nie innym, onanizm, a nie miłość – dość szczególny program „modernistów" z końca XX wieku.

Inna sprawa, że ta entuzjastyczna reklama onanizmu na łamach „Gazety Wyborczej" wywołała wiele listów pełnych niesmaku i oburzenia. W długim liście do „Gazety", pani Trela stwierdziła, że przestała ją kupować oznajmiając, iż *w Waszej gazecie jest tyle fałszu, cynizmu, zakłamania. Chcemy oddychać i zachwycać się pięknem, czystością, wdziękiem i dobrocią, a to są wartości nieprzemijające* (cyt. za „Gazetą Wyborczą" z 10 sierpnia 1993).

Ataki na rodzinę

Ojciec Święty niejednokrotnie mówił o rozmiarach dzisiejszej „cywilizacji śmierci", zagrożeniach, jakie niesie ona dla życia godności człowieka. Jest ona zjawiskiem międzynarodowym i ciągle za mało znamy perfidne metody stosowane w innych krajach przez wrogów życia poczętego w imię stosowania aborcji za wszelką cenę. Niezwykle istotna pod tym względem była bolesna, samokrytyczna spowiedź dyrektora nowojorskiej największej w świecie kliniki, wykonującej zabiegi przerywania ciąży, dra Bernarda Natansona, szeroko przedstawiana w Radiu Maryja czy też na łamach prasy, na przykład „Niedzieli", „Gazety Polskiej" i „Drogi". Natanson pokazywał, do jakiego stopnia zwolennicy aborcji świadomie fałszowali statystyki w imię doprowadzenia do triumfu swych poglądów. Głosili, że w wyniku nielegalnych poronień umiera rocznie 10 000 kobiet (umierało ich od 200 do 250 rocznie), etc. Fałszując dane szczególnie starano się o stworzenie wrażenia, że przeciw dopuszczalności aborcji są rzekomo tylko katolicy i starano się odpowiednio podzielić katolików. Celem było wytworzenie przekonania, że katolicy opowiadający się za przerwaniem ciąży, to liberalni, światli i postępowi katolicy. Dyrektor Natanson był dyrektorem największej kliniki aborcyjnej świata, w której pod jego dyrekcją w ciągu 10 lat przeprowadzono 60 000 zabiegów przerywania ciąży. W 1973 doszło nagle do przełomu w jego życiu i radykalnej zmiany stosunku do aborcji. Skłonił go do tego wstrząs, jaki przeżył w 1973 roku po otrzymaniu wspaniałej nowoczesnej aparatury badawczej do badania płodu. Przekonał się wówczas, że to, co się mieści w macicy, jest pełnowartościową istotą ludzką. I odtąd rozpoczął naprawianie skutków krzywd, jakie wyrządził tak wielu uśmierconym w jego klinice małym istotom ludzkim, starając się wszędzie wyjaśnić (między innymi w czasie pobytu w Polsce), jak wielka jest szkodliwość aborcji.

Przy okazji przypomnijmy, że po raz pierwszy w dziejach narodu polskiego wprowadzono pełną niekaralność zabijania polskich poczętych dzieci w 1943 roku. Uczynił to hitlerowski okupant w słynnym Verordnung (tj. rozporządzeniu) z dnia 9 marca 1943. W tym samym rozporządzeniu, w którym hitlerowcy zezwolili na bezkarne zabijanie polskich dzieci, zwiększono karę za zabicie niemieckiego poczętego dziecka do kary śmierci włącznie (por. J. Musiał: *Hitler, Stalin poczęte dziecko i sprawa polska*, „Droga", 29 września 1995).

W Polsce po 1989 roku postkomuniści chwycili się akcji proaborcyjnej jako najważniejszej szansy zapobieżenia pełnemu zniknięciu z życia publicznego. Nieprzypadkowo towarzyszka Sierakowska stanęła na czele proaborcyjnej manifestacji w 1989 roku pod hasłem „Wiosna wasza, d... nasza".

Aborcja i popierane przez „czerwono-różowe" media działania na rzecz rozkładu rodziny są tym groźniejsze w sytuacji pogłębiających się problemów demograficznych Polski. Od połowy lat osiemdziesiątych wyraźnie maleje tempo wzrostu ludności w Polsce, a od 1989 roku reprodukcja ludności Polski kształtuje się poniżej prostej zastępowalności pokoleń. W 1994 roku liczba nowo narodzonych dzieci osiągnęła najniższy poziom po drugiej wojnie światowej. Wszystko to wskazuje, jak szkodliwe są wciąż podejmowane, skoordynowane ataki na tradycyjny model rodziny, antyrodzinna polityka podatkowa, zmasowane kampanie proaborcyjne, popieranie homoseksualizmu. Niebezpieczeństwa związane z akcją zwolenników przerywania ciąży są katolickim czytelnikom znane z odrębnych publikacji. Wiele pisano ostatnio również o zagrożeniach materialnych rodziny. Chciałbym więc tym razem bardziej skupić się na innej stronie zagrożeń rodziny – działaniach dla świadomego podważenia jej stabilności.

Ciągle za mało znane są, wprost niewiarygodne w swym egoizmie i cynizmie, godzącym w interesy ogółu kobiet, pomysły maksymalnego ułatwienia prawa rozwodowego, lansowane przez Parlamentarną Grupę Kobiet. Z inicjatywy tej Grupy, kierowanej przez Panią Labudę, wyszedł skrajnie liberalny projekt prawa rozwodowego, godzący w elementarne interesy przeważającej większości kobiet i matek. Projekt odpowiadał na pewno tylko paniom i panom hołdującym bez ograniczeń jednej jedynej zasadzie: „Używaj świata, kiedy służą lata". Im tylko odpowiada bowiem postulat dopuszczenia rozwodu po prostu na każde życzenie i wysuwana w projekcie Parlamentarne Grupy Kobiet zasada, że sąd nie będzie w ogóle badał, kto ponosi winę za spowodowanie rozkładu pożycia małżeńskiego.

Mecenas Wojciech Gronkiewicz, adwokat z trzydziestoletnią praktyką, który prowadził kilkaset spraw rozwodowych, uznał, że zgodnie z pomysłem Parlamentarnej Grupy Kobiet *bezrobotny lub rencista w kwiecie wieku (a takich mamy wielu) – nawet jeśli przed rozwodem znęcał się nad swoją żoną, nie dawał środków na utrzymanie rodziny, nie interesował się dziećmi, czy wręcz je deprawował – będzie mógł po rozwodzie domagać się od byłej żony alimentów, jeśli tylko jej sytuacja zarobkowa jest dobra (...) Podobnie żona zdradzająca męża, nie dbająca o dzieci, porzucająca rodzinę – jeśli znajdzie się w niedostatku, będzie mogła domagać się od niewinnego męża alimentów.*

Urban przeciw „kretynizmowi życia rodzinnego"

Antynarodowe i antyreligijne „Nie" Urbana jest również pismem konsekwentnie uderzającym w podstawowe zasady norm moralnych. Urban kilka lat temu próbował wystartować ze specjalną odmianą „Nie" dla małolatów, która służyłaby do obalania u nich autorytetu rodziców, szkoły, etc. Tego typu plany Urbana okazały się zbyt skrajne nawet dla bardzo tolerancyjnego wobec postkomuny kierownictwa „Ruchu". Odmówiło ono partycypowaniu tego typu demoralizującego młodych pisma i Urban musiał zrezygnować przynajmniej z tego jednego zamysłu. Dodajmy, że Urban nie kryje się ze swą programową niechęcią do rodziny. W wywiadzie dla „Sztandaru Młodych" z 25 lipca 1994, Urban wyznawał: *Kiedy miałem 15 lat, Polska Ludowa wyzwoliła mnie z kretynizmu życia rodzinnego. Rodzina jest zaś zamkniętym zespołem osób niewolno dobranych, kultywujących grupową prywatę. Życie w wymiarze rodzinnym zajmuje myśli idotyzmami codzienności. Do nich też sprowadza dążenia. Dzięki ideologii socjalizmu mogłem żyć w ciekawszym niż rodzinnym, bo społecznym wymiarze.*

Liberalizm wobec sprzedaży alkoholu i papierosów

Według „Tygodnika Solidarność" z 17 czerwca 1995 pięć milionów Polaków nadużywa trunków, milion jest uzależniony od alkoholu (leczy się tylko 15 proc. z nich). Od 1989 roku spożycie napojów alkoholowych wzrosło o połowę. Rozpijaniu społeczeństwa sprzyja fakt oficjalnie stwierdzony przez ministra zdrowia, że dziś za średnią pensję można kupić ponad trzy razy więcej wódki niż dziesięć lat temu. Coraz częściej biorą się za alkohol nastolatki. Jedna trzecia spośród dwumilionowej grupy nastolatków w Polsce pije alkohol częściej niż raz w tygodniu, 15 proc. popija alkohol kilkakrotnie w ciągu tygodnia. W 1993 roku grono krakowskich radnych o proweniencji liberalnej „błysnęło" postulatem, by alkohol traktowano jak każdy inny towar rynkowy, i nie stawiano już dłużej żadnych ograniczeń w otwieraniu jak największej liczby nowych punktów alkoholowych. Liberałom nie przeszkadza, że już dziś Polacy zajmują pierwsze miejsce w świecie w piciu mocnych trunków. Z 1,5 litra spirytusu na głowę rocznie w 1938 roku skoczyliśmy do 11 litrów (!) w 1993 roku (Hitler i Frank marzyli, że doprowadzą do stanu 4,5 litra spirytusu rocznie na statystycznego Polaka).

Brak troski o społeczeństwo, o kształtowanie sensownych upodobań i równoczesnego zwalczania zachowań samoniszczących szczególnie tragicznie odbija się w rozwoju nałogu palenia papierosów. Polska odznacza się jedną z najwyższych w świecie konsumpcji tytoniu i jesteśmy bardzo zachęcającym rynkiem zbytu dla różnych zachodnich potentatów tytoniowych. Rocznie umiera w Polsce ponad 50 tysięcy osób w wieku 35–39 lat z powodu chorób wywołanych paleniem tytoniu. Jest to liczba największa w Europie. Podczas gdy na Zachodzie palenie papierosów należy coraz bardziej do złego tonu, czegoś wstydliwego, z czym należy się ukrywać, należy się ukrywać, u nas telewizja ciągle pokazuje zadowolonych z siebie polityków czy dziennikarzy, wypalających kolejną porcję nikotynowej trucizny na oczach milionów telewidzów. Co sprytniejsi sięgają po hasła wolności i liberalizmu dla obrony niszczących nałogów. Kiedy w Senacie próbowano przeforsować zakaz reklamy tytoniu, z najgwałtowniejszym sprzeciwem wystąpiła senator z UD Anna Bogucka-Skowrońska, widząc w tym przejaw totalitaryzmu. Wtórował jej Marek A. Nowicki, p.o. prezydenta Międzynarodowej Helsińskiej Federacji Praw Człowieka, ekspert KBWE i Rady Europy, głosząc, że reklama papierosów jakoby nie wpływa na wzrost konsumpcji, a ograniczenie reklamy jest ograniczeniem wolności człowieka. Zdaniem Nowickiego: *Całkowity zakaz reklamy wyrobów tytoniowych wprowadzony ustawą o zapobieganiu i zwalczaniu nieuczciwej konkurencji stanowi niedopuszczalną, według mojej opinii, ingerencję w swobodę wypowiedzi* („Życie Warszawy", 6 marca 1993).

Szczególne pomoce szkolne

W kwietniu 1997 roku „Życie" ujawniło szokujące dane o dwóch książkach zalecanych dla szkół. Pierwsza, autorstwa Lyndy Madaras *Co się dzieje z moim ciałem*, rekomendowana przez MEN jako pomoc naukowa od piątej klasy szkoły podstawowej (!), zawierała szczegółowe opisy pozycji przy stosunku, propagowała skrajny liberalizm moralny i tolerancję wobec używania najwulgarniejszych określeń. Autorka wychwalała masturbację jako „wspaniałe przeżycie", za to dawała dla chłopców uwagę, że „poród jest najobrzydliwszą rzeczą, jaką widzieli". W Stanach Zjednoczonych podręcznik Madaras bardzo szybko po wejściu na rynek stracił rekomendację tamtejszego resortu oświaty i został wycofany ze sprzedaży. U nas zyskał entuzjastyczną ocenę polecającego go jako recenzenta Mikołaja Kozakiewicza. Druga książka, *Młodość, miłość, seks* Elizabeth Fenwick i Ryszarda Walkera promowana przez Kuratoria Oświaty, przeznaczona dla uczniów od 11 do 18 roku życia, zawierała „jednoczesne zachęcanie dzieci do zażywana narkotyków" podawała telefony oraz adresy punktów kontaktowych homoseksualistów (por. *Książki dla V klasy*, „Życie" z 15 kwietnia 1997).

Bezkarnie sprzedaje się kasety z najbardziej obrzydliwymi tekstami antyreligijnymi, jątrzące, pobudzające do aktów nienawiści. Typu gangsta-rapowego zespołu z Poznania, który popisał się słowami *Spalimy ci chałupę, roz...*

twoją żonę, zabijemy ci dziecko i zgwałcimy siorę. W Legionowie wyprodukowano na licencji „Displaced Records" kasety holenderskiej grupy „Altar" pod nazwą *Youth against Christ* (Młodzież przeciw Chrystusowi). Jeden z tekstów na kasecie wzywał: *Spal kościelną radę/pal ich ciała w agonii/Usłysz ich dusze krzyczące z bólu (...) połóż ich głowy na stos ściągnij skórę z ich ciał/nakarm ich nasieniem nienawiści/niech usłyszą twe bluźnierstwa* (cyt. za K. Brodacki: *Gwałtowne przebudzenie*, „Tygodnik Solidarność" nr 42 z 1996 roku). Szczególnie obrzydliwa była okładka kasety, popularyzująca holenderskich satanistów – widać było na niej otwarty mózg w cierniowej koronie, z wbitymi czterema gwoździami. Opisujący różne obsceniczne kasety, zachęcające do aktów gwałtu i przemocy, dziennikarz „Tygodnika Solidarność" przypominał: *Przecież kasety czy wideo, takie jak „Młodzież przeciw Chrystusowi", przekraczają konstytucyjne granice wolności! Bezkarnie obraża się uczucia ludzi wierzących, nawołuje się do wojny z religią, bezcześci najświętsze symbole chrześcijan. I próbuje obalić podstawy, na jakiej – wciąż jeszcze – opiera się nasz byt, nasza cywilizacja* (tamże).

Wiosną 1994 roku zaszokował mnie na jednej z centralnych warszawskich ulic plakat reklamujący film *Romper Stompers* słowami: *Świat Przemocy. Takiego filmu jeszcze nie było. Rasistowski. Wściekły. Brutalny. Drastyczny. Odpychający. Przerażający. Drański*, etc. A moim zdaniem chore jest społeczeństwo, które toleruje takie plakaty i takie filmy. Jeśli dystrybutorzy filmu sami otwarcie reklamują go jako rasistowski, to myślę, że w świetle obowiązujących w Polsce praw powinni pójść za kratki jako propagatorzy rasizmu. Tam też powinni pójść ci, którzy ten film do Polski sprowadzili. Inaczej nasza wolność zmieni się w ponurą pseudoswobodę, jaką dopuszcza się w tych, nielicznych na szczęście, krajach zachodnich, gdzie można swobodnie kupować gry komputerowe z „zabawą w gazowanie Żydów" w krematoriach.

Czy wolność bez granic?

Parę lat temu można było znaleźć w sprzedaży w Polsce tłumaczenie książki Dereka Humphreya *Ostateczne wyjście*, będącej poradnikiem dla samobójców. Humphrey z werwą wyjaśniał, jak można różnymi metodami popełnić samobójstwo (samodzielnie lub z cudzą pomocą). Sam Humphrey chwalił się w swej książce, że osobiście „pomógł" w samobójstwie swej chorej żonie

(nie jest do końca pewne, czy rzeczywiście chciała takiego przyspieszenia końca swego życia). Książka stanowiła swego rodzaju zachętę do samobójstw dla ludzi niezdecydowanych, a znajdujących się w depresji. Autor jej przekonywał bowiem gorąco, że dzięki jego książce mogą skorzystać z całkowicie bezbolesnych metod zadania sobie śmierci. Tyle, że jak ocenił ekspert medycyny, niektóre z opisanych przez Humphreya rzekomo „bezbolesnych" metod miały wręcz odmienne skutki. Na przykład, zalecany przez niego środek porażający ośrodek oddechowy wcale nie powoduje śpiączki, lecz niezwykle bolesną śmierć na skutek uduszenia.

Znamienny był komentarz antyreligijnego tygodnika „Wprost" po ukazaniu się książki Humphreya (nr z 28 lutego 1993). Autor przyznawał, że popularyzowanie różnych technik samobójstw budzi co najmniej mieszane uczucia, ale zaraz potem dodawał koronny argument na usprawiedliwienie tego typu edycji: *Ukazanie się „Ostatecznego wyjścia" może przyczynić się do przełamania pewnego społecznego tabu, określonego względami religijnymi.* Jak zwykle więc, dla „Wprost" wszystko, co przełamuje zakazy religijne natychmiast znajduje usprawiedliwienie, choćby nawet godziło w życie ludzkie.

Czy rzeczywiście prawdziwa wolność powinna polegać na sprzedawaniu w księgarniach książki zachęcającej do samobójstwa? Czy rzeczywiście nie powinno być żadnych ograniczeń w sprzedaży jakichkolwiek książek, nawet najbardziej szkodliwych społecznie – jak głoszą niektórzy lewicowi liberałowie. Bo jak wolność, to na całego, bez żadnych ograniczeń! No to rozwińmy ich zasadę wolności praktycznie do końca, i zapytajmy, czy rzeczywiście powinno się sprzedawać bez ograniczeń w księgarniach książki typu *Morderstwo doskonałe. Poradnik jak dokonać zabójstwa bezszmerowo, nie do wykrycia*, czy książkę *Jak otruć żonę szybko, łatwo i przyjemnie!* I różne inne tytuły w stylu *Poradnik młodego narkomana* czy *Poradnik włamywacza*, od razu z kompletem narzędzi do włamania, aby amator włamania nie musiał trudzić się niepotrzebnym chodzeniem do dalszych sklepów.

Ksiądz Waldemar Kulbat przytoczył 23 stycznia 1993 niezwykle wymowne dane z badań empirycznych, przeprowadzonych przez Międzynarodowe Studium Wartości w Europie Zachodniej i w USA w latach osiemdziesiątych. Wynikało z nich przede wszystkim to, że stan religijności ma, i to wcale niebagatelny, wpływ na zachowanie etyczne. Około 90 proc. katolików i protestantów ocenia przykazanie „nie zabijaj" jako nakaz konieczny, podczas gdy wśród osób bezwyznaniowych tylko 76 proc. Przykazanie „nie kradnij" uznają wszyscy bliscy Kościołowi katolickiemu i protestanci, natomiast bezwyznaniowi tylko w 64 procentach. Opowiedziałbym tu dość znamienną historię z 1965 roku, jaka zaszokowała mnie wtedy niesamowicie. Jeden z bardzo dziś wpływowych przedstawicieli dawnej opozycji laickiej, wtedy uczestnik opozycji studenckiej, wszedł wraz ze mną do księgarni Bolesława Prusa naprzeciw Uniwersytetu Warszawskiego. W pewnym momencie poprosił mnie, bym go zasłonił, bo chciał buchnąć jakąś piękną i drogą książkę z socjologii. Stanowczo odmówiłem, ale długo nie mogłem przyjść do siebie, zaszokowany tego typu propozycją. Później zrozumiałem: biedak wychował się w starej komunistycznej, bezwyznaniowej rodzinie, w której zabrakło prostej nauki Dekalogu.

Elity w służbie antywartości

Czym wytłumaczyć takie postępy niszczycielskich działań antywartości w ostatnich latach w Polsce? Myślę, że szczególnie fatalną, wręcz zgubną rolę odegrały tu dominujące dziś w Polsce pseudoelity polityczne i intelektualne, nie czujące nawet odrobiny odpowiedzialności za duszę narodu, którym pragną rządzić. Postawa byłego marszałka Sejmu kontraktowego, Mikołaja Kozakiewicza, maksymalnie sprzyjająca ułatwieniom w zdobywaniu narkotyków, jest tylko jednym z jakże wielu przykładów *moral insanity* (niezdrowia moralnego) obecnych pseudoelit. Ton nadają im heroldowie nieograniczonego permisywizmu moralnego w stylu Adama Michnika. Dość wyraziście odsłonił on, co mu „w duszy gra", w tekście opublikowanym 31 grudnia 1992 roku na łamach „Gazety Wyborczej", stwierdzając: *zwycięski Bill Clinton, który w młodości palił „trawkę", nie chciał walczyć w Wietnamie i ponoć miał nawet pozamałżeńską kochankę, będzie – być może – i dla nas propozycją jakiegoś innego wariantu amerykańskiego mitu, jakiejś innej, bardziej nowoczesnej propozycji cywilizacyjnej.* Rzeczywiście wspaniałe propozycje cywilizacyjne: palić „trawkę" – oto nowoczesność w duchu Adama Michnika.

Istotę poglądów Michnika i podobnych mu postaw jakże licznych osób z pseudoelit precyzyjnie obnażył publicysta Piotr Skwieciński, sam niegdyś związany z Unią Wolności. Pisał on, że Michnik dąży do zrealizowania pewnego lewicowego projektu ideowego, zmierzającego do stworzenia społeczeństwa, *w którym liczyłaby się jedynie wola suwerennej jednostki, w którym rola tradycyjnych środowisk, od wieków tę jednostkę kształtujących – jak rodzina czy Kościół – zostałaby sprowadzona do minimum (...) Krótko mówiąc – chodzi o stworzenie w Polsce społeczeństwa permisywnego, w którym wyznawcy tradycyjnych wartości stopniowo zostaliby zepchnięci do skansenu* (P. Skwieciński: *Lewa strona aksamitu*, „Życie Warszawy" z 12 września 1994).

Jakże trafne były pełne goryczy słowa rektora Katolickiego Uniwersytetu Lubelskiego – prof. dra hab. Stanisława Wielgusa, na temat szczególnej odpowiedzialności ludzi z dzisiejszych „elit" intelektualnych za tak wielkie, widoczne dziś na każdym kroku pomieszanie idei i chaos moralny. W liście wielkanocnym z 1997 roku rektor Wielgus pisał: *Liczni współcześni inteligenci–filozofowie, naukowcy, pisarze, dziennikarze, artyści, twórcy filmów, przedstawień teatralnych i kabaretów – jak nigdy w historii sprzeniewierzają się swojemu powołaniu. Nie zależy im już na tym, aby prowadzić swoich uczniów, czytelników, słuchaczy czy widzów ku dobru, prawdzie i uczciwości. Przeciwnie. Dla uznania, a zwłaszcza dla pieniędzy, gotowi są na wszystko. Gotowi są demoralizować, oszukiwać, kłamać, skandalizowć. Nie mają już nic wspólnego z misją prawdziwego inteligenta, którego charakteryzuje poczucie odpowiedzialności za innych, za tych zwłaszcza, którzy wiedzą mniej od niego. Zamiast bronić wartości, które leżą u podstaw każdego zdrowego społeczeństwa, koncentrują się na ich ośmieszaniu, a nawet systematycznym zabijaniu w świadomości społecznej. Zamiast wartości, wprowadzają antywartości. W miejsce niezmiennej, ważnej dla wszystkich prawdy – pogląd, że nie ma jednej prawdy dla wszystkich, gdyż każdy ma własną prawdę i każdy może postępować tak, jak mu się podoba* (por. *Epoka pomieszania idei i moralnego chaosu. Z listu wielkanocnego rektora KUL*, „Niedziela", 13 kwietnia 1997).

Tolerancja tylko dla „swoich"

Lansowany z taką werwą przez czerwone i różowe media model tolerancji jest w gruncie rzeczy oparty na dość swoistej interpretacji tolerancji tylko dla swoich, tych, którzy walczą w najbardziej agresywny nawet sposób z wartościami chrześcijańskimi i patriotycznymi. Gdy zaś ktoś próbował tych wartości bronić w sposób ofensywny, tak jak Wojciech Cejrowski, to spotykała go natychmiast fala najbardziej agresywnych ataków ze strony naszych tak

„kochających" tolerancję „Europejczyków". Oni zaś pozwalają sobie na takie obsceniczne wybryki godzące w uczucia wiernych, że w niektórych krajach Zachodu spotkaliby się na pewno z bardzo gwałtowną ripostą wiernych, nie mówiąc o szybkich sądowych konsekwencjach dla autorów bluźnierstwa. W Polsce natomiast można sobie w najlepsze drwić z uczuć wiernych, a wszelkie skargi wiernych z tego powodu są na ogół maksymalnie bagatelizowane przez postkomunistyczną w dominującej większości części sędziów i prokuratorów. W 1994 roku w salach Muzeum Narodowego, które powinno być świątynią narodowej sztuki, wszystkiego, co w niej reprezentatywne, przedstawiono wystawę *Ars erotica*, faktycznie ze względu na jej poziom zasługującej raczej na miano *ars genitalis*. Znalazło się tam kilka eksponatów profanujących najświętsze chrześcijańskie symbole.

Gdy cham dyktuje modę

Inwazja antywartości z Zachodu sprzyjała skrajnemu umocnieniu postaw prymitywnych i chamskich. Rodzimy cham postkomunistyczny (w stylu środowiska urbanowego „Nie") został wzmocniony przez najgorsze wzorce chamstwa i brutalności z Zachodu. Bardzo trafne wydają się w tym kontekście uwagi Sławomira Mrożka: *Kiedyś cham nie był w modzie, później stał się modny, teraz dyktuje modę. I nasz rodzimy, zgrzebny cham pada w otwarte ramiona chama światowego* (cyt. za G. Sieczkowski: *Chamstwo dla chamstwa*, „Rzeczpospolita" z 24–25 sierpnia 1996).

Lewicowy kołtun celuje w specjalnej odmianie „liberalnego chamstwa". Pisał o tym typie dziennikarstwa krakowski autor Ryszard Legutko, stwierdzając: *Najgorsi są ci dziennikarze – w większości z pism i radiostacji młodzieżowych typu RMF – którzy sprzyjają rozpowszechnianiu chamstwa pod pretekstem niby-dyskusji. Jest to zabieg w stylu: „Podyskutujemy dzisiaj o pornografii, ale żeby wiedzieć, o czym dyskutujemy, obejrzymy sobie parę filmów". Albo: „Porozmawiajmy dzisiaj o kanibalizmie, ale żeby wiedzieć dokładnie, o czym rozmawiamy, przygotowaliśmy dzisiaj dla Państwa kilka potraw"* (R. Legutko: *Nie lubię tolerancji*, Kraków 1993, s. 17).

Skrajny liberalizm, akcentujący, a nawet wręcz promujący rozpad wartości etycznych, prowadzi do stopniowego samozniszczenia społeczeństwa i karłowacenia narodu. Wiedziano o tym dobrze już w czasach starożytnych.

Charakterystyczne pod tym względem były opinie Sun-tsy, jednego z czołowych chińskich filozofów materialistycznych z III wieku przed narodzeniem Chrystusa. Zalecał on „pokojową" ofensywę antywartości jako najlepszy sposób rozbicia przeciwnika, skuteczniejszy od zbrojnej agresji. Wśród opracowanych przez niego *Reguł polityczno-psychologicznego niszczenia* znalazły się między innymi zalecenia: *1. Doprowadzajcie do rozkładu wszystkiego, co w kraju przeciwnika dobre jest. 3. Korzystajcie ze współpracy z najniższymi i najwstrętniejszymi ludźmi. 7. Podważajcie stare tradycje i bogów.*

Jak się zdaje, w dzisiejszej Polsce triumfuje nowoczesna odmiana strategii Sun-tsy. To, co obserwujemy od pewnego czasu, świadczy o niezwykłych postępach zaniku wrażliwości moralnej u wielu wpływowych osób. Być może wielu z nich nie wie, co czyni. Niektórzy jednak wyraźnie i z premedytacją prowadzą działania, których efekt zgodny jest z zaleceniami starego chińskiego filozofa–cynika.

Wajda za cenzurą obyczajową

Na tle tego liberalnego „fundamentalizmu", czy raczej lewicowego kołtuństwa, warto tym mocniej zwrócić uwagę na fakty dowodzące, że wśród niektórych „Europejczyków" zaczynają się jednak budzić niepokoje co do słuszności wybranej w Polsce drogi wolności bez odpowiedzialności. Bardzo znamienne pod tym względem były refleksje Andrzeja Wajdy z kwietnia 1997 roku. Wajda, całym sercem związany z obozem Geremka i Michnika, w 1990 roku członek skrajnie lewicowego ROAD-u, nagle wyraźnie zdystansował się od głoszonej przez lewicowych „liberałów" zasady nieograniczonej wolności, mówiąc w wywiadzie dla „Tygodnika Powszechnego": *Skoro takie korzystanie z wolności, jakie widzimy teraz wokół siebie, zaczyna zagrażać społeczeństwu, to społeczeństwo musi się bronić (...) Wydaje mi się, że jest taka potrzeba, żeby ludzie, którzy czują się za ten kraj odpowiedzialni powiedzieli głośno: Niestety, jakiś rodzaj cenzury obyczajowej jest potrzebny. Konieczne jest przestrzeganie pewnej granicy wieku w dostępie do obrazów przemocy w kinie, a w telewizji obrazy przemocy w ogóle powinny być zabronione. Podobnie z granicą wieku przy podawaniu alkoholu. Przecież ci chłopcy, którzy zabili w Krakowie, byli po iluś tam piwach, nie słyszę, żeby dochodzono teraz, kto im sprzedał.*

Odnoszę wrażenie, że polska inteligencja skrzyknęła się cała, by nim jeszcze zastosowało się jakiekolwiek ograniczenia i zabezpieczenia, dowodzić, że są one z zasady nieskuteczne. Przez ostatnie lata w Polsce zrobiono wszystko, co tylko możliwe, aby pod pozorem wolności obalić wszystkie kryteria, które określają konieczne ograniczenia, cóż więc dziwnego, że pojawiło się wszędzie tyle agresji, głupoty i chamstwa. To prawda, wszyscy skorzystaliśmy z tej wolności, ale najwyższy czas, żeby ktoś wziął na siebie tę niewdzięczną rolę i powiedział głośno, że wolność musi mieć swoje granice, próbując przy tym określić, gdzie te granice przebiegają (por. rozmowa T. Lubelskiego z A. Wajdą: *Lekcja Flynta, czyli za dużo wolności*, „Tygodnik Powszechny", 20 kwietnia 1997).

Przypomnijmy, jaki wrzask i wręcz furiackie ataki spowodowało kilka lat temu wystąpienie na łamach katolickiego tygodnika „Niedziela", sugerujące, iż potrzebna jest jakaś forma cenzury obyczajowej, jak wyklinano „zaściankowość" rzeczników tego typu postulatów. I oto nagle z jakże podobnymi sugestiami występuje bardzo znany „Europejczyk" Wajda, tak fetowany w kręgach lewicy. Tylko, że tym razem jego wystąpieniu towarzyszy jakieś dziwne milczenie. I czemuż tak milczycie panowie (eks-towarzysze) „Europejczycy"? Wolicie, by zakryć szczelną zasłonę milczenia to, że w waszej Grenadzie pojawiły się zalążki groźnej „zarazy" – żądanie cenzury obyczajowej. Jak zniosą to Kuratowska, Labuda, Kozakiewicz, Michnik?

Rozdział XVIII

Wojna z Kościołem

W religii ojczyzna uzewnętrznia byt swój,
choć byt polityczny utraciła. W niej ona, jako w żywocie,
choć tylko uczuciowym, znajduje ogromną warownię
dla przechowania uczuć narodowych,
w niej ma ostatnią ucieczkę nadziei swoich

XIX-wieczny filozof i działacz niepodległościowy
Karol Libelt

Niewiele jest krajów na świecie, w których historia narodu byłaby w równie silny i piękny sposób spleciona z historią Kościoła katolickiego, w których wiara byłaby takim źródłem siły w obronie niepodległości. Nieprzypadkowo taką czcią otaczane są u nas postaci wielkich duchownych – patriotów i reformatorów. Słynnego kaznodziei Piotra Skargi, proroczo przepowiadającego nieszczęścia ukochanej ojczyzny, pijara Stanisława Konarskiego, pierwszego wielkiego reformatora z XVIII wieku, a zarazem pioniera walki o polski interes narodowy, księdza Brzóski, ostatniego dowódcy oddziału powstańczego w powstaniu styczniowym, księdza Skorupki, bohaterskiego żołnierza bojów z nawałnicą bolszewicką 1920 roku. Rolę Kościoła katolickiego w budzeniu i podtrzymywaniu polskich dążeń niepodległościowych aż za dobrze doceniali również i wrogowie Polski. Dość przypomnieć znamienne słowa carskiego krwiożerczego generała Michaiła Murawiewa Wieszatiela, wybierającego się na pacyfikację powstania na Litwie: „Najpierw rozstrzelam księdza!"

Nieprzypadkowo, zgodnie z tradycjami polskiej historii, właśnie Prymas Tysiąclecia – Stefan Wyszyński, zrobił wielokrotnie więcej niż jakikolwiek inny człowiek w Polsce (poza kardynałem Karolem Wojtyłą, późniejszym Janem Pawłem II) dla obrony polskiego patriotyzmu, tradycji narodowej, w czasach, gdy wciąż je próbowano podważyć, przemilczeć, zlikwidować. To Prymas Stefan Wyszyński, na parę dziesięcioleci przed piękną pieśnią Jana Pietrzaka: *Żeby Polska była Polską* powiedział w kazaniu na Jasnej Górze 1 czerwca 1958 roku: *aby Polska – Polską była! Aby w Polsce po polsku się myślało.* I mówił te słowa w czasach, gdy zawiodło tak wiele wpływowych postaci życia intelektualnego, nie pomagając w obronie polskości, a przeciwnie pomagając w swej ojczyzny zniewoleniu. Taka była, choć nie zawsze, w pełni znana i doceniana, rola Kościoła polskiego w przeszłości. Teraz robi się wszystko, aby zburzyć polski Kościół i wiarę, widząc w nim, tak jak wrogowie Polski w przeszłości, najważniejszą twierdzę obrony polskości i obrony najwyższych wartości, do których dążyli wielcy Polacy z przeszłości. Głównym celem jest dechrystianizacja i wynarodowienie Polaków, a więc dokończenie „dzieła" rozpoczętego w komunistycznej PRL.

Komunistyczna szkoła nienawiści

Atak na Kościół katolicki stanowi – jak już pisałem – wygodny temat zastępczy dla odwrócenia uwagi od ciągle nie dokonanego rozliczenia ze zbrodniami komunizmu. To panegiryczna chwalczyni PRL Izabela Sierakowska publicznie krzyczała w Sejmie o katolickich rozgłośniach radiowych jako „sieci pajęczej oplatającej Polskę". To były rzecznik rządu Jaruzelskiego Jerzy Urban kieruje tygodnikiem pełnym obsesyjnej wręcz nienawiści do religii i Kościoła, tygodnikiem, który dawno byłby już zamknięty za swe oszczerstwa i judzenie w prawdziwie szanującym prawo państwie. Antykościelne oszczerstwa „Nie" charakteryzują się szczególną inwencją godną najskrajniejszych pomysłów propagandy bolszewickiej. Wojciech Wasiutyński opisał w „Życiu Warszawy" z 24 kwietnia 1992, jak to amerykańska dziennikarka, Gabrielle Glazer, opierając się na „rewelacjach" redakcji „Nie" puściła w świat historię o tym, jak to polskie zakonnice zmuszają nieślubne matki do oddawania sobie dzieci i potem sprzedają je za granicę. Antykościelnym oszczerstwom towarzyszą w „Nie" rynsztokowy język i specyficzna hasła–wezwania (np. typu zachęty: „Najlepiej z glana kop w mordę plebana"), Urban, jak widać, niczego się nie nauczył ze skutków oddziaływania swej kampanii nienawiści wobec ks. Jerzego Popiełuszki i chce dalej oddziaływać na różnych kapitanów Piotrowskich. Na tle tej propagandy nienawiści nie było zbyt wielkim zaskoczeniem, że osławiony krakowski terrorysta Gumiś powoływał się właśnie na Urbana, tłumacząc swoje motywy, iż on lepiej spożytkuje pieniądze niż władze, które budują nowe kościoły lub odbudowują stare.

W walce z Kościołem dalej bardzo znaczącą rolę odgrywa postkomunistyczna „Polityka", skupiająca w swej redakcji licznych dziennikarzy od dziesięcioleci zahartowanych w bojach z religią jako „opium dla ludu". By wymienić choćby nazwiska Kałużyńskiego, Koźniewskiego, Andrzeja Garlickiego czy Jerzego Waldorffa. Prawdziwym stachanowcem w walce z Kościołem katolickim, podobnie jak w walce z polskim patriotyzmem, jest stary stalinowiec Zygmunt Kałużyński. Jego wydane w ostatnich latach książki, *Pamiętnik rozbitka* i *Bankiet w domu powieszonego*, aż roją się od mało wybrednych ataków na Kościół katolicki. Kałużyński posunął się między innymi do skrajnych pośmiertnych ataków na księdza Jerzego Popiełuszkę, stwierdzając: *konflikt Popiełuszko – jego zabójca Piotrowski nie reprezentuje walki dobra ze złem, lecz złego ze złem: przestępca polityczny morduje agitatora politycznego, posługującego się autorytetem religii (...) Popiełuszko zginął nie dlatego, że był kapłanem, lecz dlatego, że był aktywistą (...) film, prawdziwie chrześcijański, musiałby odnieść się krytycznie do obydwu postaci tego dramatu: jego treścią jest, z jednej strony nadużycie władzy, z drugiej, nadużycie religii* (Z. Kałużyński: *Bankiet w domu powieszonego*, Warszawa 1993, s. 113–114). Kałużyński chętnie wspomaga płodami swej „twórczości" również urbanowe „Nie", popisując się popisami najobrzydliwszego antyreligijnego fanatyzmu. By przypomnieć choćby tekst *Spowiedź po pół litrze* („Nie" z 9 stycznia 1992). Kałużyński wieszczył w nim rychły upadek Kościoła i wzywał do pokazania „nieludzkiego oportunizmu" kleru, etc.

Inny „filar" postkomunistycznej „Polityki" – Kazimierz Koźniewski, swą skłonność do artykułów–donosów wyraził kiedyś w haniebnej broszurce *Biała plebania w Wolbromiu*. Z werwą szkalował w niej biskupa Kaczmarka i różnych księży, oskarżając ich o rzekome współdziałanie z hitlerowcami – zgodnie z ówczesną (był rok 1951) stalinowską stylistyką. Pisał o AK-owcach z podziemia: *Chcieli pić wódkę, grabić, mordować, a czynili to jeszcze goręcej, gdy ich sumienie uspokajano bluźnierczym powoływaniem się na słowo Boże* (u Koźniewskiego pisane małą literą – J.R.N.; por. K. Koźniewski: *Biała plebania w Wolbromiu*, Warszawa 1951, s. 15). Odległych stalinowskich czasów sięgają osobiste tradycje walki z Kościołem Jerzego Waldorffa, który w służbie komunistycznego reżimu wypisywał najobrzydliwsze antykościelne brechty. Na przykład w artykule *Granice konfesjonału* („Przekrój" 1949, nr 204) podtrzymywał najskrajniejsze reżimowe oskarżenia w związku z procesem księży Furtaka i Łubieńskiego, oskarżonych o kontakty z antykomunistycznymi oddziałami zbrojnymi. Obecnie ten sam Waldorff z całą dezynwolturą zapewnia: *Kiedy zaś mówimy o patriotycznych czy religijnych uczuciach Polaków, to najbardziej w te uczucia godzą wszelkie przesadne wypowiedzi w obronie moralności i Kościoła.* Inny wpływowy od dziesięcioleci autor „Polityki" – historyk Andrzej Garlicki aktywnie uczestniczy w kampanii propagandowych podchodów pod Prymasa Polski. Przypomnę, że ten sam Garlicki jako historyk reżimowy już w 1963 roku ostrzegał na łamach „Polityki" przed „szkodliwymi" skutkami działań tysięcy punktów katechetycznych, w których uczą historii niezgodnie z oficjalnym partyjnym punktem widzenia. A więc „mącą" dzieciom w głowach, naruszając monopol jedynie słusznego partyjnego punktu widzenia na historię Polski!

Typowy dla podejścia „Polityki" do spraw Kościoła i religii katolickiej był entuzjastyczny szkic Stanisława Rosnowskiego o antykatolickiej książce *Nie i Amen* Uty Ranke-Heineman („Polityka" z 31 grudnia 1984). W szkicu Rosnowskiego czytamy między innymi: *Prawda, jakiej dowiadujemy się z „Nie i Amen" jest miażdżąca: Jezus został przygnieciony stosem zmanipulowanych baśni i legend (...) Autorka pokazuje według jakich zasad fanatycznie przykrawano sobie życie Jezusa i jaki balast nieprawdy, zakłamania i irracjonalizmu wlecze za sobą dwutysiącletnia nauka Kościoła.*

„Wprost" przeciw Kościołowi i Ojcu Świętemu

Wyjątkową zaciekłością i systematycznością ataków na Kościół katolicki wyróżnia się inny tygodnik postkomunistyczny „Wprost" pod redakcją byłego sekretarza KC PZPR Marka Króla. Tygodnik ten zyskał szczególną sławę od czasu profanacji na swej okładce obrazu Matki Boskiej Częstochowskiej z Dzieciątkiem Jezus. Jako odkryty wróg Kościoła, „Wprost" jest mniej niebezpieczne niż kilka lat temu, gdy swe antyreligijne przesłanie umiało zręcznie maskować pozorami neutralności i obiektywizmu (czasem nawet prosząc osoby duchowne o wywiady) jako bardzo dobrze redagowana pod względem technicznym wersja polskiego „Spiegla". Czytelnik łatwiej i niepostrzeżenie dla siebie przełykał ataki na Kościół i religię w sytuacji, gdy były one zręcznie wtapiane pomiędzy bardzo różnorodne tematycznie treści poznańskiego tygodnika. Tak na przykład w numerze „Wprost" z 4 lipca 1993 skrajne ataki na Kościół katolicki, wychodzące spod pióra niemieckiej autorki Uty Ranke Heinemen, były wtopione pomiędzy kolejny odcinek „wyznań" Leszka Balcerowicza i barwne opowieści o losach książęcej rodziny Sapiehów w Kenii. Dodajmy, że czytelnik bardziej bezkrytycznie zawierzał oskarżeniom pod adresem Kościoła czy religii napisanym przez nie znanych szerzej autorów „Wprost" typu Wiesława Kota czy Bogusława Mazura, niż podobnym tekstom Michnika, Kałużyńskiego, Warszawskiego czy Urbana. Nazwiska tych ostatnich wywołują bowiem natychmiast odpowiednie asocjacje u wielu katolickich czytelników.

Artykuły na temat Kościoła czy religii we „Wprost" stanowią po 2-6 stron około stustronicowego tygodnika; nie rzucają się więc zbyt mocno w oczy. Za to delikatnie sączą tę samą powolnie działającą truciznę. Najczęściej z numeru na numer. Bywają całe paromiesięczne okresy, w których dosłownie w każdym numerze „Wprost" można znaleźć jeden lub więcej tekstów atakujących Kościół lub Ojca Świętego. Dla redakcji „Wprost" Kościół katolicki jest symbolem wszystkiego złego. Jest on tam oskarżany o „nowy totalitaryzm", chęć zdominowania całego społeczeństwa, bezustanne dążenie jakoby do zapewnienia sobie przyrostu władzy i pieniądza. Redaktorzy nie troszczą się przy tym choćby o minimum prawdy w swych niewyszukanych oskarżeniach. Pozwolili sobie nawet wprost na atak na Ojca Świętego Jana Pawła II. Autorem ataku był mason prof. Tadeusz Kielanowski (atak drukowano po śmierci autora). Pisał on między innymi: *Papież Jan Paweł II jest synem polskiego Kościoła, niestety Kościoła bardzo konserwatywnego, coraz głośniej krytykowanego w świecie. Coraz jaskrawiej z poczynań kleru przebija żądza władzy i niepoślednią rolę odgrywa tu właśnie papież (...) W końcu wybuchnie społeczny sprzeciw wobec polityki Kościoła (...) Polski Kościół czeka na swojego Lutra* (*Bóg między ludźmi. Polski Kościół czeka na swojego Lutra.* Wywiad z prof. Tadeuszem Kielanowskim, rozmawiał S.W. Malinowski, „Wprost" z 27 września 1992).

To „Wprost" czujnie rozdmuchało wyssane z palca „rewelacje" amerykańskiego dziennikarza Bernstejna o rzekomym udziale Jana Pawła II w antykomunistycznym spisku do spółki z Ronaldem Reaganem. Redaktorzy „Wprost" czynią Kościół odpowiedzialnym za „zły model polskiej rodziny i małżeństwa", za rzekomy nadmiar dzieci, za rzekome nasilanie się „nacjonalizmu" i „antysemityzmu", groźbę nowej cenzury. Z furią atakują wartości chrześcijańskie, a atakom tym często towarzyszy równoczesny atak na patriotyzm, ośmieszanie polskości.

„Różowi" w walce z Kościołem

Co najgorsze, postkomuniści walczący z religią i kościołem w „czerwonych" mediach, znaleźli aż nadto wielu sojuszników w mediach „różowych", głównie w kręgach byłej, tzw. lewicy laickiej. Najczęściej w kręgach byłych towarzyszy partyjnych, którzy w pewnym okresie, najczęściej na skutek zawirowań personalnych (1968 rok) przeszli do opozycji. Trzon tej grupy przeciwników Kościoła katolickiego skupia się wokół michnikowskiej „Gazety Wyborczej". Sam Adam Michnik „wsławił się" już w 1966 roku żałosnym atakiem na list biskupów polskich, publikowanym na łamach ateistycznych „Argumentów". Po latach, w 1977 roku, kiedy bardzo potrzebne mu były opiekuńcze skrzydła Kościoła, Michnik tak kajał się samokrytycznie w związku ze swoim udziałem w potępianiu listu biskupów polskich: *w tym nieprzyzwoitym spektaklu sam wziąłem udział i na samo wspomnienie czerwienię się ze wstydu. Wstydzę się swojej głupoty* (A. Michnik: *Kościół, lewica, dialog*, Paryż 1977, s. 61). Tamże (s. 31) tak pisał o swoim środowisku lewicy laickiej: *Popieraliśmy politykę represji, często okrutnych, widząc w niej drogę do nowego wspaniałego świata, oskarżaliśmy Kościół o reakcyjność i wszystkie inne grzechy główne, nie bacząc na to, że w atmosferze totalnego zniewolenia Kościół bronił prawdy, godności i wolności człowieka.* W innym miejscu (s. 139) Michnik pisał: *Tradycyjnie przywykliśmy sądzić, że religijność i Kościół to synonimy wstecznictwa i tępego ciemnogrodu. Z tej perspektywy wzrost indyferentyzmu religijnego był traktowany przez nas jako naturalny sojusznik umysłowego i moralnego postępu. Pogląd taki – sam byłem jego wyznawcą – uważam za fałszywy.*

Trzeba było czasu i różnych zmian w Polsce, aby Michnik już z pozycji wszechwładnego pana największego polskiego dziennika, powrócił do dawnych idei walki z Kościołem. Okazało się, że mimo tak donośnego bicia się w piersi w książce wydanej w 1977 roku, Michnik nadal uważa Kościół i religijność za synonimy Ciemnogrodu i marzy o maksymalnym nasileniu religijnego indyferentyzmu i ateizmu. Tyle, że teraz robi to w sposób niewyobrażalnie bardziej subtelny niż w latach sześćdziesiątych, szczególną uwagę poświęcając popieraniu różnego typu podziałów w Kościele, nagłaśnianiu katolickich dysydentów. Nader chętnie odwołuje się przy tym do próżności niektórych ludzi, którzy w zamian za publikację na łamach „Gazety Wyborczej” gotowi są do maksymalnych koncesji z zasad wyznawanej przez siebie wiary. Wypróbowaną metodą popularyzowania dysydentów Kościoła stał się wielki cykl „Gazety Wyborczej” o kontrowersyjnych postaciach Kościoła. Popularyzowano w nim między innymi niemieckiego księdza Hansa Kunga, zajadłego krytyka Papieża Jana Pawła II, teologów wyzwolenia Gustavo Guterezza i Leonardo Boffa, przeciwników celibatu.

Od czasu do czasu dopuszcza się do otwartych ataków na ludzi Kościoła, w tym Ojca Świętego, ze strony Romana Graczyka, głównego harcownika „antyklerykalizmu” na łamach „Gazety Wyborczej”. Graczyk, były sekretarz redakcji „Tygodnika Powszechnego” (który swą iście „cenzorską nietolerancją” spowodował odejście Kisiela z tej redakcji), jako współpracownik „Gazety Wyborczej” stał się niezwykle niebezpiecznym rzecznikiem relatywizmu moralnego, skrajnej pobłażliwości wobec zła. W artykule na łamach „Gazety Wyborczej” z 18 maja 1992 Graczyk określił zło jako niezbędną „cenę wolności człowieka”, twierdząc, że „nie można obronić wolności, nie płacąc tej ceny”. Teza to skrajnie niebezpieczna. Dość przypomnieć, ile świat XX-wieczny zapłacił za panowanie różnych totalitaryzmów, które dopuszczały zło w imię zasady „cel uświęca środki”. Graczyk, „publicysta katolicki” (czy raczej „fałszywy katolik”, by użyć trafnego określenia ks. Stanisława Małkowskiego na temat podobnych postaci), ze swą ofertą tolerancji wobec zła w istocie przeciwstawia się całej linii humanizmu europejskiego, ludziom takim jak Albert Camus, Tomasz Mann, Salvadore Madariaga i inni, którzy nie ustawali w demaskowaniu relatywizmu moralnego i różnych form godzenia się ze złem. Przypomnijmy, że racjonalni Anglosasi już dawno wymyślili zwrot *moral insanity* (obłęd moralny) na określenie patologicznego braku zasad, uczuć i instynktów moralnych, który tak ochoczo aprobuje publicysta „Gazety Wyborczej”, a dawny sekretarz „Tygodnika Powszechnego”. Najlepszą odpowiedź na głoszoną przez Romana Graczyka i jego sojuszników z „Gazety Wyborczej” zasadą pobłażliwości wobec zła można odnaleźć w słowach zamordowanego później przez siewców zła Martina Luthera Kinga: *Ten, kto biernie akceptuje zło, bez protestowania przeciw niemu, w praktyce współpracuje ze złem* (M. Luther King: *Stride Toward Freedom*, 1958).

Specjalną rolę w podważaniu Kościoła odgrywają w „Gazecie Wyborczej" listy czytelników, które odpowiednio wyselekcjonowane służą niejednokrotnie do atakowania Kościoła bez żadnych zahamowań. W „Niedzieli" z 29 stycznia 1995 zwrócono uwagę na inną specjalność „Gazety Wyborczej", to jest atakowanie Kościoła katolickiego za pomocą „bijących" tytułów: *Kościół przyznaje się do winy*, *Arcybiskup nie chce modlitwy*, etc. Ta metoda jest bardzo konsekwentnie stosowana. Na przykład w „Gazecie Wyborczej" z 14 sierpnia 1995 użyto tytułu: *Badania OBOP: w obronie krzyża i wolnej miłości*. Zestawiono dwa jakże różne fakty, to, że aż 93 proc. osób ankietowanych potępia znieważanie symboli religijnych, i to, że 61 proc. ankietowanych nie potępia współżycia seksualnego bez ślubu.

Chyba nieprzypadkowo główną harcowniczką w walce z Kościołem, przebijającą swymi skrajnościami nawet panie Sierakowską i Waniek z SLD stała się działaczka byłej opozycji laickiej Barbara Labuda, przez szereg lat posłanka z Unii Wolności, obecnie współpracująca u boku postkomunistycznego prezydenta Aleksandra Kwaśniewskiego. Jej wybryki antyreligijne wzbudzały w swoim czasie niesmak nawet u niektórych rozważniejszych działaczy Unii Wolności. Choćby taki oto passus z wywiadu Labudy dla „Szpilek": *Odrzuciłam religię, bo mi się nie podoba (...) fakt, że jakaś grupa mężczyzn nakłada na laleczkę koronę dla mnie oznacza jedynie nakładanie korony, a nie beatyfikację*. Najbardziej tragikomiczny był fakt, że Labuda bez reszty zaangażowała się w atakowanie konkordatu, choć sama przyznała: *Ja konkordatu nie zrozumiałam, choć przeczytałam go ze sto razy* („Rzeczpospolita", 29 czerwca 1994). Jak widać, najłatwiej zdobyć się na atakowanie czegoś, czego się nie rozumie – zamiast odrobiny wysiłku intelektualnego.

Ucieczka od wdzięczności

Barbara Labuda stanowi jaskrawy przykład jakże typowej dla wielkiej części byłej opozycji laickiej „ucieczki od wdzięczności" wobec Kościoła, który pomagał opozycjonistom przetrwać w różnych trudnych okresach od 1968 roku począwszy. Dzisiejsi, nawet najbardziej zacięci przeciwnicy, Kościoła chętnie garnęli się kiedyś pod jego opiekuńcze skrzydła, a bywało, że inscenizowali nawet spektakularne nawrócenia. Można by długo wymieniać nazwiska opozycjonistów byłej lewicy laickiej, którzy bez żenady długi czas korzystali z pomocy materialnej Kościoła. Niektórzy z nich kończyli nawet studia na KUL-u, gdy mieli problemy na państwowych uczelniach. Duża część z nich z lubością korzystała z możliwości druku w katolickiej prasie, tak jak Labuda pisująca w katolickim „Przeglądzie Powszechnym".

Warto przypomnieć tu uwagi Janusza Szpotańskiego, swego czasu autora najsłynniejszych w Polsce satyrycznych utworów antykomunistycznych, więzionego za Gomułki za poemat *Cisi i Gęgacze*. Zdaniem Szpotańskiego: *Walka z Kościołem przybiera u nas rozmiary, graniczące z obłędem. Gdybym np. mieszkał w Australii i wiedzę o Polsce czerpał z wystąpień w sejmie, postępowej prasie i telewizji, pań w rodzaju posłanki Labudy, to niechybnie doszedłbym do wniosku, że w Polsce rządzi prymas Glemp i to o wiele surowiej, niż Chomeini w Iranie. Najśmieszniejsze w tym wszystkim jest, że największymi antyklerykałami są obecnie ludzie, którzy jeszcze nie tak dawno zawodzili religijne pieśni i kurczowo trzymali się sutanny* (cyt. za rozmową M. Miklaszewskiej z J. Szpotańskim: *Długa łapa komucha*, „Tygodnik Solidarność", 23 grudnia 1994).

Za parawanem pozornego obiektywizmu

Brak miejsca nie pozwala na szczegółowe scharakteryzowanie wszystkich pism o zdecydowanie antykościelnym nastawieniu. By wspomnieć poza już omawianymi choćby opanowane przez krąg Labudy pismo „Bez dogmatu" czy polską edycję „Playboya", w której nierzadko pojawiały się najbardziej zjadliwe antykatolickie artykuły. Wymowa tych periodyków jest aż nazbyt ewidentna dla rzesz czytelniczych. Istotniejsze może okazać się raczej przypomnienie niebezpieczniejszych, bo cichych, bardziej zakamuflowanych ataków na Kościół i wartości prowadzonych w dziennikach pozornie troszczących się o obiektywizm i neutralność typu „Życia Warszawy" i „Rzeczpospolita". Uważna lektura numerów dawnego pozornie wyważonego i neutralnego „Życia Warszawy" dostarczała licznych przykładów świadomego przedstawienia Kościoła katolickiego w Polsce w świetle negatywnym, pomniejszania jego znaczenia. Tomasz Wróblewski, znany skądinąd z rozdmuchania na łamach „Wprost" rzekomego antykomunistycznego spisku Ojca

Świętego Jana Pawła II z prezydentem Reaganem, zamieścił w „Życiu Warszawy" z 9 marca 1993 artykuł pt. *Kościół polski przeciwko polskim rodzinom*. Na łamach „Życia Warszawy" z 20 września 1994 z kolei czytamy wielki tytuł: *Do Kościoła chodzi coraz mniej Polaków*. Z tekstu Ryszarda Holzera *Bóg i cesarz*, publikowanego w „Życiu Warszawy" z 19 kwietnia 1993, mogliśmy z kolei dowiedzieć się o „pełzającej klerykalizacji, z jaką – zdaniem wielu – mamy do czynienia obecnie". W 1994 roku „Życie Warszawy" zamieściło wywiad z osławionym rabinem Weissem wraz z tekstem wychwalającym tego awanturnika – recydywistę, polakożercę i katolikożercę. Później maksymalnie nagłośniło „protesty" rabina Weissa w Oświęcimiu. Dopiero po liście ks. Waldemara Chrostowskiego do „Życia Warszawy", krytykującego skrajną jednostronność tego dziennika w przedstawianiu wystąpień Weissa, bez równoczesnego przedstawiania stanowiska strony katolickiej, redakcja „Życia" przeprosiła swych czytelników za jednostronność swych relacji w tej sprawie. Dość znamienna jest rola „Życia Warszawy" w promowaniu różnych antywartości, począwszy od stałych reklam agencji towarzyskich (czytaj: domów publicznych), po skrajnie pornograficzne wyskoki na łamach dodatku do „Życia" – „Ex libris", opanowanego przez szalejące feministki.

Osobny temat to odpowiedni dobór listów czytelników, publikowanie nawet tekstów pełnych zoologicznej nienawiści do Kościoła i kapłanów, bez redakcyjnego komentarza dystansującego się od tego typu publikacji. Na przykład w „Życiu Warszawy" z 20 grudnia 1991 można było przeczytać list czytelnika Stanisława Jaronia w obronie kapitana Piotrowskiego, mordercy księdza Popiełuszki. Autor listu pisał między innymi: *Popiełuszko, ciemny chłop, ogłupiony do reszty w seminarium... Popiełuszko zginął, bo przecenił swoją przebiegłość, drażnił się z Piotrowskim, grał mu na nosie i udawał bohatera. W końcu pewnie Piotrowskiego wyprowadziło to z równowagi i postanowił z tym skończyć*. Czy coś może wytłumaczyć wydrukowanie bez żadnego komentarza takiego listu–śmiecia, wyrażającego zrozumienie dla motywów mordercy ks. Popiełuszki na łamach dziennika mającego pretensje do jakiejś renomy?

Swoisty model stosunku do Kościoła prezentowała „Rzeczpospolita". Z jednej strony można było w niej przeczytać *Zamyślenia* biskupa Józefa Życińskiego, z drugiej strony zaś jakże często w tym samym sobotnio-niedzielnym numerze „Rzeczpospolitej" raczono nas kolejną porcją antykościelnych, antykatolickich i antynarodowych wywodów Szota w jego cotygodniowym przeglądzie prasy pt. *Na zdrowy rozum*. Oto kilka typowych „perełek" z przeglądów Szota. W „Rzeczypospolitej" z 17 grudnia 1994, powołując się na „Gazetę Lubuską" pisał, że klerykalizm „można podzielić na przyczajony, pełzający, kroczący i atakujący". W „Rzeczpospolitej" z 23 lutego 1995 pisał o teorii, wedle której „europejskie państwa można podzielić na kraje Marty i Marii". Społeczeństwa pierwszych były protestanckie i pracowite, drugie – katolickie i powierzające pracę raczej Bogu. Bzdurność uogólnień Szota widoczna jest chociażby na przykładzie prosperujących gospodarczo katolickiej Bawarii czy Belgii, ale autorowi wyraźnie chodziło o propagandę antykatolicką, a nie fakty. W „Rzeczpospolitej" z 23 lipca 1994 Szot z głupia frant przedstawił banialuki jakiejś Australijki o tym, że żoną Jezusa była biblijna Maria, z którą Chrystus miał troje dzieci, a po swej pozornej śmierci Jezus jakoby przeżył jeszcze 30 lat i zawarł drugi związek małżeński z Greczynką Lydią. Te „rewelacje" Szot poprzedził wstępem, iż australijskiej uczonej „udało się ustalić następujące fakty". I tak z tygodnia na tydzień Szot sączył różne bzdury do umysłów swych czytelników, przy tym antyreligijnym i antykościelnym treściom częstokroć towarzyszyły różne tego typu niewyszukane prztyczki w tradycję narodową i patriotyzm. Po śmierci naczelnego „Rzeczpospolitej" Dariusza Fikusa, wraz z pewnymi wyraźnymi zmianami w tonacji dziennika, stopniowo doszło do zaprzestania publikacji osławionych „szotowych" przeglądów prasy. Oby na trwałe!

Postkomunistyczne władze konsekwentnie działają na rzecz maksymalnego ograniczenia wpływów katolickiej większości ludności Polski i możliwości jej reprezentowania. W rezultacie tych działań oficjalna „delegacja polskich kobiet" na konferencję w Pekinie jechała z raportem skrajnie przesiąkniętym „labudyzmem" i gruntownie sprzecznym z poglądami przeważającej części polskich kobiet–katoliczek. Nic dziwnego, że reprezentantki polskich katolickich organizacji kobiecych odmówiły firmowania takiego raportu przez swój udział w delegacji w Pekinie. Gorzko skomentował całą sytuację Piotr Wierzbicki, pisząc w „Gazecie Polskiej" z 6 lipca 1995: *dowiedzieliśmy się, że w Polsce istnieje jeszcze jedna, nie znana uprzednio mniejszość: polskie katoliczki. Mamy tu, jak się okazuje, większość kobiet normalnych, wzorcowych, modelowych, po prostu* k o b i e t y *i mamy mniejszościowe kuriozum: polskie katoliczki. Ta większość kobiet normalnych, wzorcowych, modelowych to polskie mahometanki, polskie buddystki, polskie poganki, polskie ateistki, polskie lesbijki oraz polskie feministki. Tę większość reprezentuje oficjalna delegacja polskich kobiet, która do Pekinu jedzie. A mniejszość się stawia i jechać nie chce.*

Mit o niebezpiecznym polskim „klerykalizmie", z taką werwą lansowany w najbardziej wpływowych mediach w Polsce, sprzeczny jest z każdą obiektywną obserwacją sytuacji w naszym kraju. Wyraźnie dowodzą tego różne pozbawione uprzedzeń opinie cudzoziemców, doskonale znających stosunki w Polsce. Znamienna była na przykład opinia austriackiego korespondenta w Polsce Klausa Bachmanna. Mówiąc o sytuacji z początku lat dziewięćdziesiątych, Bachmann powiedział: *Kościoła nie lubię, ale tym bardziej staram się być obiektywny. I dlatego nie podzielam głosów, że Kościół w Polsce pcha się do władzy. Kościół katolicki spełnia ważne zadanie w życiu politycznym i to jest historyczny fakt. W jego działalności nie ma nic niestosownego* (K. Bachmann w książce J. Klechty: *Bliżej świata*, Warszawa 1991, s. 98–99).

Podobnie w tonie była ocena japońskiego korespondenta w Polsce Teruo Matsumoto: *Interesuje mnie polska religijność. Katolicyzm polski cenię bardzo wysoko. Przecież dzięki tej wierze Polska pozostała Polską, a Polacy mogli wytrwać w polskości, i to mimo tak ogromnych przeżyć i trudności (...) Nie podzielam uwag o rzekomym klerykalizmie życia publicznego w Polsce (...) Uważam, że Polacy są tolerancyjni* (T. Matsumoto w książce J. Klechty: *op. cit.*, s. 79).

I dziś trzeba bronić praw sumienia

Przez cały okres po 1989 wyraźnie widać coraz bardziej negatywne skutki współdziałania „czerwonych" i „różowych" środowisk politycznych i kulturalnych w walce przeciw wartościom. Ich współdziałanie, tak widoczne w walce przeciw patriotyzmowi, znajduje równocześnie wyraz w coraz intensywniej rozwijanej, niebywale perfidnej ofensywie antywartości, ośmieszaniu wiary i Kościoła, dążeniu do rozbicia trwałości polskiej rodziny. W miejsce oczekiwanej wolności mamy na każdym kroku „luz" i „róbta co chceta", jako swoiste symbole małości wzorców lansowanych przez najpopularniejsze, najbardziej wpływowe polskojęzyczne media. Tym ważniejsze były więc dla nas przejmujące słowa ostrzeżenia, wypowiedziane w 1995 roku w Skoczowie przez Ojca Świętego: *Wbrew pozorom praw sumienia trzeba bronić także dzisiaj. Pod hasłami tolerancji, w życiu publicznym i środkach masowego prze-*

kazu, szerzy się coraz większa nietolerancja. Odczuwają to boleśnie ludzie wierzący. Zauważa się tendencję do spychania ich na margines życia społecznego, ośmiesza się i wyszydza to, co dla nich stanowi nieraz największą świętość.

Wbrew faktom próbowano zbagatelizować ostrzeżenia Ojca Świętego. Roman Graczyk na łamach „Gazety Wyborczej" przyznał, że istnieją zjawiska obrażania uczuć religijnych, ale stanowią, jego zdaniem, tylko margines. I nie sposób stwierdzić, że prowadzona jest odgórna walka z Kościołem. Czyżby? Warto więc przypomnieć, że nawet na łamach „Gazety Wyborczej" doszło w lipca 1994 roku do znamiennego przyznania ze strony jednego z czołowych działaczy Unii Wolności Jana Lityńskiego, iż mamy do czynienia z ciągłym wypychaniem Kościoła poza nawias życia publicznego, które musi zakończyć się rodzajem zimnej wojny religijnej. Można by bardzo długo wyliczać przejawy ataków na Kościół i religię w różnych mass mediach, począwszy od radia i telewizji poprzez „Nie", „Politykę" i „Gazetę Wyborczą", po „Wprost", „Dziś", „Wiadomości Kulturalne", „Przegląd Tygodniowy" i różne inne pisma postkomunistyczne lub też „różowe".

Warszawska odmiana sowieckiego „Bezbożnika"

Szczególnie szkodliwą rolę w zręcznej, systematycznej akcji dla podważania i osłabiania religijności Polaków odgrywała i odgrywa zdominowana przez starych komunistycznych politruków telewizja. W kraju, gdzie zdecydowana większość ludności jest katolicka, wykorzystuje się utrzymywaną w niemałej mierze ze środków całego społeczeństwa (abonamenty) telewizję do perfidnych ataków przeciwko Kościołowi i religii, ośmieszania wartości chrześcijańskich. Zdecydowanie przodowała pod tym względem Olga Lipińska ze swym kabaretem, w którym wciąż usiłowała dokładać Kościołowi jako rzekomej „nowej sile przewodniej", zatruwającej duszę narodu i wsączającej w nią jady zaścianka. W wywiadzie dla katowickiego „Dziennika Zachodniego" Lipińska sugerowała bez żenady, że wszędzie w Polsce jakoby panoszy się Ciemnogród, a głównym jego wyrazicielem jest oczywiście Kościół katolicki, który na dodatek „ma długie ręce", i już, już sięga po władzę. Styl ataku na Kościół, wyrażonego przez Lipińską w programie *Kariery–bariery*, redaktor naczelny „Najwyższego Czasu" Stanisław Michalkiewicz nie bez racji przyrównywał do manifestacji organizowanych w Rosji Sowieckiej przez „Bezbożnika", tyle że w sposób dostosowany do gustu warszawskiego demi-monde'u (półświatka). Szczególnie „zabłysnął" program kabaretu Lipińskiej z okazji Nowego Roku 1997. Można było w nim usłyszeć donośne wezwanie: *Wybaw nas od Kościoła, a Kościół od klechów* (wg „Niedzieli", 1997, nr 6). Rzeczywiście szczególny typ powitania Nowego Roku w kraju z przeważającą większością ludności katolickiej! Nawet wyskoki Olgi Lipińskiej potrafiono jednak przebić – poprzez pokazaną w poniedziałek wielkanocny 12 kwietnia 1993 roku w kabarecie *Big Zbig Show* sceniczną parodię wielkopostnej pieśni religijnej *Nocą ogród oliwny*. Główny aktor w spektaklu Zbigniewa Zamachowskiego, przebrany za księdza w otoczeniu pląsających niby-zakonnic z głupawą miną parodiował wstrząsającą modlitwę Jezusa w Ogrójcu. Po protestach różnych środowisk katolickich zdobyła się na przeproszenie telewidzów tylko autorka spektaklu Magda Umer. Ani słowa przeprosin nie wybąkał tak „zasłużony" dla walki z wartościami chrześcijańskimi i patriotyzmem w telewizji jej ówczesny prezes Janusz Zaorski. Czyż można się dziwić – przecież to on przerobił scenariusz Marii Nurowskiej z „bogoojczyźnianego" – jak sam powiedział – w „ateistyczno-internacjonalistyczny", wywołując gwałtowny protest autorki.

Antyklerykalne patologie

W kontekście tych antychrześcijańskich ekscesów telewizji warto przypomnieć wypowiedź swego rodzaju klasyka polskiego kabaretu Wojciecha Młynarskiego na łamach „Tele Rzeczypospolitej" z 12 czerwca 1994 r. Młynarski ubolewał, że zupełnie nie widzi odważnego, ostrego i na wysokim artystycznym poziomie kabaretu politycznego, dodając: „We wszystkich produkcjach wałkowany jest Kościół. Uważam, że trzeba ten temat poruszyć, ale nie w formie tak marnej artystycznie i miałkiej myślowo, jak to jest robione".

Także dotowana z pieniędzy całego społeczeństwa kinematografia staje się nierzadko areną grubiańskich ataków na Kościół katolicki w Polsce. Szczególnie jaskrawym przykładem pod tym względem był film Konrada Szołajskiego *Człowiek z...* (prod. 1993), skrajnie przerysowana satyra na solidarnościowe podziemie. Reżyser filmu, opracowanego na podstawie scenariusza przygotowanego do spółki z Januszem Lindenbergiem, tym skwapliwiej rzucił się w swej „satyrze" na wspierający solidarnościowe podziemie Kościół katolicki. Jak komentował film Szołajskiego Mirosław Winiarczyk („Najwyższy Czas", 1993, nr 37): *Antyklerykalizm „Człowieka z..." wydaje się być na granicy patologii.*

Bezkarność w obrażaniu uczuć wiernych zachęca ciągle nowych naśladowców Herostratesa do szukania rozgłosu dzięki co skrajniejszym bluźnierstwom. Typowy pod tym względem był popis szerzej nieznanej dziennikarki katowickiej TV Eweliny Puczek w kwietniu 1996 roku. W trakcie wywiadu z ks. Józefem Tischnerem Puczek wystąpiła z „odkryciem", że Apostołowie jakoby upili się w czasie Ostatniej Wieczerzy i zasnęli, zostawiając Pana Jezusa samego. Oburzeni czytelnicy złożyli w krakowskiej prokuraturze doniesienie na taką obrazę ich uczuć religijnych. Badająca sprawę prokurator uznała zarzut za bezpodstawny, tłumacząc, iż zamiarem pani Puczek nie było wyszydzenie przedmiotu czci religijnej, lecz „zainspirowanie czytelników do własnych przemyśleń czy rozważań" (wg *Rozmaitości* w „Niedzieli" z 19 stycznia 1997).

Coraz częstsze są wystąpienia antyreligijne, przekraczające wszystkie granice absurdu. Na przykład po obchodach Święta Niepodległości w Łodzi w 1994 roku łódzki radny z listy SLD, Jacek Matuszewski złożył do prokuratury doniesienia na Społeczny Komitet Obchodów Święta Niepodległości, że ten ograniczył jakoby prawa mieszkańców miasta. Przestępstwo to polegało – zdaniem radnego, skądinąd profesora prawa (!), na ustaleniu jako jednego z punktów obchodów uroczystej Mszy Św. Radny zarzucał, że oznaczało to narzucenie wyznaniowego charakteru organizowanym uroczystościom, i w związku z tym ograniczało prawa obywatela ze względu na jego światopogląd.

Panujący model „tolerancji" dla wulgarnych bluźnierstw i drwin z wszystkiego, co najświętsze, zapewnia maksymalną bezkarność dla autorów „utworów" profanujących pieśni eucharystyczne (*vide:* osławiony tekst zespołu „Piersi"). Inny zespół młodzieżowy, „Apteka" podśpiewywał: *Jezus Chrystus nie jest w modzie, chyba diabeł jest na fali, my pijemy, tu browary, Hary Kriszna, Hary, Hary!* w tekście *Jezuu*, 1992 (por. K. Kaczmarczyk, L. Kowalska: *Młodzieżowe bluźnierstwa*, „Życie Warszawy" z 9 grudnia 1992 r.). W Katowicach młodociani chuligani antyreligijni zwoływali na „antyfaszystowską" zadymę plakatami wyobrażającymi modelowych nazistów – pod rękę esesmana z księdzem. W marcu 1995 we Wrocławiu doszło do manifestacji młodych „antyfaszystów w ramach tzw. Akcji Antyklerykalnej. Kolportowano odezwy nawołujące do mordowania księży (por. tekst W. Kamienieckiego: *Więcej prezerwatyw czyli postęp we Wrocławiu*, „Najwyższy Czas" z 1 kwietnia 1995 r.). Na czele manifestacji, idącej pod pałac biskupi, stanął młodzieniec przebrany za biskupa w mitrze z brystolu i autentycznej stule, najprawdopodobniej skradzionej z konfesjonału.

Nadmierna tolerancja rodzi coraz większe ekscesy, Widząc bezkarność bluźnierców z telewizji i prasy coraz więcej młodych rozwydrzonych nihilistów pozwala sobie w praktyce na najgorsze bluźnierstwa i czynne napaści na księży i świątynie. Pojawiają się napisy „księża na księżyc", „katolicy do kostnicy". W Ostródzie grupa młodych podpaliła grób Chrystusa i darła Pismo Święte. W Legnicy inni młodzi ludzie potłukli organy kościelne i rozszarpali atrybuty liturgiczne. W Żyrardowie zdewastowano tabernakulum i podeptano święte Hostie. W Poznaniu grupa dziewcząt urządziła sobie libację w kaplicy Wieczystej Adoracji poznańskiej fary, po czym wypiwszy przyniesione wino, potraktowały kaplicę jak ubikację (wg „Nowy Świat" z 3 kwietnia 1992). Na warszawskich słupach ogłoszeniowych pojawiły w 1994 roku plakaty informujące o koncercie zespołu „Jezus Chytrus". Jakiś warszawiak pozwolił sobie na nazwanie swego psa imieniem Chrystusa i tak przywoływał go na spacerach (wg „Najwyższy Czas" z 1 października 1994). I społeczeństwo polskie spokojnie znosi tego typu naigrawanie. I wszystko to jest tolerowane! Znamienne jest, że kiedy dochodziło do publicznej próby wystąpienia przeciw winnym bluźnierstw, tak jak to zrobiła grupa posłów ZChN w związku z obrażającą uczucia religijne piosenką zespołu „Piersi", to natychmiast organizowano wielką akcję wsparcia bluźnierców w kraju i za granicą. W obronie bluźnierczego zespołu „Piersi" wystąpiły między innymi nowojorskie organizacje „Helsinki Watch" i „Fundusz Wolnego Słowa". Warto więc w tym kontekście przypomnieć słowa z artykułu: *A jednak bluźnierstwo* („Przegląd Katolicki" z 17 stycznia 1993): *Co by się stało, gdyby sprofanowano modlitwę żydowską? Gdyby któryś z zespołów napisał piosenkę na melodię religijnej pieśni żydowskiej, parafrazując np. modlitwę Szema Izrael, już widzę artykuły o typowym polskim antysemityzmie.*

Dlaczego w opanowanych przez „czerwonych" i „różowych" mediach tak rzadko pisze się o przejawach ohydnych świętokradztw, dewastowania świątyń i cmentarzy katolickich? Czy dlatego, że ludzie z tych mediów chcą usilnie przekształcić katolicką większość narodu w nie mającą nic do powiedzenia, zahukaną i zakompleksioną mniejszość?

Kto podpala kościoły?

Jakie są skutki tej antykościelnej i antyreligijnej kampanii nienawiści w praktyce, wiadomo. Pisali o tym we wstrząsających tekstach na łamach „Tygodnika Solidarność" Michał Mońko (*Ogniem i słowem*, 1994, nr 52–53) i Katarzyna Klukowska (*Nieznani sprawcy*, nr z 28 lipca 1995). Przypomnijmy tylko kilka wstrząsających danych. Od 1991 roku do pierwszego kwartału 1995 roku dokonano 84 napadów rabunkowych na plebanie. W latach 1990 – kwiecień 1995 dokonano 3703 kradzieży z włamaniem do obiektów kościelnych.

Coraz większe rozmiary przybiera dewastacja i profanacja cmentarzy katolickich. Oto kilka z drastycznych przykładów tego typu (dane za tekstem A. Gargas: *Podpalają i bezczeszczą*, „Gazeta Polska" z 3 kwietnia 1997). W nocy z 12 na 13 maja 1990 doszło do zdewastowania 187 grobów na cmentarzu w Wejherowie. Sprawcy profanacji zrzucili z postumentu i rozbili 1,5-metrową figurę Chrystusa. 6 lutego 1993 zniszczono około 500 grobów na warszawskim Wawrzyszewie. W kolejne dwie noc 8 i 9 maja 1993 sataniści sprofanowali 136 grobów na zabrzańskich cmentarzach, przewracając pomniki i łamiąc płyty nagrobne, strącając i odwracając do tyłu krzyże na grobach. 25 października 1993 zniszczono 110 grobów we Wrocławiu, niszcząc płyty nagrobne i łamiąc krzyże. W tymże 1993 roku podczas świąt Bożego Narodzenia sataniści urządzili czarną mszę na toruńskim cmentarzu przy ul. Wybickiego. 30 lutego 1994 doszło do zbezczeszczenia 30 grobów na zabytkowym cmentarzu wojskowym w Modlinie, głównie mogił żołnierzy polskich z lat 1920 i 1939. W 1996 roku doszło do 861 profanacji cmentarzy, w przeważającej większości cmentarzy katolickich.

Dodajmy do tego niektóre tylko przykłady celowych podpaleń kościołów z długiej, jakże długiej, listy przypadków tego typu. W czerwcu 1992 spłonął na skutek podpalenia kościół w Niedźwiedziu pod Gorcami, zbudowany w XVII wieku. W październiku 1992 w wyniku podpalenia spłonął zabytkowy kościół w Łękawicy Żywieckiej z 1536 roku. W styczniu 1994 roku podpalono najstarszą świątynię na Górnym Śląsku – ponad 500-letni drewniany kościół w Łączy koło Gliwic. W lipcu 1994 roku anarchiści z Frontu Antyreligijnego podpalili zabytkowy kościółek w Motyczu. W tymże 1994 roku, zaledwie na trzy dni przed świętami Bożego Narodzenia, podpalono przy pomocy butelki z denaturatem kaplicę papieską na Turbaczu, zbudowaną dla uczczenia pierwszej wizyty Ojca Św. na Podhalu. W sierpniu 1995 spłonął na skutek podpalenia XVII-wieczny kościół w Gronowicach w woj. opolskim. W maju 1996 spłonął – prawdopodobnie na skutek podpalenia kościół w Księżomierzu z 1430 roku, słynący z otaczanego kultem obrazu Matki Boskiej Księżomierskiej (powyższe dane podaję za tekstem A. Gargas: *Podpalają i bezczeszczą*, „Gazeta Polska" z 3 kwietnia 1997).

Tylko na Ziemi Lubuskiej w ciągu ostatnich dwóch lat doszczętnie spłonęło pięć zabytkowych, drewnianych kościołów. Stwierdzono kilkanaście prób podpaleń i ataków na obiekty sakralne (por. M. Kulera: *Kościoły w ogniu*, „Express Wieczorny", 9 czerwca 1997). Między innymi w Wielki Piątek 1995 roku doszczętnie spłonął kościół pod wezwaniem Podwyższenia Krzyża Świętego w Szlichtyngowej (gmina Wschowa), zbudowany w 1653 roku. W lutym tego roku spłonął zbudowany w XVI wieku drewniany kościół pod wezwaniem Św. Trójcy w Tuchorzy (gmina Wolsztyn). Spłonęły tam między innymi zabytkowy tryptyk z XVI wieku, i ambona z tegoż stulecia. W kościele Najświętszego Zbawiciela w Zielonej Górze, w ciągu 9 miesięcy września 1996 do czerwca 1997 podkładano ogień pięciokrotnie, przy tym cztery razy podpalano drewniany tryptyk w bocznej nawie kościoła. Mirosław Kuleba, opisujący w bardzo udokumentowanym tekście serię podpaleń kościołów na Ziemi Lubuskiej, wyrażał jednoznaczne przekonanie, że kościoły płoną z powodu świadomych podpaleń, a nie w rezultacie niesprawności instalacji elektrycznej, etc. Na przykład w przypadku spalenia XVI-wiecznego kościoła w Tuchorzy w momencie pożaru w nocy z piątku na sobotę były wyłączone wszystkie urządzenia elektryczne, a instalacja odcięta przez zabezpieczenie główne, zawsze wyłączane przez kościelnego. Znamienne jest to, co podkreślał Mirosław Kuleba: *Nie trudno spostrzec, że okoliczności powstawania pożarów są niemal identyczne. Kościoły płoną zawsze w nocy. Zwykle jest to sobotnia noc. Pożar zaczyna się w drewnianej wieży, do której najłatwiej się dostać i która najczęściej nie posiada żadnej instalacji elektrycznej* (por. M. Kuleba: *Kościoły w ogniu*, „Express Wieczorny", 9 czerwca 1997).

Rzuca się w oczy „zdumiewający" brak reakcji przeważającej części mediów i przedstawicieli władz RP na tak liczne przejawy podpaleń czy profanowań kościołów katolickich. Jakże kontrastuje to tak wymowne „milczenie" z całą falą oficjalnych protestów, jaka nastąpiła po próbie podpalenia drzwi synagogi w Warszawie, w marcu 1997. Natychmiast zaprotestowali liczni inni wpływowi politycy i intelektualiści. Sprawa nabrała rozgłosu międzynarodowego, podczas gdy o tak licznych podpaleniach kościołów katolickich w Polsce jakoś dziwnie nikt nie informował zagranicy. Warto przytoczyć w tym kontekście uwagi ks. Marka Starowieyskiego, profesora Wyższego Seminarium Duchownego w Warszawie, historyka kościoła i publicysty, publikowane w „Rzeczpospolitej" z 15–17 marca 1997: *bezkarne znieważanie kościołów i Najświętszego Sakramentu, pożary obiektów sakralnych, nie tylko katolickich (prawosławna Grabarka czy warszawska synagoga), dewastacja cmentarzy i niszczenie krzyży zaczyna stawać się częścią składową codziennego życia w Polsce.*

Może właśnie podpalenie warszawskiej synagogi stanie się punktem zwrotnym dla poważnego traktowania praw ludzi wierzących w Polsce. Protestował prezydent, wyrazy oburzenia okazali przedstawiciele elit rządowych, ambasadorowie. Czy jednak zobaczymy tych ludzi i usłyszymy te same potępienia, gdy spłonie następny kościół, gdy zostaną bluźnierczo rozsypane hostie po kościele lub potrzaskane krzyże na cmentarzu?

Nadzieje księdza Starowieyskiego okazały się złudne. Prezydent Kwaśniewski i postkomunistyczne elity rządowe dalej zachowywały wymowne milczenie, gdy chodziło „tylko" o podpalenie i dewastację kościołów i cmentarzy katolickich. A było ich niemało w czasie, jaki upłynął od próby podpalenia drzwi synagogi warszawskiej. Już w kilka tygodni potem doszło do podpalenia zabytkowego XVI-wiecznego kościoła w Łagowcu, w województwie poznańskim. Kościół spłonął doszczętnie, spłonął cenny stary ołtarz barokowy i dwa zabytkowe obrazy. Tym razem prezydent RP milczał jak grób; podobnie inni przedstawiciele kół rządzących i intelektualiści, niemal całkowicie milczały media. Podobnie jak w przypadku następnych profanacji i podpaleń – by wymienić tylko parę, z jakże niestety licznych przykładów.

Na początku czerwca 1997 nieznani wandale zbezcześcili i okradli kościół w Będzinie koło Katowic, poświęcony pamięci Polaków wywiezionych do Związku Sowieckiego w czasie drugiej wojny światowej. Kościół nazywany jest Golgotą Wschodu – jego proboszcz, ksiądz Stefan Gibała, od lat gromadzi pamiątki związane z Polakami wywiezionymi i zaginionymi na Wschodzie. Nieznani napastnicy wyważyli drzwi, wyrzucili z zakrystii szaty liturgiczne i rozrzucili hostie po podłodze. Pogięli również krzyże na naczyniach liturgicznych. Zdaniem proboszcza Gibały włamanie miało na celu wyłącznie profanację świątyni (por. *Kościół sprofanowany*, „Życie" z 4 czerwca 1997).

W nocy z 29 na 30 lipca 1997 dokonano profanacji Najświętszego Sakramentu w kaplicy Przemienienia Pańskiego w Szczecinie–Załomiu. Sprawcy profanacji wyrwali ze ściany tabernakulum z Najwyższym Sakramentem, otworzyli puszkę z komunikatami i rozsypali konsekrowane hostie (por. *Znowu profanacja*, „Życie" z 31 lipca 1997).

Za suchymi faktami o aktach profanacji i dewastacji kościołów katolickich kryje się prawda o wyjątkowym zwyrodnieniu niszczycieli. Na przykład młodociani podpalacze zabytkowego kościoła w Motyczu wypisali na ścianach podpalonej świątyni: *Jeśli wierzycie w tamten świat, chrześcijańskie świnie, to wynoście się z tego świata.* Ciągle dowiadujemy się o wyjątkowym okrucieństwie przestępców napadających na księży.

Ta zaciekła nienawiść, bezwzględność wobec napalanych księży nie są wcale przypadkowe. Jak powiedział biskup Roman Andrzejewski w kazaniu wygłoszonym w czasie pogrzebu księdza Zbigniewa Durczyńskiego, zamordowanego w 1992 roku: *Włączone radio nadawało przegląd prasy. Odczułem, jak sączy się stamtąd nienawiść, ile pieniędzy ma Kościół, ile zarabiają księża? (...) Żadnej wzmianki o wychowawczej pracy kapłanów, szkolnej i pozaszkolnej, o dyżurach w konfesjonałach, o pracy podejmowanej bez oglądania się na wynagrodzenie. Z upodobaniem kontynuowane są przez niektóre kręgi ataki na Kościół, dobrze nam znane z minionej epoki. Chyba ci ludzie i serca wykształcili w wysokiej szkole oszustwa, bo tak zręcznie mieszają prawdę i kłamstwo (...) Napastnikom zapewniona jest bezkarność. Przykłady idą z góry.*

Według artykułu Katarzyny Klukowskiej *Nieznani sprawcy* („Tygodnik Solidarność" z 26 lipca 1995) tylko w ciągu pięciu lat, do 1995 roku, w Polsce zamordowano dziesięciu księży, trzy gosposie i dwie przypadkowo przebywające na plebani kobiety. Statystyka ta nie uwzględniała 1989 roku – tragicznego roku śmierci księży Niedzielaka, Suchowolca i Zycha. Autorka wskazywała również na tak znamienny fakt – nie zrobiono nic dla wykrycia sprawców morderstw na księdzu Stefanie Niedzielaku (w czasie II wojny światowej kapelana Armii Krajowej, a później kapelana WiN, opiekuna rodzin pomordowanych w Katyniu i poległych na Wschodzie), księdza Stanisława Suchowolca (przez wielu uważanego za duchowego spadkobiercę księdza Jerzego Popiełuszki) i księdza Sylwestra Zycha (uwięzionego w stanie wojennym).

Wiele dającą do myślenia sprawą była historia swoistej „czarnej serii" napadów na plebanie w diecezji sandomierskiej w 1995 roku. W ciągu kilku miesięcy, do października 1995 doszło do 9 napadów tego typu, połączonych czasem z pobiciem księdza, m.in. w Biskupicach, Denkowie, Hucie Józefów i Mychowie. Napadnięci księża traktowali te akty agresji jako formę zastraszenia i terroru, tym bardziej, że powtarzał się ten sam scenariusz napaści. Jak opisywano w „Życiu Warszawy" z 9 października 1995: *Agresorzy bardzo często stosują brutalną przemoc, przypiekają księży, wbijają im szpilki w kolana. Jednemu wstrzyknięto substancję niewiadomego pochodzenia.* Szczególnie podejrzany był fakt nagłej śmierci w areszcie jednego z napastnika złapanego na gorącym uczynku. Tak więc nagle zmarł niewygodny świadek, który mógł sypać swych kompanów i mocodawców. Rzecz znamienna, gdy w prasie katolickiej podniesiono głos w tej sprawie, i gdy zgłoszona została na ten temat interpelacja w Sejmie, napady na plebanie w diecezji sandomierskiej nagle ustały. „Rabusie" zlękli się interpelacji?

Przeważająca część najbardziej wpływowych mediów w Polsce jak zwykle milczała w sprawie brutalnych napaści na księży w diecezji sandomierskiej. Wszak napadano i torturowano tylko księży i katolicki publicysta Zdzisław Bradel komentując „dziwne milczenie" „Gazety Wyborczej" i „Trybuny" w tej sprawie, zapytywał: *Czyżby więc chodziło o zmowę milczenia, której wymowa stawia pod znakiem zapytania deklarowaną przez różowoczerwone ośrodki obronę wszystkich prześladowanych? A może milczy się w tej sprawie, bo ksiądz ma funkcjonować w naszej świadomości wyłącznie jako symbol polskiego i katolickiego ciemnogrodu? Może też trzeba nasze duchowieństwo tak zastraszyć, aby raz na zawsze odechciało mu się występować w obronie zgnębionego narodu?* (Z. Bradel: *Pobić księdza*, „Głos" z 30 października 1995).

Nasuwa się wciąż pytanie, kim są ludzie dokonujący licznych podpaleń świątyń katolickich czy inicjujący czynne napaści na duchownych katolickich? W jakim stopniu robią to adepci starej PRL-owskiej szkoły nienawiści do Kościoła katolickiego, rozzuchwaleni poczuciem bezkarności za zbrodnie na duchownych popełnione w czasie PRL-u. Przypomnijmy, że przez siedem ostatnich lat nie zrobiono niczego dla wykrycia „nieznanych sprawców trzech zabójstw księży w 1989 roku: ks., ks. Niedzielaka, Suchowolca i Zycha, tak nielubianych w komunistycznych kręgach władzy. Nie zrobiono również niczego dla pełnego wyświetlenia różnych poprzednich antykościelnych przestępstw i zbrodni. Profanacjom i dewastacjom sprzyja wspomniany już wcześniej klimat niebywałej „tolerancji" wobec różnych bluźnierczych wystąpień, między innymi grup satanistów.

Nadwiślański satanizm

Już w połowie lat osiemdziesiątych doszło w Polsce do pierwszych przejawów manifestowania symbolistyki satanistycznej w Polsce. Podczas festiwalu w Jarocinie wokalista katowickiego „Kata" był wnoszony na scenę w trumnie, śpiewał pieśni o szatanie i spluwał do mikrofonu czerwoną farbą. Wokalista „Kata" Roman Kostrzewski wystąpił w wywiadzie dla miesięcznika „Brum" z lutego 1985 ze swoistym manifestem antychrześcijańskim, głosząc wręcz: *Uważam, że przeciwstawianie się chrześcijaństwu jest właściwą postawą* (cyt. za R. Leszczyński: *Dziś prawdziwych szatanów już nie ma*, „Gazeta Wyborcza", 11 grudnia 1996). Podczas festiwalu w Jarocinie doszło do publicznego złamania krzyża na scenie przez „Test Fobii Kreon", a grupa wandali zbezcześciła miejscowy cmentarz (por. tamże).

Dziś satanizm ma coraz aktywniejszych propagatorów, zarówno w występach niektórych zespołów młodzieżowych z Polski, jak i w importowanych z zagranicy kasetach zachodnich satanistów, czy na łamach niektórych mediów i wydawnictw. Na przykład wydawnictwo Książki Niezwykłej „Mania" opublikowało *Biblię Szatana* Antona La Veya, zwanego „czarnym papieżem", swego rodzaju podręcznik dla satanistów. Znajdują się w nim między innymi instrukcje zalecające, jak złożyć ofiarę z człowieka! La Vey zalecał co prawda, aby ograniczyć się do złożenia ofiary „symbolicznie", przy użyciu „klątwy lub przekleństwa", tak aby doprowadzić do *fizycznego, psychicznego lub emocjonalnego zniszczenia ofiary, lecz w taki sposób, że nie można tego przypisać magowi* (wg R. Gołaś: *Wiedza tajemna z krainy Gutenberga*, „Życie", 1 lipca 1997). Biblię La Veya rozprowadzano między innymi w punkcie księgarskim w urzędzie wojewódzkim we Wrocławiu. Czyżby i tam zdobyli przyczółek sataniści?

Niektórzy co aktywniejsi sataniści sami zabierają się do praktyk, o których naczytali się w różnego typu wydawnictwach. I tak na przykład jesienią 1996 roku w Białej Podlaskiej sataniści sprofanowali groby na miejscowym cmentarzu. Odkopanym zwłokom ucięli głowy i wrzucili je do mrowiska, aby mrówki „oczyściły kości" (por. „Życie" z 4 lipca 1997).

Ułatwienia dla sekt

Swoistą zagadką polskiego ustawodawstwa stały się niezwykłe ułatwienia w tworzeniu sekt i ich rejestrowaniu jako związków wyznaniowych. W Polsce do rejestracji jako wyznania wystarczą podpisy zaledwie 15 wyznawców i prawidłowo zredagowany statut. Przypomnijmy, że na przykład w Czechach do zarejestrowania wyznania trzeba podpisów 10 tysięcy osób to popierających, w Szwecji potrzeba poparcia trzech tysięcy osób. Zarejestrowanie wyznania stwarza różne przywileje podatkowe, etc. Skąd więc taki liberalizm polskich władz wobec sekt? Czy dlatego, że widziano tu szansę osłabiania wpływów Kościoła katolickiego za wszelką cenę, choćby za cenę upowszechniania różnych niebezpiecznych praktyk stosowanych na co dzień w działalności wielu sekt w Polsce. By przytoczyć na przykład za reportażem z „Życia" z czerwca 1997 podaną tam na podstawie relacji rozmówców długą listę wykroczeń i przestępstw popełnionych w sekcie „Niebo":

– *ciężki rozstrój zdrowia fizycznego i psychicznego dzieci i dorosłych;*
– *stosowanie środków otępiających;*
– *przetrzymywanie dzieci (w tym nieletnich uciekinierów z domu);*
– *nierejestrowanie narodzin dzieci;*
– *niemeldowanie dzieci;*
– *nieszczepienie dzieci;*
– *uniemożliwianie chorym korzystania z pomocy lekarskiej,*
– *niepoddawanie dzieci obowiązkowi chodzenia do szkoły;*
– *współżycie dorosłych z nieletnimi;*
– *wykorzystywanie seksualne kobiet (tzw. wolna miłość);*
– *ukrywanie młodych mężczyzn przed wojskiem;*
– *przestępstwa podatkowe;*
– *kradzieże* (por. A. Kacperska, A. Musiałówna: *Piekło w „Niebie"*, „Życie" z 20 czerwca 1997).

W licznych krajach świata obserwuje się wzrost poczucia zagrożenia dla społeczeństwa z powodu działalności licznych sekt, zwłaszcza jakże częstych praktyk zmierzających do uzależniania pacjentów od swojej terapii i do wyłudzania gigantycznych pieniędzy. Oskarżenia te są na przykład powszechnie kierowane przeciwko sekcie scjentologów. Sąd w Atenach nakazał rozwiązanie greckich gałęzi Kościoła Scjentologicznego. Procesy przeciwko scjentologom odbyły się we Włoszech i we Francji. Ministrowie spraw wewnętrznych wszystkich landów w Niemczech podjęli decyzję o umieszczeniu sekty „Kościół Scjentologiczny" pod stałą obserwację Federalnego Urzędu Ochrony Konstytucji – niemieckiego kontrwywiadu (por. „Życie" z 9 czerwca 1997). Ministrowie spraw wewnętrznych i szef bońskiego MSW Manfred Kanther zgodnie uznali, że działalność sekty daje dość dowodów na to, żeby ją zakwalifikować jako „wrogą konstytucji" i porządkowi państwa. W ocenie specjalistów sekta ta stworzyła organizację ukierunkowaną na absolutną kontrolę swoich członków.

W Polsce natomiast władze starają się maksymalnie zbagatelizować zagrożenia ze strony sekt. Podczas gdy jeszcze w 1995 roku były one omawiane w osobnym rozdziale raportu Biura Bezpieczeństwa Narodowego, to w 1997 działalność sekt pominięto w raporcie BBN.

W licznych sektach stosowane są praktyki „prania mózgu", zmierzające do zupełnego zerwania więzi emocjonalnych z rodziną i przyjaciółmi w imię kłamstwa o zbawieniu możliwym tylko dzięki życiu w sekcie. Ksiądz z Elbląga opisywał zachowanie dzieci, które wróciły z kolonii językowej organizowanej przez Stowarzyszenie „Strumień Świadomości". Jedyne, co wszystkie one zgodnie powtarzały, to „nienawidzę rodziców" (tamże).

Do szczególnie groźnych sekt, działających dziś w Polsce, należy osławiony Kościół Zjednoczeniowy, czyli sekta Moona. Już w 1984 roku został on uznany za organizację parareligijną, mogącą przyczynić się do zagrożenia ładu i porządku społecznego. Członków sekty obwiniano o uczestnictwo w przemycie i handlu narkotykami. Przywódca sekty Sun Myung Moon figuruje na czarnych listach państw europejskich jako podejrzany o handel narkotykami – rządy Francji, Niemiec i Wielkiej Brytanii wydały mu zakaz wjazdu do krajów (dane wg tekstu ówczesnego posła na Sejm R. Nowaka: *Dziś zażądam delegalizacji sekty Moona*, „Gazeta Wyborcza", 4 grudnia 1996). Wszystkie te fakty nie przeszkodziły w zarejestrowaniu sekty Moona w Polsce 12 stycznia 1990 pod nazwą Kościoła Zjednoczenia. Od tego czasu mnożą się informacje o dokonywanym przez sektę „praniu mózgu" różnych młodych, nieukształtowanych osób, wywożeniu ich z Polski i zmuszaniu do niewolniczej pracy na rzecz sekty (tamże). Mimo to dyrektor generalny BBN Maciej Fleming stwierdził w 1997 roku, że *sekty nie są zagrożeniem dla państwa. Ze strony niektórych grup może dochodzić do jakichś drobniejszych incydentów. Chcę jednak zauważyć, że są zagrożenia dużo istotniejsze, jak na przykład kilka tysięcy osób, które rocznie giną na drogach* (por. „Życie" z 18–

-19 stycznia 1997). *Osobom, które twierdzą, że sekty religijne nie są niebezpieczne, życzę, aby ich dzieci wpadły w sidła sekciarzy* – powiedział poseł Ryszard Nowak, od lat wskazujący na rozmiary zagrożeń, powodowanych przez sekty (wg „Życia" z 18–19 stycznia 1997).

Dziwne pomieszanie pojęć

Na tle rozlicznych faktów dowodzących świadomego, cynicznego prowadzenia zimnej wojny antykościelnej i antyreligijnej w Polsce, tym bardziej zaskakują wciąż ponawiane próby zamazywania ostrości istniejącej sytuacji, minimalizowania zagrożeń dla religii i Kościoła. Częstokroć z całym cynizmem próbuje się zrzucać na obrońców Kościoła winę za to, że się w ogóle bronią. Bo najlepiej, żeby byli zupełnie bezbronni, jak z uporem sugeruje publicysta „Gazety Wyborczej" Roman Graczyk (por. uwagi ks. Wojciecha Góralskiego: *Romana Graczyka koncepcja ludzkiej bezbronności Kościoła*, „Niedziela" z 18 stycznia 1995). W jednym z najskrajniejszych przykładów zamazywania faktycznie istniejących podziałów – artykule ks. Jana Kracika: *Wrogowie Kościoła* („Tygodnik Powszechny" z 30 lipca 1995) można było przeczytać przedziwne stwierdzenie: *Zdecydowana większość chrześcijan to zarazem – raz bardziej, raz mniej – przyjaciele i wrogowie Kościoła.* Bardziej zamącającego sprawy twierdzenia nie można było w ogóle wymyśleć. Fakty mówią coś wręcz przeciwnego. Zdecydowana większość chrześcijan jest przyjaciółmi Kościoła, a wrogowie Kościoła, których nie brakuje, wywodzą się z różnych grup ateistycznych byłych towarzyszy partyjnych (obecnych „czerwonych" i „różowych"), którzy, choć wyrzekli się dawnych form komunizmu, nie wyrzekli się walki z Kościołem i religią.

W Polsce wciąż z niebywałą pobłażliwością toleruje się akty fanatyzmu antyreligijnego i antykościelnego, które wywołałyby gwałtowne protesty i przeciwdziałania w najbardziej nawet „liberalnych" krajach Zachodu. Nie mówię tu niczego gołosłownie. W „ultraliberalnych" Stanach Zjednoczonych piosenkarka Sinead O'Connor, która podarła „na wizji" fotografię Jana Pawła II, spotkała się z powszechnym bojkotem. Nikt nie wystąpił w jej obronie; organizatorzy koncertu publicznie przeprosili widownię za nieodpowiedzialność piosenkarki. Po pewnym czasie i sama O'Connor wybąkała słowa przeprosin, a nawet założyła koszulkę z portretem Jana Pawła II. U nas w katolickim tygodniku – „Tygodniku Powszechnym", Jerzy Wertenstein-Żuławski napisał w numerze z 14 marca 1993, że piosenkarka O'Connor, która podarła przed kamerą wizerunek Ojca Świętego, jest i tak moralnie lepsza od rozwydrzonej Madonny. Pytanie – czy ma jakikolwiek sens tego typu stopniowanie zła?!

Niestety, właśnie w „Tygodniku Powszechnym" zbyt często po prostu powielano po 1989 roku różne „argumenty" „Gazety Wyborczej". Często słyszy się opinię, że w ramach współpracy lewicy katolickiej (czy katolewicy), skupionej wokół „Tygodnika Powszechnego" ze środowiskiem dawnej opozycji laickiej skupionej wokół „Gazety Wyborczej" doszło do tego, że „Tygodnik Powszechny" stał się swego rodzaju dodatkiem do „Gazety Wyborczej". Sam były premier Tadeusz Mazowiecki apelował w wywiadzie na łamach „Tygodnika Powszechnego" z 2 kwietnia 1995, iż „Tygodnik Powszechny" nie powinien za bardzo ulegać „Gazecie Wyborczej". Szczególnie widoczne stało się maksymalne wykorzystanie łam „Tygodnika Powszechnego" po czerwcu 1989 do prób obciążenia rzekomego Kościoła „zamkniętego", „triumfalizmu" Kościoła winą za wszystkie konflikty z lewicą laicką. Ta wyraźna tendencyjność ocen na niekorzyść Kościoła spotkała się z jednoznaczną krytyką ze strony Ojca Świętego w liście do redaktora naczelnego „Tygodnika Powszechnego" z 5 kwietnia 1995, notabene opublikowanego na łamach tygodnika z ponad miesięcznym opóźnieniem! (15 maja 1995). Jak pisał Ojciec Święty: *Odzyskanie wolności zbiegło się paradoksalnie ze wzmożonym atakiem sił lewicy laickiej i ugrupowań liberalnych na Kościół, na Episkopat, a także na Papieża (...) Chodziło o to, aby zatrzeć w pamięci społeczeństwa to, czym Kościół był w życiu Narodu na przestrzeni minionych lat. Mnożyły się oskarżenia czy pomówienia o klerykalizm, o rzekomą chęć rządzenia Polską ze strony Kościoła, czy też o hamowanie emancypacji politycznej polskiego społeczeństwa. Pan daruje, jeżeli powiem, iż oddziaływanie tych wpływów odczuwało się jakoś także i w „Tygodniku Powszechnym". W tym trudnym momencie Kościół w „Tygodniku" nie znalazł, niestety, takiego wsparcia i obrony, jakiego miał poniekąd prawo oczekiwać; nie czuł się dość miłowany – jak kiedyś powiedziałem.*

Gdy opadają faryzejskie maski

Jak pokazałem w tym rozdziale, panorama działań przeciwników Kościoła jest ogromnie rozległa, choć i tak przedstawione tu fakty dotykają tylko cząstki ich działań. Nie wymieniłem tu jakże licznych, zajadłych przeciwników Kościoła od różnych polityków i posłów z SLD po Szczypiorskiego i Małachowskiego, nie wspominając nawet o takich przejawach walki z Kościołem jak masoneria (zagrożenia z jej strony są tematem licznych odrębnych opracowań książkowych). Myślę jednak, że i te przykłady, które tu podałem, wystarczą dla uprzytomnienia jak bezwzględna i systematyczna zarazem jest wojna z Kościołem prowadzona przez różnych „czerwonych" i „różowych" wychowanków PZPR-owskich szkół nienawiści. Na tym tle tym dziwniejsze wydaje się postępowanie tych osób, które mienią się katolikami, a równocześnie usilnie zaprzeczają, jakoby istniały jakieś zewnętrzne zagrożenia dla wiary i Kościoła. Tych, do których nie dotarły nawet pełne bólu ostrzeżenia ze strony wielkiego Papieża–Polaka, wypowiedziane w czasie Pielgrzymki w Skoczowie. Jest dziś wielki czas próby, sprawdzania charakterów, a zarazem opadania faryzejskich masek. Ludzie letni na zagrożenia dla Kościoła, wiary i narodu, sami się demaskują, tracąc w przyspieszonym tempie resztki wiarygodności. W Kościele katolickim w Polsce coraz bardziej nasilają się postawy na rzecz zdecydowanego, bezkompromisowego występowania w obronie zagrożonych wartości, postawy, które w tak wzruszający sposób są wyrażane w tysiącach rozmów prowadzonych na falach Radia Maryja pod egidą nieocenionego Ojca Rydzyka. I zgodnie z Jego słowami – dzięki takim właśnie postawom jest szansa, że wreszcie „pójdziemy do przodu". Polacy muszą się wreszcie doczekać pełnego zwycięstwa wartości, które wydarto z rąk Narodu dzięki magdalenkowej zdradzie elit.

Najwyższy czas, by skończyć z pobłażaniem dla zła, z wybiórczą tolerancją, to jest tolerancją dla kłamstwa i podłości. Z propagowanym z taką werwą po czerwcu 1989 roku specyficznym typem wolności, określonym przez księdza arcybiskupa Ignacego Tokarczuka słowami: *Wolność nie dla prawdy, nie dla dobra, ale wolność dla siedmiu grzechów głównych.* Kościół nie może być bezbronny, Kościół nie może milczeć. By przypomnieć tu słowa rektora KUL-u ks. prof. dra hab. Stanisława Wielgusa z przesłania opublikowanego w „Słowie – Dzienniku Katolickim" z 21 grudnia 1994: *prawda Chrystusowa jest często bolesną dla słuchającego i niebezpieczną dla głoszą-*

cego (...) głoszona przez Papieża i Kościół katolicki wywołuje gwałtowną reakcję. Wywołuje obelgi i posądzenia o nietolerancję, Ciemnogród, zacofanie i burzenie dobrego samopoczucia współczesnego człowieka. Kościół tymczasem nie może milczeć. „Nie bądźmy jak nieme psy, nie bądźmy milczącymi gapiami, najemnikami uciekającymi przed wilkiem, ale pasterzami gorliwymi, odważnymi, gotowymi zawsze stanąć w obronie powierzonych owiec", pisał przed wiekami do swoich kapłanów św. Bonifacy. Pisał tak, bo dobrze wiedział, że Kościół powołany jest do głoszenia i obrony prawd.